McGraw Hill Education

Sunyo Translation Series in Accounting Classics

FINANCIAL ACCOUNTING

Sixth Edition

Robert Libby Patricia A. Libby Daniel G. Short

三友会计名著译丛

"十二五"国家重点图书出版规划项目

财务会计学

（第六版）

（美）罗伯特·莉比 帕特里夏·A.莉比 丹尼尔·G.肖特 ◉ 著

陈艳 耿玮 刘颖 祁渊 ◉ 译

东北财经大学出版社
Dongbei University of Finance & Economics Press

大连

图书在版编目（CIP）数据

财务会计学（第六版）/（美）莉比（Libby，R.），（美）莉比（Libby，P. A.），（美）肖特（Short，D. G.）著；陈艳等译．—大连：东北财经大学出版社，2011. 11
（三友会计名著译丛）
书名原文：Financial Accounting（6e）
ISBN 978 - 7 - 5654 - 0482 - 5

Ⅰ. 财… Ⅱ. ①莉… ②莉… ③肖… ④陈… Ⅲ. 财务会计 Ⅳ. F234. 4

中国版本图书馆 CIP 数据核字（2011）第 149546 号

Robert Libby, Patricia A. Libby, Daniel G. Short: Financial Accounting(6e)
Original ISBN: 0 - 07 - 730033 - 5

辽宁省版权局著作权合同登记号：06 - 2010 - 11 号

东北财经大学出版社出版
（大连市黑石礁尖山街 217 号　邮政编码　116025）
教学支持：（0411）84710309
营 销 部：（0411）84710711
总 编 室：（0411）84710523
网　　址：http：//www. dufep. cn
读者信箱：dufep @ dufe. edu. cn

大连图腾彩色印刷有限公司印刷　　东北财经大学出版社发行

幅面尺寸：185mm×260mm　字数：504 千字　印张：22 1/2　插页：1
2011 年 11 月第 1 版　　2011 年 11 月第 1 次印刷

责任编辑：李　季　吉　扬　王　玲　　责任校对：赵　楠
封面设计：冀贵收　　版式设计：钟福建

ISBN 978 - 7 - 5654 - 0482 - 5
定价：46. 00 元

译者序

作为美国商学院较为公认的、与时俱进的会计学教科书之一，罗伯特·莉比（Robert Libby）等编著的《财务会计学》（第六版）是一部非常值得推荐的教材，它能够一版再版，充分体现了其相当的可读性和较高的学术与应用价值。然而，它的优点远不止于此，更重要的是，作者能够致力于提升财务会计课程的相关性、全面性和真实性，并通过前沿性的科技辅助手段指导和帮助各类学生掌握会计学基本原理与基本技能，增加其互动性。这对于读者开阔视野、增长知识、启迪思维、提高分析和解决问题的能力大有裨益。

与其他同类教材相比，《财务会计学》（第六版）的主要特点具体体现如下：

（1）相关性。教材能够紧密联系现实世界中的经济问题和会计问题，以此强调伦理道德、欺诈与公司治理等方面对会计实践和企业界的重要性。

（2）全面性。本书所涉及的业务涵盖了企业日常所有的主要经营活动，通过分析这些活动对财务报表产生的影响，使读者清楚如何使用会计方法对企业的经营活动进行确认、计量、记录和报告。

（3）真实性。本书的每一章都取材和聚焦于一个真实的公司，这些公司分别来自于制造业、商业、餐饮业、娱乐休闲业等9个不同的行业，作者展示了这些公司相关的财务报告、公司运作和各种传媒的报道，向读者阐述了最广泛的财务会计实务。管理者和会计师都需要理解应该怎样在真实的经济业务中运用财务报表来成功地履行他们的职责，而最好的方法就是在真实的经济环境下学习会计实务。

（4）互动性。本书以话题研究和处理年报案例的Excel模板为特色，通过互动练习和自我测试等几个模块，使学生积极地参与和体会财务会计课程的学习过程，增加了趣味性和生动性。

第一作者罗伯特·莉比，现任康奈尔大学管理学教授，注册会计师。曾在宾夕法尼亚州立大学、芝加哥大学以及密歇根大学任教，曾多次荣获美国会计学会授予的杰出教育工作者、杰出博士生导师等奖项。他是唯一的一位同时获得由美国会计学会授予的研究、教学和杰出贡献三方面最高奖项的学者。他主要从事的研究领域包括经理人财务报告决策和财务分析师职业判断及其影响等。

本书的翻译工作具体分工如下：第1章至第4章由陈艳教授翻译，第5章由祁渊博士翻译，第6章至第8章由耿玮博士翻译，第9章至第11章由刘颖博士翻译。最后，陈艳教授和耿玮博士对全书进行了总纂并定稿。

本书的译者特别感谢东北财经大学出版社，尤其感谢方红星社长（院长）、李季编辑在翻译过程中给予的大力支持与帮助。感谢东北财经大学会计学院会计系刘欣远、赵雷、赵义凯、孙兵、龚曼等多位研究生对本书的初稿翻译工作，并衷心地感谢在翻译工作中参考的大量文献的作者。由于时间紧迫，水平有限，如有译释不妥之处，恳请读者指正。

译　者

2011年7月于东财

目 录

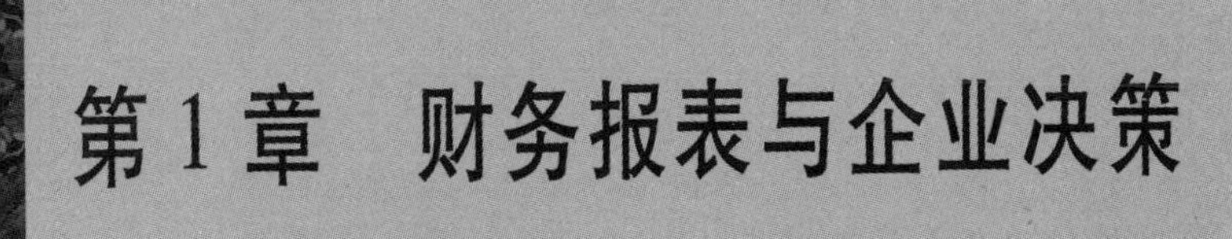

第1章 财务报表与企业决策

学习目标

学完本章，应达到如下目标：

1. 读懂四张基本财务报表的信息，了解不同决策者（投资人、债权人和管理者）如何利用这些信息。
2. 弄清 GAAP 以确定财务报表的内容。
3. 区分管理人员和审计人员在会计信息传递程序中的不同作用。
4. 重视会计职业道德和法律责任的重要性。

聚焦公司：Maxidrive 公司

通过财务报表信息评估买价

今年1月，Exeter 公司以3 300万美元收购了 Maxidrive 公司。Maxidrive 公司是一家制造个人电脑磁盘驱动器的公司，近几年发展迅速。Exeter 公司所支付的价格就是在考虑了 Maxidrive 公司的资产价值、负债情况、产品获利能力以及产生现金偿付流动负债的能力后才作出的决定。这些评估多数是基于 Maxidrive 公司财务报表提供的财务信息作出的。到了7月，Exeter 公司发现 Maxidrive 公司的业务及其财务报表存在一系列问题。最终判定，Maxidrive 公司的价值似乎只值 Exeter 公司对其投资的一半。此外，Maxidrive 公司没有足够的现金来偿还美国银行的债务。为了弥补损失，Exeter 公司对 Maxidrive 公司的原所有者和财务报表相关责任人提起诉讼。

了解公司

参与者

Maxidrive 公司最初由两名工程师创建。由于预测到磁盘驱动器的市场需求将随个人电脑需求的增加而大幅度地增加，他们便从通用数据公司（General Data）辞职，创立 Maxidrive 公司，专门生产磁盘驱动器。他们投入了大部分积蓄，成为 Maxidrive 公司的所有者。与其他新型企业一样，他们还充当了企业的管理者（他们既是所有者，也是管理者）。

很快，创立者发现他们需要追加资金来扩展业务。通过一个亲密朋友的推荐，他们向美国银行申请了贷款；随后，美国银行不断满足公司的资金需求，成为其最大的债主，或者称为债权人。去年年初，Maxidrive 公司的一位创始人罹患重病，再加上激烈的行业竞争带来的经营压力，他们开始为自己的企业寻找买家。今年1月，他们与 Exeter 公司——一个财力雄厚的私人投资机构达成了销售协议。两个创立者均退出企业，一名新经理受雇经营管理公司，他是投资者的代表但却不是所有者。无论是购买了整个 Maxidrive 公司的投资者群体，还是只购买了一小部分股份的个人，都希望能够通过两种方式获得收益：一种是获得公司的现金股利，另一种是以超过购买时的价格出售股票。由 Maxidrive 公司的案例我们可以得知，不是所有公司都会增值或者有足够的现金支付股利，债权人在特定时间内将资金借给公司，是为了获得利息收益。作为Maxidrive公司主要债权人的美国银行认识到，并不是所有的借款人都能够偿还债务。Maxidrive公司筹集更多资金，向债权人偿还现金，收到额外投资，向投资人支付股息，这些活动均称为筹资活动；而对一些项目的买卖，如建造厂房和购买生产磁盘驱动器的设备，则称为投资活动。

企业经营活动

要了解公司的财务报表，我们必须首先了解它的经营活动。如上所述，Maxidrive公司设计和制造个人计算机磁盘驱动器，其主要部件包括信息存储磁盘、驱动装置、磁头以及控制磁盘运行的芯片。Maxidrive公司从其他公司购买磁盘和驱动装置——我们把这些公司称为供应商，而公司本身设计制造磁头和芯片，然后将各零部件组装成磁盘驱动器。Maxidrive公司不直接向公众消费者出售其产品，而是将产品出售给戴尔公司、苹果公司等计算机制造商，这些公司将驱动器安装在计算机内，将组装好的计算机再出售给像Best Buy公司这样的零售商及消费者。于是，Maxidrive公司就成了戴尔公司、苹果公司的供应商。

会计系统

像所有的企业一样，Maxidrive公司有一个收集和加工本企业财务信息并将信息报告给决策者的会计系统。财务报表的使用者包括两部分：一部分是Maxidrive公司的管理人员（通常称为内部决策者）；另一部分是使用会计系统产生信息报告的外部相关者，如Exeter公司和美国银行（通常称为外部决策者）。图表1—1勾画了会计系统的两个部分。由于内部决策者必须对公司日常的经营活动进行规划和管理，所以他们一般要求应具有持续性且足够详细的会计信息。为内部决策者提供的会计信息被称为管理会计。管理会计是一门独立的会计学科。本书将重点介绍向外部决策者提供信息的会计，我们称之为财务会计。四张基本财务报表及相关披露内容都是由这一系统产生的。

以下我们将简要但全面地概述四张基本财务报表所报告的财务信息以及它们的生成和使用情况。通过概述，你能够更详细地了解以后章节所要学习的内容。我们将重点介绍投资者（所有者）在决定购买Maxidrive公司时和债权人（借款人）决定向Maxidrive公司提供贷款时是如何使用财务报表的。随后还将讨论双方的道德和法律责任。

要了解Exeter公司在决策过程中如何使用Maxidrive公司的财务报表并弄清投资者为何被误导，我们首先需要了解像Maxidrive这样的公司，它的四张基本财务报表到底呈现出了什么样的个别信息？与其努力记住这一章中涉及的每个术语的定义，不如集中精力理解报表的总体结构和内容，特别是：

1. 四张基本财务报表都列示了哪些项目（通常称为要素）？（财务报表传递了什么类型的信息，如何获取这些信息？）

2. 这些要素在报表中有什么相关性？（通常各要素之间的关系是以等式的形式反映的。）

3. 为什么每个要素对所有者或债权人的决策都非常重要？（对决策者来说，这些信息有多重要？）

自测题会帮助你评估自己是否达到了这些学习目标。请注意，这一章是概述，本章中讨论的每个概念我们都会在第 2 章至第 5 章再次讨论。

图表 1—1　　会计系统和决策者

本章结构图示

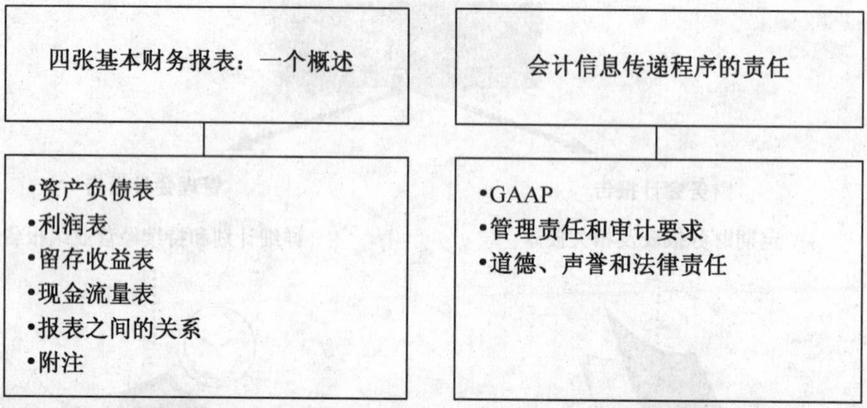

四张基本财务报表：一个概述	会计信息传递程序的责任
•资产负债表 •利润表 •留存收益表 •现金流量表 •报表之间的关系 •附注	•GAAP •管理责任和审计要求 •道德、声誉和法律责任

1.1 四张基本财务报表：一个概述

不论是投资者 Exeter 公司（Maxidrive 公司的新所有者）还是美国银行（Maxidrive 公司最大的债权人），在作出决策之前都要通过财务报表更好地了解 Maxidrive 公司。当然，他们这样做的前提是 Maxidrive 公司的财务报表能够准确地反映其财务状况。然而，报表使用者们很快就意识到，他们使用的报表是存在问题的，并很快进行了起诉。

1. 在资产负债表中，Maxidrive 公司高估了它拥有的经济资源，而低估了应偿付别人的负债。

2. 在利润表中，Maxidrive 公司高估了以高于生产成本和销售费用的价格出售产品的能力和获利能力。

3. 在留存收益表中，Maxidrive 公司夸大了其为公司未来增长而进行再投资所获得的收益金额。

4. 在现金流量表中，Maxidrive 公司高估了其从磁盘驱动器的销售中获得现金收入以偿还债务的能力。

通常，这四张基本财务报表是由营利性组织编制并提供给投资者、债权人等外部决策者使用的。

四张基本财务报表概括了企业的财务活动。它们可以在任何的一个时点（如年末、季末或月末）和任何的一定期间内（如 1 年、1 个季度或 1 个月）进行编制。同大多数公司一样，Maxidrive 公司在每个季末（称为季报）和每年年末（称为年报）编制财务报表供投资者和债权人决策使用。

1.1.1 资产负债表

资产负债表是反映某一个会计主体在某一时间点上的资产、负债和股东权益情况的报表。只阅读报表的表首，我们就可以对资产负债表有一个大致的了解。图表 1—2 是 Maxidrive 公司的前所有者提供的该公司的资产负债表。

1. 报表结构

请注意报表的表首列示了四个极其重要的项目：

（1）主体名称，Maxidrive 公司

（2）报表名称，资产负债表

（3）报表特定日期，2009 年 12 月 31 日

（4）计量单位（千美元）

收集财务数据的经济组织称为会计主体，它必须精确地界定。在资产负债表中，公司主体并不是公司所有者，而被视为拥有其所使用资源的所有者和负债的承担者。每个报表的表首部分明确了其报告的时间维度。资产负债表就好像公司在一个特定时点对其财务状况的快照，本例中是 2009 年 12 月 31 日，资产负债表清楚地注明了这一时点。

财务报告通常以企业所在国家的货币作为记账本位币，美国的公司以美元作为记账本位币，加拿大的公司以加元作为记账本位币，墨西哥的公司以墨西哥比索作为记账本位币。像 Maxidrive 公司这样的中型企业在财务报告中通常采用千美元作为计量单位，也就是说，报表金额的后 3 位数字四舍五入至千位。资产负债表现金项目中列示的数字为 4 895 美元，实际上是 4 895 000 美元。

图表 1—2　　　　**资产负债表**

Maxidrive 公司 资产负债表 2009 年 12 月 31 日 （单位：千美元）		主体名称 报表名称 报表日期 计量单位
资产		
现金	$ 4 895	公司银行账户中的存款
应收账款	5 714	销售形成的应收未收款
存货	8 517	未销售的半成品或产成品
厂房和设备	7 154	厂房和生产设备
土地	981	建造厂房占用的土地
资产总额	$ 27 261	
负债		
应付账款	$ 7 156	购买原材料形成的应付未付款
应付票据	9 000	书面合同形式的负债
负债总额	16 156	
股东权益		
投入资本	2 000	股东投入的资本
留存收益	9 105	尚未分配的前期收益
股东权益总额	11 105	
负债和股东权益总额	$ 27 261	

附注是财务报表必不可少的组成部分。

Maxidrive 公司的资产负债表首先列示了公司的资产。资产是会计主体拥有的经济资源。资产负债表接着列示了负债和股东权益，它们是对公司融资的来源或对公司

经济资源的要求权。从债权人那里取得的融资产生一项负债，从所有者那里取得的融资成为所有者权益。由于 Maxidrive 是一个公司制企业，所以其所有者权益等同于股东权益[①]。因为每个资产必须有对应的资金来源，所以从理论上来说，公司的资产必须与它的负债和股东权益的总和相等。这一基本的会计等式通常被称为资产负债表等式，即：

资产	=	**负债**	+	**股东权益**
经济资源				经济资源的资金来源
(如：现金、存货)				负债：来自于债权人
				股东权益：来自于股东

当我们问及一家公司的财务状况时，会计等式能够对该公司所拥有的经济资源及其融资渠道进行很好的描述。

2. 会计要素

资产是公司所拥有的经济资源。Maxidrive 公司在资产类中列示了五项资产。资产负债表中资产的具体项目取决于公司业务的性质，但这些项目的名称是许多公司通用的。Maxidrive 公司列示的五个项目都是在制造、销售磁盘驱动器过程中使用的经济资源。每一个经济资源都将给公司带来未来收益。为生产磁盘驱动器，Maxidrive 公司首先需要现金来购买土地，然后安装生产设备（厂房和设备），然后开始采购零部件并组装，这样就会导致存货的余额发生变化。当 Maxidrive 公司以赊销方式向戴尔或其他公司销售产品时，会取得购买方的支付承诺，这些销售收入将在以后实现。

资产负债表的每项资产都以最初的取得成本作为初始入账价值。例如，Maxidrive 公司的资产负债表中土地项目列示的金额为 981 000 美元，这是取得土地时所支付的金额。资产负债表一般不列示资产的当前的市价。

负债是公司的债务或义务。Maxidrive 公司的负债下列示了两个项目：（1）应付账款产生于从供应商处赊购的没有正式书面合同（票据）的商品或劳务；（2）应付票据是从借款机构（如银行）那里获取的附有正规书面合同的借款。

股东权益是由所有者投入的资金和企业盈余形成的。所有者向企业投入的现金及其他形式的资源被称为实收资本。用于企业再投资的收益（利润）被称为留存收益(不会以股利的形式分配给股东)。

在图表 1—2 中，股东权益部分列示了两个项目。两位原始股东 2 000 000 美元的投资列示为实收资本。Maxidrive 公司的收益总额扣除支付给公司股东的股利，剩余 9 105 000美元，作为留存收益列示。股东权益是实收资本与留存收益的合计数。

财务分析

对资产负债表中资产、负债和股东权益的解释

对于作为债权人的美国银行和作为潜在的投资者 Exeter 公司来说，对 Maxidrive 公司的资产进行评估是非常重要的。因为资产对判断该公司是否有足够的经济资源继

---

① 公司是根据某一特定国家的法律成立的企业。所有者被称为股东，所有权以股本的份额来代表，通常可以进行自由的买卖。公司作为一个单独的法律实体独立于其所有者。股东以其投入资本为限对公司债务承担有限责任。关于公司更详细的内容我们将在附录 A 中进一步讨论。

续经营下去提供了一个基本的判断。资产的重要性也同时体现在，一旦 Maxidrive 公司破产，所有者可以将其出售以获得现金补偿。

投资者 Exeter 公司对 Maxidrive 公司的负债很感兴趣，是因为他们关心公司是否有足够的现金资源来偿还负债。由于现有的债权人与美国银行一样都对 Maxidrive 公司的资产享有索取权，因此 Maxidrive 公司的债务情况也会直接影响美国银行对其贷款的决策。如果一个企业无法偿还自身的债务，债权人有权利迫使其出售资产。一般来说，这样可能并不足以清偿企业的所有债务，有些债权人会蒙受损失。

从法律的角度来说，债权人的求偿权优先于投资者，所以，对于美国银行来说，Maxidrive 公司的股东权益或净资产显得非常重要。如果 Maxidrive 公司一旦破产倒闭，那么它的资产将被出售，所得金额必须先用于偿还债权人的债务，如美国银行的贷款，然后才能用剩余金额归还投资者的投资。因此，债权人把股东权益视为他们利益的保护性“缓冲垫”。

自测题

1. Maxidrive 公司的资产作为单独的一部分列示，而负债和股东权益被作为另一部分列示，请注意，两部分的平衡与基本会计等式相一致。在这里，你的任务是用图表 1—2 中所列示的数据验证资产项目中的金额 27 261 000 美元是通过负债项目金额和股东权益项目金额计算出来的。回顾一下基本会计等式：

资产 = 负债 + 股东权益

2. 弄清哪些项目属于资产负债表的项目，这是理解这些项目真正含义的第一步。请用自己已经掌握的知识，指出下面列出的项目分别属于资产（A），负债（L），股东权益（SE）中的哪一类？

______应付账款　　　　______存货

______应收账款　　　　______土地

______现金　　　　______应付票据

______投入资本　　　　______留存收益

______建筑物和设备

在完成你的答案之后，请对照下面的参考答案。

自测题答案：

1. 资产（$ 27 261 000）= 负债（$ 16 156 000）+ 所有者权益（$ 11 105 000）

2. L，A，A，SE，A，A，L，SE

1.1.2　利润表

1. 报表结构

利润表（也称为损益表、盈余表或者经营表）是指报告一个会计主体在一定会计期间内收入减去费用之后的经营成果的报表。虽然利润一词被广泛地用于衡量企业的经营成果，但是会计人员仍倾向于使用净收益或净盈余这两个技术上的名词。Maxidrive 公司的净收益反映了它成功地以远高于生产成本的价格将磁盘驱动器销售出去从而获取利润。

快速浏览一下 Maxidrive 公司的利润表（图表 1—3），即可对其报告目的和内容有一个大致的了解。标题列示了会计主体的名称、报表的名称以及报表中使用的计量单位。与利润表不同的是，资产负债表列示的是企业某一特定时点的财务状况，而利润表的报告期间是一个时间段（截至2009年12月31日的整个年度）。财务报表涵盖的时间段（本例中为1年），我们称之为会计期间。请注意，Maxidrive公司的利润表有三个基本要素：收入、费用和利润。它们之间的关系可以用利润表等式来描述。

收入－费用＝利润

2. 会计要素

企业向消费者出售产品或者提供劳务，从而取得收入（本例中，Maxidrive公司通过销售磁盘驱动器取得收入）。无论买方付款与否，收入通常都在产品售出时或劳务提供时即被确认。像沃尔玛（Wal-Mart）、麦当劳（McDonald's）这样的零售商通常在商品售出时就可以收回价款。但是在Maxidrive公司将其生产的磁盘驱动器销售给戴尔公司和苹果公司时，它得到的是一个未来支付的承诺，我们称之为应收账款，它将在以后收回现金。在这两种情况下（现销和赊销），企业都确认为销售收入。在利润表中，不同来源的收入有不同的项目名称（例如，提供劳务、商品销售、资产租赁）。Maxidrive公司在其利润表中只列示了销售收入。

图表1—3　**利润表**

Maxidrive公司 利润表 截至2009年12月31日 （单位：千美元）		主体名称 报表名称 会计期间 计量单位
收入		
销售收入	$ 37 436	销售磁盘驱动器取得的现金及应收承诺
收入合计	37 436	
费用		
销售费用	26 980	销售磁盘驱动器的生产成本
管理费用	3 624	与生产没有直接关系的经营费用
研发费用	1 982	开发新产品的应计费用
财务费用	450	借款产生的费用
费用合计	33 036	
税前利润	4 400	
所得税费用	1 100	本期应交所得税（$ 4 400×25%）
利润	$ 3 300	

附注是财务报表必不可少的组成部分。

费用是会计主体在一定期间内为取得收入而使用的经济资源。某一会计期间内报表所列示的费用可能在另一个会计期间予以支付。有些费用要求立即支付现金，而有些则可以在以后支付。还有些可能还需要使用另一种经济资源，像存货项目，它可能在前期就已经被支付了。如图表1—3所示，Maxidrive公司在它的利润表中列示了五个费用项目，包括所得税费用。作为一个公司，Maxidrive公司必须为它的税前收益交纳税金①。

净收益或净盈余（通常称为“盈亏”）是收入总额超过费用总额的差额。如果费用总额超过收入总额，就会产生净损失②。我们前面提到过，收入并不一定是指从消费者那里获得现金，费用也不一定是指向供应商付款。结果就是净收益通常与经营产生的现金净额不相等。现金净额会在本章后面将要讨论的现金流量表中得到反映。

财务分析

分析利润表：超越盈亏

由于净收益代表了企业以高于生产成本的价格销售商品或提供劳务而获取收益的能力，投资者（如Exeter公司）和债权人（如本例中的美国银行）往往密切关注被投资企业或债务企业的净收益。只有当投资者认为未来盈余将提高并带动股票价格上升时，他们才会购买该公司的股票；债权人能否收回其借款也取决于企业的未来收益。不仅如此，报表的细节也很重要。例如，Maxidrive公司不得不卖掉至少3 700万美元的磁盘驱动器以获得300万美元的净收益。如果竞争对手将售价下调10%，将迫使Maxidrive公司作出同样的降价决策，它的净收益就会很容易变成净损失。这些因素都有助于投资者和债权人对公司的未来收益作出评估。

自测题

1. 弄清各项目属于利润表中的哪一类别是理解各项目涵义的重要一步。试用自己已经掌握的知识，指出下面列出的项目分别属于收入（R）或费用（E）中的哪一类?

______销售成本　　　　______销售收入

______所得税　　　　______销售和行政管理费用

2. 2009年，Maxidrive公司交付的硬盘驱动器取得客户支付或承诺支付的金额总计为37 436 000美元，在同一时期，收到客户支付的现金为33 563 000美元。用自己已经掌握的知识，请说明哪个数字将在Maxidrive公司2009年利润表中的销售收入项目中列示。为什么?

3. 2009年，Maxidrive公司生产磁盘驱动器的总成本为27 130 000美元，同一时期，它交付给客户的磁盘驱动器的生产成本为26 980 000美元。用自己已经掌握的知识，请说明哪个数字将在Maxidrive公司2009年利润表中的销售成本项目中列示。为什么?

在完成你的答案之后，请对照下面的参考答案。

自测题答案：

1. E，E，R，E

2. 销售收入应为37 436 000美元。销售收入通常在商品或服务提供给顾客而不论顾客已经付款或是承诺未来付款时确认。

3. 商品销售成本金额为26 980 000美元。费用是本期资源耗费以获取收入的金

① 本例中使用了25%的税率。在本书编写时，联邦政府对公司的税率实际上介于15%至30%之间。联邦和地方政府可以在企业所得税的基础上征收附加税，从而造成所得税税率的提高。

② 净损失通常在收入项目中以括号的形式列示。

额。只有那些已经发送给顾客的磁盘驱动器耗费了，而那些仍然持有的磁盘驱动器属于存货资产的一部分。

1.1.3 留存收益表

1. 报表结构

图表1—4列示了Maxidrive公司编制的留存收益表。表首标明编制主体名称、报表名称及报表中使用的计量单位。与利润表相同，留存收益表报告的也是一个特定会计期间的情况，本例中会计期间为1年。报表反映了净收益和分配股利在该会计期间对公司财务状况的影响①。本年获得的净收益使留存收益余额增加，反映了利润表与资产负债表的关系。宣告分配给股东的股利则减少了留存收益②。

用留存收益表等式表示它们之间的关系：

期初留存收益 + 净收益 - 股利 = 期末留存收益

图表1—4 **留存收益表**

Maxidrive公司 留存收益表 截至2009年12月31日 （单位：千美元）		主体名称 报表名称 会计期间 计量单位
留存收益，2009年1月1日	$ 6 805	上一期间留存收益的期末余额
2009年净收益	3 300	利润表中列报的净收益
2009年宣告的股利	(1 000)	本年宣告分配的股利
留存收益，2009年12月31日	$ 9 105	资产负债表中留存收益的期末余额

附注是财务报表必不可少的组成部分。

2. 会计要素

报表以Maxidrive公司的年初留存收益为起点，加上本年度利润表中列示的净收益金额，扣除本年度的股利金额。如利润表所示（图表1—4），2009年Maxidrive公司取得的净收益为3 300 000美元，这一金额要加上留存收益的年初余额；同时，在2009年，Maxidrive公司向它的两个原始股东宣告并发放了总额为1 000 000美元的股利，在计算资产负债表中的期末留存收益时，这一金额要加以扣除。请注意，用于再投资的那部分收益（$ 3 300 000 - $ 1 000 000 = $ 2 300 000）增加了企业的留存收益。期末留存收益9 105 000美元与资产负债表中列示的金额相等。因此，留存收益表反映了利润表与资产负债表的关系。

财务分析

对留存收益的解释

进行再投资的盈余，或留存收益，是Maxidrive公司重要的资金来源，占其筹资总额的1/3以上。因为向股东支付股利的政策会对其偿债能力产生影响，所以像美国

① 其他公司将这些变化列示在利润表之后，或者列示在更一般性的股东权益报表中。
② 扣除净损失。

银行这样的债权人会密切关注其债务公司的留存收益表。凡是Maxidrive公司用于分配股利的款项都不可能再用于偿还美国银行的债务了；而投资者研究留存收益，是为了确定公司是否使用留存收益中的充足部分进行了再投资，这关系到公司将来的发展。

自测题

Maxidrive公司的留存收益表反映了净收益和股利的分配对该会计期间公司财务状况的影响。在前期，Maxidrive公司在财务报表中报告的各项金额如下：期初留存收益5 510 000美元，资产总额20 450 000美元，股利900 000美元，商品销售成本19 475 000美元，净收益1 780 000美元。试用自己已经掌握的知识，计算期末留存收益。

在完成你的答案之后，请对照下面的参考答案。

自测题答案：

期初留存收益（$ 5 510）+净收益（$ 1 780）－股利（$ 900）=期末留存收益（$ 6 390）

1.1.4 现金流量表

1. 报表结构

Maxidrive公司的现金流量表如图表1—5所示。现金流量表把Maxidrive公司的现金流入和流出（收入与支出）的原因归为三类：经营活动、投资活动、筹资活动。表首列示了会计主体的名称、报表的名称及报表中使用的计量单位。与利润表相同，现金流量表反映的也是企业一定期间的现金流量情况，本例中为1年。

前面我们讨论过，报表中列示的收益并不总是与取得的现金金额相等，这是因为有些销售存在赊销的情况；同时，在利润表中列示的费用也可能不等于该期间现金支付的费用，这是因为某一个期间发生的费用可能在另一个会计期间支付。由于利润表没有提供有关现金流量的信息，会计人员编制了现金流量表来反映现金的流入和流出。现金流量表等式反映了从上期期末到本期期末资金变动的原因：

+/－经营活动产生的现金流量（CFO）
+/－投资活动产生的现金流量（CFI）
+/－筹资活动产生的现金流量（CFF）

资金变动

请注意这三个现金流量可以是正的，也可以是负的。

2. 会计要素

经营活动产生的现金流量直接来源于赚取的收益。例如，当Maxidrive公司将磁盘驱动器销售给戴尔公司、苹果公司及其他客户时，取得的价款将列示在现金流量表中的现金项目中。Maxidrive公司为其从事研发工作的雇员支付工资，或向其零部件供应商支付货款时，则是以现金支付的[①]。

投资活动产生的现金流量是指购买或出售生产性资产而产生的现金流量。今年，Maxidrive公司产生现金流量的投资活动只有一个，就是为满足市场对其产品的需求，

① 我们将在第5章讨论另外一种列示经营活动现金流量的方法。

额外购置生产设备。**筹资活动产生的现金流量**与企业自身的融资直接相关，这涉及向投资者和债权人（供应商除外）收取或支付现金。今年，Maxidrive 公司增加了1 400 000美元的银行借款，用于购买大部分新生产设备。同时，它也用这笔资金向原始股东支付了1 000 000 美元的股利。

图表 1—5　　　　　　　　　　**现金流量表**

Maxidrive 公司 现金流量表 截至 2009 年 12 月 31 日 （单位：千美元）		主体名称 报表名称 会计期间 计量单位
经营活动产生的现金流量		与赚得收益直接相关的
销售商品、提供劳务取得的现金	$ 33 563	
支付给供应商的现金	(30 854)	
支付利息的现金	(450)	
支付税款的现金	(1 190)	
经营活动产生的现金流量净额	1 069	
投资活动产生的现金流量		购买/出售生产性资产
购买生产设备支付的现金	(1 625)	
投资活动产生的现金流量净额	(1 625)	
筹资活动产生的现金流量		来自投资者与债权人
银行贷款取得的现金	1 400	
发放股利支付的现金	(1 000)	当期现金数额的变动（1 069 - 1 625 +400）
筹资活动产生的现金流量净额	400	上期期末余额
本年减少的现金流量净额	(156)	
期初现金余额	5 051	资产负债表中现金的期末余额
期末现金余额	$ 4 895	

附注是财务报表必不可少的组成部分。

财务分析

对现金流量表的解释

许多分析人士认为，现金流量表对于预测未来可用于偿还债权人债务和支付投资者股利的现金流量尤为重要。银行家通常认为，报表中经营活动产生的现金流量是最重要的，因为它反映该公司从销售活动中获取现金以满足当前现金需求的能力。额外的资金可用于偿还银行债务或者用于公司的扩张。当投资者认为某企业的经营所得将高于其经营成本，并能够满足支付股东股利及企业扩张的需要时，他们才会投资。

自测题

1. 2009 年，Maxidrive 公司向已交付商品的客户支付了或者承诺支付的价款总额为 37 436 000 美元。同一会计期间内，它从客户那里取得的现金为 33 563 000 美元。试用自己已经掌握的知识，指出上述两个数字中的哪一个应当在 Maxidrive 公司 2009

年的现金流量表中列示。

2. 请你使用图表1—5中经营活动、投资活动、融资活动产生的现金流量总额验证本年内Maxidrive公司的现金余额减少156 000美元。回顾现金流量表等式如下：

+/－经营活动产生的现金流量（CFO）
+/－投资活动产生的现金流量（CFI）
+/－筹资活动产生的现金流量（CFF）

资金变动

在完成你的答案之后，请对照下面的参考答案。

自测题答案：

1. 公司应在现金流量表中确认33 563 000美元，因为该金额代表实际从顾客那里收取的与本年和上年销售有关的现金金额。

2.

+/－经营活动产生的现金流量（CFO）	$ 1 069
+/－投资活动产生的现金流量（CFI）	－1 625
+/－筹资活动产生的现金流量（CFF）	+400
资金变动	$ （156）

1.1.5 报表之间的关系

前面我们对四张基本财务报表的讨论集中于每张报表列示了哪些要素，各要素之间是如何通过报表等式联系起来的以及各要素对投资者、债权人等报表使用者决策的影响。同时，我们还发现，这些由相同系统编制的财务报表彼此之间是具有内在关系的。具体而言有以下几点：

（1）利润表中净收益的增加会导致留存收益表中期末留存收益的增加。

（2）留存收益表中的期末留存收益是资产负债表中股东权益的两个组成部分之一。

（3）现金流量表中现金金额的变化加上期初现金余额与资产负债表中的现金期末余额相等。

因此，我们可以认为，通过解读利润表和留存收益表，可以清楚地了解本年度公司是如何改善其经营状况，或者公司的财务状况为何逐渐恶化。现金流量表则解释了本年度公司的经营活动、投资活动和筹资活动对资产负债表中现金余额的影响。图表1—6中Maxidrive公司的财务报表进一步说明了上述关系。

1.1.6 附注

Maxidrive公司的每一张基本财务报表都在底部写了这样一句话：“**附注是财务报表必不可少的组成部分**。”这句话与印在香烟上外科医生警告的作用是相同的。它提醒财务报表使用者，如果忽略财务报表的附注或脚注，将无法获知该公司完整的财务状况。附注提供了与公司财务状况相关的信息，忽略这些信息会导致对财务报表内容理解的片面性。

图表 1—6　　Maxidrive 公司财务报表间的关系

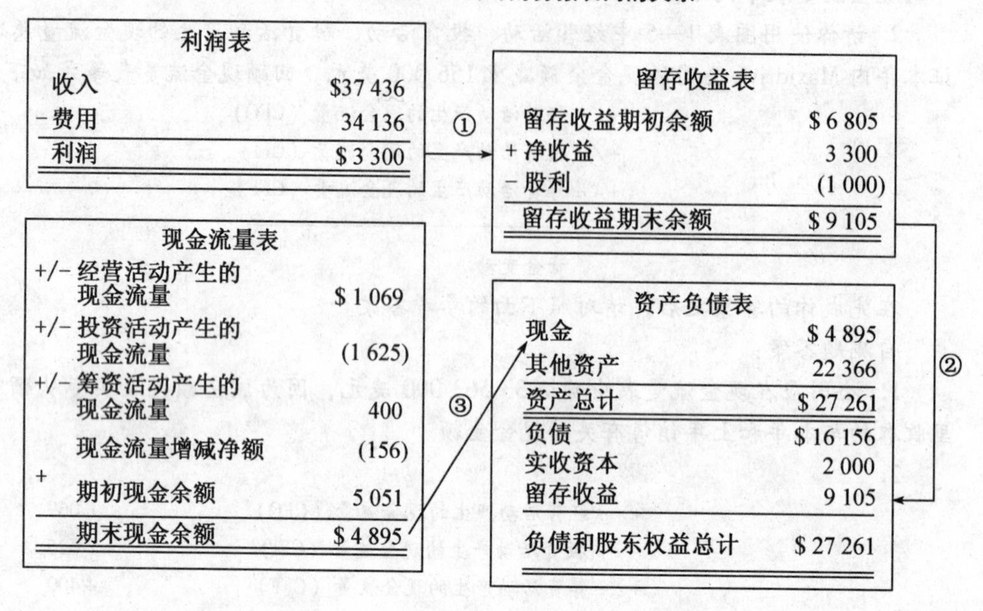

附注有三种基本类型，第一种是对财务报表编制过程中所使用的会计准则给予说明；第二种是关于报表中某一项目的详细信息，例如，Maxidrive 公司的报表中关于存货的附注披露了列示在资产负债表存货项目下已完工的磁盘驱动器的数量以及各种在产品的数量；第三种附注对报表中未列示的其他财务情况进行了披露，例如，Maxidrive 公司将其生产设备租赁出去，这一情况应该在附注中予以披露。了解附注的内容对于了解公司来讲是非常重要的，因此，本书中我们将讨论更多的附注披露。

在此需要说明一下一些通用的做法或惯例。资产以其流动性在资产负债表上排列，负债以其到期日先后顺序排列。多数财务报表在一组金额（如，资产类中的现金项目）的第一个数字前标上货币单位符号（在美国，是 $）；同时，在一组金额的最后一个项目下（如土地项目）画一条横线，在线下对前面的金额加总或者小计，这也是比较通用的做法；线下的加总金额旁边也会标注货币符号。这些格式适用于四张基本财务报表。

财务分析

管理人员对财务报表的使用

到目前为止，我们都是站在投资者和债权人的角度来分析问题的。事实上公司内部管理人员也是财务报表的直接使用者。例如，Maxidrive 公司的贷款部经理和信用部经理使用客户的财务报表来决定是否延长对该客户的赊销时间；采购经理分析零部件供应商的财务报表，目的是确认该供应商是否具备足够的经济资源用于新部件的生产以满足 Maxidrive 公司的需要；工会和人力资源管理人员以公司的财务报表作为薪酬谈判的依据。无论是哪个管理部门的管理人员，都会使用到财务报表提供的信息；同时，管理人员作出的决策也会对财务报表数据产生影响，影响程度可以用来对管理人员进行评估。

1.1.7 四张基本财务报表的总结

前面我们对四张基本报表的内容已经有了较深入的了解。图表1—7对这些内容做了一个总结，在开始下一部分的学习之前，请用几分钟时间来回顾一下这些内容。

图表1—7 **四张基本财务报表的主要内容**

财务报表	目标	结构	内容举例
资产负债表	报告一个会计主体在某一时点上的资产、负债和股东权益	资产＝负债＋股东权益	现金、应收账款、厂房和设备、应付票据、实收资本
利润表	报告一个会计主体在一定会计期间内收入减去费用之后的净收益	收入－费用＝利润	销售收入、销售成本、销售费用、利息费用
留存收益表	报告一个会计主体在一定会计期间内因净收益和股利分配对公司财务状况影响的方式	期初留存收益＋净收益－股利＝期末留存收益	利润从利润表中获取；股利是派发给股东的利润
现金流量表	报告一个会计主体在一定会计期间内经营活动、投资活动和筹资活动所产生的现金流入和流出	+/－经营活动产生的现金流量 +/－投资活动产生的现金流量 +/－筹资活动产生的现金流量 资金变动	从客户那里取得的现金、向供应商支付的现金、购买设备支付的现金、银行贷款

1.2 会计信息传递程序的责任

如果投资者Exeter公司的决策者想要有效地使用Maxidrive公司财务报表提供的信息，那么他们必须先理解这些信息。但是Maxidrive公司管理人员的欺诈案表明，投资者Exeter公司的这种理解是不够的。显然，他们需要知道报表中列示的金额是否与实际情况相一致。如果这些数据与事实不符，那么它们就是毫无意义的。例如，如果资产负债表中列出了一家工厂的资产为2 000 000美元，而实际上这笔资产却并不存在，那么报表就没有传递有用的信息。

决策者还需要了解编制财务报表使用的计量规则。就好比一个游泳教练，在弄清楚100单位长度的游泳比赛是100米还是100码之前，是不会对游泳者的成绩作出评价的；同样，决策者在使用报表所提供的信息之前，应该先了解编制报表使用的计量规则，因为这些计量规则是生成会计信息的准则，即GAAP。

1.2.1 GAAP

1. **GAAP是怎样确定的？**

我们今天使用的会计系统有着悠久的历史，它的建立通常要追溯到意大利僧侣数学家卢卡·帕乔利神父于1494年出版的著作。在1933年之前，每个公司的管理层都有权决定其财务报告的编制方法，但公司之间在实务上缺乏统一的规范。

1929 年股票价格大幅下跌之后，国会于 1933 年和 1934 年相继通过了证券法和证券交易法。这些法律的生效推动了证券交易委员会（SEC）的成立，该委员会具有广泛的权力来确定财务报表的计量规则，它规定公司发行股票时必须向股东提供财务报表。美国证券交易委员会与专业会计师组织联合创建了会计的具体规则，即后来演变成的 GAAP。现在，制定具体条款的工作也改由财务会计准则委员会（FASB）承担。财务会计准则委员会中有五个具有表决权的专职委员和一名正式工作人员，他们负责根据企业实务不断变化的情况，随时完善财务报告制度。本书出版时，财务会计委员会的正式声明（财务会计准则）共计 5 000 多页。由于目前在业务的实际操作过程中存在巨大的多样性和复杂性，这些对于细节的规定显得格外重要。

大多数管理人员并不需要了解所有的细节条款。我们只需关注那些对财务报表披露数据有重大影响的细则，下面将对这些细则加以介绍。

2. GAAP 对内部管理人员和报表外部使用者的重要性

必须编制财务报表的公司会对 GAAP 非常关注，同时，审计人员和财务报表使用者对它也同样关注。公司及其管理人员以及所有者直接受财务报表披露信息的影响。公司编制报表的成本以及公开报表所导致的经济后果主要包括：

（1）影响公司股票的价格；

（2）影响管理层和雇员的奖金金额；

（3）公开竞争信息可能造成的损失。

回顾一下投资者 Exeter 公司为购买 Maxidrive 公司愿意支付的金额，一部分是由 Maxidrive 公司根据 GAAP 计算得出的净收益来确定的。这表明了一种可能性，即 GAAP 的变化会影响购买者的支付价格。一些雇员的收入中，一部分是根据企业目标净收益的完成情况确定的，因而他们对于由 GAAP 所引起的净收益计算方式的任何变化都非常关心。经营者与所有者也常常担心在财务报表中公布的某些信息会将商业秘密泄露给他们的竞争对手。由于这些种种原因，GAAP 的修改通常要经过激烈的辩论和频繁的政治游说，最终在有关各方之间意愿的妥协之下确立。

国际视野

国际会计准则理事会（IASB）和会计准则国际趋同

财务会计准则和信息披露要求都是由国家管理机构和标准制定机构制定的。但是自 2002 年以来，国际会计准则理事会（IASB）一直致力于国际财务报告准则（IFRS）的推广。这些准则的使用情况如下：

使用国际财务报告准则（IFRS）的国家（目前使用或承诺 2011 年使用）：

* 欧盟（英国、德国、法国、荷兰、比利时、保加利亚、波兰等）
* 澳大利亚和新西兰
* 印度和韩国
* 土耳其
* 巴西和智利
* 加拿大
* 中国

美国证券交易委员会允许在美国上市的外国公司依据国际财务报告准则编制财务报表，并正在考虑在不久的将来允许本国企业依据该准则编制报表。

来源：德勤国际会计准则网站

1.2.2 管理者责任和审计要求

Exeter公司的所有者和经营者都很清楚GAAP的规定，但是他们仍然被财务报表误导了。尽管Maxidrive公司编制的财务报表符合GAAP，但报表列示的金额是虚构的，这势必会影响报表的准确性。究竟谁应该为Maxidrive公司财务报表数字的准确性负责呢？

为财务报表内容负主要责任的是公司的管理层，即高级管理人员和财务总监。为向投资者保证会计记录的准确性，公司采取了三个步骤：（1）建立针对公司资产、会计记录进行控制的系统，并有效维护；（2）聘请外部独立审计人员，保证财务报表的公允性；（3）建立一个由董事会成员组成的委员会，监督上述保证条款的实行。通常企业会在管理者声明中或管理层认证中对上述责任加以强调。对于上市公司来说，这三个保证条款是必要的。在Maxidrive公司一案中，这些保证条款没有起到应有的作用，公司的管理人员将为其编制虚假财务报表的行为受到刑事和民事处罚。

确保会计记录准确性的三个步骤：控制系统、外部审计师和董事会。

图表1—8是一份审计报告（独立会计师或注册会计师事务所出具的报告），它详细地介绍了独立审计师在审计报告中的具体作用。审计报告包括审计人员对企业财务报表的审计意见以及支持该意见的审计证据。对不同的州而言，会计人员要成为注册会计师所要达到的要求也不尽相同。只有那些有执照的（执业）注册会计师才可以出具审计报告。在审计过程中，会计师被称为独立注册会计师。这是因为，不论是对一般公众，还是对其受托执业的具体企业来说，注册会计师都承担着一定的责任。

图表1—8 **独立审计报告**

致Maxidrive公司股东和董事会的独立审计报告

我们审计了Maxidrive公司的财务报表，包括2009年12月31日的资产负债表、2009年的利润表、留存收益表和现金流量表。编制这些财务报表是公司管理层的责任。我们的责任是在实施审计工作的基础上，对这些财务报表发表审计意见。

我们按照GAAP的规定执行了审计工作。该准则要求我们计划和执行审计程序，对财务报表是否存在重大错报获取合理保证。审计工作程序包括检查、测试以及获取有关财务报表金额及披露的审计证据。审计工作程序还包括评价管理层选用会计政策的恰当性和会计估计的合理性以及评价财务报表的总体列报情况。我们认为我们的审计工作为我们的审计意见提供了合理基础。

根据我们审计的结果，上述财务报表在所有重大方面公允地反映了Maxidrive公司2009年12月31日的财务状况以及2009年度的经营成果和现金流量，符合GAAP。

史密斯和沃克，注册会计师

2010年2月26日

审计包括对财务报告（由企业的管理层编制）的审查，以确保报告内容与事实相符，同时确保其编制基础符合GAAP。在审计过程中，注册会计师要对已发生的交易事项及使用的会计方法进行检查。由于一些像苹果公司之类的大企业交易量非常大，所以注册会计师不会对所有交易都一一检查，而是采用专业测试方法将错报控制在可容忍范围内，从而保证报表的准确性和合理性。上市公司会计监管委员会（PCAOB）与证券交易委员会共同规定了上市公司审计的测试标准。

财务分析

根据财务报告确定 Maxidrive 公司的价值

在 Exeter 公司确定是否愿意支付购买价格时，Maxidrive 公司当年及前几年的利润表起到了举足轻重的作用。以前年度利润表（本书未列示）反映，该公司除了成立的第 1 年亏损外，其余每年都有净收益，而且销售收入和净收益都是逐年上升的。市盈率(P/E 比率，或 P/E 倍数）是估计一家公司的价值在多大程度上依赖于净收益和净收益增长的方法之一。市盈率计算了投资者愿意支付的股票价格与其当年盈余之间的倍数。较高的市盈率意味着投资者对公司能够在未来几年产生更高的利润有较强的信心。Exeter 公司希望从欺诈者那里获得的补偿，即估算出的并购过程中多付的金额为：

高估利润 × 市盈率 = 多支出的金额

如果利润高估了 1 650 000 美元，Maxidrive 公司的市盈率为 10，则在并购过程中 Exeter 公司多付的金额即为 16 500 000 美元。净收益在确定公司价值过程中所起的作用将在公司理财及财务报表分析课程中作进一步的讨论。

1.2.3 道德、声誉和法律责任

要想使财务报表对决策者有价值，就必须让使用者对报表列示信息的公允性有信心。如果报表使用者知道报表审计人员在职业道德和专业胜任能力上必须达到规定的标准，他们会对财务报表反映的信息有更大的信心。

美国注册会计师协会（AICPA）要求它的所有成员都要遵守审计道德准则和审计执业准则，上市公司的审计师必须签署并遵守上市公司会计监管委员会（PCAOB）制定的标准。不遵守规则的行为可能受到严重的行业处罚。诚信和专业胜任能力赢得的声誉是注册会计师最重要的资产。损害声誉的潜在经济影响、舞弊行为所要承担的法律责任以及隐性的处罚更加促使注册会计师遵守职业标准。

在舞弊案中，那些依据财务报表作出决策而遭受损失的人可能会追究注册会计师的责任。舞弊的结果是其被迫申请破产保护，而且还会被拍卖财产以偿还债权人的债务。在民事诉讼中，Exeter 公司和美国银行都声称他们分别遭受了 1 650 万美元和 900 万美元的损失，指控 Maxidrive 公司的管理人员有“重大舞弊行为”，审计人员在审计过程中“未能发现差错”。Exeter 公司和美国银行要求给予责任人重大过失的惩罚性赔偿的处罚。此外，Maxidrive 公司的经理和首席财务总监被陪审团裁定犯有三项证券欺诈罪，被处以罚款并监禁。

1.3 结语

在美国，尽管财务报表舞弊比较罕见，但 Maxidrive 公司一案恰好说明了对于投资者和债权人来说，财务报表的公允性是多么重要；同时本案也表明了在确保财务报

告体系的完整性中注册会计师职业的重要性。安然事件和世通事件的发生，更使得这些问题成为公众关注的焦点。

如本章开头提到的，Maxidrive 公司并不是现实中的公司，而是根据其他有类似欺诈行为的现实中的公司改编的（其余章节例子中的公司都是真实的）。Maxidrive 公司的案例大致是以臭名昭著的 MiniScribe 欺诈案为原型的，它是一个真实的磁盘驱动器制造商。从诉讼过程中提出的赔偿金额来看，真实的欺诈案要比本案规模大 10 倍。Maxidrive 公司财务报表中的金额是 Miniscribe 虚假财务报表中列示数额的 1/10，两起欺诈案的性质也很相似。在 MiniScribe 公司一案中，将不存在的存货在两个仓库间转移并伪造凭证，以使这些存货看似已销售给顾客，通过这种方法夸大销售收入。MiniScribe 甚至将砖块包装成商品，运送给经销商，将他们列为已售商品，还将废弃部件和损坏的驱动器按可使用的资产列示，以低估商品的销售成本。MiniScribe 的经理甚至强行打开审计人员的箱子，篡改审计文件上的金额。

MiniScribe 财务报表中列示的净收益为 3 100 万美元，后来被证明实际上只有 900 万美元。公司的投资者和债权人在诉讼中要求的赔偿金额高达 10 亿美元，实际赔偿金额为数亿美元。公司经理和首席财务总监被裁定犯有证券欺诈罪，被判入狱。虽然大多数经理和所有者的行为是诚实、负责任的，但是这一事件以及安然和世通的欺诈案仍然为我们敲响了警钟，提醒我们不公允的财务报表会带来非常严重的经济后果。财务报表舞弊曝光后，安然和世通申请破产，对其财务报表进行审计的安达信公司也受到处罚，最终破产解散。近期调查中涉及财务报表舞弊的企业有：

Enron
WorldCom
Adelphia
Global Crossing
Computer Associate
Tyco
HealthSouth
McKesson
Xerox
Rite-Aid
Aurora Foods
Halliburton
Parmalat
Nortel
Goodyear
Cardinal Health
Homestore. com
Dynegy
Fannie Mae
Freddie Mac
Qwest Communications
Gerber Scientific
Stanley Works
AIG

示例

在多数章节的最后都会有一个或多个案例，这些案例涵盖了本章讨论的主要问题。每个案例后都会有一个可供参考的解决方案。请你仔细阅读案例，提出自己的解决方案，然后研究书中给出的参考方案。我们推荐采用这种自我测评的方式来学习。这里给出的案例回顾了利润表和资产负债表中的要素及其在报表中的关系。

苹果公司的 iPod ，iPhone 手机和 iTunes 商店已经成为专业人士和消费者的数字生活中心。iPod 内容广泛，甚至扩展到了这本教科书。其产品的易用性、表面无缝拼接以及产品的创新设计为苹果公司的股东带来了创纪录的利润和股票价格。

下面是从苹果公司最近的利润表和资产负债表中摘录的报表项目及金额，以百万美元为单位，截至2006年9月30日。

应付账款	$ 6 471	研发费用	712
应收账款	1 252	留存收益	5 629
现金	10 110	销售收入	19 315
投入资本	4 355	管理费用	2 433
销售成本	13 717	资产总计	17 205
所得税费用	829	费用总计	16 862
存货	270	负债总计	7 221
利润	1 989	负债和股东权益总计	17 205
应付票据	750	收入总计	19 680
其他资产	4 292	股东权益总计	9 984
其他收入	365		
税前利润	2 818		
固定资产	1 281		

要求：

1. 按照图表1—2和图表1—3的格式编制资产负债表和利润表。
2. 指出这两个报表都提供了哪些信息。
3. 指出年报当中应当包含的另外两张报表。
4. 证券法规要求，苹果公司的财务报表必须接受独立审计，请说明一下如果没有这样的规定，苹果公司可能会自觉接受独立审计的原因。

参考答案：

1.

苹果公司
资产负债表
2006年9月30日
（单位：百万美元）

资产	
现金	$ 10 110
应收账款	1 252
存货	270
固定资产	1 281
其他资产	4 292
资产总计	$ 17 205
负债	
应付账款	$ 6 471
应付票据	750
负债总计	7 221
股东权益	
实收资本	4 355
留存收益	5 629
股东权益总计	9 984
负债和股东权益总计	$ 17 205

苹果公司
利润表
截至2006年9月30日
（单位：百万美元）

收入	
销售收入	$ 19 315
其他收入	365
收入总计	19 680
费用	
销售成本	13 717
管理费用	2 433
研发费用	712
费用总计	16 862
税前收益	2 818
所得税费用	829
利润	$ 1 989

2. 资产负债表列示会计主体在某一时点的资产、负债和股东权益的金额，利润

表反映一定会计期间中企业的经营成果，即收入减费用的差额。

3. 苹果公司还需要提供现金流量表和留存收益表。

4. 如果报表使用者知道对报表进行审计的人员具备职业道德和专业胜任能力，他们将对财务报表信息的准确性有更大的信心。

附录 A

企业的类型

本书侧重于**以营利为目的的企业实体**，主要分为三种类型：独资企业、合伙企业和公司。**独资企业**是一种非公司企业，由个人拥有，通常规模较小，主要适用于零售业和农业，通常情况下所有者也是公司管理者。法律上企业和所有者并不相互独立，但是企业必须独立于其所有者进行会计核算，会计上将企业视为一个独立的主体。

合伙企业是一种非公司企业，由两个或两个以上的合伙人共有，合伙人之间的协议在合同中指明，包括每期利润的分配方式及合同终止时的相关事项。合伙企业并不独立于其所有者，法律上每一个合伙人都对企业的债务承担责任（每个合伙人都承担无限责任）。会计上，它独立于其所有者而单独进行会计核算。

公司是根据国家的法律建立的企业，所有者被称为股东。股本份额代表了对公司的所有权，股票可以自由地买卖。发起人建立公司的申请被批准后，必须公布公司的章程。该章程使公司可以作为一个独立的法律实体进行经营活动，公司独立于它的所有者，股东以其投资金额对公司债务承担有限责任。章程还对公司可以发行的股票的种类和数量作出规定。多数国家要求创建公司至少要有两到三个股东，同时对投资的最低金额也作出了相应要求。股东选举产生董事会，董事会聘用管理人员并对公司的运行进行监管。会计将公司作为一个独立的主体，它必须独立于其所有者进行单独的会计核算。

从经济上的重要性来讲，公司是美国企业的主要形式。这种优势是由公司这种形式的许多优点而形成的：（1）股东的有限责任；（2）企业的持续性；（3）所有权（股票）的转让非常简便；（4）能够通过公开发行股票募集大量资金。公司的主要缺点是，它的收益可能受到双重征税（取得收益与向股东派发股息）。本书中，我们重点关注公司制企业，但是我们讨论的会计概念和程序同样也适用于其他类型的企业。

附录 B

目前会计职业的工作状况

自 1900 年以来，会计行业已取得与法律、医药、工程建筑等职业相同的专业地位。与所有被认可的职业一样，会计对专业能力有着很高的要求，它为公众提供的服务需要高水平的学术研究，要以通用的知识体系为基础。会计师取得证书就可以成为注册会计师，但是只有在达到国家的相关要求之后才能取得证书。虽然各国对注册会计师的要求不同，但是都包括一个大学学位（修完指定的课程），有良好的品行，有

1—5 年的从业经验，并通过专业考试。注册会计师考试由注册会计师协会主持。

会计师（包括注册会计师）通常从事专业服务或就职于政府机构、商业组织、非营利组织等。在这些机构任职的会计师通常要通过专业考试，成为一名注册管理会计师（CMA，考试由管理会计师协会管理）或国际注册内部审计师（CIA，考试由内部审计机构管理）。

1. 注册会计师业务

虽然个人可以开展注册会计师业务，但通常承接注册会计师业务的是两人或者多人以合伙的形式成立的会计师事务所（多数情况下是有限责任合伙）。会计师事务所大小不一，从一个人的公司到区域性的公司，再到在全球有数以百计的办事处的四大会计师事务所（德勤、安永、毕马威和普华永道）这样的公司，各种规模都有；通常会计师事务所提供三种业务：审计或鉴证业务、管理咨询和税务咨询。

2. 审计或鉴证业务

审计或鉴证业务是一种独立的专业服务，它可以提高信息的质量或内涵，增强报表使用者对报表信息的信任程度。财务报表审计是注册会计师业务中最重要的鉴证业务，审计的目的是增强财务报表的可信度，即确保信息的公允性。审计涉及对财务报表的检查，以确保其编制原则符合 GAAP。其他鉴证业务包括对电子商务的完整性和安全性以及信息系统的可靠性的确认。

3. 管理咨询

许多会计师事务所都提供管理咨询业务。这些业务通常以会计为基础，包括设计和建立会计系统、数据处理系统、利润计划和控制（预算）系统；财务咨询、预测、库存控制、成本效益研究和业务分析。为保持独立性，注册会计师不得向其审计客户提供咨询服务。

4. 税务咨询

注册会计师通常会向其客户提供税务咨询服务。这些业务包括纳税筹划与所得税金额的确定（列示于年度所得税申报表中），其中前者是决策过程的一部分。联邦和各州政府的税法越来越复杂，这对纳税人的专业能力提出了更高的要求，在这方面，注册会计师可以提供专业的税务咨询服务。注册会计师对纳税筹划的参与具有重大意义。多数重大的商业决策会对税收产生重大影响，事实上，纳税筹划方面的考虑往往会使企业作出特定的决策。

5. 会计在某些组织中的工作情况

许多会计师，包括注册会计师、注册管理会计师和国际注册内部审计师，都在营利组织和非营利组织中任职。根据其规模和复杂性，一个组织可以聘用几个会计师，也可能聘用数百个会计师。一个企业的财务总监（通常是副总裁）是管理层的一员，他的责任涉及管理、财务和会计在内的多个方面。

在一个企业实体中，会计师通常从事多种业务，如一般管理、一般会计、成本会计、利润计划和控制（预算）、内部审计和数据的计算机系统化处理等。在经济组织中，会计师的主要工作是提供数据，这些数据对内部决策和经营控制至关重要。企业中的会计履行了对外报表的职能：纳税筹划、资产控制，同时他们也是相关责任的主要承担者。

6. **在公共部门及事业单位的工作情况**

从中央到地方，行政单位都是体积庞大且运行复杂的，这就产生了一个对会计师的巨大的需求。这种情况同样也在其他事业单位中存在，如医院和大学。会计师在公共部门和事业单位履行的职能与其同行在私人机构所履行的职能相似。总审计署（GAO）和监管机构，如美国证券交易委员会（SEC）和联邦商业委员会（FCC），在履行监管职责的时候也会借助于会计师的工作。

本章小结

1. 明确每张基本财务报表涵盖的信息，了解不同的决策者（投资者、债权人和管理者）在决策过程中是如何使用这些信息的。

资产负债表反映了企业的财务状况，它列示了在一个特定的时点上企业的资产、负债和所有者权益的金额。

利润表反映企业的经营成果，它列示了一定时期内企业的收入、费用和利润的金额。

留存收益表反映企业在报告期内留存收益余额的变化。

现金流量表反映了一定时期内现金的流入和流出的情况。

投资者和债权人通过财务报表从各方面对公司的财务状况和经营业绩作出评估。

2. GAAP 在确定财务报表内容上的作用

GAAP 是编制财务报表时应遵循的原则。要准确理解财务报表中各个数字的意义，GAAP 所包含的相关知识是不可缺少的。

3. 区分管理层和审计人员在会计信息传递程序中的作用

公司管理层对公司财务报表信息的准确性承担着主要责任。审计人员要对其财务报表的公允性发表意见，该意见的得出是以审计人员对财务报表及公司各项记录的检查结果为依据的。

4. 明确道德、声誉和法律责任对会计的重要性

只有财务报表的编制人员和审计人员具备职业道德和专业胜任能力时，报表使用者才会对财务报表信息的准确性具有信心。管理层和审计人员要为欺诈性财务报表和舞弊行为承担法律责任。

在本章中，我们研究了基本财务报表及财务信息向外部使用者的传递。在第 2、3、4 章中，我们将更深入地研究财务报表，并研究企业的各种数据是如何填列到报表中去的。明确各种数据在企业经济业务与财务报表之间的传递是利用财务报表进行决策的关键所在。第 2 章开始，我们将把重点放在资产负债表上，研究会计是如何收集并处理企业交易活动产生的数据，又是如何将这些数据用于财务报表的编制中去的，所以我们将在第 2 章讨论重要的会计概念、会计模式、业务分析和分析工具。我们会通过对一个服务类公司的典型经营活动的研究来说明第 2、3、4 章中的概念。

会计术语

会计	会计主体
会计期间	审计

资产负债表（财务状况表）	会计基本等式（资产负债表等式）
财务会计准则委员会	GAAP
利润表（损益表、所得表、经营成果表）	附注（脚注）
美国公众监督委员会	证券交易委员会
现金流量表	留存收益表

习题

一、简答题

1. 给会计下一个定义。
2. 区别管理会计和财务会计。
3. 请举出一些财务报表使用者的例子。
4. 区分投资者与债权人。
5. 什么是会计主体？会计上为什么要将企业作为一个独立的主体？
6. 在空格处填上相应的内容。

报表名称	可替换名称
a. 利润表	a. ______
b. 资产负债表	b. ______
c. 审计报告	c. ______

7. 四张基本财务报表的表首应该包含哪些信息？
8. 利润表、资产负债表、现金流量表、留存收益表的作用各是什么？
9. 解释一下为什么利润表和现金流量表的报告时间是2008年整个1年时间段，而资产负债表的报告时间是“2008年12月31日”？
10. 请说明资产和负债对投资者和债权人决策的重要性。
11. 简要定义一下净收益和净损失的概念。
12. 解释利润表的会计等式。它的三个基本要素内容是什么？
13. 解释资产负债表的会计等式。它的三个基本要素内容是什么？
14. 解释现金流量表的会计等式。它的三个基本要素内容是什么？
15. 解释留存收益表的会计等式。它的四个基本要素内容是什么？
16. 本章主要讨论的是针对外部使用者的财务报表，请简单说明公司内部不同部门的管理人员（如营销、采购、人力资源等）是怎样利用自己本公司及其他公司的财务报表的。
17. 简要描述GAAP在美国是如何确定的。
18. 简要说明公司的管理人员和独立审计人员在会计信息传递程序中的责任。
19. （附录A）区分独资企业、合伙企业和公司。
20. （附录B）举例并说明注册会计师主要的三项业务。

二、选择题

1. 下列哪项不属于四张基本财务报表？

a. 资产负债表

b. 审计报告

c. 利润表

d. 现金流量表

2. 如审计报告所示，对公司的财务报表承担主要责任的是哪一项？

a. 公司的所有者

b. 独立财务分析师

c. 审计人员

d. 公司的管理人员

3. 下列各项中哪一项是正确的？

a. 美国财务会计准则委员会建立美国证券交易委员会

b. GAAP 建立美国财务会计准则委员会

c. 美国证券交易委员会建立注册会计师协会

d. 美国财务会计准则委员会制定 GAAP

4. 下列关于留存收益的说法中，哪一项是错误的？

a. 净收益增加留存收益，净损失减少留存收益

b. 留存收益是资产负债表中股东权益的组成部分

c. 留存收益是资产负债表中的一项资产

d. 留存收益列示了不包括以股利形式派发给股东的收益

5. 以下哪一项不是必须在财务报表表首列示的四个项目之一？

a. 财务报表编制人员的名字

b. 财务报表的名称

c. 财务报表使用的计量单位

d. 会计主体的名称

6. 下列关于现金流量表的说法中有几项是正确的？

* 现金流量表中现金的流入和流出分成三个类别：经营活动产生的现金流量、投资活动产生的现金流量和筹资活动产生的现金流量。

* 同一会计期间现金流量表中列示的期末现金余额与资产负债表中列示的金额相等。

* 现金流量表中列示的现金总额的正、负必须与利润表中的盈亏（净收益或净损失）相一致。

a. 没有

b. 一个

c. 两个

d. 三个

7. 以下哪一项不是年报中附注的内容？

a. 关于审计人员对企业管理层过去及未来财务规划的意见的附注

b. 提供财务报表中特定项目细节信息的附注

c. 说明编制财务报表使用的会计准则的附注

d. 对财务报表中未披露项目进行说明的附注

8. 以下关于利润表的说法中哪项是正确的？

a. 利润表有时也被称为经营表

b. 利润表列示收入、费用和负债

c. 利润表只列示在销售时点取得的现金的数额

d. 利润表反映企业在特定时点的财务状况

9. 以下有关资产负债表的说法中哪项是错误的？

a. 资产负债表列示的账户体现了特定企业实体的基本会计等式

b. 资产负债表中留存收益的余额必须与留存收益表中留存收益项目的期末余额相一致

c. 资产负债表反映企业一定时期内个别账户余额的变动

d. 资产负债表列示某一时点会计主体的资产、负债和股东权益的金额

10. 下列关于 GAAP 的说法中，哪一项是正确的？

a. 世界上所有的国家都遵循 GAAP

b. GAAP 的变化会影响管理人员和股东的利益

c. GAAP 是指普遍接受的审计程序

d. GAAP 的修改，必须经参议院财经委员会通过

更多选择题，请登录网站 www. mhhe. com/libby6e。

三、迷你练习题

1. 请将要素与财务报表对应起来。

请将财务报表前的字母填写到相应的要素前面的空格里。

A. 资产负债表　　B. 利润表　　C. 留存收益表　　D. 现金流量表

______（1）费用

______（2）投资产生的现金

______（3）资产

______（4）股利

______（5）收入

______（6）经营产生的现金

______（7）负债

______（8）筹资产生的现金

2. 请将财务报表要素与报表中的类别对应起来。

请将下列要素分别归入资产负债表中的资产（A）、负债（L）、股东权益（SE）或利润表中的收入（R）、费用（E）当中去。

______（1）留存收益

______（2）应收账款

______（3）销售收入

______（4）固定资产

______（5）销售成本

______（6）存货

______（7）利息费用

______（8）应付账款

______ （9）土地

3. 重要的会计术语缩写。

以下是本章中用到的重要缩略语表，这些缩写在业务中应用广泛。请写出每个缩写的完整形式。

缩写	完整形式
（1）CPA	Certified Public Accountant
（2）GAAP	______
（3）CMA	______
（4）AICPA	______
（5）SEC	______
（6）FASB	______

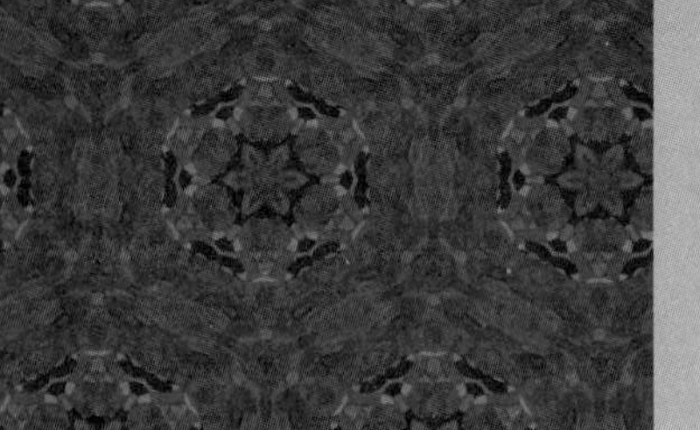

第2章 投资、筹资决策和资产负债表

学习目标

学完本章，应达到如下目标：

1. 明确财务报表的目标、资产负债表要素以及相关的主要会计假设和会计原则。
2. 鉴别企业经济业务的组成，识别企业使用的一般资产负债表账户名称。
3. 运用会计恒等式对简单的经济业务进行分析，即会计等式为：资产 = 负债 + 股东权益。
4. 运用两种基本工具——日记账法和T形账户法来衡量经济业务对财务报告的影响。
5. 编制一张简单分类的资产负债表并运用财务杠杆比率来分析该公司。
6. 识别公司投资和筹资等经济业务，并说明它们在现金流量表中是如何进行报告的。

聚焦公司：Papa John's 国际公司

在比萨战争中实施扩张战略

在充满竞争的比萨市场中，Papa John's 国际公司（以下简称 Papa John's 公司）以行业领导者 Pizza Hut（必胜客）公司为其竞争的主要目标向人们显示它们是如何为旨在成为世界第一而进行一场比萨品牌的“战争”。早在2000年，Papa John's 公司通过大胆的扩张，使其销售额超过 Little Caesar's Pizza 公司，跃居第三位。排名前两位的分别是比萨巨头 Pizza Hut 公司和 Domino's 公司。

全球3 000多家餐饮业中，Papa John's 公司自1983年创立以来飞速发展。当时，Papa John's 公司的创始人，同时也是公司的首席执行官 John Schnatter 在一个小酒吧的壁橱旁边安装了第一台比萨烤炉。十年后，Papa John's 公司成为一个上市公司，其股票在纳斯达克（NASDAQ）证券交易所交易（代码为 PZZA）。公司2006年末的资产负债表与1994年末相比发生了巨大变化，如下所示（单位：千美元）：

	资产	=	负债	+	股东权益
2006年末	\$ 379 639		\$ 233 471		\$ 146 168
1994年末	76 173		13 564		62 609
变化：	+ \$ 303 466		+ \$ 219 907		+ \$ 83 559

近年来，比萨行业的竞争不仅来自于传统比萨产品，还来自于其他的新型产品，如烘烤比萨系列、冷冻比萨系列、外卖比萨系列如苹果派、辣味比萨等等，同时，消费者偏好向低档产品转变也给比萨行业带来了竞争。尽管面临着如此激烈的竞争及消费者偏好的转变，Papa John's 公司却丝毫没有停止扩张，公司反而于2007年在美国及其他国家新开260家餐厅。由此可见，比萨行业的竞争异常激烈，并且商战依然在继续……

了解企业

比萨是一个全球性的食品，每年都会产生320多亿美元的营业额。虽然企业的发展在很大程度上依赖于人力资本，但也要通过提高产品质量及市场营销来获得竞争优势。Papa John's公司的战略就是"更好的馅料，更好的比萨"。要做到这一点，公司需要重点关注产品的配料检测和质量检验，以至于细致到黑橄榄的尺寸及肉类的脂肪含量。公司采用了简单的经营模式，为外卖或者送货上门的顾客提供吸引眼球的菜单，包括比萨、面包条、奶酪和佐餐饮料。为了控制产品质量和提高效率，公司还专门成立了一个地区委托机构（称为质量控制中心），该机构负责制作比萨面团并销售给各分店。Papa John's公司每年的资产和负债变动情况主要归因于委托人、新设立的餐厅及特许权销售。

为了解Papa John's公司的增长战略在资产负债表上是怎样反映的，我们必须首先回答下列几个问题：

1. 什么样的经济业务会导致资产负债表项目金额从一个期间到另一个期间的变化；

2. 特殊的经济业务是怎样影响每一项资产负债表金额的；

3. 公司是怎样记录资产负债表项目金额的。

一旦回答了上述问题，我们就可以从事两个关键分析工作：

1. 分析和预测经营决策对公司财务报表的影响；

2. 运用其他公司的财务数据来评价本公司管理层业绩，这也是财务报表分析的重要工作之一。

在本章中，我们将关注一些典型的资产购置活动（通常称为投资活动）以及与之相关的筹资活动，比如向债权人借入资金或者发行股票给投资者以筹措资金。我们仅关注那些影响资产负债表项目金额的业务活动，同时影响利润表和资产负债表的经营活动将在第3章与第4章中讨论。下面，让我们先来回顾一下第1章中曾经介绍的基本概念。

本章结构图示

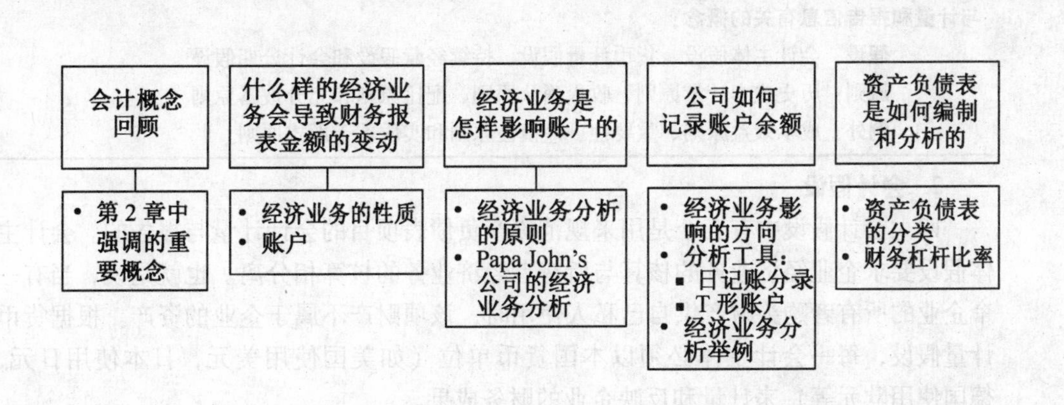

2.1 会计概念概述

第1章中已经定义的重要会计术语和概念是会计理论框架的一个重要组成部分。会计理论概念框架经过多年的发展，最终由美国财务会计准则委员会（FASB）予以系统化。这个概念框架在图表2—1中作为重要概念表述，并将在接下来的4章中继续讨论。当你懂得为什么会计程序按一定的方式进行处理时，学习和记忆会计的处理程序就很容易了，因此理解这些概念将会对你的学习有很大帮助。在以后的学习中我们会遇到更为复杂的经济业务，清晰地理解这些概念对你以后章节的学习同样有很大的帮助。

本章中阐述的基本概念

1. 财务报告的目标

对外财务报告的主要目标是为外部利益相关者作出明智的财务决策而提供有用的经济信息。会计信息的使用者被称为决策者，包括公众投资者、债权人及提供财务咨询的专家等。他们都应当对会计概念和程序有一个最明智的理解（这也许是你学习会计的原因之一）。当然，就像我们在第1章中提到的那样，财务报告的使用者还包括供应商、顾客等其他利益相关者。

会计信息的使用者们只对有助于他们预测企业未来现金流入和流出的信息感兴趣。比如债权人和潜在债权人需要评估企业的以下能力：（1）分期支付债务利息的能力；（2）到期偿还债务本金的能力。投资者和潜在投资者需要评估企业以下能力：（1）未来支付股利的能力；（2）股票升值后出售股票以赚取更多收益的能力。

图表2—1　**财务会计和报告——概念框架**

对外财务报告的目标：

为外部决策使用者提供有用的经济信息

有用信息要求：

相关性、可靠性、可比性和一贯性

计量和报告的要素：

资产、负债、股东权益、收入、费用、利得和损失

与计量和报告信息有关的概念：

假设：会计主体假设、货币计量假设、持续经营假设和会计分期假设

原则：历史成本计量原则、收入确认原则、配比原则和充分披露原则

例外：成本效益原则、重要性、谨慎性原则和实质重于形式原则

2. 会计假设

四大会计假设中有三个是用来规范资产负债表项目的会计计量与报告的。会计主体假设要求企业经济业务的核算与所有者经济业务的核算相分离。也就是说，当有一个企业的所有者购买财产供自己私人使用时，该项财产不属于企业的资产。根据货币计量假设，每一会计主体必须以本国货币单位（如美国使用美元，日本使用日元，德国使用欧元等）来计量和反映企业的财务成果。

持续经营假设是指企业通常被假设在足够长的持续经营期间内履行合同义务和执

行计划。如果一个公司不能持续经营，比如很可能破产清算，那时公司的资产和负债应该按照公司即将被清算的状态进行估计和报告。在接下来的章节中，除非特别指明，我们都假定企业满足持续经营假设。第四个会计假设，即会计分期假设，是规范企业收入和费用的计量的，我们将在第3章中介绍这个假设。

3. 资产负债表要素

正如我们在第1章中所介绍的那样，资产、负债和股东权益是资产负债表的基本要素，让我们再来详细地了解一下它们的含义。

资产是企业拥有或控制的，过去的经济业务或事项形成的，能为企业带来未来利益的经济资源。换句话说，资产是企业取得的，能在将来生产经营中运用的资源。为了报告的需要，资产价值必须能够可靠地计量，通常以资产的购买价格来确定资产价值。而为了不误导投资者，管理者应当运用职业判断（或者经验）来确定已获得资产的未来经济利益。例如，公司拥有一项10 000美元的客户欠款，而根据以往经验表明，只有9 800美元能够收回，为了让使用者能够准确地预测企业未来的现金流量，企业应当报告较低的金额，即9 800美元。在以后的章节中我们再讨论该金额的估计过程以及如何在报告中确定该金额。

在历史成本原则下，资产成本是以经济业务发生日支付的现金和现金等价物的价值来计量的。例如，你用一台电脑和现金换取一辆新的小轿车，新车的成本就等于支付的现金加上电脑的市场价值。

因此，大多数情况下，历史成本是很容易确定并加以验证的。历史成本计量的一大缺陷是在资产取得以后的期间，资产在资产负债表中依然以历史成本为基础计量，而并不是以资产的市场价值来反映的。这也是因为资产的市场价值往往不能可靠、客观地获得而造成的。在会计概念框架里，也有例外于该项规定的，而允许在实务中采用多种计量属性，进而为会计信息使用者提供相关可靠的会计信息。这些内容将在以后的章节中予以讨论。

与图表2—2中所列示的Papa John's公司资产负债表一样，大多数公司的资产负债表中资产以流动性强弱来排序，即以一项资产能够转化为现金或者被耗用的时间长短来排序。注意，Papa John's公司的某些资产被称为流动资产。流动资产是指Papa John's公司将在1年内（接下来的12个月里）消耗或变现的资产。就存货而言，不论其生产和销售的时间如何，均被作为一项流动资产。根据图表2—2所示，Papa John's公司的流动资产包括：现金、应收账款、存货、预付账款和其他流动资产等。

其余所有资产都称为长期资产，也就是说，它们将在超过1年的时间里被耗用或变现。对于Papa John's公司来说，长期资产包括：长期投资、固定资产、长期应收款、无形资产、其他长期资产等。Papa John's公司的资产负债表只包含了公司拥有的餐厅，大约占公司旗下餐厅的20%，其余的资产都包含在特许加盟商各自的报表中。

图表2—2　　Papa John's公司的资产负债表

Papa John's公司
合并资产负债表
2006年12月31日
（单位：千美元）

项目	金额
资产	
流动资产	
现金	$ 13 000
应收账款	23 000
存货（物资等）	27 000
预付费用	8 000
其他流动资产	14 000
流动资产合计	85 000
投资	1 000
固定资产（减：累计折旧189 000）	198 000
应收票据	12 000
无形资产	67 000
其他资产	17 000
资产总计	$ 380 000
负债和股东权益	
流动负债	
应付账款	$ 29 000
应计费用	73 000
流动负债合计	102 000
预收特许权费用	7 000
长期应付票据	96 000
其他长期负债	27 000
股东权益	
实收资本	64 000
留存收益	84 000
股东权益合计	148 000
负债与股东权益总计	$ 380 000

财务分析

未记录但有价值的资产

许多有价值的无形资产，如商标权、专利使用权（这些都是在生产经营中产生的），并没有在资产负债表上反映。例如：通用电气集团资产负债表解释说没有列出商标权的理由是商标权是经过长期研发、公司发展及营销广告等内部活动产生的

(而非外部购买得来)。同样，可口可乐公司没有报告与其自身专利权 COKE 标志有关的任何资产，而它却报告了超过 20 亿美元的从外部购买的商标权。

负债是指由过去的经济业务或事项引起的，将来需要以资产或劳务清偿的债务或义务。公司欠款的那些主体称为债权人。债权人通常能够收回欠款，有的还能得到一些利息。Papa John's 公司资产负债表中包含五项负债：应付账款、应计费用、预收特许权费、长期应付票据和其他长期负债。这些负债以及其他一些负债将在以后讨论。

与资产一样，负债也是按流动性排序的。负债在资产负债表中按偿还所需时间的长短来列示。Papa John's 公司在 1 年内需要以现金、劳务或其他流动资产来清偿的债务被分类为流动负债。区分流动资产和流动负债能够帮助外部报表使用者评估公司未来现金流量的金额和适时性。尽管没有要求，大部分公司仍分别披露流动资产和流动负债。

职业道德问题

环境负债：绿色的 GAAP

多年来，公司一直面临着估计和披露环境负债的压力，这种压力还在不断地加大，比如：危险废品区的清理。2005 年生效的绿色 GAAP 要求企业必须记录和报告与未来环境负债相关的合理估计数。当然，该负债的金额必须能够合理地估计。该项义务包括估计未来进行环境净化、资产拆除、处置、回收等的费用。虽然已经有一些新法规为此提供了新的指南，但是合理地预计环境负债问题仍然是一个尚待解决的难题。

股东权益（也称所有者权益）是由所有者投入或企业经营而形成的由所有者享有的剩余权益。所有者提供的现金（或非现金资产）称为企业的实收资本。所有者向企业投资并取得股票份额作为其所有权证明。Papa John's 公司的最大投资者 John Schnatter 同时也是该公司的创始人和首席执行官，拥有公司 17% 的股权，波士顿 FMR 公司持有 9% 的股权，剩余的股权则由公司员工、管理层和大众投资者所拥有。

投资者直接向公司投资（或以购买股票形式），希望能得到以下两方面的现金流：(1) 公司从其盈余中分配的股利（也就是股票投资的回报）；(2) 出售股票以赚取超出购买价的盈余（也称资本利得）。若公司没有分配盈余，而是被企业管理层进行再投资，那么这部分盈余就称为留存收益。让我们来看一下 Papa John's 公司的资产负债表（图表 2—2），它表明了公司的增长资金主要依靠持续的留存部分提供，大约 57% 的股东权益是留存收益（＄84 000 000 的留存收益 ÷ ＄148 000 000 的股东权益总额）。

在继续学习以前，请先完成下面的自测题：资产负债表账户分类。

自测题

下列是一组从 Wendy's International 公司的资产负债表中摘录的账户。在给定的横线上写出每个账户所属资产负债表的类别，如流动资产（CA）、非流动资产（NCA）、流动负债（CL）、非流动负债（NCL）、股东权益（SE）等。

______应计费用　　______留存收益　　______固定资产

______投　　资　　______应收账款　　______应收票据（五年到期）

______长期负债　______应付账款

完成答题之后，请对照下面的参考答案。

自测题答案：

第 1 行：CL；SE；NCA。

第 2 行：CA；CA；NCA。

第 3 行：NCL；CL。

现在我们已经复习过了资产负债表要素，让我们来看一下什么样的经济业务会导致财务报表项目金额的变化。

2.2 哪些经济业务会导致财务报表金额的变化？

2.2.1 企业经济业务的性质

会计关注那些能够对特定主体产生经济影响的事项。记录在会计处理程序的那些事项称为经济业务。要想将经济事项的结果转化为财务报表数据，首先应确定都包括哪些事项。根据资产和负债的定义，只有过去的经济业务或事项形成的经济资源与债务才被记录在资产负债表中。这里的经济事项包含两个方面：

1. **外部事项**：是指企业以资产、货物或劳务与外部某一方或多方的资产、劳务或付款承诺进行交易而产生的经济事项。例如，从供应商那里购买的机器设备、向顾客出售的商品、从银行取得的借款、所有者投入的资本等。

2. **内部事项**：是指可计量的企业内部的经济事项。这些事项并不是由于企业与外部各方进行交易而产生的，而是指那些能够直接影响企业并加以计量的特定事项。例如，预付保险费的摊销、建筑物与设备的多年使用等。

本书中经济业务这个词是广义的用法，包括上述两种事项。

一些重要的事项会影响企业未来的经济利益，而这类事项并没有反映在资产负债表中。在多数情况下，我们不认为签订合同是一项经济业务，因为它只涉及双方的承诺，而不涉及资产如现金、货物、劳务或财产。例如，假定 Papa John's 公司与一个新的地区经理签订了一项雇用合同。从会计的角度看，经济业务没有发生，因为没有发生资产、货物、劳务的交换。合同双方只是交换了承诺——经理同意为 Papa John's 公司工作，Papa John's 公司同意为经理的工作支付薪酬。经理每工作一天，Papa John's 公司每天为应支付的薪酬予以记录。由于长期的雇用合同、合约及其他承诺的重要性，公司应当在财务报表附注中披露这些信息。

2.2.2 账户

账户指具有标准化的格式，企业用其综合地反映经济业务对每一财务报表项目金额的影响。为实现财务报告目标，应分开反映各账户的余额。为记录经济业务，每个公司都建立了会计科目表，列示了所有账户的名称及其独特的代码。账户通常按财务报表的要素进行设置，首先列示资产账户，其次是负债账户，接下来是股东权益账户，以此类推是收入和费用账户等。图表 2—3 中列出了大多数公司经常使用的不同账户的名称。当你完成作业而又不十分确定应该使用哪个账户名称时可以查看此表。

注意：

• 名称中带有“应收”字样的账户通常属于资产类账户，其账户余额表示客户或他方欠本公司的款项。

• 名称中带有“应付”字样的账户通常属于负债类账户，其账户余额表示本公司将于未来偿还的欠他方的款项。

• 预付账款属于资产类账户。预付账款是指企业为获得未来收益而支付给他方的款项。比如预付的财产未来期间的保险费。

• 名称中带有“预收”字样的账户通常属于负债类账户，是指他方为在未来取得企业的货物或劳务而预先支付给公司的款项。

每个公司的账户设置都有所不同，这主要取决于公司的经济业务性质。例如，一个小的草坪休整服务公司会设置一个“割草机”的资产账户，而一家大的集团公司如通用汽车公司，很可能不设置该账户。随着我们对越来越多的公司资产负债表的了解会发现，这种账户设置上的差异会越来越明显。由于每个公司都拥有一套独自的会计科目表，所以你不需要去记忆典型的会计科目表。在作业问题上，账户的名称或者给出，或者你将在类似前述的会计科目表中选择恰当的名称，一旦你为一个账户选择了一个名称，那就应当在影响该账户的所有经济业务中准确地使用该名称。

你在很多大公司的财务报表中可以看到，账户金额实际上是一系列具体账户的累加金额。例如，Papa John's 公司为包装纸制品、食品和饮料都单独设置账户进行核算，但是在资产负债表中将它们合并到“物资”项下来反映。机器设备、建筑物和土地等也同样被合并到固定资产项目下予以反映。因为我们的目标是了解公司真实的财务状况，因此应把注意力放在这些账户上。

图表 2—3　**典型的账户名称**

资产	负债	股东权益	收入	费用
现金	应付账款	实收资本	销售收入	销售成本
短期投资	应计费用	留存收益	使用费收入	工资费用
应收账款	应付票据		利息收入	租金费用
应收票据	应交税费		租金收入	利息费用
存货（待售）	预收账款		劳务收入	折旧费用
物资	应付债券			广告费用
预付费用				保险费用
长期投资				修理费用
设备				所得税费用
建筑物				
土地				
无形资产				

国际视野

理解国外的财务报告

国际财务会计准则的产生，使得阅读和理解国外的财务报告变得更加容易。该准则与 GAAP 很相似。英国制药业的巨头公司——GlaxoSmithkline 公司，采用欧盟统一接受的 IFRS 的要求提供财务报告（用英文表述）。但是，两者（英国准则与国际准则）在财务报告的结构与账户名称上存在差异。这些差异可能会使人混淆。例如，英国会计准则规定，资产负债表上非流动资产就列在流动资产的前面，为避免混淆，关键是要看清楚报表中的副标题。英国会计准则中有时会用“准备”一词来代替“负债”。这时也要看清副标题来避免混淆。但是负债类科目下的账户一定是负债。

2.3 经济业务如何影响账户

企业管理层的决议往往引起影响财务报表金额的经济业务的发生。例如，管理层决定增加店铺的数量、宣传引入新产品、改变职工福利待遇或者用多余的现金投资等都会影响企业的财务报表。有时这些决策可能引起意想不到的后果。比如，决定用现金购买额外的存货以取得主要销售的主动权，这会增加存货而减少现金。但即使对其他存货没有需求，较低的现金余额也会降低公司支付其他负债的能力。

由于公司的决策经常会引起会计要素的变化，管理层应当清楚地知道经济业务怎样影响财务报表。确定经济业务影响的程序被称为经济业务分析。

2.3.1 经济业务分析的原则

经济业务分析是根据会计等式来分析每一笔经济业务从而确定对企业产生的经济影响的过程。我们将在本章的该部分描述这一过程，并且创建一个描述该过程的可视工具（经济业务分析模型）。该模型的基础是会计等式和两大会计原则。回顾第 1 章的内容可知，企业的基本会计等式如下：

资产 = 负债 + 股东权益

经济业务分析的两大会计原则是指：

（1）每笔经济业务至少影响两个会计账户，准确地鉴别这些账户及其影响的方向才是关键。

（2）每一笔经济业务处理后，会计等式依然保持平衡。

经济业务分析是否成功，取决于能否清晰地理解这些原则，请仔细研究下列资料。

1. 双重影响

每笔经济业务对会计等式的影响至少涉及两个项目，这就是所谓的双重影响概念。与外部交易的大多数业务都会涉及两个方面的交易，即一方面会得到某些东西，同时另一方面会放弃某些东西。例如，假定 Papa John's 公司以现金购买了一些餐巾纸，在这个交易中将收到存货（资产增加），同时付出现金（资产减少）。

经济业务	Papa John's 公司收到的	Papa John's 公司付出的
以现金购买餐巾纸	存货（增加）	现金（减少）

通过该项经济业务的分析，我们确定这一经济业务影响了存货账户和现金账户。正如我们在第 1 章中所讨论的那样，大部分存货的购买，都是以负债的形式（赊购产品）进行的。这种情况下，Papa John's 公司会有两笔经济业务：

（1）以赊购的方式购入资产。在第一笔经济业务中，Papa John's 公司收到存货（资产增加），并作出将来付款的承诺，所以，“应付账款”增加（负债增加）。

（2）应付账款的实际支付。在第二笔经济业务中，Papa John's 公司会履行支付的承诺（应付账款减少，即负债减少），同时支付现金（资产减少）。

经济业务	Papa John's 公司收到的	Papa John's 公司付出的
（1）赊购餐巾纸	存货增加	应付账款增加
（2）偿付应付款	应付账款减少	现金减少

正如我们先前所强调的那样，并非所有重要的经营活动都会引起影响资产负债表的经济业务的发生。特别是，签署一项合同涉及的合同双方承诺的交易，并不会引起经济业务的发生。比如，如果 Papa John's 公司向其餐巾纸供应商订购更多的餐巾纸，且其供应商接受了订单但没有马上执行合同，则没有经济业务的发生。但是当货物运达 Papa John's 公司时，餐巾纸供应商放弃存货的所有权，得到了 Papa John's 公司将在不久付款的承诺。同时，Papa John's 公司则因为得到了存货而承诺付款。这时，一个付款承诺和一些货物进行了交换，经济业务便发生了。Papa John's 公司和供应商的财务报表都将因此而受到影响。

2. 会计等式平衡

任何经济业务处理后，会计等式都必须保持平衡。也就是说，总资产（总资源）等于总负债与股东权益之和。如果能够准确地确定所有的账户，并且对每一个账户的影响方向及金额的处理都准确无误，那么会计等式一定会保持平衡的。一个系统化的经济业务分析包括如下几个步骤：

步骤一：账户的确认、分类及其影响

- 确认影响的账户名称，确定至少有两个账户发生了变化，问问自己：收到了什么和支付了什么？
- 按账户类型进行分类，账户是资产类（A）、负债类（L）还是股东权益类（SE）？
- 确定影响方向。账户的金额是增加了（+）还是减少了（-）？

步骤二：验证会计等式平衡

- 证明会计等式（A = L + SE）依然保持平衡。

2.3.2 Papa John's 公司经济业务的分析

为了说明经济业务分析过程的运用，让我们先来看一些 Papa John's 公司典型的经济业务，这些经济业务在其他一些公司里也很常见。注意本章仅介绍影响资产负债表项目的经济业务。假定 Papa John's 公司在 2007 年 1 月从事了以下经济业务，该月为图表 2—2 中资产负债表日的下一个月。为简化起见，所有金额均以千美元为单位。

（a）Papa John's 公司向投资者增发 $ 2 000 的股票，收到 $ 2 000 的现金。

步骤一：账户的确认、分类及其影响

收到：现金（+A） $ 2 000　　付出：增发股份，实收资本（+SE） $ 2 000

步骤二：验证会计等式平衡

是的，会计等式左方增加 \$ 2 000，同时右方增加 \$ 2 000，依然保持平衡。

	资产	=	负债	+	股东权益
	现金				实收资本
(a)	**+2 000**	**=**			**+2 000**

(b) Papa John's 公司从当地银行借入 \$ 6 000，并签发三年期的应付票据。

步骤一：账户的确认、分类及其影响

收到：现金（+A） \$ 6 000　　　付出：承诺付款，应付票据（+L） \$ 6 000

步骤二：验证会计等式平衡

是的，会计等式左方增加了 \$ 6 000，同时右方增加了 \$ 6 000，依然保持平衡。

	资产	=	负债	+	股东权益
	现金		应付票据		实收资本
(a)	+2 000	=			+2 000
(b)	**+6 000**	**=**	**+6 000**		

事项（a）和（b）都是筹资业务，公司因投资（购买或建造其他设施）而需要现金，通常会以向投资者发行股票（事项 a）或向债权人借款（事项 b）的方式来筹集资金。

(c) Papa John's 公司购买价值 \$ 10 000 新的烤炉、柜台、冰箱及其他设备。支付了现金 \$ 2 000，并签发两个月期限的应付票据 \$ 8 000。

步骤一：账户的确认、分类及其影响

收到：固定资产（+A） \$ 10 000　　　付出：(1) 现金　（-A） \$ 2 000

　　　　　　　　　　　　　　　　　　　(2) 应付票据（+L） \$ 8 000

步骤二：验证会计等式平衡

是的，会计等式左方增加 \$ 8 000，右方增加 \$ 8 000，依然保持平衡。

	资产		=	负债	+	股东权益
	现金	固定资产		应付票据		实收资本
(a)	+2 000		=			+2 000
(b)	+6 000		=	+6 000		
(c)	**-2 000**	**+10 000**	**=**	**+8 000**		

请注意，经济业务（c）影响了两个以上的账户，事项（a）、（b）和（c）对资产负债表的影响已经在自测题的表格中列出，事项（d）、（e）、（f）的影响需要你自己去分析，并填列到表格的空白处。

自测题

习题是提高经济业务分析能力的有效途径。温习一下事项（a）（b）（c）的分析方式，接着完成事项（d）（e）（f）的分析。反复练习这些分析方式，你就能自然地掌握这些方法。完成表格后核对答案，答案在下面。

(d) Papa John's 公司借出现金 \$ 3 000 给新的特许权商，并收到其签发的五年期票据。

步骤一：账户的确认、分类及其影响

收到：应收票据（+A） $ 3 000　　　　　付出：________________

步骤二：验证会计等式平衡

是的，会计等式左方减少 $ 3 000，同时右方增加了 $ 3 000。

（e） Papa John's 公司以现金 $ 1 000 购买了其他公司的股票作为长期股权投资。

步骤一：账户的确认、分类及其影响

收到：投资（+A）： $ 1 000　　付出：现金（-A） $ 1 000

步骤二：验证会计等式平衡

是否______，为什么？________________________

（f） Papa John's 公司董事会宣告，下月将派发 $ 3 000 的现金股利。

留存收益代表可向股东分配利润。当董事会宣告发放现金股利时，留存收益会减少，这样，公司用于向股东分配的利润也就相应地减少了。另一方面，公司向股东承诺将支付的股利形成应付股利，直到实际支付。

步骤一：账户的确认、分类及其影响

收到：留存收益（-SE）3 000　　　　　付出：________________

步骤二：验证会计等式平衡

是与否？______　为什么？________________

	资产				=	负债		+	股东权益	
	现金	应收票据	固定资产	投资		应付股利	应付票据		实收资本	留存收益
(a)	+2 000				=				+2 000	
(b)	+6 000				=		+6 000			
(c)	-2 000		+10 000		=		+8 000			
(d)	___	___			=	不变				
(e)	___			___	=	不变				
(f)				不变	=	___				___
合计	+2 000	+3 000	+10 000	+1 000	=	+3 000	+14 000		+2 000	-3 000
	+16 000				=	+16 000				

自测题答案：

	资产				=	负债		+	股东权益	
	现金	应收票据	财产与设备	投资		应付股利	应付票据		实收资本	留存收益
(d)	-3 000	+3 000			=	不变				
(e)	-1 000			+1 000	=	不变				
(f)				不变	=	+3 000				-3 000

2.4 公司如何记录账户余额？

对大多数企业来说，用上述方式来记录经济业务的影响和记录账户余额是不切合实际的。为了更好地处理日常产生的大量的经济业务，公司通常都会设立一套会计电算化系统。该系统建立一个会计循环（如图表 2—4 所示），对企业在会计期间所进行的主要活动进行分析、记录和报告。在第 2 章和第 3 章中，我们将举例说明在会计期间的这些主要活动。在第 4 章中，我们也将讨论和说明整个会计循环过程：会计期末的账项调整、财务报表的编制及会计记录的结账业务。

图表 2—4 会计循环

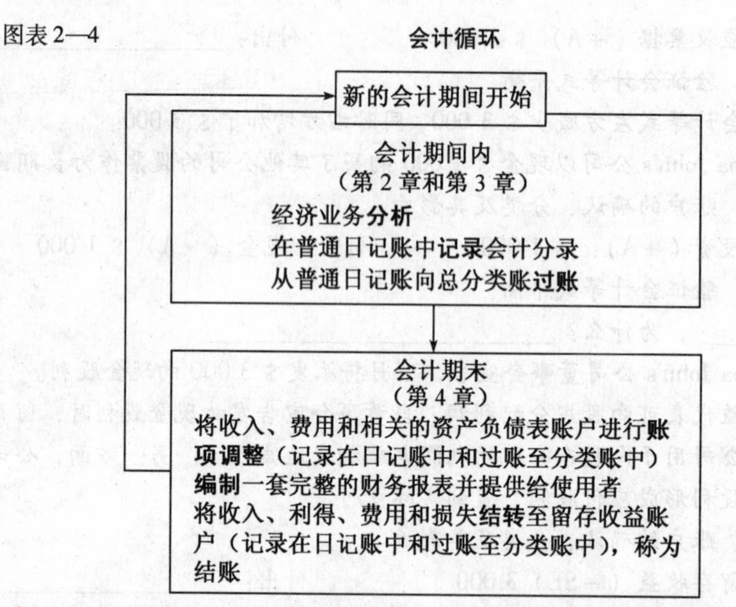

在一个会计期间内，公司与其他公司发生的经济业务在普通日记账中按照时间顺序逐笔进行分析和记录，同时总分类账中的相关账户也随之更新。这些正式的会计记录是基于会计师们经常使用的两个非常重要的工具——日记账分录和 T 形账户法。从会计系统设计的角度出发，这两个分析工具在反映经济业务的影响、确定账户的余额和编制财务报表方面是更有效的两种方式。作为企业未来的管理者，你们应当在财务分析中提高自己的理解和运用这两种工具的能力。对那些初学会计的人来说，这种能力是理解会计系统以及将来参加实务工作的基础。我们在解释如何运用这两种工具进行经济业务分析之后，就要说明它们在财务分析中的具体运用。

2.4.1 经济业务的影响方向

如前所述，经济业务的发生会引起资产、负债和股东权益的增减变动。为了有效地反映这些影响，我们需要构建能够列示经济业务影响方向的业务分析模型。正如图表 2—5 所示，关键的账户结构要素包括以下几个要素：

以“ +”表示的增加数对于会计等式的左边账户（**资产类账户**）来说，位于 T 形账户的左方；对于会计等式的右边账户（**负债类**和**股东权益类账户**）来说，则位于 T 形账户的右方。

同时要注意：

（1）“借方”这个词（如果简化，可写成 dr）总是写在每个账户的左方。

（2）“贷方”这个词（如果简化，可写成 cr）总是写在每个账户的右方。

从这个业务分析模型中，我们可以观察以下几个方面：

（1）资产类账户在左方（借方）登记增加金额；其余额一般在借方。但在极其特殊的情况下，资产账户的余额也会出现相反的余额，即在贷方，比如存货等。

（2）负债类账户和股东权益类账户在右方（贷方）登记增加金额，其余额一般在贷方。

为了能够记忆哪一个账户借方增加和哪一个账户贷方增加，我们可以回顾一下资产账户借方增加是因为资产是在会计等式的左边（借方）（资产 = 负债 + 股东权益），类似的，负债和股东权益账户贷方增加，是因为它们在会计等式的右边（贷方）。

图表 2—5 **经济业务分析模型**

资产	=	**负债**	+	**股东权益**			
（许多账户）		（许多账户）		（两个账户）			
				实收资本		**留存收益**	
+ 借方	− 贷方	− 借方	+ 贷方	− 借方	+ 贷方	− 借方	+ 贷方
					所有者投资	支付股利	企业净收益

总结：

资产	=	负债	+	股东权益
增加记在借方		增加记在贷方		增加记在贷方
余额在借方		余额在贷方		余额在贷方

在第 3 章中，我们将增加对收入和费用账户的影响分析。那时，你正在学习经济业务分析，应当经常借助图表 2—5 中的分析模型，直到你无需帮助就能够建立自己的模型。

许多学生觉得会计学起来很麻烦，那是因为他们忘记了借方的含义很简单地就是仅仅指账户的左方，而贷方就是指账户的右方，或许有人曾经告诉你，你是为学校或家庭带来荣誉的人，结果你就认为“贷”就是好的，而“借”则是不好的。事实并非如此，你只要记住借方意味着左边，贷方意味着右边就可以了。

如果你能够通过经济业务分析确定正确的账户及其影响，那么会计等式必定保持平衡。并且，经济业务的所有借方金额合计等于所有贷方金额合计。为了进一步确认会计记录的准确性，我们将这种借贷相等检查方式（借方 = 贷方）添加到经济业务分析程序中。

2.4.2 分析工具

1. 日记账法

在账簿体系中，经济业务在普通日记账中是以时间先后顺序来进行记录的（请参阅网站 www.mhhe.com/libby6e，查看正式的账簿记录程序示例）。在分析了描述经济业务相关的凭证后，记账员要运用借贷记账法在日记账中录入账户的影响金额。日记账分录就是描述经济业务对账户影响的一种方法，它的基本公式是借方等于贷方。Papa John’s 公司经济业务（c）的日记账分录举例如下：

请注意以下几点：

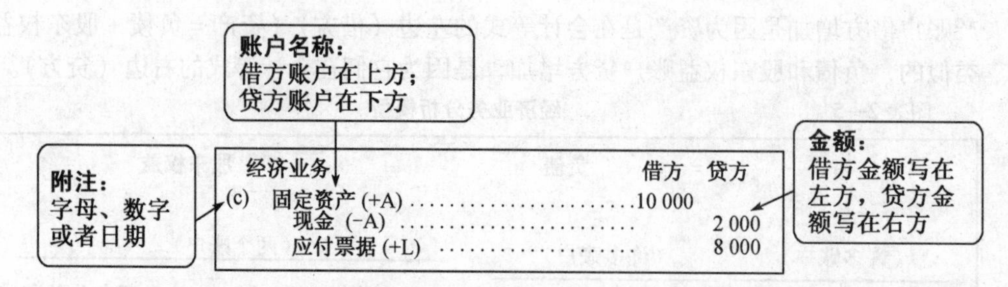

（1）对于每笔经济业务来说，注明日期和一些其他事项是十分有用的。在手工记账方式下，借方账户首先被记录在上方，且其金额登记在两栏式金额栏的左方，而贷方账户则交错地记录在借方账户的下方，贷方金额登记在右栏中。只要借方的账户记在上方，贷方账户交错地记在下方，借方账户或者贷方账户的排序无关紧要。

（2）借方合计（＄10 000）等于贷方合计（＄2 000＋＄8 000）。

（3）上述这个经济业务影响到了三个账户。任何影响到两个以上账户的日记账分录叫做复合分录。尽管该分录是 Papa John's 公司所列示的唯一一个影响到两个以上的经济业务，但在后面的章节中将会陆续出现许多复合会计分录。

当你学习进行经济业务分析时，与以前的日记账分录程序一样，在每一账户名称旁边使用标示“A”“L”和“SE”。这样就可以清楚地辨别账户的性质：“A”表示资产，“L”表示负债，“SE”表示股东权益，这样就会更清晰地分析经济业务，也更容易编制会计分录。例如，如果现金增加，我们直接记录“现金（＋A）”。结合下面的章节，我们还会将经济业务的影响方向与这些标示符号结合起来，帮助你理解每一笔经济业务对财务报表的影响。上述经济业务（c）中我们可以看出，资产增加了＄8 000（固定资产增加了＄10 000，但现金减少了＄2 000）同时负债增加了＄8 000。会计等式“A＝L＋SE”，依然保持平衡。

很多学生在不理解或不能够完全掌握如何运用经济业务分析模型的情况下，试图去记忆日记账分录。但以后章节中会出现更为复杂和更为详细的经济业务，那么单纯去记忆分录就会显得异常困难。从长远来看，记忆、理解并运用经济业务分析模型能够节省很多时间并消除迷惑。

2. T 形账户法

日记账分录本身并不能提供账户余额。只有在日记账分录记录之后，会计人员将经济业务影响的每一个账户金额过入到该账户后，才能确定新的账户余额（在会计电算化系统下，该项工作会自动地生成）。

这些账户被称之为总分类账。在小型企业依然采用的手工会计系统中，分类账通常是三栏式的，每个账户单独成页。在电算化系统中，账户被存储在磁盘中。图表2—6 列示了日记账中的一页及相关分类账页。注意观察现金的影响金额是如何从日记账分录过入现金分类账中的。

T 形账户是用来总结经济业务对每一账户的影响及其确定账户余额的一个有用的工具，它是分类账的一个简化形式。图表 2—7 列示了 Papa John's 公司的现金账户和应付票据账户基于经济业务（a）至（c）的 T 形账户。

请注意，作为资产类的现金，在 T 形账户中的左方登记增加数，在右方登记减少数。而作为属于负债类的应付票据，在T形账户中的右方登记增加数，而在左方登记减少数。许多小公司依然使用手工操作来登记T形账户，但在电算化系统下只保留T形账户的概念而不存在T形的形式。

在图表2—7中，注意账户的期末余额列示在“增加”的那一方并且用双下划线标示。为了得到账户的余额，我们将T形账户用下面的等式来表示。

账户	现金	应付票据
期初余额	$ 13 000	$ 96 000
+“增加”方	+8 000	+14 000
-“减少”方	-2 000	-0
期末余额	$ 19 000	$ 110 000

图表2—6　　**将经济业务的影响从日记账过入到分类账中**

普通日记账　　G1页

日期	账户名称和注释	编码	借方	贷方
	单位：千美元			
1月2日	现金	101	2 000	
	实收资本			2 000
	(股东投资)			
1月6日	现金	101	6 000	
	应付票据	201		6 000
	(从银行借款)			
1月8日	固定资产	140	10 000	
	现金	101		2 000
	应付票据	201		8 000
	(购买设备，支付部分现金，剩余款项签发应付票据)			

总分类账　　**现金**　　101

日期	摘要	编码	借方	贷方	余额
	余额				13 000
1月2日		G1	2 000		15 000
1月6日		G1	6 000		21 000
1月8日		G1		2 000	19 000

总分类账　　**财产与设备**　　140

日期	摘要	编码	借方	贷方	余额
	余额				198 000
1月8日		G1	10 000		208 000

总分类账　　**应付票据**　　140

日期	摘要	编码	借方	贷方	余额
	余额				96 000
1月6日		G1		6 000	102 000
1月8日		G1		8 000	110 000

图表2—7　　T形账户举例

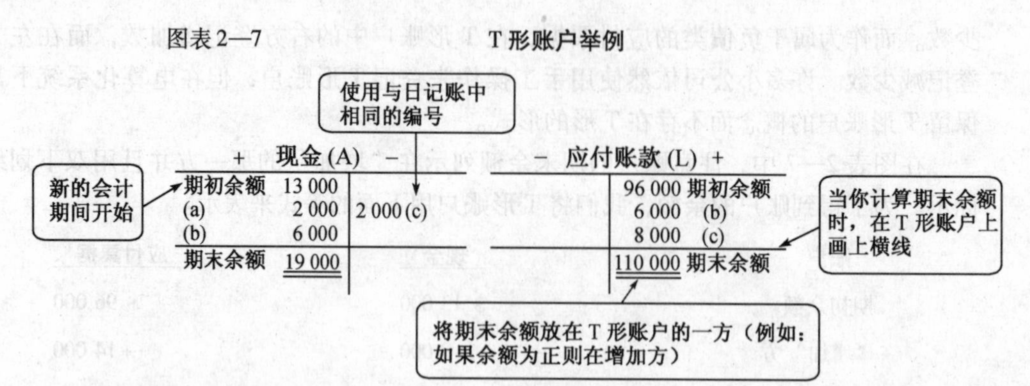

“借”与“贷”可以用作动词、名词或形容词。例如，当Papa John’s公司向投资者发行股票时，我们可以说借记（动词）现金账户，意思是说金额被记入T形账户的左方，或者我们也可以说贷方（名词）金额被记入账户的右方。注意，应付票据可以被描述为一个贷方账户（形容词）。教材后面的内容，都将以“借”和“贷”来取代“左”和“右”。在下一节内容中，我们将介绍经济业务影响的分析步骤，在日记账分录中记录其影响，然后运用T形账户确定账户余额。

2.4.3　经济业务分析说明

在本部分中，我们将以前述的Papa John’s公司当月经济业务为例来说明经济业务的分析过程以及日记账分录和T形账户的应用（单位：千美元）。我们需要分析每笔经济业务，检查和确认会计等式依然保持平衡以及借方金额等于贷方金额。在T形账户中，列示Papa John’s公司账户的期末余额，即2006年12月31日的资产负债表项目金额，作为期初余额被转入下一期账户。编制和复核了每一笔日记账分录之后，将（a）至（f）的交易结果记录在相应的T形账户中去。以第一笔交易为示例。

认真学习和理解该示例，包括对经济业务分析的解释说明。认真学习对理解以下内容是必不可少的：（1）会计模型；（2）经济业务分析；（3）对每笔经济业务的双重影响；（4）双重平衡体系。学习这些贯穿全书的最基本的、最重要概念的最有效的方法就是练习、练习、再练习。

（a）Papa John’s公司增发＄2 000的普通股，收到投资者投入的现金＄2 000。

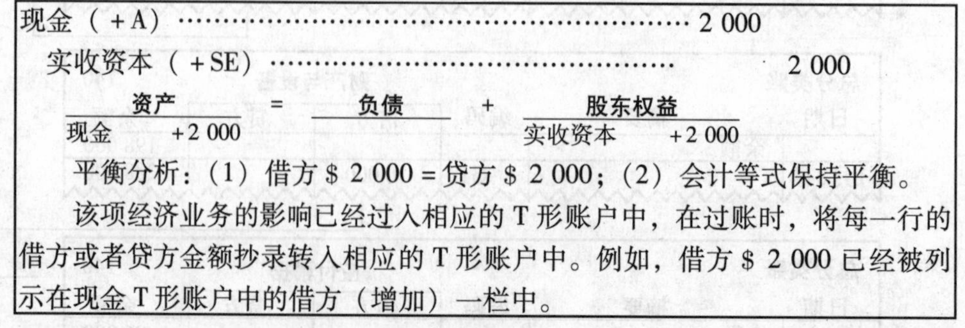

现金（+A）……………………………………………… 2 000
　实收资本（+SE）…………………………………… 2 000

资产		=	负债	+	股东权益	
现金	+2 000				实收资本	+2 000

平衡分析：（1）借方＄2 000＝贷方＄2 000；（2）会计等式保持平衡。

该项经济业务的影响已经过入相应的T形账户中，在过账时，将每一行的借方或者贷方金额抄录转入相应的T形账户中。例如，借方＄2 000已经被列示在现金T形账户中的借方（增加）一栏中。

（b）Papa John’s公司从当地银行借入＄6 000，并签发一张为期三年的应付票据。

现金（+A）…………………………………………… 6 000
　应付票据（+L）……………………………………………… 6 000

资产		=	负债		+	股东权益
现金	+6 000		应付票据	+6 000		

平衡分析：（1）借方 $ 6 000 = 贷方 $ 6 000；（2）会计等式依然保持平衡。

（c）Papa John's 公司购买了价值为 $ 10 000 新的烤箱、柜台、冰箱和其他设备。以现金支付 $ 2 000，其余的金额签发一张为期两年的应付票据。

固定资产（+A）……………………………………… 10 000
　现金　　（-A）…………………………………… 2 000
　长期应付票据　（+L）……………………………………… 8 000

资产		=	负债		+	所有者权益
固定资产	+10 000		长期应付票据	+8 000		
现金	-2 000					

平衡分析：（1）借方 10 000 = 贷方 10 000；（2）会计等式依然保持平衡。

自测题

填写经济业务（d）、（e）、（f）的空白处，在横线位置上填写未给出的信息；然后过入有关 T 形账户。

（d）借给经销商 $ 3 000，经销商签发一张为期 5 年的票据给 Papa John's 公司。编制会计分录，并把相应的影响金额过入 T 形账户，并完成等式平衡检查过程。

（d）________（　）…………………………… ______
　________（　）…………………………………… ______

资产		=	负债	+	股东权益
现金	（-3 000）				
应收票据	（+3 000）				

平衡分析：（1）借方 $ ______ = 贷方 $ ______；（2）会计等式依然保持平衡。

（e）Papa John's 公司购买其他公司的股票作为长期投资，支付现金 $ 1 000。完成该业务对会计等式的影响，标明影响的账户、金额及方向。然后将影响金额过入 T 形账户中。

（e）投资（+A）…………………………………………… 1 000
　　现金（-A）…………………………………………… 1 000

资产		=	负债	+	股东权益
______	______				
______	______				

平衡分析：（1）借方 $ 1 000 = 贷方 $ 1 000；（2）会计等式是否保持平衡？
______

（f）Papa John's 公司董事会宣布下月将派发 $ 3 000 的现金股利。当公司的董事会宣布派发现金股利时，其法定义务已经产生。编制会计分录，且将其过入 T 形账户，并完成经济业务对会计等式的影响。

(f) ______________ (　) ………………………… 3 000

______________ (　) ………………………… 3 000

资产	=	负债	+	股东权益
-3 000		+3 000		

等式核查：(1) 借方 $ 3 000 = 贷方 $ 3 000；(2) 会计等式依然保持平衡。

完成后，请核对下面的答案。

以下给出在该期间由于经济业务影响而发生变化的 T 形账户。期初余额来自 Papa John's 公司 2006 年 12 月 31 日资产负债表的金额。其他账户余额均不变。

+现金（A）−

12/31/2006 余额	13 000		
(a)	2 000	2 000	(c)
(b)	6 000	______	(d)
		______	(e)
1/31/2007 余额	15 000		

+投资（A）−

12/31/2006 余额	1 000	
(e)	______	
1/31/2007 余额	2 000	

+固定资产净额（A）−

12/31/2006 余额	198 000	
(c)	10 000	
1/31/2007 余额	208 000	

+应收票据（A）−

12/31/2006 余额	12 000	
(d)	______	
1/31/2007 余额	15 000	

−应付票据（L）+

	96 000	12/31/2006 余额
	6 000	(b)
	8 000	(c)
	110 000	1/31/2007 余额

−应付股利（L）+

	0	12/31/2006 余额
	______	(f)
	3 000	1/31/2007 余额

−实收资本+

	64 000	12/31/2006 余额
	2 000	(a)
	66 000	1/31/2007 余额

−留存收益+

		84 000	12/31/2006 余额
(f)	______		
		81 000	1/31/2007 余额

你用每个 T 形账户增加方的合计数减去减少方的合计数，得出的金额与每个 T 形账户的期末余额进行比较，如果一致则说明你的过账是正确的。

自测题答案：

(d) 日记账分录：

应收票据（+A）…………………	3 000	
现金　（-A）…………………		3 000

借方 $3 000 = 贷方 $3 000

(e) 对会计等式的影响：

资产		=	负债	+	股东权益
现金	-1 000				
投资	+1 000				

是的，会计等式依然保持平衡。

(f) 日记账分录：

留存收益（-SE）…………………	3 000	
应付股利（+L）…………………		3 000

对会计等式的影响：

资产	=	负债		+	股东权益	
		应付股利	+3 000		留存收益	-3 000

财务分析

从T形账户推断企业的经济活动

T形账户主要用于教学和分析的目的。在很多情况下，我们都会用T形账户来确定公司在一定期间内所从事的经济活动情况。例如，影响应付账款账户的主要经济业务是赊购资产和向供应商支付现金。如果我们知道应付账款的期初和期末余额，以及该期间所有赊购金额，我们就可以确定支付现金的数额。T形账户分析如下：

- 应付账款（L）+			
		600	期初余额
向供应商付款金额	?	1 500	赊购金额
		300	期末余额

解答：

期初余额	+	赊购金额	-	向供应商付款金额	=	期末余额
$ 600	+	$ 1 500	-	?	=	$ 300
		$ 2 100	-	?	=	$ 300
				?	=	$ 1 800

2.5 如何编制和分析资产负债表？

正如第1章中所描述的那样，资产负债表是企业与使用者，特别是与外部使用者进行沟通的一种财务报表。资产负债表是根据各个账户的期末余额在一定的时点来编制的。

2.5.1 资产负债表项目的分类

图表2—8所显示的资产负债表使用了Papa John's公司上述所举的经济业务实例（图表中的暗影部分），按T形账户中新的余额来编制的。这样，报表需要加上一个明确的表首（公司的名称、报表名称、日期和千美元或者百万美元的计量单位），注意图表2—8中还有其他几个重要的特征：

（1）资产与负债均被划分为两大类——流动的和非流动的。流动资产是指将在1年内耗用或者变现的资产，而非流动资产是指超过1年耗用的或者变现的资产。流动负债指必须在今后的12个月内以流动资产支付或清偿的债务。

（2）美元符号（$）需要在资产部分的顶部或底部、负债及股东权益部分的顶部或底部分别标注。

（3）报表包括比较数据。也就是说，报表比较了2007年1月31日和2006年12月31的账户余额。当呈现多个时期数据时，最近一期的资产负债表数据通常列示在最左端。

图表2—8　　**Papa John's 公司的资产负债表**

Papa John's公司及其子公司的合并资产负债表

单位：千美元

资产	2007年1月31日	2006年12月31日
流动资产		
现金	$ 15 000	$ 13 000
应收账款	23 000	23 000
物资	27 000	27 000
预付费用	8 000	8 000
其他流动资产	14 000	14 000
流动资产合计	87 000	85 000
投资	2 000	1 000
固定资产（减：累计折旧189 000）	208 000	198 000
应收票据	15 000	12 000
无形资产	67 000	67 000
其他资产	17 000	17 000
资产总计	$ 396 000	$ 380 000
负债与股东权益		
流动负债		
应付账款	$ 29 000	$ 29 000
应付股利	3 000	0
应计费用	73 000	73 000
流动负债合计	105 000	102 000
预收特许权费	**7 000**	**7 000**
应付票据	**110 000**	**96 000**
其他长期负债	27 000	27 000
股东权益		
实收资本	**66 000**	**64 000**
留存收益	**81 000**	**84 000**
股东权益合计	147 000	148 000
负债与股东权益总计	$ 396 000	$ 380 000

在本章的开头部分，我们呈现了 Papa John's 公司在 1994 年至 2006 年期间的资产负债表变动情况。我们曾发问是什么导致了账户的变化？反映这种变化的过程是什么？现在我们可以看到，在本章中所举的经济业务示例中，账户余额在一个月里再次发生了变化。

	资产	=	负债	+	股东权益
2007 年 1 月末	$ 396 000		$ 249 000		$ 147 000
2006 年末	380 000		232 000		148 000
变化	+ $ 16 000		+ $ 17 000		− $ 1 000

重要比率分析

财务杠杆比率

财务信息的使用者需要根据企业以往的经营业绩和财务状况，计算一系列的分析比率，从而预测企业的未来发展潜力。财务比率是如何随着时间的变化而变化，它们是怎样与竞争对手或者与行业平均水平相比较，这些均为企业在经营活动、投资活动和筹资活动方面的战略提供了有用的信息。

财务比率可以有很多种，一般常用的也有十几种。我们在这里只需要介绍其中的几种比率，这几种比率将在接下来的章节中时常出现。在第 2、3、4 章中，我们将介绍 3 种比率，它们是反映以下几个方面信息的：(1) 管理层在债务管理和权益筹资方面的管理效率（财务杠杆比率）；(2) 资产的利用效率（总资产周转率）；(3) 收入与成本的控制水平（净边际利润），所有的目的都是为了提高股权收益率的。在第 5 章中，我们还将结合这三个一般比率讨论其产生的重大影响。剩下的章节将以更加准确地评估企业的战略、能力和领域为关注的重点，讨论特定比率对各综合比率的影响作用。

正如我们在第 1 章中所讨论的那样，公司通过向投资者发行股票和向债权人举债的方式筹集大量现金以购买更多的资产，这些增加的资产可以产生更多的收入。然而，负债最终需要偿还，由于债务的增加，风险也随着增加。而财务杠杆比率可以为分析师们提供考察公司的筹资和投资战略的一个量度。

1. 分析问题

公司的管理当局是怎样运用负债来增加资产数量，进而为股东赚得收益的？

2. 比率及比较

财务杠杆比率 = 平均资产总额 ÷ 平均股东权益

"平均值"是指由资产或股东权益的期初余额与期末余额加总后除以 2 而计算得出的简单平均数。资产负债表金额的平均值就是指在一定期间内对经济活动数据所取的中间值。其计算公式可以表达为：

(期初余额 + 期末余额) /2

由此，Papa John's 公司 2006 年的财务杠杆比率为（千美元为单位）：

$$\frac{(351\ 000_{\text{2005年末}} + 380\ 000_{\text{2006年末}})/2}{(161\ 000 + 148\ 000)/2} = 2.37$$

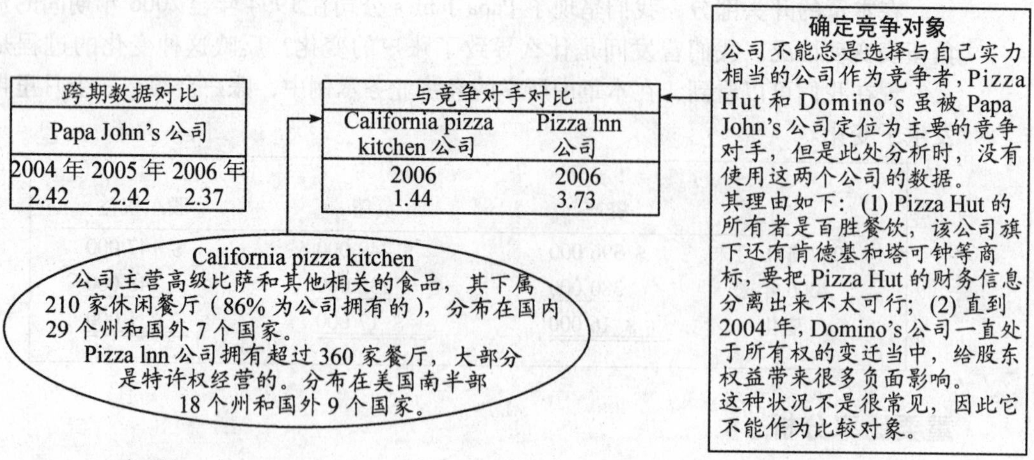

跨期数据对比		
Papa John's 公司		
2004 年	2005 年	2006 年
2.42	2.42	2.37

与竞争对手对比	
California pizza kitchen 公司	Pizza lnn 公司
2006	2006
1.44	3.73

California pizza kitchen
公司主营高级比萨和其他相关的食品，其下属210家休闲餐厅（86%为公司拥有的），分布在国内29个州和国外7个国家。
Pizza lnn公司拥有超过360家餐厅，大部分是特许权经营的。分布在美国南半部18个州和国外9个国家。

确定竞争对象
公司不能总是选择与自己实力相当的公司作为竞争者，Pizza Hut和Domino's虽被Papa John's公司定位为主要的竞争对手，但是此处分析时，没有使用这两个公司的数据。
其理由如下：(1) Pizza Hut的所有者是百胜餐饮，该公司旗下还有肯德基和塔可钟等商标，要把Pizza Hut的财务信息分离出来不太可行；(2) 直到2004年，Domino's公司一直处于所有权的变迁当中，给股东权益带来很多负面影响。
这种状况不是很常见，因此它不能作为比较对象。

3. **解释**

概述 财务杠杆比率衡量资产总额与平均股东权益之间的关系。正如已经指出的那样，公司通过股东权益和负债的方式筹措资金。负债融资所占的比例越高，财务杠杆比率也就越高。相反，股东权益融资所占的比例越高，财务杠杆比率就会越低。比率为1时，说明公司无负债；比率为2时，说明筹措的资金一半来自负债，一半来自股东权益。比率高于2时，表明公司在较高程度上运用负债融资。让我们详细地加以说明。

	资产	= 负债	+ 股东权益	
(1) 公司无负债时：	10	0	10	财务杠杆比率 = 1.00
(2) 若公司加上相等的负债时：	20	10	10	财务杠杆比率 = 2.00

这种情况下，公司会有两倍的资金为股东创造价值。

	资产	负债	股东权益	
(3) 若公司增加更多的负债：	30	20	10	财务杠杆比率 = 3.00

这种情况下，即使利用额外的资产可以赚取更多的利润，但公司却负担了多出股东权益两倍的债务，债权人会要求更高的利率，从而使公司的债务负担加重。这种公司被视为“冒险者”。

负债增加（即提高财务杠杆比率）会增加公司的购置资产，从而为股东赚取更多收益。但是增加赚取更高收益的机会的同时，也加大了公司的风险。债务融资比权益融资的风险更大些，因为利息必须按期支付（这是法定义务），而股利可以延迟支付。财务杠杆比率持续的增长预示了公司更依赖于负债融资，因而风险也会更高。

债权人和证券分析师可以运用该比率来评估公司的风险水平，管理层运用该比率将作出是否应进一步加大负债融资的决策。只要借款利息低于所产生的超额收益，那么利用债务融资就可以增加股东的盈余。

聚焦公司分析 Papa John's公司的财务杠杆比率在2006年稍有下降。在2006年中，该比率说明了公司每2.37美元的资产中包含1美元的股东权益和1.37美元的负债。公司采用比股东权益多出近1.5倍的负债来筹集资金——这的确是一个冒险的战略。事实上，自从1999年12月起，Papa John's公司就作出了很大的努力从股东手中回购其发行的股票，其用于回购的资金主要来自于贷款，这样就导致了股东权益下降，负债增加，而资产却没有增加。

和其他两家比萨餐馆相比，Papa John's 公司 2006 年的财务杠杆比率比较居中。这两家都是接待顾客在餐厅就餐的餐馆，所以比 Papa John's 公司在基础设施上投入了更多的资金，而 Papa John's 公司只需要租赁场地，无需建造经营场所。然而，Papa John's 公司的股份回购项目导致其财务杠杆比率超过了 California pizza kitchen 公司的比率，路透社（Reuters）报道，餐饮行业的平均财务杠杆比率是 1.72（负债筹资是权益筹资的 2/3），这说明，Papa John's 公司 2.37 的财务杠杆比率与同行业相比是一个非常冒险的财务战略。

注意问题 财务杠杆比率接近 1.00，表明公司没有选择利用负债融资去扩张公司的规模。这意味着，公司拥有较低的风险但也并没有增加股东回报率。当与竞争对手进行比较时，财务杠杆比率可能会受不同公司的战略的影响。例如，公司是租入设备还是购买设备的问题。

自测题

Wendy's International 公司在其最近的资产负债表中报告了以下数据（单位：千美元）

	资产	负债	股东权益
年初	$ 3 440 318	$ 1 381 729	$ 2 058 589
年末	$ 2 060 347	$ 1 048 670	$ 1 011 677

要求：计算 Wendy's International 公司的财务杠杆比率，并运用该比率数值评价 Wendy's International 公司的财务风险水平和筹资战略。

完成之后，请对照下面的答案。

自测题答案：

（$ 3 440 318 + $ 2 060 347）/2 ÷（$ 2 058 589 + $ 1 011 677）/2 = 1.79，Wendy's International 公司采用了稍微冒险的筹资策略（与行业内其他公司相比），该比率高于行业平均水平，但低于 Papa John's 公司的比率。

聚焦现金流量

投资与筹资活动

我们在第 1 章中曾经阐述过：公司的现金流量表在一定期间内报告现金流入和流出的基本项目内容。该报表把所有影响现金的经济业务分为三类：经营活动、投资活动和筹资活动。经营活动将在第 3 章中阐述；投资活动包括购买与处置非流动资产和投资；筹资活动包括借入与偿还包括短期银行借款的债务、发行、回购股票以及支付股利等。当涉及现金业务时，这些经济活动就会在现金流量表中予以列报（当经济业务不涉及现金的收支时，比如，以长期抵押的应付票据方式购置建筑物，则对现金的收支没有影响，在现金流量表中不予以反映。你必须要弄清交易中的现金流量，因为它影响了现金流量表）。总之，对现金流量影响的这些活动可列示如下：

	对现金流量的影响
经营活动：	
本章未发生有关经营活动的业务	
投资活动：	
以现金购买长期资产和投资	−
出售长期资产和投资，收回现金	+
借出现金	−
收到偿还贷款的本金	+
筹资活动：	
向银行借款	+
归还银行借款本金	−
发行股票收到现金	+
以现金回购股票	−
支付现金股利	−

聚焦公司分析 图表2—9列示出了Papa John's公司基于本章经济业务的现金流量表，该表报告了现金的来源及其运用情况，显示了2007年1月现金增加了$2 000，即由$13 000增加至$15 000，记住在此表中，只有影响现金的经济业务才在现金流量表中报告。

图表2—9中列示的现金流量表格式（投资活动的净现金流出和筹资活动的净现金流入），就是Papa John's公司前几年典型的现金流量表，寻求扩张的公司通常会报告出投资活动的净现金流出。

图表2—9 **Papa John's公司的现金流量表**

Papa John's公司合并现金流量表

2007年1月31日

单位：千美元

经营活动：	
本章没有经营活动发生	
投资活动：	
购买固定资产（c）	$ (2 000)
以现金对外投资（e）	(1 000)
向特许经销商借出现金（d）	(3 000)
投资活动现金净流量	**(6 000)**
筹资活动：	
发行普通股股票（a）	2 000
从银行借款（b）	6 000
筹资活动现金净流量	**8 000**
现金净增加	**2 000**
月初现金余额	13 000
月末现金余额	**$ 15 000**

自测题

Lance Inc. 公司是一家生产和销售甜点产品的公司。请注明下列经济业务（从该公司最近的现金流量表上摘录）是投资活动（I）还是筹资活动（F），并指出经济活动对现金的影响方向（增加用“+”，减少用“-”）。

经济业务	业务活动类型　（I 或 F）	对现金流量的影响（+或-）
（1）支付股利	______	______
（2）出售财产	______	______
（3）偿还债务	______	______
（4）购买固定资产	______	______
（5）发行普通股	______	______

完成之后，请与答案下面的核对。

自测题答案：

1. F -　2. I +　3. F -　4. I -　5. F +

示例

2009 年 8 月 1 日，三位踌躇满志的大学生创办了 Terrific Lawn Maintenance 公司，公司截止到 2009 年 8 月 30 日的经济业务概要如下：

（a）向三位投资者每人发行 500 股股票（共计发行 1 500 股股票），收到现金 9 000美元；

（b）以 600 美元的价格购买了标价为 690 美元的犁耙和其他手动工具（设备），其中支付给五金店 200 美元现金，剩余款项签发了三个月的应付票据。

（c）以 4 000 美元的价格从 XYZ 草坪设备供应公司预订 3 台割草机和 2 个刀具。

（d）购置 4 英亩的土地，作为今后的存储车库地点，支付现金 5 000 美元。

（e）收到已订购的割草机和刀具，向 XYZ 公司签发了为期 30 天、金额为 4 000 美元的应付票据。

（f）以 1 250 美元价格出售 1 英亩的土地（为城市建造花园），收到市政府签发的月底付款的票据 1 250 美元。

（g）所有者之一因个人使用从当地银行借款 3 000 美元。

要求：

（1）为现金、应收票据（应收市政府部门）、设备（手动工具和割草器具）、土地、应付票据（应付供应公司的）和实收资本分别设置 T 形账户。期初余额均为零，但需要在每个 T 形账户中标出期初余额。利用本章的分析程序分析每一笔经济业务，按照时间顺序编制日记账分录。将经济业务的影响记入适当的 T 形账户，并在金额处标明其经济业务的字母。

（2）按照上述要求（1）的 T 形账户余额编制“Terrific”草坪维护公司 2009 年 8 月 30 日的简易资产负债表，并标明所有资产、负债、股东权益的账户余额。运用下列经济业务分析模型：

资产（多个账户）		=	负债（多个账户）		+	股东权益（两个账户）			
						实收资本		留存收益	
+	−		−	+		−	+	−	+
借方	贷方		借方	贷方		借方	贷方	借方	贷方
							所有者投入资本	股利支付	企业净收益

（3）编制现金流量表的投资活动和筹资活动部分，并核对答案。

参考答案

1. 经济业务分析、日记账分录和T形账户

（a）现金（+A）………………………………………………9 000

　　实收资本（+SE）………………………………………………　9 000

资产		=	负债	+	股东权益	
现金	+9 000				实收资本	+9 000

平衡分析：（1）借方＄9 000＝贷方＄9 000；（2）会计恒等式保持平衡。

（b）设备（+A）………………………………………………600

　　现金（−A）………………………………………………　200

　　应付票据（+L）………………………………………………　400

资产		=	负债		+	股东权益
设备	+600		应付票据	+400		
现金	−200					

平衡分析：（1）借方＄600＝贷方＄600；（2）会计恒等式依然平衡。

历史成本原则要求资产应当以经济业务发生日实际支付的金额入账，本例应当是600美元而不是标价690美元。

（c）这不是一项经济业务，没有交换业务发生，也没有账户受到影响。

（d）土地（+A）………………………………………………5 000

　　现金（−A）………………………………………………　5 000

资产		=	负债	+	股东权益
土地	+5 000				
现金	−5 000				

平衡分析：（1）借方＄5 000＝贷方＄5 000；（2）会计恒等式依然平衡。

（e）设备（+A）………………………………………………4 000

　　应付票据（+L）………………………………………………　4 000

资产		=	负债		+	股东权益
设备	+4 000		应付票据	+4 000		

平衡分析：（1）借方＄4 000＝贷方＄4 000；（2）会计恒等式依然平衡。

（f）应收票据（+A）………………………………………………1 250

　　土地（−A）………………………………………………　1 250

资产	=	负债	+	股东权益
应收票据 +1 250				
土地 * −1 250				

平衡分析：(1) 借方 $ 1 250 = 贷方 $ 1 250；(2) 会计恒等式依然平衡。

* 当公司购买土地时，1 英亩土地的成本是 $ 1 250（总成本 $ 5 000 ÷ 4 英亩）。当资产被出售时，该账户按历史成本金额减少。

(g) 对公司而言没有经济业务发生。按照会计主体假设，企业的经济业务必须与所有者的业务活动相分离。

+（借方） 现金 （贷方） −

借方		贷方	
04/01/2009 余额	0		
(a)	900	200	(b)
		5 000	(d)
04/30/2009 余额	3 800		

+（借方）应收票据（贷方） −

借方		贷方
04/01/2009 余额	0	
(f)	1 250	
04/30/2009 余额	1 250	

+（借方） 设备 （贷方） −

借方		贷方
04/01/2009 余额	0	
(b)	600	
(e)	4 000	
04/30/2009 余额	4 600	

+（借方） 土地 （贷方） −

借方		贷方
04/01/2009 余额	0	
(d)	5 000	
		(f) 1 250
04/30/2009 余额	3 750	

−（借方）应付票据（贷方） +

借方	贷方	
	0	04/01/2009 余额
	400	(b)
	4 000	(e)
	4 400	04/30/2009 余额

−（借方）实收资本（贷方） +

借方	贷方	
	0	04/01/2009 余额
	9 000	(a)
	9 000	04/30/2009 余额

2. 资产负债表

Terrific 草坪维护公司

资产负债表

2009 年 4 月 30 日

资产		负债	
流动资产		流动负债	
现金	$ 3 800	应付票据	$ 4 400
应收票据	1 250		
流动资产合计	5 050		
设备	4 600	股东权益	
土地	3 750	实收资本	9 000
资产总额	$ 13 400	负债与股东权益总额	$ 13 400

注意，本书中之前所举例的资产负债表是将资产类列在最上方，负债和股东权益列入其下方①。但在具体的会计实务中，往往将资产项目列示在左方，负债和股东权益项目则列示在右方②。

3. **现金流量表的投资活动和筹资活动**

Terrific 草坪维护公司

现金流量表

2009 年 4 月 30 日

经营活动		
本例未发生经营现金流量		
投资活动		
购买土地	$（5 000）	经济业务（d）
购买设备	（200）	经济业务（b）
投资活动现金净流量	**（5 200）**	
筹资活动		
发行普通股	9 000	经济业务（a）
筹资活动现金净流量	**9 000**	
现金增减变化	3 800	
现金账户期初余额	0	
现金账户期末余额	**$ 3 800**	

本章小结

1. 确定财务报告的目标、资产负债表要素及相关重要的会计假设和会计原则。

（1）外部财务报告的主要目标是提供企业有用的经济信息，以帮助外部利益集团，主要是指投资者和债权人能够作出合理的决策。

（2）资产负债表要素

a. 资产，企业拥有的、由过去的交易形成的、可能为企业带来未来的经济利益的资源。

b. 负债，是由企业过去的交易形成的、需以资产或劳务进行偿还的很可能的债务或义务。

c. 股东权益，由投资者投入或经营中形成的融资。

（3）重要的会计假设和会计原则

a. 会计主体假设，即企业的经济业务活动应与所有者的业务活动相分离。

b. 货币计量假设，财务信息以本国货币单位的形式予以报告。

c. 持续经营假设，在可预见的未来，企业将持续地经营下去。

d. 历史成本原则，财务报告要素在经济业务发生时以现金等价物成本记录。

2. 鉴别企业的经济业务范畴以及企业所使用的一般资产负债表账户的名称。

① 译者注：将资产、负债和股东权益项目进行上下排列的格式称为报告式资产负债表。
② 译者注：将资产、负债和股东权益项目进行左右排列的格式称为账户式资产负债表。

（1）经济业务包括：

a. 一个企业与外部某一方或多方进行交换的事项。或者

b. 可计量的内部事项，比如经营过程中资产使用的调整。

（2）账户是一个具有标准化的格式，企业用其综合地反映经济业务对每一个财务报表项目的影响，典型的资产负债表账户的名称包括如下：

a. 资产：现金、应收账款、存货、预付账款、固定资产。

b. 负债：应付账款、应付票据、应计费用、预收账款和应付税费。

c. 股东权益：实收资本和留存收益。

3. 依据会计模型：资产＝负债＋股东权益，对简单的经济业务进行分析。

按照会计等式，确定一个会计主体交易的经济影响。必须分析每一笔经济业务，以确定被影响的账户名称（至少两个）。在交换业务中，公司总会收到某些东西，同时放弃某些东西。如果正确地分析被影响的账户名称、影响方向和影响金额，则会计等式必定会保持平衡。经济业务的分析模型如下：

资产		=	负债		+	股东权益			
						两个账户			
多个账户			多个账户			实收资本		留存收益	
+	−		−	+		−	+	−	+
借方	贷方		借方	贷方		借方	贷方	借方	贷方
							所有者投入资本	分配股利	企业净收益

4. 运用两种基本工具——日记账分录和T形账户法确定经济业务对资产负债表的影响。

（1）日记账分录以借贷相等的形式来表示经济业务对账户的影响，借方的账户和金额首先列示，贷方的账户和金额交错地列示于借方之下，借方金额在左边登记，贷方在右边登记。

	借方	贷方
（日期或说明）固定资产（＋A）……………………	10 000	
现金（－A）…………………………………		2 000
应付票据（＋L）………………………………		8 000

（2）T形账户汇总每个账户的经济业务影响。这个工具可以确定账户余额并推断出企业的经济活动状况。

＋（借） 资产	（贷）－
期初余额	
增加	减少
期末余额	

－（借） 股东权益	（贷）＋
	期初余额
减少	增加
	期末余额

5. 编制一张简化资产负债表，并运用财务杠杆比率分析公司的经济状况。

简易资产负债表的结构是：

（1）资产分为流动资产（指将在1年内耗用或者变现的资产，但存货通常被认为是流动资产）和非流动资产，如长期投资、固定资产、无形资产等。

（2）负债分为流动负债（以流动资产来偿还的债务）和非流动负债。

（3）股东权益首先列示实收资本项目，随后列示留存收益项目。

财务杠杆比率（平均资产总额/平均股东权益）计量的是在筹集资金方面其资产总额与股东资本之间的关系，该比率越高，证明运用负债筹集资金的比例越高。随着比率的逐步增加（负债增加），公司的风险也逐渐增大。

6. 辨别投资活动和筹资活动，并说明它们是如何在现金流量表中报告的。

现金流量表反映了企业在一定期间内由经营活动、投资活动和筹资活动所产生的现金来源和运用的状况。投资活动包括购买与销售长期资产、对外贷款、收回债务人偿还的贷款本金；筹资活动包括从银行借款和偿还银行贷款本金、发行和回购股票以及支付股利等。

在本章中，我们讨论了基本会计模型和经济业务分析。日记账分录和T形账户被用来记录影响资产负债表账户的投资和筹资决策的经济业务分析结果。在第3章中，我们还将继续关注财务报表，特别是利润表。第3章的目的是通过探讨收入和费用的计量，举例说明经营决策的业务活动分析，从而丰富你的财务知识。

重要财务比率

财务杠杆比率衡量的是为筹集资金的资产总额与股东资本之间的关系。该比率越高，利用负债融资越多。计算财务杠杆比率的公式如下：

财务杠杆比率 = 平均资产总额/平均股东权益

“平均”是指（期初余额 + 期末余额）÷2

搜索财务信息

资产负债表

资产	负债和股东权益
流动资产	**流动负债**
现金	应付账款
应收账款和应收票据	应付票据
存货	应计费用
预付费用	预收账款
非流动资产	**非流动负债**
长期投资	长期负债
固定资产	**股东权益**
无形资产	实收资本
	留存收益

现金流量表

经营活动

将在第3章中讨论

投资活动现金流量

+出售长期资产收到的现金

−购买长期资产支付现金

−对外贷款

+收回债务人偿还的贷款本金

筹资活动现金流量

+从银行借款

−归还银行借款本金

+发行股票

−回购股票

利润表

在第3章中列示

附注

在以后章节中讨论

会计术语

账户	借方	股东权益（所有者权益）
资产	历史成本原则	T形账户
持续经营假设	日记账分录	经济业务
实收资本	负债	经济业务分析
贷方	外部财务报告的主要目标	货币计量假设
流动资产	留存收益	流动负债
会计主体假设		

习题

一、简答题

1. 对外部使用者来说，财务报告的主要目标是什么？

2. 给出下列名词的定义。

a. 资产　b. 流动资产　c. 负债　d. 流动负债　e. 实收资本　f. 留存收益

3. 解释下列会计术语的含义。

a. 会计主体假设　b. 货币计量假设　c. 持续经营假设　d. 历史成本原则

4. 为什么会计假设是必不可少的？

5. 相对于会计目标，账户的含义是什么？试解释为何在会计系统中使用账户？

6. 什么是基本会计模型？

7. 在广义上定义经济业务，并给出两种不同的经济业务实例。

8. 请解释借和贷的含义。

9. 简要解释经济业务分析的含义，经济业务分析的两个基本步骤是什么？

10. 经济业务分析中必须保持的两个会计等式是什么？

11. 什么是日记账分录？

12. 什么是T形账户？它的目的是什么？

13. 怎样计算财务杠杆比率，如何加以解释？

14. 在现金流量表中，哪些经济业务属于投资活动？哪些经济业务属于筹资活动？

二、单项选择题

1. 如果一家上市公司试图向外部决策者最大化公司的价值，那么公司最有可能低估下列哪个资产负债表项目？（　　）

a. 资产　　b. 负债　　c. 留存收益　　d. 实收资本

2. 下列哪一个选项不属于资产项目？（　　）

a. 投资　　b. 土地　　c. 预付费用　　d. 实收资本

3. 在资产负债表中，年末负债总额为40 000美元，年末留存收益为30 000美元，本年的净收益为10 000美元，实收资本为25 000美元。请问报告在资产负债表中的年末资产总额是多少？（　　）

a. 50 000美元　　b. 70 000美元　　c. 65 000美元　　d. 95 000美元

4. 下列哪一项最好地说明了双重影响的概念？（　　）

a. 当在会计系统中记录一笔经济业务时，至少会影响基本会计等式的两个方面

b. 当发生双方交易时，双方都必须记录经济业务

c. 当记录一笔经济业务时，必然会同时影响资产负债表和利润表

d. 当记录一笔经济业务时，总会出现某一个账户增加的同时，而另一个账户减少的情况

5. T形账户通常是下列哪个选项的分析工具？（　　）

a. 在会计系统中记录单个账户的增加与减少

b. 在会计系统中记录单个账户的借方与贷方

c. 在一定时期内个别账户余额发生变动

d. 以上选项均描述了会计师如何使用T形账户

6. 下列哪个选项描述了资产在资产负债表中的排列情况？（　　）

a. 以经济业务发生的时间先后顺序排列

b. 按照价值的量级从低至高的顺序排列

c. 按照流动性从强至弱的顺序排列

d. 按照流动性从弱至强的顺序排列

7. 现金T形账户中期初余额为12 000美元，本年该账户的借方发生额为78 000美元，贷方发生额为85 000美元，那么现金账户的期末余额是多少？（　　）

a. 5 000美元　　b. 19 000美元

c. 7 000美元　　d. 所给出的信息不足，所以无法确定

8. 下列关于资产负债表描述是正确的包括哪些？（　　）

• 只查阅一个公司的资产负债表是不可能确定公司的公允价值的

• 某些内部产生的资产，如商标权，通常在一个公司的资产负债表上不予以反映

• 资产负债表只显示在某一特定日期、在会计系统中各个资产负债表账户的汇总形式的期末余额

a. 没有　　b. 一个　　c. 两个　　d. 三个

9. 最新一年年末，苹果公司报告了其平均资产总额为2 127 600万美元，平均负债总额为901 800万美元，平均股东权益金额为1 225 800万美元。那么请问，公司的财务杠杆比率是多少，你对该公司有何建议？（　　）

a. 比率为0.74，建议公司今后主要以负债筹资为主

b. 比率为1.74，建议公司今后主要以股东权益筹资为主

c. 比率为0.74，建议公司今后主要以股东权益筹资为主

d. 比率为1.74，建议公司今后主要以负债筹资为主

10. 下列哪个选项不属于现金流量表中的筹资活动？（　　）

a. 当公司借出现金时

b. 当公司借入现金时

c. 当公司支付股利时

d. 当公司发行股票时

请查阅网站 www. mhhe. com/libby6e，那里有更多的习题可以练习。

三、迷你练习题

1. 定义和术语配对练习。

选择适当的字母填入指定的空格处，以使每一个定义都与其相关的术语配对。每一个术语只有唯一定义与之相符（即定义的数量多于术语）。

术语	定义
____（1）会计主体假设	A．=负债+股东权益
____（2）历史成本原则	B. 报告资产负债和股东权益
____（3）贷方	C. 要求企业的经济业务与所有者的经济业务相分离
____（4）资产	D. 资产增加；负债和股东权益减少
____（5）账户	E. 企业与其他各方之间的交换
	F. 企业将在可预见的未来继续经营下去
	G. 资产减少；负债和股东权益增加
	H. 资产应当按照业务发生时的金额予以记录
	I. 用于累计财务报表每个项目数据的一个标准格式

2. 定义和术语配对练习。

选择适当的字母填入指定的空格处，以使每一个定义都与其相关的术语配对。每一个术语只有一个定义与之相符（即定义的数量多于术语）。

术语	定义
____（1）日记账分录	A. 会计模型
____（2）A=L+SE，且借方=贷方	B. 四大财务报表
____（3）资产=负债+股东权益	C. 有助于提供准确性的两大会计等式
____（4）负债	D. 以会计方式进行的经济业务分析结果
____（5）利润表、资产负债表、留存收益表和现金流量表	E. 从银行借入款项时，应计入的借方账户
	F. 公司所拥有的能够带来未来的经济利益
	G. 公司尚未分配的累积盈余
	H. 每一笔经济业务至少都有两个方面的影响
	I. 很可能需以资产或劳务进行偿还的债务或义务

3. 确定下列事项是否应确认为会计业务。

指出下列事项是否导致影响 Dittman 公司的经济业务发生（Y 表示是，N 表示否）。

____（1）Dittman 公司购买了一台机器设备，并签署了一张应付票据给供应商。

____（2）Dittman 公司的 6 位投资者将他们的股票出售给另一个投资者。

____（3）公司向董事会成员之一借出现金 150 000 美元。

____（4）Dittman 公司从 Staples 公司那里订购一批物资，将于下周交货。

____（5）Dittman 公司的创始人梅根 · Dittman 从其他公司那里购买了更多的

股票。

______（6）公司从当地银行借入1 000 000美元。

4. 按照资产负债表项目进行账户分类。

以下列示了Gomez-Sanchez公司的几个账户

______（1）应付账款

______（2）应收账款

______（3）建筑物

______（4）现金

______（5）实收资本

______（6）土地

______（7）库存商品

______（8）应付所得税

______（9）长期投资

______（10）应付票据（3年到期）

______（11）应收票据（6个月到期）

______（12）预付租金

______（13）留存收益

______（14）物资

______（15）应付公用事业费

______（16）应付工资

请在空格处填列报告在资产负债表中每一个账户的分类，并使用下列符号：

CA代表流动资产　　CL代表流动负债　　SE代表股东权益

NCA代表非流动资产　　NCL代表非流动负债

5. 确定下列经济业务对财务报表的影响。

Bandera Inc. 公司于2011年1月发生了下列经济业务，请说明这些经济业务所涉及的账户、金额以及对会计等式的影响方向。例如：

a.（示例）向当地银行借款20 000美元。

b. 借给下属单位7 000美元，收到1年到期的应收票据7 000美元。

c. 向投资者出售股票，收到现金1 000美元。

d. 购买15 000美元的设备，支付现金6 000美元，其余的签发了1年到期的应付票据。

e. 宣告并分派股东现金股利2 000美元。

资产	= 负债		+ 股东权益
示例：现金　+20 000	应付票据	+20 000	

6. 确定资产负债表要素的增减影响。

完成下列表格，在每一栏中填写“增加”或“减少”。

	借方	贷方
资产	______	______
负债	______	______
股东权益	______	______

7. 确定资产负债表要素的借贷影响。

完成下列表格，在每一栏中填写“借方”或“贷方”。

	增加	减少
资产	______	______
负债	______	______
股东权益	______	______

8. 记录简单的经济业务。

对题5（包括示例）的每一笔经济业务以恰当的形式编制日记账分录。

9. 完成T形账户。

对题5（包括示例）的每一笔经济业务，将其影响过入到相应的T形账户中并确定每个账户的期末余额，期初余额已经给出。

现金

借方		贷方
期初余额	800	

应收票据

借方		贷方
期初余额	900	

设备

借方		贷方
期初余额	15 000	

应付票据

借方	贷方	
	期初余额	2 700

实收资本

借方	贷方	
	期初余额	5 000

留存收益

借方	贷方	
	期初余额	9 000

10. 编制一个简单分类的资产负债表。

以习题9给出的期初余额和M2-5（包括示例）给出的经济业务为基础，编制班得拉公司2011年1月31日的资产负债表，并划分为流动资产和非流动资产、流动负债和非流动负债的类别。

11. 计算和解释财务杠杆比率。

根据下列数据计算sal’s pizza公司的财务杠杆比率。

	资产	负债	股东权益
2005年末	\$ 240 000	\$ 100 000	\$ 140 000
2006年末	\$ 280 000	\$ 120 000	\$ 160 000

根据计算结果，你对公司有何建议？与Papa John’s公司的2006年的财务杠杆比率相比，你是怎样评价该公司的比率？

12. 识别现金流量表中哪些业务为投资活动或筹资活动

指出题5中的经济业务哪些为现金流量表中的投资活动（用I表示），哪些为筹资活动（用F表示）。

第3章　经营决策和利润表

学习目标

学完本章，应达到如下目标：

1. 描述一个典型企业的经营周期并解释会计分期假设的必要性。
2. 解释经营活动是怎样影响利润表要素的。
3. 解释权责发生制并运用收入原则和配比原则计量收益。
4. 利用经济业务分析模型检验和记录经营活动对财务报表产生的影响。
5. 编制财务报表。
6. 计算并解释总资产周转率。

聚焦公司：Papa John's 国际公司

Papa John's 公司与 Pizza Hut 公司遵循两种不同的经营策略：

排名第一的 Pizza Hut 公司经常定期推出新品种比萨（如大纽约客比萨、酥皮拧花比萨，你也能吃到落伍的芝心比萨、绝对地带加纳颂尼比萨派以及“四味拼盘”比萨等），以此为吸引顾客在店里就餐，或者提供外卖和送餐服务。公司上市了一个新品种，广告也比较另类，近乎于疯狂，等着顾客兴致勃勃地前来品尝，并希望他们成为回头客。

Papa John's 公司则集中力量生产有限的外带和送餐上门的比萨品种。它非常简单的广告语就是“更好的配料，更好的比萨”，公司相信，它能够建立高度的顾客忠诚度和很好的回头客生意。

尽管两家企业的策略不同，扩张后排名第三的 Papa John's 公司通过建立强大的品牌忠诚度，一举成为世界头号比萨品牌。Papa John's 公司认为，要战胜竞争对手就要以广阔的本地市场为主并辅以广播和电视宣传活动。以 2006 年为例，Papa John's 公司在国家电视台播出 7 套宣传节目与其竞争者抗衡。为了开拓新的市场，公司又继续扩大了其特许经营业务。通过大规模食物采购和供应，新餐馆提高了质量控制中心的运营效率，从而降低了运营成本。同时，Papa John's 公司还支付了大量额外资金培养和激励它的团队成员，包括以高额费用培养餐厅经理。

然而，奶酪成本的高低一度成为影响比萨餐馆财务业绩最显著的因素之一。当奶酪价格低廉时，比萨连锁店通过低价交易进行竞争。而当奶酪价格提高时，他们便采用其他手段进行竞争。比如，在 2006 年，Papa John's 公司成为第一家所有下属餐厅 24 小时提供在线订购服务的比萨连锁店，Papa John's 公司自 2005 年起决定为顾客提供网上订购这种便利服务以来，公司的业务增长了 50%。

了解企业

为了在全球范围内成为世界头号比萨品牌，Papa John's 公司的高管围绕这个目标制定了一系列经营战略、计划和可测量指标。例如，他们计划在 2006 年新增餐馆 260 家，并在广告促销活动中继续向顾客宣传他们所采用的新鲜面团、番茄酱、高品质的奶酪。在实行增长战略的过程中，Papa John's 公司是根据利润表中的各个要素（具体就是收入和费用）来规划全公司的业务运营的。

财务分析师对 Papa John's 公司的未来业绩进行了一系列的预期。公布的利润表提供了分析师们比较公司计划与实际经营结果的主要依据。通过本章对收入的确认与计量的学习，我们将探讨这些比较方法以及股票市场对 Papa John's 公司的反应。为了理解经营计划和经营业绩在利润表中如何反映，我们需要回答下列问题：

1. 企业经营活动是如何影响利润表的？
2. 如何对经营活动进行计量？
3. 如何在利润表中对经营活动进行报告？

在本章中，我们将关注 Papa John's 公司的经营活动，包括向公众销售食品、配料以及提供特许权服务等，这些活动结果都将被报告在利润表中。

本章结构图示

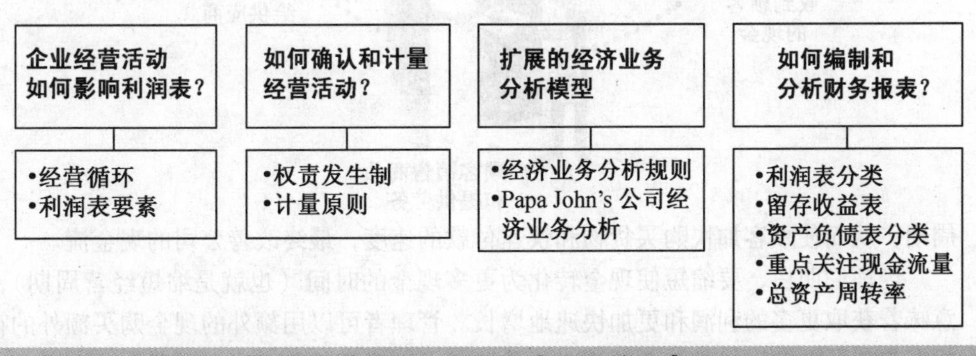

3.1 企业经营活动如何影响利润表？

3.1.1 经营周期

任何经营的长期目标都是使现金能够转化为更多的现金。如果公司想要持续经营下去，那么这些更多的现金一定是来源于经营活动，而不是来源于借款或者出售长期资产。

公司（1）购买存货以及雇用职工来提供产品或劳务；（2）向顾客出售存货或提供劳务。经营周期（从现金开始直到收回现金）是指从购买存货而向供应商支付现金开始，直至向顾客销售货物和提供劳务而收回现金所需要的时间周期。完成经营周期的时间长短取决于公司业务的性质。

Papa John's 公司的经营周期相对较短。该公司的经营周期主要是以现金购买原料，制作比萨，然后出售比萨从客户那里收回现金。在一些公司中，在存货销售之前就已经为其预支了现金，例如 R Us 玩具公司在年终假日季节的数月之前就已经储备了存货。公司从银行借款购买存货，收到顾客现金时偿还贷款本息。而在另一些公司中，只有在销售业务发生以后才能收到顾客的现金。例如，汽车经销商在一段时间内经常采用跨期分月付款的方式向客户销售汽车。公司通过创造一些激励手段缩短经营

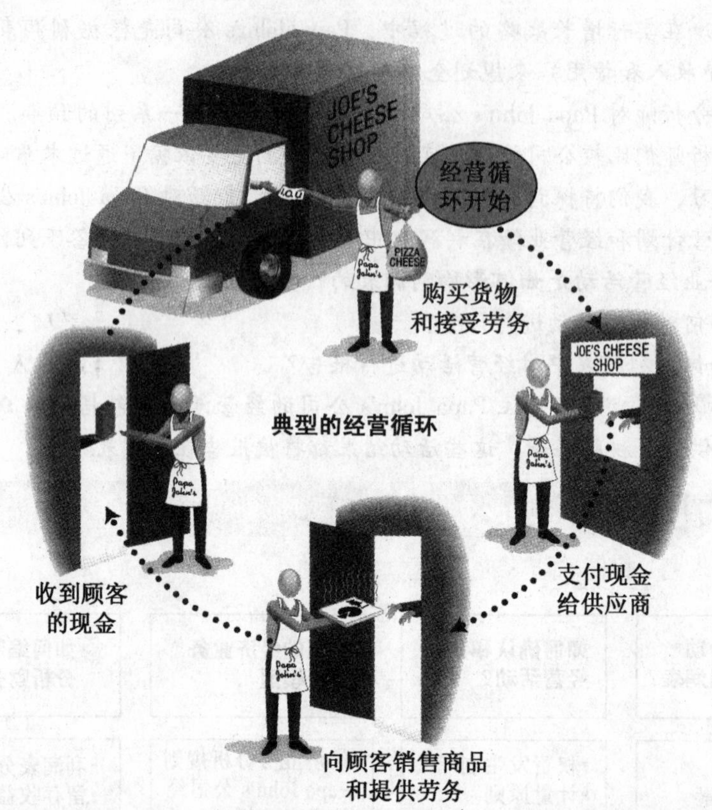

周期，从而使顾客加快购买货物和快速付款的速度，最终改善公司的现金流。

经理们明白，要缩短使现金转化为更多现金的时间（也就是缩短经营周期），就意味着获取更多的利润和更加快速地增长。管理者可以用额外的现金购买额外的存货或者其他的资产以促进企业的快速增长，还可以偿还债务，或者向股东分配股利。

只要公司不终止其经营活动，经营周期就会不断地周转下去。然而，决策者需要定期地获取有关企业的财务状况和经营业绩的信息。某一特定时期的收入计量，会计人员都要遵循会计分期假设，该假设是将公司较长的经营寿命期人为地划分为相对较短的时间段来报告，如月度、季度、年度①。在向使用者报告定期的收益时主要产生了两种问题：

（1）确认问题：经营活动产生的影响应当在何时进行确认（记录）？

（2）计量问题：确认的金额是多少？

在我们考察会计人员为解决这些问题遵循了哪些规则之前，先让我们考察一下由经营活动影响的财务报表要素。

3.1.2 利润表要素

为了达到简化本章内容的目的，图表3—1列示了Papa John's公司近期的利润

① 除经审计的年度财务报表外，大多数企业需要编制提供给外部使用者的季度财务报表（也称为涵盖三个月的中期报告）。美国证券交易委员会要求上市公司必须提供中期财务报表。

表①。该利润表列示了多处小计金额，如营业利润和税前利润，这种形式被称为多步式利润表，该形式非常普遍②。我们在讨论利润表中的要素时，也要涉及图表 2—1 的概念框架。

1. **营业收入**

收入是指持续经营期内发生的导致资产增加或负债偿还的经济利益的总流入。营业收入通过销售商品和提供劳务而产生。当公司向顾客销售比萨或向特许经销商供应比萨时，Papa John's 公司才能赚取收入。当实现收入时，资产账户通常表现为现金或应收账款的增加。有时，如果顾客为购买商品或服务而提前付款时，那么一个负债类账户（通常是指未实现收入）便产生了。此时公司并没有赚取收入，而仅仅收到一张现金收据，作为未来提供商品或提供劳务的承诺。当公司按承诺向顾客提供商品或劳务时，才能确认收入，结清负债。

与大多数公司一样，Papa John's 公司的营业收入来自于多种渠道，图表 3—1 列示了公司营业收入的两种主要来源：

图表 3—1　**利润表**

Papa John's 公司及其子公司合并利润表
2006 年 12 月 31 日
（单位：千美元）

项目	金额	说明
营业收入		
餐馆销售收入	$ 884 000	经营活动（企业主营业务）
特许权使用费收入	117 000	
收入总计	1 001 000	
营业费用		
销售成本	425 000	
工资费用	164 000	
租金费用	27 000	
广告费用	41 000	
管理费用	103 000	包括保险费、修理费、公用事业费、燃料费
折旧费用	27 000	
其他营业费用	116 000	
费用总计	903 000	
营业利润	98 000	营业收入减去营业费用后余额
其他项目		非日常经济活动（企业非主营业务）
投资收益	1 000	
利息费用	(3 000)	
税前利润	96 000	所有收入总额减去所有费用总额（除了税费）
所得税费用	33 000	
净利润	$ 63 000	
每股收益	$ 1.96	净利润 / 发行在外的平均普通股股数 63 000/32 100 000 股（来自 Papa John's 公司年报）

（1）**餐馆销售收入**。大约有 20% 的店铺归 Papa John's 公司所有，而 80% 则通过由他人签署特许经销协议所有。包括餐馆销售收入在内，Papa John's 公司最大的收入账户是向所有的连锁餐馆（包括特许经销店和本公司拥有的比萨销售店铺）销售比

① 为了简化起见，美元金额均已经被四舍五入，并且原始报表中有几个账户已与列示在报表不同部分的其他账户进行了合并。此外，我们只列示了一个年度的利润表。像棒约翰公司这样的上市公司实际上需要列示三年的利润信息，以帮助报表使用者评估不同时期财务成果的发展趋势。

② 另一种常见的格式是单步式利润表，重新调整了多步式格式下的所有账户。所有的收入和利得集中在一起列示。除了所得税费用外，所有的费用和损失也被集中在一起列示。两个总计抵减后可以得出与多步式利润表总额相同的税前利润。

萨原料和供应物资。然而，特许经销餐馆的比萨销售收入只在各个特许经销商财务报表上报告，并不在Papa John's公司的财务报表上报告。

（2）**特许权使用费收入**。2006年，Papa John's公司大约有11%的收入来自于出售特许权。特许经销商至少需要支付25 000美元的初始费用才能在一个特定的地理区域开设餐馆并进行经营。在公司提供管理培训、场地选择、店面设计以及其他承诺的服务之前，Papa John's公司将这些费用均作为负债（未实现的特许使用费收入）来处理。作为特许经销协议的一部分，特许经销商也向Papa John's公司支付其销售收入的一定百分比（4%—5%之间）作为特许权使用费。初始费用和年度特许权使用费均作为Papa John's公司的特许权使用费收入反映在Papa John's公司利润表中。

2. **营业费用**

有些学生经常混淆“支出”和“费用”这两个概念。支出是指任何目的的现金流出，不论是购买设备、偿还银行贷款还是支付职工工资等都称为支出，但费用的定义则比较狭义。

（1）当一项资产的使用（例如设备或物料等）是为了在一定时期内取得收入时，该项资产的全部或部分成本则被确认为费用。

（2）一定时期内用来取得收入而发生的金额（例如耗用电力），无论是已经支付还是在未来将要支付，均产生了一项费用。

因此，不是所有支出都是费用，但费用必须是为了产生收入而发生的。费用是指持续经营期内为取得收入而发生的资产的减少或负债的增加。

Papa John's公司需要支付给职工加工食品和提供劳务的报酬，使用电力运转设备，照明设施，做广告促销比萨，耗用食物原料和消耗纸张物料等。如果没有这些费用的发生，Papa John's公司就不可能取得收入。一些费用会在现金支付时就发生了，也有一些费用可能会在现金支付之后或支付之前发生。当费用发生时，像物料一类的资产将会减少（耗用），或者像应付工资、应付公用事业费用一类的负债将会增加。

以下列举的是Papa John's公司主要的营业费用：

（1）**销售成本**。在Papa John's公司的主要经营过程中，任何用来供餐所耗用的原料和物资都会被确认为费用。此外，任何销售给餐馆的原料和物资当提供给餐馆时也确认为费用。在制造业和商业企业中，销售成本（或者是商品销售成本）通常是最重大的费用项目。

（2）**工资费用**。当职工为Papa John's公司工作并为公司赚取比萨销售收入时，Papa John's公司实际上已经产生了一项费用——工资费用，尽管工资费用将在以后才支付。Papa John's公司的第二大费用就是支付给职工的工资费用164 000 000美元。在纯服务业的公司中一般没有产品的生产或销售业务，因此雇用职工以赚取收入的成本通常就是最大的费用。

（3）**其他营业费用**。剩余的大额费用主要包括租金费用、广告费用、行政管理费用（保险费、行政人员工资、办公设施租赁费），以及反映企业耗用长期资产，例如建筑物、设备计提的折旧费。

3. **其他项目**

营业收入扣除营业费用后的余额就是营业利润——这是衡量企业主要持续经营活

动产生利润水平的重要指标。但是，并不是说影响利润表的所有活动在企业持续经营中都是主营业务。任何通过其他活动产生的收入、费用、利得和损失都不包括在企业营业利润中，而是应当将其归类为其他项目。例如，Papa John's 公司使用多余的现金购买其他公司的股票属于投资活动，而不是经营活动，因投资而赚取的利息和股利称为投资收益（或者投资收入）。同样，借款是一项筹资活动，但是使用款项的成本称为利息费用。除金融机构外，包括 Papa John's 公司在内，发生利息费用或者赚取投资收益并非大多数企业的主营业务。我们把这些活动称为其他业务（正常而非主营业务）。

同样的方式，公司有时会出售固定资产以保持先进的设施。以超出原始成本的价格出售土地并不会取得营业收入，因为该项交易并不是公司的日常业务。利得（出售资产利得）是由于非日常活动所引起的，它会导致资产的增加或负债的减少。损失是由于非日常活动所引起的，它会导致资产的减少或负债的增加。如果以 2 500 美元的价格出售账面价值为 2 800 美元的土地，那么 Papa John's 公司将要确认 300 美元的处置损失。在 Papa John's 公司 2006 年的利润表上没有报告任何利得或损失。

4. 所得税费用

营业利润加减其他项目就得到税前利润总额（或者称为税前利润）。所得税费用是在确定净利润之前列示在利润表中的最后一项费用。所有盈利的公司都需要计算要向联邦、州以及外国政府缴纳的所得税。所得税费用是根据联邦、州和外国政府税务机关制定的税率按照税前利润的一定百分比计算得出的。Papa John's 公司 2006 年的所得税税率为34%（所得税费用 $ 33 000 000 除以利润总额 $ 96 000 000）。这表明，Papa John's 公司 2006 年赚取 1 美元的税前利润中，就有 0. 34 美元需要上交给税务机关。

5. 每股收益

公司需要在利润表或财务报表附注中披露每股收益，该比率被广泛用于评估公司的经营业绩和盈利能力。每股收益等于净利润除以发行在外的平均普通股股数[①]。现在让我们用 Papa John's 公司的实例来计算每股收益。Papa John's 公司 2006 年报告的由投资者拥有的每股收益为 1. 96 美元。

国际视野

国外财务报表中账户的差异

正如第 1 章和第 2 章所提到的，有很多国家已经根据国际财务报告准则（IFRS）来制定本国的会计与财务报告规则。这样，外国的一些公司通常会使用与美国公司不同的账户名称。例如，葛兰素史克公司（GlaxoSmithKline，一家英国制药公司）和联合利华公司（Unilever，总部设在英国和荷兰的公司，该公司主要供应食品、地产、个人护理产品，如赫尔曼蛋黄酱、德芙香皂、棒冰等）使用营业额这个术语，指的就是销售收入。他们也经常把投资收益作为财务收益，把利息费用称为财务成本。还有，宝马集团（BMW Group）报告收入，以及投资收益和利息费用的差额确定的财

① 该比率的计算通常比较复杂，超出该课程的讨论范围。

务成果。上述三家公司遵循的都是国际财务报告准则（IFRS）。

最近的一份报告称，“世界上最大的六大会计公司通过研究表明，大多数国家——在59个受访国家和地区中，超过90%的国家和地区有意与国际财务报告准则趋同。”正值本教材撰写之时，美国证券交易委员会正在启动探讨有关在美国采用国际财务报告准则将会对美国公司及任何转换过渡中所发生的重大成本产生什么样的影响，其目的是为了更好地促进全球范围内统一会计准则。

http://www.deloitte.com/dtt/section-node/0，1042，sid%253D49563，00.html

http://www.sec.gov/spotlight/ifrsroadmap/ifrstround121707-transcript.pdf

3.2 如何确认和计量经营活动

你或许会根据你的银行账户的现金余额来确定个人的财务状况。你的财务业绩就是通过现金余额的期初数与期末数之间的差额进行计量的（也就是，最终结果现金是更多了还是更少了）。如果本期现金收入超过了现金支出，你就会有更多的现金余额。许多当地的零售商、医疗机构和其他小型企业往往采用现金制来记录经济业务，即：当收到现金时记为收入，支付现金时记为费用，而不论收入是在什么时候赚取的，费用是在什么时候发生的。这种编制基础对不需要向外部使用者提供财务报告的经济组织来说已经足够用了。

3.2.1 权责发生制会计

以收付实现制（现金制）为基础编制的财务报表通常是在销售货物或提供劳务之前或之后很长的一段时间延期或提前确认收入和费用（也就是说，当收到现金时或支付现金时予以确认收入与费用）。它们没有必要反映公司在某一特定时点的所有资产和负债情况。由于上述原因，根据收付实现制编制的财务报表对于外部决策者并不是十分有用的。因此，为了财务报告的目标，GAAP要求以权责发生制（应计制）作为编制基础。

在权责发生制下，只要经济业务发生了就要确认收入与费用，而不论是否收到现金或支付现金。也就是说，当收入赚取时就应确认收入，当费用发生时就应确认费用。基于权责发生制确定收入和费用的两个会计原则分别是**收入原则**和**配比原则**。

1. 收入原则

在收入原则下，通常必须同时满足以下四个方面的标准或条件才能确认为收入。一般情况下，如果任何一个条件没有得到满足，就不能确认和记录收入。

（1）**商品已经发出或劳务已经提供**。公司已经履行了或实质上履行了向顾客提供商品或劳务的承诺。

（2）**有确凿的证据能够证明顾客的付款承诺**。在公司执行交易中，顾客已经付款或承诺付款（一个应收项目）。

（3）**价款是固定的或可确定的**。对于可收回的金额没有不确定因素。

（4）**款项的收回具有合理的保证**。对于现金销售，由于款项在交易日就能收到，故收回款项不存在任何问题。而对于赊销，企业则需要考查顾客的支付能力。如果认为客户是值得信赖的，那么收回现金就有合理的保证。

上述条件通常只有在权利、风险和所有权报酬已经转移给顾客时才会发生。对于大多数企业，不管是否收到现金，这些条件在发出商品或提供劳务时就已经得到了满足。

尽管企业大都希望在交换商品或劳务时，就能及时收回现金，但是收到顾客现金的时间并不能表明企业就可以报告收入的实现。相反，什么时间确认收入实现的关键则在于交易是否已经按照承诺履行。因此，收到现金可能：（1）在提供商品或劳务的同时；（2）在提供商品或劳务之前；（3）在提供商品或劳务之后（如图表3—2）。让我们看看该如何处理这几种情况。

图表3—2　　收入记录与收到现金之对照

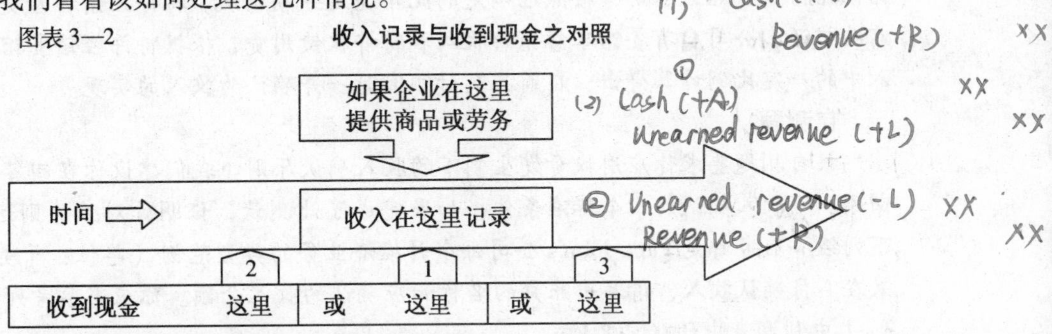

（1）**在商品或劳务提供的同时收到现金**。对于Papa John's公司来说，大多数情况下交货与付款的时间都是同时发生的，因为大多数顾客收到比萨后的几分钟之内就付款。Papa John's公司按订购的比萨交给顾客，在这个过程中赚取收入。作为交换，Papa John's公司从顾客那里收到了现金。这是在快餐和餐饮行业中比较典型的收取现金和确认收入的时间。

（2）**在商品或劳务提供之前收到现金**。Papa John's公司也出售特许权，在向新的特许经销商提供开办服务之前，Papa John's公司从新的特许经销商那里收到现金。这样就符合了条件2、3和4。在企业没有提供劳务之前，还不能记入收入账户，从特许经销商收到的款项只能记入负债类账户：预收特许权使用费。该负债账户代表公司将于未来向特许经销商提供商品或劳务。当Papa John's公司以后提供劳务时（条件1），收入已赚取并应确认为收入，同时减少负债账户金额。

（3）**在商品或劳务提供之后收到现金**。为了扩展业务，Papa John's公司也会采用赊销方式销售比萨。也就是说，餐馆在顾客订购比萨时先交货给顾客，月末向顾客开出账单。当企业通过赊销方式向顾客销售商品或提供劳务时就要确认收入的实现。就Papa John's公司而言，当比萨交付给顾客时，即使当时没有收到现金，也应当确认赚取的收入。此时，Papa John's公司应当记入“餐馆销售收入”账户和资产类“应收账款”账户，代表顾客未来需要偿还比萨债务的承诺。顾客每月支付现金账单时，Papa John's公司应当增记“现金”账户，减记“应收账款”账户。

公司通常会在财务报表附注中披露收入确认的条件。以下是从Papa John's公司报表附注中摘录下来的有关描述该公司是如何确认特许经销形式的相关收入和餐馆的比萨销售收入这两类收入的。

现实世界摘要：Papa John's 公司年度财务报告

重要的会计政策

收入的确认

当特许经销餐馆开始营业时，特许经销使用费收入应予以确认，此时我们已经履行了与这些使用费相关的义务。根据特许经销开发协议，该协议授予特许经销商在未来期间有权在特定地理区域内开办特许经销餐馆的权利，特许经销使用费收入应在餐馆依据协议开始经营后，按照已确定的比率递延分期确认。特许经销和开发费用均不需要归还，公司自有餐馆零售销售收入和特许权使用费，根据特许经销餐馆的销售收入中的一定比例计算得出，在商品交付顾客时一并确认为收入的实现。

自测题

该自测题要求你应用权责发生制下的收入确认原则。我们建议你在回答问题之前回顾一下收入确认的四个标准条件，如果完成了此测试，证明你对该原则运用自如。下列经济业务都是Papa John's公司每个月经济业务的典型范例（单位：千美元），如果在1月确认收入，请写出账户的名称和应确认的收入金额。你应当参考列示在图表3—1中利润表中的账户名称。

经济活动	收入账户名称	1月确认的收入金额
（1）1月，Papa John's公司的自有餐馆向顾客销售食品，收到现金＄32 000		
（2）1月，Papa John's公司出售新的特许经销权，收到现金＄625，本月向新的特许经销商提供劳务，价值＄400，剩余的劳务在随后3个月内提供		
（3）1月，特许经销商依照其每周销售额向Papa John's公司支付特许权使用费＄2 750的现金，其中＄750与12月销售收入相关，其余的金额与1月销售收入相关		
（4）1月，Papa John's公司的代理商向餐馆销售调料、面团，价值为＄30 000，其中＄20 000为现销，其余的为赊销		
（5）1月，特许经销商支付给Papa John's公司12月用于向Papa John's公司购买调料和面团的欠款		

完成测试后，请参照答案予以核对。

自测题答案：

收入账户名称	1月收入确认金额
（1）餐馆销售收入	＄32 000
（2）特许经销使用费收入	＄400
（3）特许经销使用费收入	＄2 000
（4）餐馆销售收入	＄30 000
（5）1月没有赚取收入	—

职业道德问题

违反收入原则的管理者动机

股票投资者是依据他们对公司未来盈余的预期来作出投资决策的。当上市公司发布季度和年度收益信息公告时，投资者就可以据此评估公司达到预期目标的情况，并相应地调整其投资决策。对于那些不能满足投资者预期的公司，股票价格通常会下跌。因此，管理者有动机进行盈余管理，以满足或超出投资者的预期进而提高股票价格。贪婪可能导致一些管理者作出不道德的会计报告决策，通常包括伪造收入和费用。虽然这些行为可能愚弄投资者一时，但是时间久了，往往会带来严重恶果。

管理者的欺诈行为如果触犯了刑法，则需要承担刑事责任。下面的图表就是一些涉及伪造收入和费用的案例。65岁的伯尔尼·埃贝斯（Bernie Ebbers）和21岁的巴里·明科（Barry Minkow）都因为会计舞弊而触犯了刑法，被判入狱25年。

很多人也受到了舞弊案的影响，导致股东所持股票价值严重受损，职工会失业（还会失去养老基金，如安然公司的案例），客户和供应商在舞弊阴云的笼罩下小心地经营。作为经理，你可能在工作中面临道德的困境而左右为难，但你必须要作出遵纪守法的决定，这将使你在今后的20年为此而感到无比自豪。

总裁	欺诈	定罪	结果
伯尔尼·埃贝斯（Bernie Ebbers），65岁，美国世界通讯公司	将营业费用作为资产处理，造成美国历史上最大的舞弊案	2005年7月被定罪	判处有期徒刑25年
桑贾伊·库马尔（Sanjay Kumar），44岁，冠群电脑有限公司	在不恰当的会计期间确认销售收入	2006年4月认罪	判处有期徒刑12年
马丁·格拉斯（Martin Grass），49岁，日特爱德药业连锁公司	在取得药业公司折扣以前就提前记录了折扣	2003年6月认罪	判处有期徒刑8年
巴里·明科（Barry Minkow），21岁，ZZZZ贝斯特地毯清洗和楼宇修复公司	虚构客户和销售业务来获得盈利，但实际上公司是一个冒牌的	1988年12月被定罪	判处有期徒刑25年

2. 配比原则 Matching Principle

配比原则要求收入及与之相关的成本，应当在同一会计期间内进行确认记录——成本与收益相配比。例如，当Papa John's公司向顾客提供食品服务时，收入已经赚取。与产生收入相关的成本项目包括费用已经发生，具体包括：

（1）职工本期的工资（工资费用）；

（2）本期耗用电费（公用事业费用）；

（3）本期消耗的食品、纸制品（销售成本）；

（4）本期租赁设施（租金费用）；

（5）本期烤炉和其他设备的耗用（折旧费用）。

随着收入的实现和收到现金，费用也应当在发生时予以记录，而不论企业在什么时候实际支付现金。企业可能会在费用发生之前、发生期间和发生之后支付现金（见图表3—3）。如果确认费用和支付现金的时间不同，那么就需要在发生费用时编制一笔会计分录，支付现金时编制另一笔会计分录。让我们看看根据配比原则该如何处理以下几种情况。

图表3—3　　　　费用记录与现金支付之对照

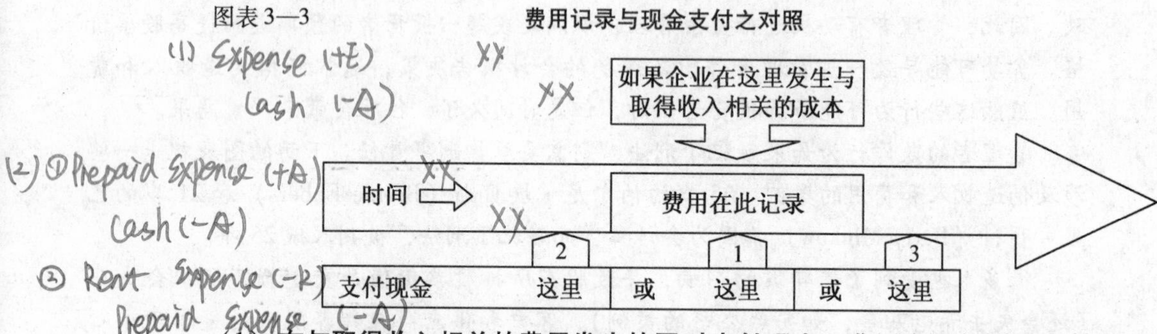

（1）**在与取得收入相关的费用发生的同时支付现金**。费用发生的同时支付现金。例如，Papa John's公司可能在12月8日当天为新餐馆开业做广告宣传，花费广告费500美元。该笔费用应当在12月8日记录为广告费并在当年的利润表中报告，因为该笔广告费是为了取得当期收入而花费的。

（2）**在与取得收入相关的费用发生之前支付现金**。企业经常需要提前支付款项以便在以后期间受益。例如，Papa John's公司可能在12月购买纸盘，但是直到次年的1月才使用这些纸盘。根据配比原则，为了取得收入而耗用的这些物料费用应当在来年的1月报告，而不是在12月购买时报告。12月所购买的物资代表了企业增加的一项资产（称为物资），这项资产是为了未来期间受益而支付的。当次年1月使用这些纸盘时，企业会将耗用的物资费用在次年的利润表中报告，同时会记录物资减少。类似的情况还有企业提前支付租金或保险费。

（3）**在与取得收入相关的费用发生之后支付现金**。尽管支付租金和购买物资是一些较为典型的在其受益或耗用之前就已支付现金的经济业务，但许多费用成本还是在货物或劳务收到或使用之后才会支付。例如，Papa John's公司餐馆在12月使用电力加热烤炉和照明（当期），但是在12月并没有支付电费，而是等到次年的1月（下一会计期间）才予以支付。由于该项电力成本与12月赚取的收入相关，它代表了一项费用（公共事业费用），所以应当在本年的利润表中予以报告。虽然Papa John's公司在12月末没有付清该笔成本费用，但却已经产生了一项负债（称为应付账款）。类似的情况还包括：职工的工作是在本会计期间进行的，但是企业在当期并没有支付他们的薪水或报酬，而是等到下一会计期间才支付薪水或报酬。

自测题

本测试的目的是让你练习如何应用权责发生制下的配比原则，如果完成了此测试，证明你对该规则运用自如。下列经济业务都是Papa John's公司每月典型的经营活动范例（单位：千美元），如果在1月确认费用，请写明费用账户名称并确认金额。你应参照图表3—1利润表中账户的名称。Papa John's公司的报表列示的行政管理费用是对保险费、修理费、水电费、燃料费的汇总。在你的回答中请使用这些描述性的会计账户。

经济活动	费用账户名称	1月确认的费用
(1) 1月初，Papa John's公司餐馆支付了1、2、3月的租金 $ 3 000		
(2) 1月，Papa John's公司向供应商支付12月赊购材料款 $ 10 000		
(3) 1月，Papa John's公司在向顾客销售比萨产品时耗用食品和纸制品存货共计 $ 9 500		
(4) 1月末，Papa John's公司收到1月电费账单 $ 400，该笔账单将于2月支付		

完成测试后，请参照给出的答案予以核对。

自测题答案：

费用账户名称	1月确认的费用金额
(1) 租赁费用	$ 1 000 ($ 3 000 /3)
(2) 1月没有费用	物资费用在耗用时予以确认
(3) 销售成本	$ 9 500
(4) 公共事业费用（行政管理费用）	$ 400

财务分析

股票市场对会计公告的反应

股票市场分析师和投资者通常会利用会计信息作出投资决策，因此，当公司不能满足事前确定的经营目标时，基于投资者对公司未来业绩预期的股票市场通常就会作出消极的反应。

公司发生净损失并不意味着公司遇到了困难。实际经营业绩与经营计划相比，经常会发生令人意想不到的偏差，例如公司需要对低于预期的季度盈余或销售收入作出合理的解释。2006年11月2日，Papa John's公司宣布了第3季度报告的结果，报告表明在本季度最后的一个月中，与同行业可比较的店铺销售额相比，公司店铺的销售额下降了0.6%，特许经销店销售额则下降了2.2%。2006年10月是22个月以来第一个该店销售额下降的月份。2006年10月30日，Papa John's公司股票的价格（股票符号：PZZA）为每股37.79美元，截止到2006年11月3日，股票价格降到了每股30.95美元，下降了6.84美元，下跌幅度为18.1%。

这是一个非常清晰的有关外部使用者对会计信息反应的实例。会计信息对公司制定各种决策以及对投资者、债权人所作出的决策无一不产生广泛的影响。

3.3 扩展的经济业务分析模型

我们前面已经讨论了影响利润表的各种企业活动以及如何对这些企业活动进行计量的问题。现在我们需要确定这些企业活动是如何在会计系统中记录的，又是如何在财务报表中反映的。本书的第2章已经涉及了影响资产、负债和投入资本的投资和筹资活动。现在我们要将第2章所呈现的经济业务分析模型扩展到经营活动中去。

3.3.1 经济业务分析规则

如图表3—4所列示的完整的经济业务模型包括5个要素：资产、负债、股东权益、收入和费用。回顾一下，留存收益账户是指从历年实现的净利润中扣除向股东分配的股利（即没有留存在企业的盈余）后的积累数①。净收益为正数时，留存收益也增加；反之为净损失时，则减少留存收益。

在对扩展的经济业务分析模型使用说明之前，我们首先强调以下几个问题：

（1）收入通过留存收益增加了股东权益，因而它有贷方余额。

（2）费用减少净利润，同时也减少留存收益和股东权益，因而它有借方余额。（与留存收益余额方向相反）。也就是说，一项费用增加，记在借方，它减少了净利润和留存收益。当你记在账户的借方时，表明了费用的增加。

（3）当收入超出费用时，公司报告为净利润，它会增加留存收益和股东权益。相反，当费用超过收入时，公司则报告为净损失，它会减少留存收益和股东权益。

在构建和使用经济业务分析模型时，正如我们在第2章所见的那样：

（1）尽管在一定期间内收入和费用呈增加的趋向，但是所有的账户可能会增加也可能会减少。那么，对于会计等式左方的账户，增加符号“+”记在T形账户的左方。而对于会计等式右方的账户，增加符号“+”则记在T形账户的右方。

（2）“借”要写在每个T形账户的左方，“贷”要写在每个T形账户的右方。

（3）每笔经济业务至少影响两个账户。

图表3—4　　扩展的经济业务分析模型

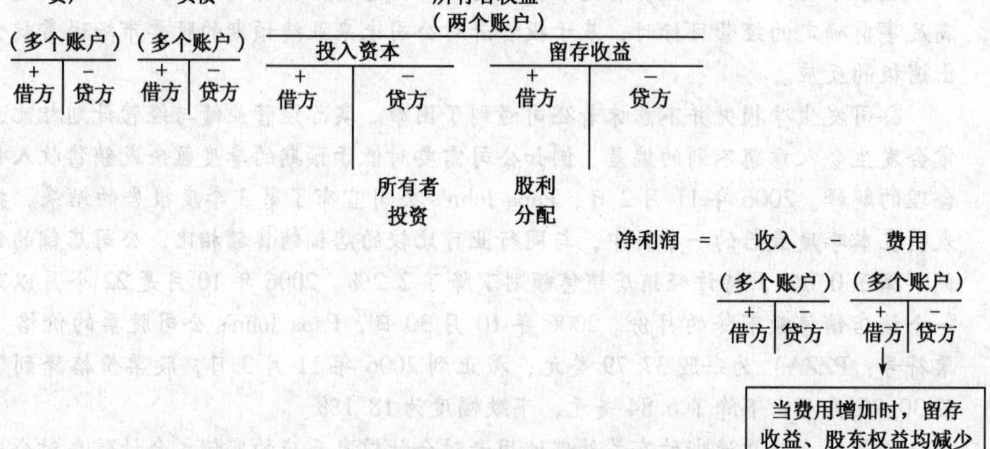

在分析经济业务过程中，由于收入被定义为净资产的流入，所以根据收入定义可知，在登记收入增加时，或者使一项资产增加，或者使一项负债减少。类似的情况，在记录一项费用时，或者使一项资产减少，或者使一项负债增加。

你应当参考扩展的经济业务分析模型，直到你能在不需要任何帮助的情况下运用它，认真学习图表3—4，它能帮助你理解经营活动对资产负债表和利润表产生的影响。

① 当宣告股利时，与直接减少留存收益不同的是，公司可能会使用“宣告股利”账户，该科目有一个借方余额。

步骤 1：账户及其影响的识别与分类

(1) 识别被影响的账户（确定至少有两个账户发生变化，问问自己：收到什么（或赚取什么）或者还是付出什么（发生什么）。

(2) 对各种账户进行分类。该账户是资产类、负债类、股东权益类，还是收入类或费用类?

(3) 确定影响的方向。该账户是增加（+）还是减少（-)?

步骤 2：验证会计分录和会计等式的平衡

(1) 验证借方余额 = 贷方余额

(2) 验证会计等式（资产 = 负债 + 股东权益）是否保持平衡

3.3.2 Papa John's 公司经济业务的分析

现在我们将以第 2 章结尾所列示的 Papa John's 公司的资产负债表为基础。第 2 章的报表只包括在会计循环中的投资和筹资活动。我们将对本章会计循环中（1 月）发生的经营活动产生的影响进行分析、记录并将其过到 T 形账户中。在第 4 章中，我们将完成与会计期末经济活动同时进行（1 月 31 日）的会计循环。所有金额均以千美元为单位，最后，我们要将这些影响过到适当的 T 形账户中。

(a) Papa John's 公司餐馆向顾客销售比萨，收到现金 36 000 美元，同时，又向餐馆供应物资 30 000 美元，收到现金 21 000 美元，其余的货款尚未收到。

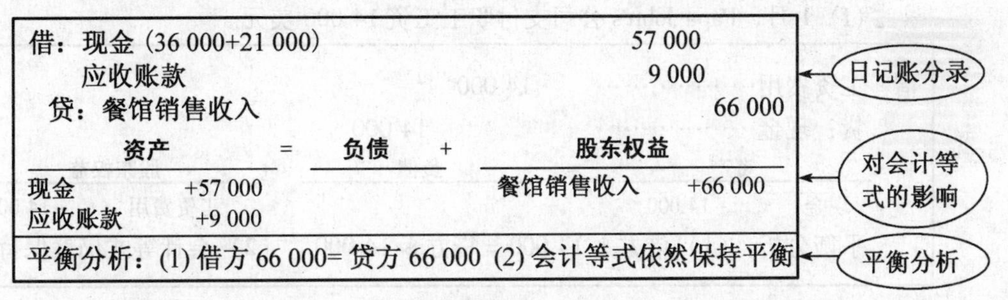
借：现金（36 000+21 000） 57 000
　　应收账款 9 000
　贷：餐馆销售收入 66 000

资产		=	负债	+	股东权益	
现金	+57 000				餐馆销售收入	+66 000
应收账款	+9 000					

平衡分析：(1) 借方 66 000= 贷方 66 000 (2) 会计等式依然保持平衡

(b) 餐馆面团、调料、奶酪和其他物资的销售成本为 30 000 美元。

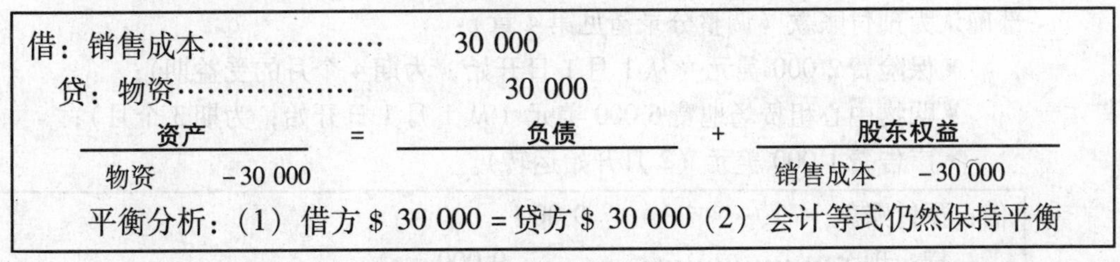
借：销售成本……………… 30 000
　贷：物资……………… 30 000

资产		=	负债	+	股东权益	
物资	−30 000				销售成本	−30 000

平衡分析：（1）借方 \$ 30 000 = 贷方 \$ 30 000（2）会计等式仍然保持平衡

(c) Papa John's 公司出售新的特许经销权，收到现金 400 美元，其中包括当前向特许经销商提供服务 100 美元，其余的部分将在以后的几个月内提供。

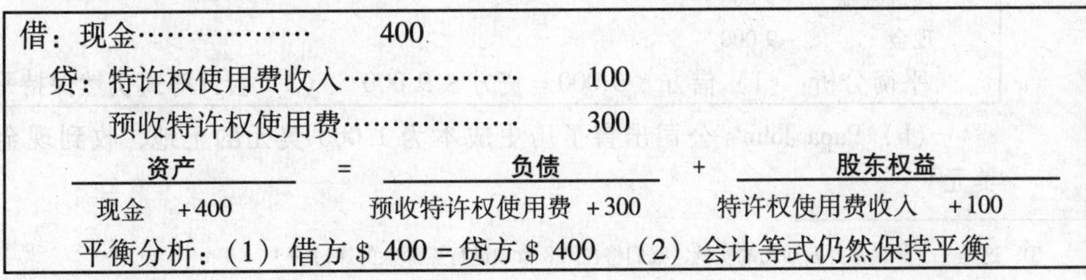
借：现金……………… 400
　贷：特许权使用费收入……………… 100
　　　预收特许权使用费……………… 300

资产		=	负债		+	股东权益	
现金	+400		预收特许权使用费	+300		特许权使用费收入	+100

平衡分析：（1）借方 \$ 400 = 贷方 \$ 400 （2）会计等式仍然保持平衡

（d）1月，Papa John's公司支付公共事业费用、修理费及送货汽车的燃料费，这些费用均被确认为本月的行政管理费用。

借：行政管理费用………………　7 000
　贷：现金………………　7 000

资产		=	负债		+	股东权益	
现金	−7 000					行政管理费用	−7 000

平衡分析：（1）借方＄7 000＝贷方＄7 000　（2）会计等式仍然保持平衡

（e）Papa John's公司向供应商订购并收到物资29 000美元，支付现金9 000美元，其余的款项尚未支付。

借：物资………………　29 000
　贷：现金………………　9 000
　　应付账款………………　20 000

资产		=	负债		+	股东权益	
物资	+29 000		应付账款	+20 000			
现金	−9 000						

平衡分析：（1）借方＄29 000＝贷方＄29 000　（2）会计等式仍然保持平衡

（f）1月，Papa John's公司支付职工工资14 000美元。

借：工资费用………………　14 000
　贷：现金………………　14 000

资产		=	负债		+	股东权益	
现金	−14 000					工资费用	−14 000

平衡分析：（1）借方＄14 000＝贷方＄14 000　（2）会计等式仍然保持平衡

（g）1月初，Papa John's公司支付了下列费用，当支付这些所有的费用时，全部确认为预付账款（调整分录请见第4章）：

- 保险费2 000美元（从1月1日开始，为期4个月的受益期）；
- 购物中心租赁场地费6 000美元（从1月1日开始，为期3个月）；
- 广告费1 000美元（2月开始运转）。

借：预付账款………………　9 000
　贷：现金………………　9 000

资产		=	负债		+	股东权益	
预付账款	+9 000						
现金	−9 000						

平衡分析：（1）借方＄9 000＝贷方＄9 000　（2）会计等式仍然保持平衡

（h）Papa John's公司出售了历史成本为1 000美元的土地，收到现金4 000美元①。

① 这是一个非日常经营活动的实例，我们将在第8章中进行更深入的探讨。

借：现金…………………　　　　　　4 000
　贷：固定资产…………………　　　　　　1 000
　　　土地出售利得…………………　　　　3 000

资产		=	负债	+	股东权益	
固定资产	−1 000				土地出售利得	+3 000
现金	+4 000					

平衡分析：（1）借方 $ 4 000 = 贷方 $ 4 000　（2）会计等式仍然保持平衡

自测题

完成从第（i）笔交易至第（k）笔交易中缺失的信息，确认在实例的最后部分将日记账分录的影响过账到T形账户中。

（i）Papa John's 公司收到特许经销商根据每周销售额计算出的特许权使用费3 500美元，其中的800美元是根据12月记录的到期应从特许经销商收回的款项，其余的则来自1月的销售收入。

资产		=	负债	+	股东权益	
现金	+3 500				特许权使用费收入	+2 700
应收账款	−800					

平衡分析：（1）借方 $ 3 500 = 贷方 $ 3 500　（2）会计等式仍然保持平衡

要求：完成上述经济业务的会计分录，并将其影响数过到T形账户中。

（j）Papa John's 公司向供应商支付前欠的货款10 000美元。

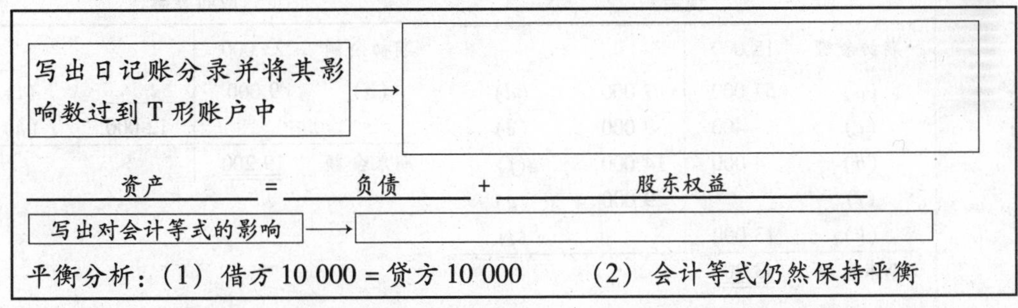

（k）Papa John's 公司收到现金13 000美元，其中1 000美元为赚取的投资收益，12 000美元来自于特许经销商支付的应付款项。

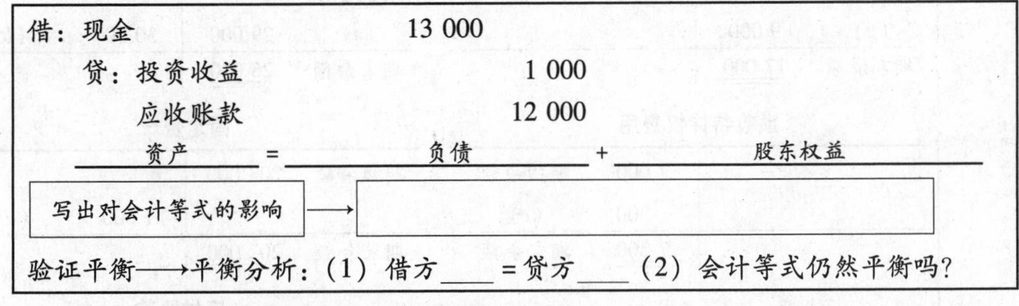

完成测试后，请参照给出的答案予以核对。

图表3—5列示了从第（a）笔至第（k）笔本期经济业务增减变动的T形账户。所有其他账户余额保持不变。请注意，第2章最后的Papa John's 公司资产负债表金额已经包含了图表3—5中资产、负债、股东权益账户的期初余额。另一方面，由于利

润表账户期初余额均为0，所以收入和费用都是本期累计数。

你可以验证一下，对第（a）笔至第（k）笔交易的会计分录过账后，通过加上增加的一方，减去减少的一方，然后将你的答案与每个T形账户的期末余额进行比较。

自测题答案：

（i）借：现金………………… 3 500
　　贷：应收账款……………… 800
　　　　特许权使用费收入……………… 2 700

（j）借：应付账款……………… 10 000
　　贷：现金……………… 10 000

资产		=	负债		+	股东权益
现金	−10 000		应付账款	−10 000		

（k）

资产		=	负债	+	股东权益	
现金	+13 000				投资收益	+1 000
应收账款	−12 000					

平衡分析：（1）借方 $ 13 000 = 贷方 $ 13 000　（2）会计等式仍然保持平衡

图表3—5　T形账户

资产负债表账户（摘自图表2—8的期初余额）

现金

	借方	贷方	
期初余额	15 000		
(*a*)	57 000	7 000	(*d*)
(*c*)	400	9 000	(*e*)
(*h*)	4 000	14 000	(*f*)
(*i*)		9 000	(*g*)
(*k*)	13 000		(*j*)
期末余额	43 900		

应收账款

	借方	贷方	
期初余额	23 000		
(*a*)	9 000		(*i*)
		12 000	(*k*)
期末余额	19 200		

预付账款

	借方	贷方
期初余额	8 000	
(*g*)	9 000	
期末余额	17 000	

物资

	借方	贷方	
期初余额	27 000		
(*e*)	29 000	30 000	(*b*)
期末余额	26 000		

预收特许权费用

借方	贷方	
	7 000	期初余额
	300	(*c*)
	7 300	期末余额

固定资产

	借方	贷方	
期初余额	208 000		
		1 000	(*h*)
期末余额	207 000		

应付账款

	借方	贷方	
		29 000	期初余额
(*j*)		20 000	(*e*)
		39 000	期末余额

利润表账户（期初余额为0）

餐馆销售收入

借方	贷方
	0 期初余额
	66 000 (a)
	66 000 期末余额

特许权使用费收入

借方	贷方
	0 期初余额
	100 (c)
	(i)
	2 800 期末余额

出售土地利得

借方	贷方
	0 期初余额
	3 000 (h)
	3 000 期末余额

投资收益

借方	贷方
	0 期初余额
	1 000 (k)
	1 000 期末余额

销售成本

借方	贷方
期初余额 0	
(b) 30 000	
期末余额 30 000	

行政管理费用

借方	贷方
期初余额 0	
(d) 7 000	
期末余额 7 000	

工资费用

借方	贷方
期初余额 0	
(f) 14 000	
期末余额 14 000	

3.4 如何编制和分析财务报表

根据1月已经被过账到T形账户中的所有经济业务，我们现在就可以编制1月反映经营活动的财务报表。回顾前几章所学的4张会计报表，它们分别是什么报表，这些报表之间都是什么样的关系。

报表名称	公式
利润表	收入－费用 = 净利润 ↓
留存收益表	期初留存收益＋净利润－股利分配 = 期末留存收益 ↓
资产负债表	资产 = 负债 + 股东权益（投入资本和留存收益） （包括现金） ↑
现金流量表	现金流量变动＝经营活动提供或使用的现金 ＋投资活动提供或使用的现金 ＋筹资活动提供或使用的现金

由于利润表中的净利润是资产负债表中留存收益的一个组成部分，所以有必要首先计算净利润。留存收益表（或者在股东权益变动表中的留存收益项目）连接着资产负债表。最后，由于现金的来源和使用均被报告在现金流量表中，所以现金流量表的现金期末余额就应当等于资产负债表现金余额。

需要重点强调的是，我们将要列示的Papa John's公司的1月末的利润表并没有反映1月所有赚取的收入和发生的费用。例如：

(1) 预付账款账户包括了1月和未来其他月份的租金费用、保险费用，但是并没有记录1月的费用金额。设备在本月的使用也如出一辙：调整之前，资产被高估了，同时费用却被低估了。

(2) 我们还没有计算1月发生的所得税费用和下个季度应付税金数额，因此，负债和费用均被低估了。

(3) 预收特许权使用费（负债类账户）在1月还没有被及时调整为特许权使用费收入，在这种情况下，显然负债被高估了，收入被低估了。

第4章将会阐述会计调整程序以更新会计记录。当记录调整业务之后，所得税费用也随之得到确认，同时利润表也将根据权责发生制原则反映GAAP。而此处的实例则是Papa John's公司1月末尚未调整的财务报表。

3.4.1 利润表分类

Papa John's公司及其子公司合并利润表
截至2007年12月31日
（单位：千美元）

营业收入	
餐馆销售收入	$66 000
特许权使用费收入	2 800
收入总计	68 800
营业费用	
销售成本	30 000
薪酬费用	14 000
行政管理费用	7 000
物料费用	0
租金费用	0
保险费用	0
公共事业费用	0
折旧费用	0
利息费用	0
其他营业费用	0
费用总计	51 000
营业利润	17 800
其他项目	
投资收益	1 000
利息费用	(0)
土地出售利得	3 000
税前利润	21 800
所得税费用	0
净利润	$21 800
每股收益	$0.68

根据Papa John's公司的年报，Papa John's公司大约拥有32 100 000股份（单位：美元）

根据Papa John's公司的实例，1月获得净利润为21 800 000美元，约占调整前营业收入的32%（$ 21 800 000 净利润 ÷ $ 68 800 000 总收入）。

财务分析

附注中更加详细地披露财务信息

许多公司，尤其是一些大公司，在许多不同地域开展经营活动，这些公司被称为跨国公司。基于合并数据的合并利润表，对于投资者评估海外市场的经营风险和报酬，经过证实并不是十分有用的。同样，如果一个公司经营多个的企业，也是一样的道理。因此，许多公司必须在财务报表附注中提供相关的地区和企业分部的额外信息。下表就是 Papa John's 公司 2006 年年度报告中所提供的地区分部信息的实例：

合并财务报表附注

22. 分部信息

我们确定了 5 个报告分部：国内餐馆、国内代理商、国内特许专卖店、国际经销部和不同的相关利益主体……

（单位：千美元）	2006	2005	2004
外部客户收入：			
国内餐馆	$ 447 938	$ 434 525	$ 412 676
国内代理商	413 075	398 372	376 642
国内特许专卖店	58 971	55 315	52 767
国际经销部	23 209	18 389	15 757
不同的相关利益主体	7 859	11 713	14 387
其他	50 505	50 474	53 117
外部客户收入总计	$ 1 001 557	$ 968 788	$ 925 346

3.4.2 留存收益表

留存收益表将 Papa John's 公司的利润表和资产负债表紧密地联系在一起。任何影响留存收益的经济业务，例如产生的净利润和宣告分派的股利，都在此表中加以概括。

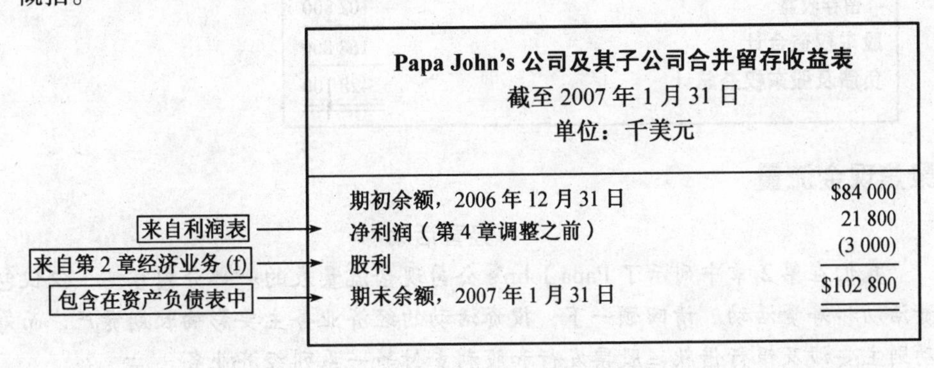

Papa John's 公司及其子公司合并留存收益表
截至 2007 年 1 月 31 日
单位：千美元

期初余额，2006 年 12 月 31 日	$84 000
净利润（第 4 章调整之前）	21 800
股利	(3 000)
期末余额，2007 年 1 月 31 日	$102 800

3.4.3 资产负债表分类

最后，我们可以修正第 2 章的资产负债表，以反映本章所讨论的经营活动的影响。除了留存收益以外，未受经营活动影响的账户余额与图表 2—8 的账户余额保持一致。留存收益表的期末余额 102 800 000 美元记入资产负债表的股东权益项目中。受本章经营活动影响的账户则反映了来自图表 3—5T 形账户的修正后的余额。在下一章中我们将进一步地揭示财务报表之间的关系。

Papa John's 公司及其子公司合并资产负债表
2007 年 1 月 31 日
（单位：千美元）

资产	
流动资产	
现金	$ 43 900
应收账款	19 200
物资	26 000
预付账款	17 000
其他流动资产	14 000
流动资产合计	120 100
投资	2 000
固定资产（减去累计折旧 189 000）	207 000
应收票据	15 000
无形资产	67 000
其他资产	17 000
资产总计	$428 100
负债及股东权益	
流动负债	
应付账款	$ 39 000
应付股利	3 000
应计费用	73 000
流动负债总额	115 000
预收特许权使用费	7 300
应付票据	110 000
其他长期负债	27 000
股东权益	
投入资本	66 000
留存收益	102 800
股东权益合计	168 800
负债及股东权益总计	428 100

←来自留存收益表

聚焦现金流量

经营活动

我们在第 2 章中列示了 Papa John's 公司现金流量表的一部分内容——仅仅包括投资活动和筹资活动。请回顾一下，投资活动的经济业务主要影响长期资产，而筹资活动则主要涉及银行借款、股票发行和股利支付等一系列经济业务。

在本章中，我们将聚焦经营活动产生的现金流量。在现金流量表中，该部分报告的是经营现金流量的主要来源，包括收到顾客现金、购买物料支付的现金以及其他与经营活动有关的事项。通常与经营活动最相关的账户是流动资产类账户（如应收账款、存货、预付账款等）和流动负债类账户（如应付账款、应付工资以及预收账款等）。

我们采用直接法列示现金流量表中的经营活动现金流量——收到现金和支付现金。但是，大多数企业则通常采用间接法（将在下一章中讨论）来报告经营活动现金流量。

		对现金流量的影响
经营活动		
收到现金：	顾客	+
	投资收到的利息和股利	+
支付现金：	供应商	−
	职工	−
	债务利息	−
	所得税	−
投资活动（见第2章）		
筹资活动（见第2章）		

当一项经济业务影响现金时，那么该项业务就应该包括在现金流量表中。当一项经济业务没有影响现金时，例如通过应付长期抵押票据购置建筑物、将产品赊销给顾客等业务，它们没有影响现金因而不包括在现金流量表中。如果你发现一项经济业务涉及现金，那么该项经济业务必定在现金流量表中得到反映。因此，当采用直接法编制现金流量表中经营活动的现金流量时，最简单的方法就是要查看T形现金账户的各项活动。

		+ 现金	−		
	期初余额	15 000			
收到顾客现金	(*a*)	57 000	7 000	(*d*)	支付给供应商
收到特许权费用收入	(*c*)	400	9 000	(*e*)	支付给供应商
投资活动	(*h*)	4 000	14 000	(*f*)	支付给职工
收到特许权费用收入	(*i*)	3 500	9 000	(*g*)	支付给供应商
收到特许权 \$12 000	(*k*)	13 000	10 000	(*j*)	支付给供应商
收到投资 \$1 000					
	期末余额	43 900			

重要比率分析

计算和解释总资产周转率

在第2章中，我们讨论了财务杠杆比率，这是一个用来评估管理者利用负债提高盈余的工具。现在，我们将要介绍另一个重要比率，该比率是用来评估管理者利用公司的所有资产来提高公司盈余的一个重要工具。正如我们在其他章节将要看到的那样，利用每一个特定类型资产进行的类似的分析可以为决策制定者提供额外的信息。

1. 分析问题

管理层如何有效地利用资产（资源）获得收入？

2. 比率及比较

总资产周转率=销售（或营业）收入/平均资产总额

2006年Papa John's公司总资产周转率为（千美元）：

1 001 000÷［（351 000+380 000）÷2］=2.74

不同时期比较			与竞争对手比较	
Papa John's公司			Domino's公司	Yum！Brands＊
2004	2005	2006	2006	2006
2.56	2.67	2.74	3.42	1.59

Yum！Brands（百胜公司）＊是Pizza Hut、KFC、Taco Bell和其他公司的母公司。

3. 解释

（1）**概述**　总资产周转率是衡量每1美元资产所产生收入的比率。较高的资产周转率说明了资产管理的高效率，相反，较低的资产周转率则预示着企业低效率的资产管理。一个公司的产品和经营策略在很大程度上决定了其资产周转率。但是，如果竞争对手实力相近，那么控制公司资产的管理能力对于决定其成功与否则是十分关键的。坚实的财务业绩可以提高资产周转率。

债权人和证券分析师通常利用该比率来评估一个企业控制流动资产和非流动资产的有效性。在一个运行良好的企业中，债权人期望该比率随着季节性的变化而上下波动。例如在销售旺季到来之前公司必须建立好库存，这就需要借入资金，此时资产周转率会随着资产的增加而降低。最终，销售旺季提供现金用来偿还贷款。此时，资产周转率随着销售收入的增加而上升。

（2）**聚焦公司分析**　自2004年以来，Papa John's公司总资产周转率有所增长，这就意味着公司能够有效地管理资产，因而取得了收入。事实上，Papa John's公司报告：随着Papa John's公司地域性专卖店数量的不断增加，地区代理商通过高效地管理资产，已经取得了更高的收入。

与主要竞争对手相比，在2006年中，Papa John's公司总资产周转率降到了中等水平。产生差异的部分原因是由于公司采用了不同的经营策略。Pizza Hut（加上KFC和塔可钟）主要经营餐饮，所以必须投入更多的设备（也就是说，该企业拥有较多的资产）。而Domino's公司，主要负责比萨运送，所以主要依靠租赁的设施运营（也就是说，该企业拥有较少的资产）。

（3）**注意问题**　尽管由于季节性的波动可能导致公司总资产周转率下降，但是同时，增加资产的公司政策性导向也可能引起总资产周转率的下降。还有，对新顾客放宽信贷政策或延期应收账款的收回，也会导致总资产周转率的下降。总之，要想确定总资产周转率的变化原因及管理者决策，就必须仔细地分析重要的资产结构的变化。

示例

本案例是第2章中曾经介绍Terrific Lawn公司案例的延续。Terrific Lawn公司成立后，购置物资、固定资产，准备经营。2009 年 4 月 30 日基于投资活动和筹资活动的（第 2 章）的资产负债表列示如下：

Terrific Lawn 公司资产负债表

2009 年 4 月 30 日

资产		负债	
流动资产		流动负债	
现金	$ 3 800	应付票据	$ 4 400
应收票据	1 250		
流动资产合计	5 050		
设备	4 600	**股东权益**	
土地	3 750	投入资本	9 000
总资产	$ 13 400	负债及股东权益合计	$ 13 400

2009 年 4 月发生了下列经济业务：

a. 为割草机、轧边机购买汽油，向当地某加油站支付现金 90 美元。

b. 4 月初，提前收到 4 月至 7 月的城市草坪维护服务费共计现金 1 600 美元（每月 400 美元），全部记为预收账款。

c. 4 月初，购买 6 个月（4 月至 9 月）的保险费，支付现金 300 美元，全部记为预付账款。

d. 为居民客户提供割草服务，每两周开出账单，4 月提供服务共计 5 200 美元。

e. 居民客户支付欠款 3 500 美元。

f. 每两周支付员工薪酬一次，4 月支付现金 3 900 美元。

g. 收到当地加油站开出的 4 月使用的额外赊购汽油账单 320 美元。

h. 支付 XYZ 应付草坪供应商和五金商店的票据本金 700 美元和利息 40 美元。

i. 支付应付账款 100 美元。

j. Terrific Lawn 公司收回了所在城市支付的票据本金 1 250 美元和利息 12 美元。

要求：

1. a. 建立下列账户的 T 形账户：现金、应收账款、应收票据、预付账款、设备、土地、应付账款、预收账款（递延收入）、应付票据、投入资本、留存收益、割草收入、利息收入、工资费用、燃料费用和利息费用。资产负债表账户的期初余额使用以前的资产负债表数额。经营类账户的期初余额为 0 美元。请在 T 形账户中列出期初余额。

b. 利用本章介绍的经济业务扩展分析模型分析每笔经济业务。

c. 按时间顺序编制日记账分录，并指出其对会计模型的影响（资产 = 负债 + 股东权益）。包括平衡分析：（1）借方 = 贷方和（2）会计等式保持平衡。

d. 在 T 形账户中恰当地记入每笔经济业务的影响，用前面列出的经济活动的字母确定记入每一笔金额。

e. 计算每个 T 形账户的余额。

2. 利用各 T 形账户的金额编制 2009 年 4 月 30 日 Terrific Lawn 公司的整套财务报表，包括利润表、留存收益表、资产负债表和现金流量表。参考第 2 章中为投资活动和筹资活动编制的现金流量表（调整后的账户将在第 4 章中介绍）。

现在将你的答案与下面的参考答案核对一下。

参考答案：

1. 经济业务分析、日记账分录和 T 形账户：

（a）

借：燃料费用　　90

　贷：现金　　90

资产		=	负债	+	股东权益	
现金	−90				燃料费	−90

平衡分析：（1）借方 $ 90 = 贷方 $ 90，（2）会计等式保持平衡。

（b）

借：现金　　1 600

　贷：预收账款　　1 600

资产		=	负债		+	股东权益
现金	+1 600		预收账款	+1 600		

平衡分析：（1）借方 $ 1 600 = 贷方 $ 1 600，（2）会计等式仍然保持平衡。

（c）

借：预付账款　　300

　贷：现金　　300

资产		=	负债	+	股东权益
现金	−300				
预付账款	+300				

平衡分析：（1）借方 $ 300 = 贷方 $ 300，（2）会计等式仍然保持平衡。

（d）

借：应收账款　　5 200

　贷：割草收入　　5 200

资产		=	负债	+	股东权益	
应收账款	+5 200				割草收入	+5 200

平衡分析：（1）借方 $ 5 200 = 贷方 $ 5 200，（2）会计等式仍然保持平衡。

（e）

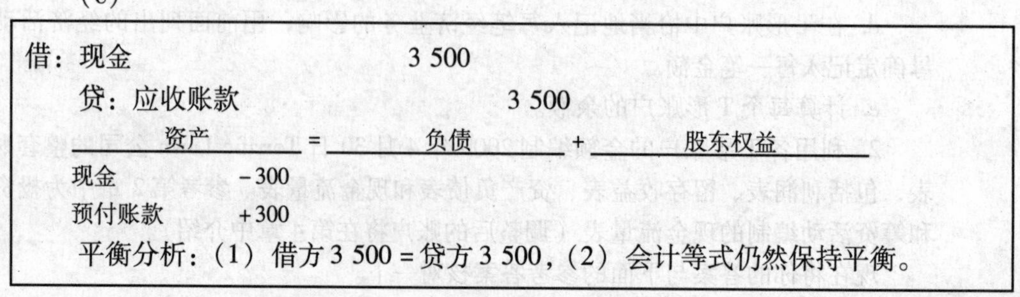

借：现金　　3 500

　贷：应收账款　　3 500

资产		=	负债	+	股东权益
现金	−300				
预付账款	+300				

平衡分析：（1）借方 3 500 = 贷方 3 500，（2）会计等式仍然保持平衡。

(f)

借：薪酬费用　　3 900
　贷：现金　　3 900

资产	=	负债	+	股东权益
现金　-3 900				薪酬费用　-3 900

平衡分析：(1) 借方＄3 900＝贷方＄3 900，(2) 会计等式仍然保持平衡。

(g)

借：燃料费用　　320
　贷：应付账款　　320

资产	=	负债	+	股东权益
		应付账款　+320		燃料费用　-320

平衡分析：(1) 借方＄320＝贷方＄320，(2) 会计等式仍然保持平衡。

(h)

借：利息费用　　40
　　应付票据　　700
　贷：现金　　740

资产	=	负债	+	股东权益
现金　-740		应付票据　-700		利息费用　-40

平衡分析：(1) 借方＄740＝贷方＄740，(2) 会计等式仍然保持平衡。

(i)

借：应付账款　　100
　贷：现金　　100

资产	=	负债	+	股东权益
现金　-100		应付账款　-100		

平衡分析：(1) 借方＄100＝贷方＄100，(2) 会计等式仍然保持平衡。

(j)

借：现金　　1 262
　贷：应收票据　　1 250
　　　利息收入　　12

资产	=	负债	+	股东权益
现金　+1 262				利息收入　+12
应收票据　-1 250				

平衡分析：(1) 借方＄1 262＝贷方＄1 262，(2) 会计等式仍然保持平衡。

T 形账户

资产类账户：

现金			
期初余额	3 800		
(b)	1 600	90	(a)
(e)	3 500	300	(c)
(j)	1 262	3 900	(f)
		740	(h)
		100	(i)
期末余额	5 032		

应收账款			
期初余额	0		
(d)	5 200	3 500	(e)
期末余额	1 700		

应收票据			
期初余额	1 250	1 250	(j)
期末余额	0		

设备			
期初余额	4 600		
期末余额	4 600		

预付账款			
期初余额	0		
(c)	300		
期末余额	300		

土地			
期初余额	3 750		
期末余额	3 750		

负债类账户：

应付账款			
		0	期初余额
(i)	100	320	(g)
		220	期末余额

应付票据			
		4 400	期初余额
(h)	700		
		3 700	期末余额

预收账款			
		0	期初余额
		1 600	(b)
		1 600	期末余额

股东权益类账户：

投入资本			
		9 000	期初余额
		9 000	期末余额

留存收益			
		0	期初余额
		0	期末余额

收入类账户：

割草收入			
		0	期初余额
		5 200	(d)
		5 200	期末余额

利息收入			
		0	期初余额
		0	期末余额

费用类账户：

薪酬费用

期初余额	0	
(f)	3 900	
期末余额	3 900	

燃料费用

期初余额	0	
(a)	90	
(g)	320	
期末余额	410	

利息费用

期初余额	0	
(h)	40	
期末余额	40	

2. 财务报表：

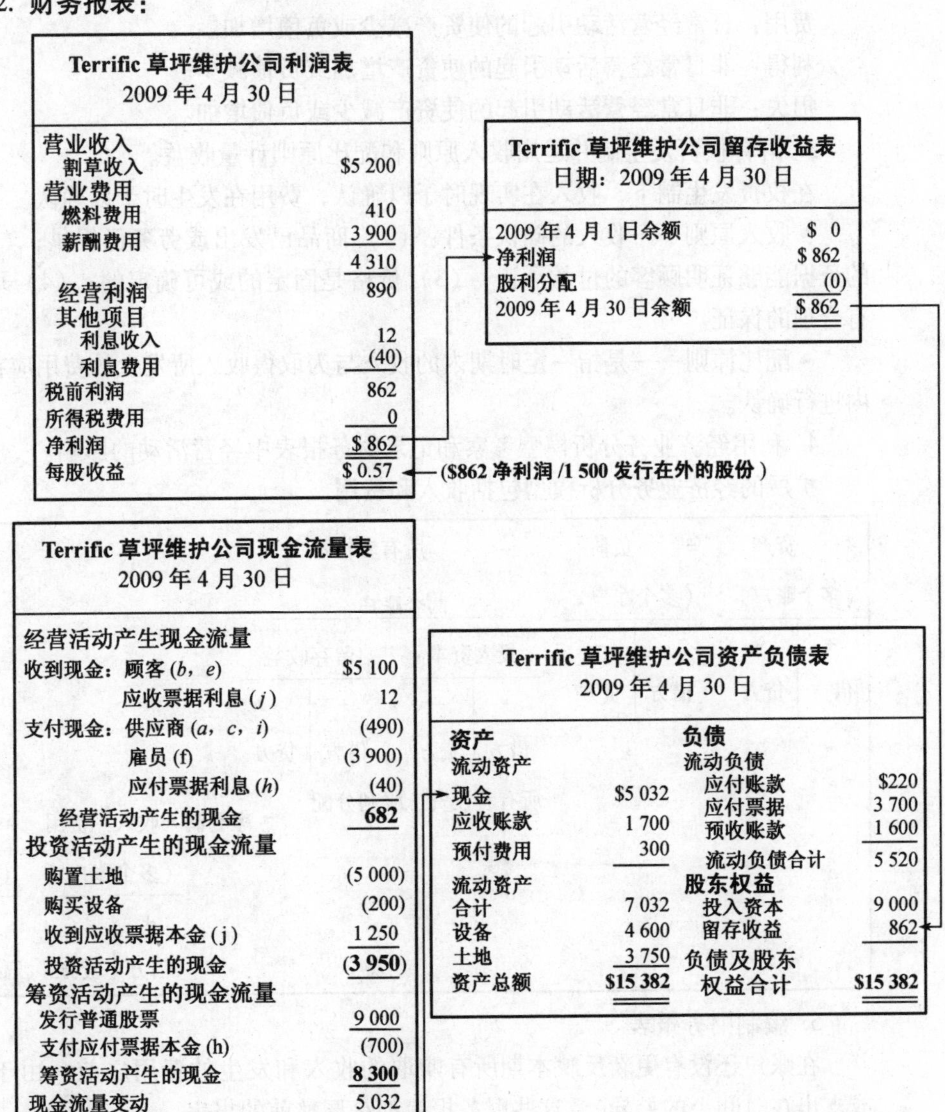

Terrific 草坪维护公司利润表
2009 年 4 月 30 日

营业收入	
割草收入	$5 200
营业费用	
燃料费用	410
薪酬费用	3 900
	4 310
经营利润	890
其他项目	
利息收入	12
利息费用	(40)
税前利润	862
所得税费用	0
净利润	$ 862
每股收益	$ 0.57

($862 净利润 /1 500 发行在外的股份)

Terrific 草坪维护公司留存收益表
日期：2009 年 4 月 30 日

2009 年 4 月 1 日余额	$ 0
净利润	$ 862
股利分配	(0)
2009 年 4 月 30 日余额	$ 862

Terrific 草坪维护公司现金流量表
2009 年 4 月 30 日

经营活动产生现金流量	
收到现金：顾客 (*b*，*e*)	$5 100
应收票据利息 (*j*)	12
支付现金：供应商 (*a*，*c*，*i*)	(490)
雇员 (f)	(3 900)
应付票据利息 (*h*)	(40)
经营活动产生的现金	**682**
投资活动产生的现金流量	
购置土地	(5 000)
购买设备	(200)
收到应收票据本金 (j)	1 250
投资活动产生的现金	**(3 950)**
筹资活动产生的现金流量	
发行普通股票	9 000
支付应付票据本金 (h)	(700)
筹资活动产生的现金	**8 300**
现金流量变动	5 032
现金期初余额	0
现金期末余额	**$5 032**

Terrific 草坪维护公司资产负债表
2009 年 4 月 30 日

资产		负债	
流动资产		流动负债	
现金	$5 032	应付账款	$220
应收账款	1 700	应付票据	3 700
预付费用	300	预收账款	1 600
		流动负债合计	5 520
流动资产合计	7 032	**股东权益**	
		投入资本	9 000
设备	4 600	留存收益	862
土地	3 750		
资产总额	**$15 382**	负债及股东权益合计	**$15 382**

本章小结

1. 描述一个典型企业的经营周期并解释会计分期假设的必要性。

（1）经营周期或现金—现金的循环，是指企业从供应商处购买货物或劳务开始，直到向客户出售商品或服务并收回现金所需要的时间。

（2）会计分期假设——我们假定将公司的经济寿命人为地划分为相对较短的各个期间，以此定期地计量和报告财务信息。

2. 解释经济业务如何影响利润表要素。

利润表要素：

收入：日常经营活动引起的使资产增加或负债清偿。

费用：日常经营活动引起的使资产减少或负债增加。

利得：非日常经营活动引起的使资产增加或负债减少。

损失：非日常经营活动引起的使资产减少或负债增加。

3. 解释权责发生制并运用收入原则和配比原则计量收益。

在权责发生制下，收入在实现时予以确认，费用在发生时予以确认。

• 收入原则——收入的确认条件：（1）商品已发出或劳务已提供；（2）有确凿的证据能够证明顾客的付款承诺；（3）价格是固定的或可确定的；（4）可收回款项有合理的保证。

• 配比原则——是指一定时期内的收入与为取得收入所发生的费用应在同一期间内进行确认。

4. 利用经济业务分析模型考察和记录财务报表中经营活动的影响。

扩展的经济业务分析模型包括收入和费用。

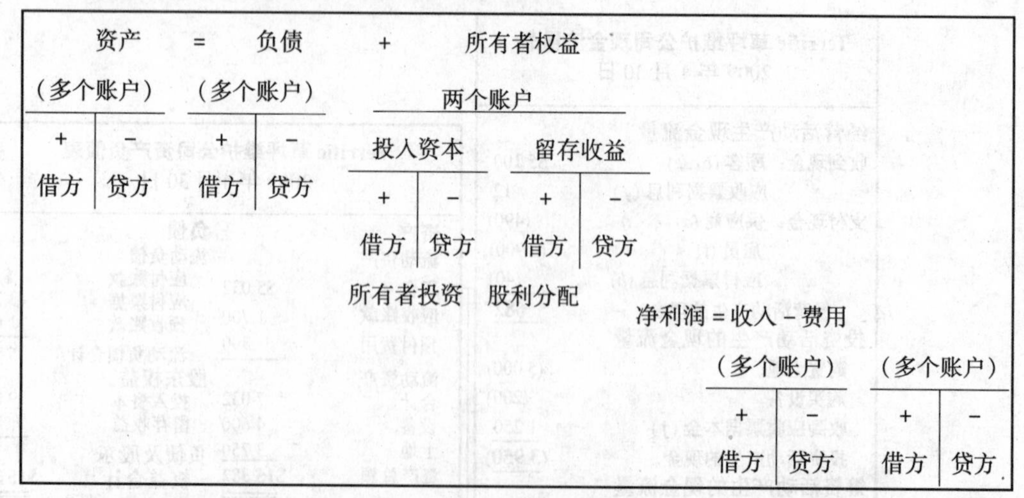

5. 编制财务报表。

在账户还没有更新反映本期所有赚取的收入和发生的费用之前（由于现金收到或支出在时间上的差异），这些财务报表都是调整前的报表。

（1）利润表分类——通过净利润来确定期末留存收益；各项分类包括营业收入、营业费用（确定营业利润）、其他项目（用来确定税前利润），所得税费用、净利润和每股收益。

（2）留存收益表——将利润表连接到资产负债表。

（3）资产负债表分类——分为流动资产和非流动资产，流动负债和非流动负债及股东权益。

（4）现金流量表。

6. 计算和解释总资产周转率。

总资产周转率（销售收入÷平均资产总额）计量的是每1美元的资产产生的销售收入。该比率越高，企业管理资产的效率就越高。

在本章中，我们讨论了经营周期和与收益确认相关的会计概念：会计分期假设、利润表要素的定义（收入、费用、利得和损失）、收入原则和配比原则。这些会计原则根据权责发生制定义的，即要求收入在实现时确认与记录，而费用只有发生在产生收入时才予以确认与记录。我们通过增加收入、费用并编制未调整财务报表扩展了第2章中的经济业务分析模型。在第4章中，我们将会继续讨论会计期末发生的经济活动：调整过程、调整后财务报表的编制以及结账程序。

重要财务比率

总资产周转率用来计量每1美元的资产所产生的销售收入。该比率越高，表明企业管理资产（用来产生收入的资源）的效率越高。该比率计算如下：

总资产周转率＝销售（或经营）收入/ 平均资产总额

“平均资产总额”＝（期初余额＋期末余额）÷2

搜索财务信息

资产负债表

流动资产	**流动负债**
现金	应付账款
应收账款和应收票据	应付票据
存货	应计费用
预付费用	**非流动负债**
非流动资产	长期负债
长期投资	股东权益
财产与设备	投入资本
无形资产	留存收益

现金流量表

经营活动

＋收到的顾客支付现金

＋收到的现金利息和股利

－用现金支付货款

－用现金支付职工工资

－支付利息费用

－支付所得税费用

利润表

收入（经营）

销售收入（各种经营活动）

费用（经营）

销售成本（耗用存货）

租金、薪酬、折旧费用、保险等

营业利润

其他项目

利息费用

投资收益

出售资产利得

出售资产损失

税前利润

所得税费用

净利润

每股收益

附注

重要的会计政策概要

公司收入确认政策的描述

会计术语

权责发生制	损失	收入
收付实现制	配比原则	收入原则
费用	经营周期（现金—现金）	会计分期假设
利得		

习题

一、简答题

1. 描述一个典型企业的经营周期。
2. 解释会计分期假设的含义。
3. 写出利润表等式并定义每个会计要素。
4. 解释下列术语之间的差异：
（1）收入和利得；
（2）费用和损失。
5. 定义权责发生制，并与收付实现制进行对比。
6. 权责发生制下，必须正常满足收入确认的四个标准是什么？
7. 解释配比原则。
8. 解释为什么收入使股东权益增加，而费用则使股东权益减少。
9. 解释为什么收入确认记在贷方，而费用确认记在借方。
10. 在下列矩阵的每个单元格内填入借方或贷方。

项目	增加	减少
收入		
损失		
利得		
费用		

11. 在下列矩阵的每个单元格内填入增加或减少。

项目	借方	贷方
收入		
损失		
利得		
费用		

12. 确定下列经济业务是否影响经营活动、投资活动或筹资活动的现金流量，并指出对各项现金的影响方向（+为增加，-为减少）。如果对现金流量没有影响，则写为“无”。

经济业务	对经营活动、投资活动或筹资活动现金流量的影响	影响现金流的方向
以现金支付物资款		
赊销货物		
收到客户现金		
购买投资		
用现金支付利息费用		
发行股票取得现金		

13. 陈述总资产周转率的计算公式，并解释该等式的具体含义。

二、选择题

1. 下列各项中不属于公司会计科目表中的具体账户是（　　）。

a. 利得　　b. 净利润　　c. 收入　　d. 预收账款

2. 下面哪一项不是按照权责发生制下的收入原则必须正常地满足收入确认的四个标准？（　）

a. 价格是可确定的　　b. 劳务已经履行

c. 收到了现金　　d. 承诺付款的证据存在

3. 配比原则用来控制（　　）。

a. 利润表中的费用应当在哪里列示

b. 成本如何在销售成本（有时也指产品销售成本）和行政管理费用之间进行分配

c. 流动资产和流动负债在资产负债中的顺序

d. 成本何时在利润表中作为一项费用予以确认

4. 在一定会计期间内，费用超过收入时（　　）。

a. 不影响留存收益

b. 增加留存收益

c. 减少留存收益

d. 没有额外的财务信息，因而不能确定对留存收益的影响

5. 2010 年 1 月 1 日，Anson 公司年初留存收益贷方余额为 250 000 美元，投入资本贷方余额为 3 000 000 美元。2010 年期间，该公司取得净利润 50 000 美元，分配股利 15 000 美元，并且发行新股 12 500 美元。那么公司 2010 年 12 月 31 日股东权益总额为（　　）。

a. 597 500 美元　　b. 585 000 美元　　c. 692 500 美元　　d. 以上都不是

6. 2009 年，CliffCo 股份有限公司发生营业费用 200 000 美元，其中以现金支付 150 000 美元，其余部分将于 2010 年 1 月支付。2009 年营业费用的经济业务分析应反映如下：（　　）。

a. 股东权益减少 150 000 美元；资产减少 150 000 美元

b. 资产减少 200 000 美元；股东权益减少 200 000 美元

c. 资产减少 200 000 美元；负债增加 50 000 美元；股东权益减少 150 000 美元

d. 股东权益减少 200 000 美元；资产减少 150 000 美元；负债增加 50 000 美元

e. 以上都不对

7. 一家律师事务所在初次会见一个新客户时收到该客户预付账款 2 000 美元，应编制下列那个会计分录？（　　）

a. 借记应收账款 2 000 美元；贷记律师费收入 2 000 美元

b. 借记预收账款 2 000 美元；贷记律师费收入 2 000 美元

c. 借记现金 2 000 美元；贷记预收账款 2 000 美元

d. 借记预收账款 2 000 美元；贷记现金 2 000 美元

e. 借记现金 2 000 美元；贷记律师费收入 2 000 美元

8. 你已经观察到了在过去的 3 年内，零售连锁店的资产周转率一直在稳步增长。下列各项最可能的解释是：（　　）。

a. 在过去的 3 年内，一个成功的广告促销活动增加了全公司的销售收入，但没有增加新店

b. 在过去 3 年内，高层管理人员的薪酬占总费用的比重下降了

c. 在过去 3 年内，增加了许多新店，销售额随着新店的增设也增加了

d. 3 年以前，公司开始建设全新的、较大规模的主要办公地点，在第二年年末已经投入使用

9. 支付职工薪酬应当在现金流量表的哪一部分报告（　　）？

a. 筹资活动　　b. 经营活动　　c. 投资活动　　d. 以上都不是

10. 公司本期收回上期销售给某客户的应收账款 100 美元现金。收到现金将怎样影响本期的两张财务报表？

利润表	现金流量表
a. 收入增加 100 美元	投资活动现金流入
b. 没有影响	筹资活动现金流入
c. 收入减少 100 美元	经营活动现金流入
d. 没有影响	经营活动现金流入

三、迷你练习题

1. 定义和术语配对练习

选择适当的字母填入指定的空格处，以使每一个定义都与其相关的术语配对。每一个术语只有唯一定义与之相符（即定义的数量多于术语）。

术语	定义
____（1）损失	A. 持续经营活动引起的资产减少或负债的增加
____（2）配比原则	B. 当赚取收入和可计量时记录收入（货物已发出或服务已经提供；有确凿的付款承诺证据；价格是固定的或可确定的；款项收取有合理的保证）
____（3）收入	C. 将公司较长的经济寿命人为地划分为相对较短的时间来报告
____（4）会计分期假设	D. 费用是为取得收入而发生并记录的

续表

术语	定义
___（5）经营周期	E. 从供应商处购买物料和接受劳务，直到向顾客销售货物和提供服务而收回现金所需要的时间
	F. 由非日常经营活动所引起的资产减少或负债增加
	G. 日常经营活动引起的资产增加或负债减少

2. 收付实现制和权责发生制下收益的报告

Morrison 音乐公司 3 月发生下列经济业务：

a. 向客户销售乐器 12 000 美元，收到现金 7 000 美元，其余部分尚未收到价款，乐器成本为 8 000 美元

b. 购买 3 000 美元的新乐器存货，支付现金 1 000 美元，其余部分为赊购

c. 支付本月职工工资 500 美元

d. 收到 3 月公共事业费用账单 200 美元，将于 4 月支付

e. 收到客户支付的保证金 3 000 美元订购新乐器，4 月将订购的新乐器出售给该客户

完成下列报表：

收付实现制利润表		权责发生制利润表	
收入		收入	
现金销售收入		销售给客户收入	
客户保证金			
费用		费用	
购买存货		销售成本	
支付工资		工资费用	
		公用费用	
净利润		净利润	

3. 收入确认

Bob's Bowling 公司 2011 年 7 月发生的经济业务如下。该公司经营几家保龄球中心（游戏娱乐和设备销售）。如果收入在 7 月确认，请指出收入账户的名称和金额，如果收入不是在 7 月确认，请解释原因。

经济业务	收入账户名称和金额
(a) Bob's Bowling 公司 7 月收到客户的游戏娱乐费 11 000美元现金	
(b) Bob's Bowling 公司销售保龄球设备 6 000 美元，收到现金 4 000 美元，其余部分为赊销（与这些销售收入相关的销售成本（费用）参见 M3 -4e）	
(c) Bob's Bowling 公司收回客户 6 月欠款 1 500 美元	
(d) 男士和女士保龄球联盟向鲍勃保龄球公司预付来年秋季保证金 1 600 美元	

4. 费用确认

Bob's Bowling 公司2011年7月发生的经济业务如下。该公司经营几家保龄球中心（游戏娱乐和设备销售）。如果费用在7月确认，请指出费用账户的名称和金额，如果费用不是在7月确认，请解释原因。

经济业务	费用账户名称与金额
(e) Bob's Bowling 公司销售保龄球商品成本为2 190美元	
(f) Bob's Bowling 公司支付6月电费账单1 800美元（6月已确认为费用）	
(g) Bob's Bowling 公司支付6月职工工资3 800美元	
(h) Bob's Bowling 公司购买7月1日至10月1日的保险费1 800美元	
(i) Bob's Bowling 公司支付钳管工修理盥洗室费用1 200美元	
(j) Bob's Bowling 公司收到将于8月支付的7月发生的电费账单2 300美元	

5. 记录收入

以正确的方式作出题3中每笔经济业务的日记账分录。

6. 记录费用

以正确的方式作出题4中每笔经济业务的日记账分录。

7. 确定与收入相关的经营活动对财务报表的影响

Bob's Bowling 公司2011年7月发生的经济业务如下。该公司经营几家保龄球中心（游戏娱乐和设备销售）。请填列下列每笔经济业务的表格空白处，指出每笔经济业务的金额和影响（增加用"+"表示，减少用"-"表示）。（记住，资产=负债+股东权益，收入-费用=净利润，并且净利润通过留存收益影响股东权益。）如果没有影响在表格里填写"NE"。以第一笔经济业务为例：

	资产负债表			利润表		
经济业务	资产	负债	股东权益	收入	费用	净利润
(a) Bob's Bowling 公司7月收到客户游戏娱乐费11 000美元	+11 000	NE	+11 000	+11 000	NE	+11 000
(b) Bob's Bowling 公司销售保龄球设备6 000美元，收到现金4 000美元，其余部分为赊销						
(c) Bob's Bowling 公司收回客户6月赊购款1 500美元						
(d) 男士和女士保龄球联盟向Bob's Bowling 公司预付来年秋季保证金1 600美元						

8. 确定与费用相关的经营活动对财务报表的影响

Bob's Bowling 公司 2011 年 7 月发生的经济业务如下。该公司经营几家保龄球中心（游戏娱乐和设备销售）。请填列下列每笔经济业务的表格空白处，指出每笔经济业务的金额和影响（增加用"+"表示，减少用"-"表示）。（记住，资产 = 负债 + 股东权益，收入 - 费用 = 净利润，并且净利润通过留存收益影响股东权益。）如果没有影响在表格里填写"NE"。以第一笔经济业务为例：

经济业务	资产负债表			利润表		
	资产	负债	股东权益	收入	费用	净利润
(e) Bob's Bowling 公司销售保龄球商品成本为2 190 美元	-2 190	NE	-2 190	NE	+2 190	-2 190
(f) Bob's Bowling 公司支付 6 月电费账单 1 800 美元（6 月确认并记为费用）						
(g) Bob's Bowling 公司支付 6 月雇员工资 3 800 美元						
(h) Bob's Bowling 公司购买 7 月 1 日至 10 月 1 日的保险费 1 800 美元						
(i) Bob's Bowling 公司支付钳管工修理盥洗室费用 1 200 美元						
(j) Bob's Bowling 公司收到将于 8 月支付的 7 月发生的电费账单 2 300 美元						

9. 编制一张简要的利润表

根据题 7 和题 8（包括举例）给出的经济业务，为 Bob's Bowling 公司编制 2011 年 7 月的利润表。

10. 编制经营活动部分的现金流量表

根据题 7 和题 8（包括举例）给出的经济业务，为 Bob's Bowling 公司编制 2011 年 7 月经营活动部分的现金流量表。

11. 计算和解释总资产周转率

	2012 年	2011 年	2010 年
资产总额	$ 60 000	$ 53 000	$ 41 000
负债总额	14 000	11 000	6 000
股东权益总额	46 000	42 000	35 000
销售收入	156 000	147 000	130 000
净利润	51 000	40 000	25 000

要求分别计算 Jill’s 公司 2012 年和 2011 年总资产周转率。你对 Jill’s 公司的这些计算结果有什么建议?

第4章　调整、财务报告和收益质量

学习目标

学完本章，应达到如下目标：

1. 解释调整的目的和分析会计期末调整对于更新资产负债表及利润表账户的必要性。

2. 解释试算平衡的目的。

3. 列报利润表（含每股收益）、股东权益变动表、资产负债表以及补充的现金流量信息。

4. 计算和解释净利润率。

5. 解释结账程序。

聚焦公司：Papa John's 国际公司

年末估计收入和费用

对Papa John's公司来说，会计期末非常忙。虽然会计年度的最后一天是每年12月最后的一个星期天，但是财务报告却是直到管理部门和外界审计师（独立CPA）作出决定性的评估后才分发给使用者的。

管理部门必须确保报告的资产负债表和利润表的金额准确，这就要求对收入和费用的确认时点予以估计、假设和判断，并对资产和负债进行估价。

审计师们必须要做到：（1）评定管理部门建立的保护企业资产和确保财务记录正确性的控制力度；（2）评估管理部门在确定收入和费用时应用的估价和会计准则的恰当性。

为了不误导使用者，大多数公司的经理们都明白提供公允的财务信息的必要性。然而，由于期末调整是年度记录程序中最复杂的一个环节，所以它们很容易出错。因此，外部审计就必须通过测试或样本等基本方法来检查公司的记录。为了使足以影响使用者决策的重大错误的检测几率达到最大化，注册会计师通常将那些更容易出错的经济业务分配了更多的测试程序。

一些会计学术研究已经证明了中型制造业的经济业务更容易出现错误。比如，不能提供足够的产品担保负债，没有包括应当予以费用化的项目以及期末的经济业务被误记为非当期（即结账误差）等高级类且被审计师大量关注的期末调整错误。

Papa John's公司2006年的年末估计和审计程序直到2007年2月26才完成，也就是安永会计师事务所完成审计工作并签署审计意见的当天。直到这一天，财务报告才能够对外呈报。

了解企业

管理部门有责任编制财务报告供投资者、债权人以及其他使用者使用。高质量的财务信息对使用者分析过去和预测未来是十分有价值的。高质量的财务信息应该具备相关性（即分析的重要性和及时性）和可靠性（即描述经济事实时的可验证性和公正性）。

报表的使用者期望收入和费用能够根据收入原则与配比原则在恰当的期间内予以报告（第3章中已讨论过），也就是说，无论现金是否收到或者支付，只要赚取了收入就应该入账，只要发生费用就应该入账。很多经营活动的持续时间超过一个会计期间或跨越几个会计期间，如使用已预付的保险费或应付职工以前工作的薪酬等。由于记录这些经营活动以及类似的日常简单经济业务是非常费时的，所以大多数企业选择在会计期末通过调整分录将相关的收入和费用调整计入其恰当的会计期间内。这些调整更新的会计分录就是本章的重点。

分析师们根据管理部门估计和判断的谨慎程度来评价财务信息的质量。管理部门作出的不高估资产和收入或不低估负债和费用的决定被认为是谨慎的。经过应用谨慎性的评估和判断，生成的财务信息对分析师们使用起来会有更高的价值。信息不应当让使用者误以为企业的财务状况比实际的要好或有更高的盈利潜力。管理层对会计方法的选择和会计估计应用的影响将在本书其他章节介绍。

在本章中，我们强调了在第2章和第3章曾举例说明的分析工具（T形账户和日记账）的具体应用，其目的是为了更好地理解如何在会计期末进行分析和记录这些调整分录。接着，我们将利用调整后的账户编制财务报表，最后，我们将阐述怎样通过执行结账程序来为编制下一期会计记录做准备。

本章结构图示

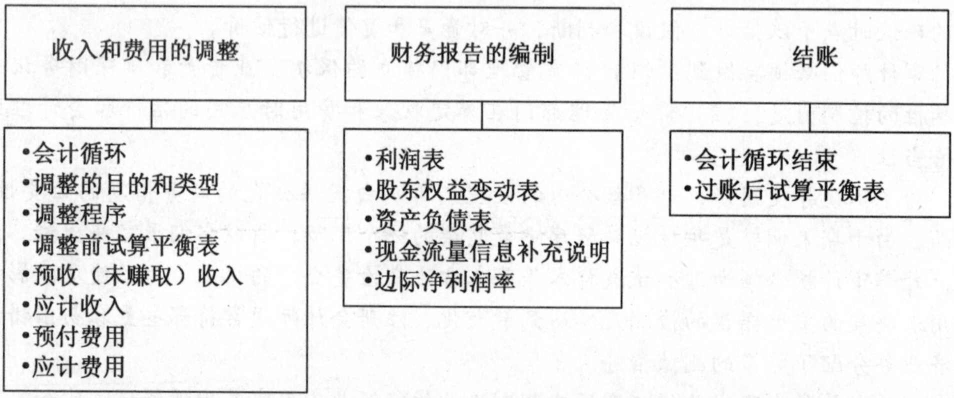

收入和费用的调整	财务报告的编制	结账
•会计循环 •调整的目的和类型 •调整程序 •调整前试算平衡表 •预收（未赚取）收入 •应计收入 •预付费用 •应计费用	•利润表 •股东权益变动表 •资产负债表 •现金流量信息补充说明 •边际净利润率	•会计循环结束 •过账后试算平衡表

4.1 收入和费用的调整

4.1.1 会计循环

图表4—1呈现了会计循环的基本步骤。就像最初在第2章中所讨论过的那样，会计循环是企业用来分析和记录经济业务，期末调整会计记录，编制财务报表，为下一个会计循环做准备的过程。在会计循环期内，要分析公司与其他外部实体之间交换所产生的经济业务并按时间序列将其记录在普通日记账中（凭证录入），同时在总分类账（T形账户）中及时更新相关的账户，如同在第2、3章中所列举的Papa John's公司的案

例。在本章中，我们将重点考察会计期末的基本步骤，主要集中于将所记录的收入与费用在其恰当的期间内进行调整，并出于报告目的及时更新资产负债表账户。

图表4—1　　**会计循环**

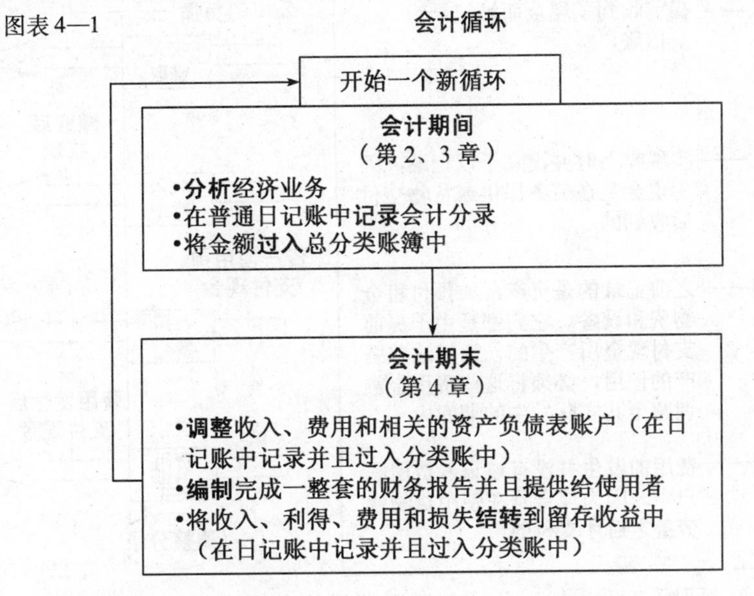

4.1.2　调整的目的和类型

1. 调整的目的

设计会计系统是用来记录日常频繁发生的经济业务，尤其是涉及现金的经济业务，即现金的收付均被记录在会计系统中。一般来说，关注现金业务非常重要，尤其是当现金的收付发生在企业的经营活动产生收入和费用的同一时期。然而，当公司赚取收入时，并不能同时收到现金，同样，当公司发生费用时，也不能同时支付现金。

一项经济业务需要记录现金的收到或支付时，而另一项经济业务需要记录赚取的收入或发生的费用时，需要考虑的是，如何在会计系统中记录其收入和费用？由这些时间性差异产生问题的主要解决方法就是在每期会计期末编制并记录调整分录。

（1）当赚取收入时，记录收入（**收入确认原则**）

（2）记录为取得收入而发生的费用（**配比原则**）

（3）**资产**：会计期末报告很可能发生的未来经济利益的金额。

（4）**负债**：会计期末报告很可能发生的未来资产或劳务支出的金额。

由于日常记录调整分录成本高且耗费时间，所以企业仅在会计期末调整账户。公司在向外部使用者提供财务报表之前，必须首先要调整会计分录。在实务工作中，几乎每个账户都需要调整。你要特别集中地学习有关调整分录的一般类型以及调整过程，而不是去记忆那些无数具体的实例。

2. 调整类型

有四种调整类型被划分为两大类别：

每种调整涉及两笔会计分录：

1. 一笔是现金的收付。

2. 一笔是在恰当的期间内记录收入或费用（通过调整分录）。

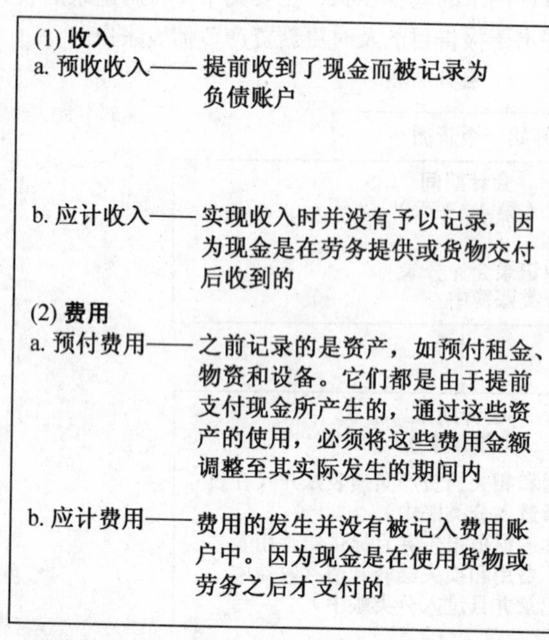

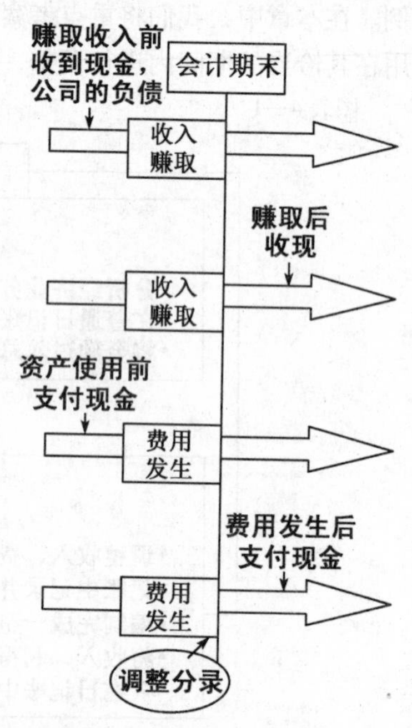

我们将通过回顾Papa John's公司基于调整后的余额编制1月财务报表之前的所有必要的调整分录来举例说明其分析和调整账户的一般程序。

4.1.3 调整程序

期末的调整程序具有三个步骤：

第一步：识别调整类型。一方面，存在于会计期末的预收收入和预付费用账户被高估了；另一方面，未被记录的应计收入和费用被低估了。

第二步：一定期间内已赚取收入和已发生费用金额的确认。金额有时是已知的，有时需要计算，有时需要估计，它将是收入账户或费用账户在调整分录中必须确定的金额。

第三步：记录调整日记账分录并将其过入恰当的账户中。对于预收收入和预付费用账户而言，调整日记账分录的另一半就是要减少预收收入或预付费用账户的余额；对于应计收入来说，另一半的调整分录是计入应收账款账户中；对于应计费用来说，另一半的调整分录是计入应付账款账户中。

那么，有哪些是Papa John's公司1月末必要的调整分录？对此，我们应当首先编制和复核调整前的试算平衡表。

1. 调整前的试算平衡表

在调整会计记录之前，管理层通常要审阅调整前的试算平衡表。试算平衡表可能是手工编制的，而更多的情况下是由计算机软件系统自动生成的。试算平衡表的第一栏为单个会计账户的列表，通常按照财务报表的顺序，而其他两栏则为借方余额和贷方余额。借方余额列在左边，贷方余额列在右边。依据借贷相等的规则对两栏加总后进行核查，即使在日记账分录中出现错误账户或错误金额，借方金额也可能会等于贷方金额，计算机自动生成的试算平衡表也有可能出现此类错误。[①]一旦试算平衡成立，试算平衡表中的账户可以用来复核以确定是否有任何调整分录需要记录。

Papa John's 公司调整前的试算平衡表如图表 4—2 所示。依据第 3 章举例说明（图表3—5）的 T 形账户，需要加上其他账户，但目前的余额为零。在说明调整程序之前，请注意，财产和设备账户在试算平衡表中列示的原始成本为＄396 000，而在前一章列示为＄207 000（原始成本减去分配给过去经营期间的部分）。与物资的购

图表 4—2　　　　Papa John's 公司调整前试算平衡表

Papa John's 公司
调整前试算平衡表
2007 年 1 月 31 日

	（单位：千美元）	调整前试算平衡 借方	调整前试算平衡 贷方	
资产	库存现金	43 900		
	应收账款	19 200		应计收入 ⇨ 尚未记录的特许权使用费收入
	应收利息	0		应计收入 ⇨ 尚未记录的投资收益
	存货	26 000		预付费用 ⇨ 确认本期使用的存货金额
	预付账款	17 000		预付费用 ⇨ 确认本期使用的租金和保险费用金额
	其他流动资产	14 000		
	长期投资	2 000		
	固定资产	396 000		代表了固定资产的历史成本
	累计折旧		189 000	预付款项 ⇨ 确认的本期使用固定资产的金额；代表了固定资产过去使用的成本金额
	长期应收票据	15 000		
	无形资产	67 000		
	其他长期资产	17 000		
负债	应付账款		39 000	
	应付股利		3 000	
	应付费用		73 000	应计费用 ⇨ 工资费用、公用事业费用、应计利息
	应交所得税		0	应计费用 ⇨ 本期所得税费用金额
	预收特许权使用费		7 300	预收收入 ⇨ 本期实现的特许要使用费收入
	长期应付票据		110 000	
	其他长期负债		27 000	
股东权益	实收资本		66 000	
	留存收益		81 000	留存收益期初余额减当月的股利分配（$84 000-$3 000）
收入和利得	餐厅销售收入		66 000	向特许经销商销售比萨和原料以及设备取得的收入
	特许权使用费收入		2 800	本期特许权使用费取得的收入
	投资收益		1 000	本期投资取得的收益
	出售土地利得		3 000	
费用和损失	销售成本	30 000		
	工资费用	14 000		本期工资费用
	管理费用	7 000		其他经营费用总计
	存货费用	0		本期使用的存货费用
	租金费用	0		本期的租金费用
	保险费用	0		本期的保险费用
	公用事业费用	0		本期的公用事业费用
	折旧费用	0		本期固定资产使用费用
	利息费用	0		本期应计利息费用
	所得税费用	0		本期应计所得税
	合计	$668 100	$668 100	借方合计＝贷方合计

出于报告目的：

固定资产（成本）	$396 000
累计折旧	$189 000
账面净值	$207 000

① 在手工记账系统下，从正确的日记账分录中过入错误的账户或金额也会在手工生成的试算平衡表中产生错误。如果两栏不相等，错误可能是以下的一种或几种原因产生的：
- 在借贷方不相等时编制日记账分录的过程中。
- 从日记账分录中过入正确的交易金额到总分类账的过程中。
- 计算账户期末余额的过程中。
- 将总分类账中的期末余额抄写到试算平衡表中的过程中。

这些错误能够被发现并且应该在调整记录前予以更正。

买和在短期内消耗不同，建筑物和设备代表了将使用若干年的预付费用。建筑物和设备账户在购置时增加，出售时减少。但是，这些资产却是为了产生收入而长期使用的。因此，它们花费的部分成本应与收入记录在同一会计期间内（配比原则）。会计师们将建筑物和设备长期使用中的耗费称为折旧。从会计角度而言，折旧被定义为一项资产成本按照其预计使用年限进行的分配。

记录资产的历史成本，对于已经使用的金额不能直接减记资产账户，而是需要通过一类新的账户——“备抵账户”来反映其累计折旧。

所谓的备抵账户就是指与另一个账户直接相关但却有一个相反方向余额的账户。对财产与设备来说，备抵账户就是指累计折旧。这是通过本教材的学习能够掌握的几个备抵账户中的第一个备抵账户。我们将在账户的类别前对备抵账户加上 X 来表明它是与哪一个账户相关的（如累计折旧［XA］）。

资产账户有借方余额，而累计折旧账户有贷方余额。在资产负债表中，报告的固定资产金额是其账面净值（也叫账面价值或账面现存价值），也就是固定资产账户的期末余额与累计折旧账户期末余额的差额。

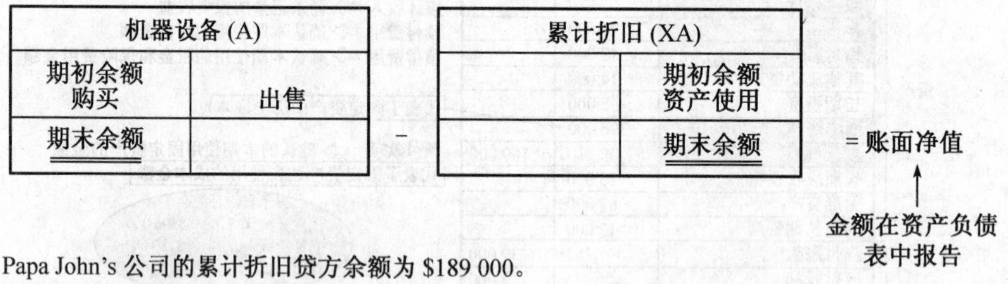

机器设备 (A)	
期初余额 购买	出售
期末余额	

−

累计折旧 (XA)	
	期初余额 资产使用
	期末余额

= 账面净值

↑

金额在资产负债表中报告

Papa John's 公司的累计折旧贷方余额为 $189 000。

在资产负债表中：	
固定资产（减去累计折旧 $189 000)	$207 000

有关折旧问题的更详细的讨论将在第 8 章中进行。那么，现在我们主要是要说明 Papa John's 公司 1 月末的调整过程。

第一步：确认调整类型：通过审阅图表 4—2 中的调整前试算平衡，我们确认几个需要调整的账户：

（1）一项预收收入——预收特许权使用费

（2）两项应计收入——应收账款和应收利息

（3）三项预付费用——物资、预付租金和预付保险费以及本期使用的机器设备

（4）两项应计费用——应付工资、应付公用事业费、应付利息及应付所得税费

2. 预收收入

当客户在收到货物和接受劳务之前就支付现金时，公司将收到的现金记入预收（或者递延）收入账户。预收收入是一项负债，它代表了公司承诺在未来将履行交付货物或提供劳务的义务。直到公司履行了相应的义务时才能确认被递延的收入。

（调整日记账分录 1）**预收特许权使用费**　Papa John's 公司 1 月向预付了 $ 1 100 的特许经销商提供了劳务。当收到现金时，Papa John's 公司将这笔款项记入预收特许权使用费账户，作为一项负债，用以记录公司未来将向特许经销商提供劳务的义务。

第二步：确定金额：有时需要计算和确认已赚取收入的金额。在本例中，已知金额为＄1 100，这就意味着在1月末的负债账户＄7 300中多记了＄1 100，特许权使用费收入则少记了＄1 100。

第三步：记录调整的日记账分录：必要的调整分录就是使预收特许权使用费账户减少＄1 100，特许使用权费收入增加＄1 100。

调整日记账分录1

借：预收特许权使用费（－L）……………… 1 100

　贷：特许权使用费收入（＋R，＋SE）……………… 1 100

资产	=	负债	+	股东权益
		预收特许权使用费 －1 100		特许权使用费收入（＋R）＋1 100

等式分析：（1）借方＄1 100＝贷方＄1 100；（2）会计等式保持平衡。

其他的预收收入的例子还有订阅杂志；体育赛事季节性订票、戏剧和音乐会订票；预售飞机票以及承租人的预付房租。每一项都需要在会计期末编制调整分录以报告本期实现的收入金额。

3. 应计收入

有时公司在客户支付价款之前已经提供了商品或劳务（即实现了收入）。由于尚未收到提供商品和劳务的现金，因而已实现的收入还没有予以记录。将会计期末已赚取但尚未记录的收入称为应计收入。

（调整日记账分录2）**应收账款**：Papa John's公司的特许经销商报告，他们将于2月支付给Papa John's公司在1月的最后一个星期向其销售的特许权使用费＄830。

第二步：金额：给定的金额是＄830。由于没有编制会计分录，特许权使用费收入和应收账款均低估了＄830。

第三步：调整日记账分录：需要编制一个调整分录来增加“特许权使用费收入”和“应收账款”，金额为＄830，并在当期予以确认收入。

调整日记账分录2

借：应收账款（＋A）……………… 830

　贷：特许权使用费收入（＋R，＋SE）……………… 830

资产	=	负债	+	股东权益
应收账款 ＋830				特许权使用费收入（＋R）＋830

等式分析：（1）借方＄830＝贷方＄830；（2）会计等式保持平衡。

（调整日记账分录3）**应收利息**　Papa John's公司过去以6%的年利率向特许经销商借出款项＄14 000，每年年末支付利息。借款分为两个部分：**本金**和**利息**。当借出款项时，应正确地记录应收票据。然而，在特许经销商使用本金的同时，各个期间的利息收入也随之实现。

第二步：金额：需要特别注意的是，**利率通常是指年利率**。计算少于一整年的利息收入时，用计算的月份数除以12即可。利息计算公式如下：

本金	×	年利率	×	月份数（自上次计算的月份数）/12	=	本期利息
＄14 000	×	0.06	×	1/12	=	＄70

已实现的＄70美元的贷款利息并未入账。因此，收入和与之相关的应收利息都被低估了。

第三步：调整日记账分录：需要编制一个调整分录来增加投资收益和应收利息，金额为＄70，1个月的利息收入应在1月予以确认。

调整日记账分录3

借：应收利息（+A）………………… 70

贷：投资收益（+R，+SE）………………… 70

资产		=	负债	+	股东权益	
应收利息	+70				投资收益（+R）	+70

等式分析：（1）借方＄70＝贷方＄70；（2）会计等式保持平衡。

4. 预付费用

资产代表了可能给企业带来未来经济利益的资源，许多资产属于预付费用，通过在一定期间的使用而产生收入，包括物资、建筑物、设备、预付保险费和预付房租。每期期末，都需要对当期的资产金额予以调整并进行记录。

（调整日记账分录4）物资 物资包括食品和纸制品。月末，Papa John's公司计算其库存物资的月末余额为＄22 000，但从图表4—2所示的物资账户余额却为＄26 000。显然，这个差额就是本月使用的物资费用。

第二步：金额：确定使用物资金额的最简便的方法就是用物资的期初余额加上本期购进物资的金额再减去库存物资的期末余额。

计算物资费用：

期初余额

+本期购进

−期末库存余额

本期使用金额

Papa John's公司的试算平衡表余额是＄26 000（包括购进）。计算其库存余额为＄22 000，这样，本期物资使用的金额为＄4 000。

第三步：调整日记账分录：需要编制一个调整分录记录1月使用的物资费用＄4 000。当确认本期物资费用时，物资的库存金额将会减少，而物资费用的金额将会增加。

调整日记账分录4

借：物资费用（+E，−SE）………………… 4 000

贷：物资（−A）………………………… 4 000

资产		=	负债	+	股东权益	
物资	−4 000				物资费用（+E）	−4 000

等式分析：（1）借方＄4 000＝贷方＄4 000；（2）会计等式保持平衡。

（调整日记账分录5）预付租金和保险费 预付费用包括在1月1日支付的涵盖4个月（1月至4月）的保险费＄2 000和1月1日支付的3个月购物中心占地租金费＄6 000（1月至3月）。

第二步：金额：对于每一项预付金额来说，到期的1个月金额为：

（1）保险费 $ 2 000×1/4 = $ 500

（2）租金费 $ 6 000×1/3 = $ 2 000

1 月应确认 $ 500 的保险费和 $ 2 000 的租金费，如果不调整，就会高估预付费用，低估相关的费用。

第三步：调整日记账分录：需要编制一个调整分录以减少预付费用 $ 2 500 和增加保险费 $ 500 以及租金费用 $ 2 000。

调整日记账分录 5

借：保险费用（+E，-SE）……………… 500

　　租金费用（+E，-SE）……………… 2 000

　贷：预付费用（-A）……………………… 2 500

资产	=	负债	+	股东权益
预付费用 -2 500				保险费用（+E） -500
				租金费用（+E） -2 000

等式分析：（1）借方 $ 2 500 = 贷方 $ 2 500；（2）会计等式保持平衡。

（调整日记账分录 6）固定资产 如前所述，作为一个抵减账户，累计折旧是用来积累分摊到前期的历史成本金额。累计折旧与固定资产账户直接相关，但余额却是相反的方向（贷方余额）。Papa John's 公司估计每年的折旧费为 $ 30 000。

第二步：金额：按照配比原则，我们需要计算一个月的折旧费用：

$ 30 000/年×1/12 = $ 2 500/月

如果不记录 1 月的调整分录，Papa John's 公司的账面净值（成本—累计折旧）将会被高估。同样，费用将会被低估。

第三步：调整日记账分录：需要编制一个调整分录来确认本期为了取得收入而使用的长期资产的成本 $ 2 500。

调整日记账分录 6

借：折旧费用（+E，-SE）……………… 2 500

　贷：累计折旧（+XA，-A）……………… 2 500

资产	=	负债	+	股东权益
累计折旧（+XA） -2 500				折旧费（+E） -2 500

等式分析：（1）借方 $ 2 500 = 贷方 $ 2 500；（2）会计等式保持平衡。

5. 应计费用

大量费用的发生在本期内并没有支付而是直到下期才予以支付。这些普通的例子主要包括：应付职工的工资，本期使用的水费、天然气和电费等以及借款的利息费用。这些费用在本期已经发生，直至会计期末时才在调整分录中记录这些应计费用。

（调整日记账分录 7）应付费用（工资、公用事业费和利息） Papa John's 公司应付（1）职工 1 月最后 4 个工作日的薪酬（$ 500/天）；（2）1 月使用的公用事业费 $ 600，以及（3）借入的年利率为 6% 的长期应付票据利息。

第二步：金额：每项 1 月的费用计算如下：

（1）工资费用 $ 500/天×4 天 = $ 2 000

（2）公用事业费　金额为＄600

（3）利息费用　像赚取的利息一样，应计利息也是按相同的公式计算：

本金	×	**年利率**	×	**月数（从上次计算开始）**	/12	**本期利息**
＄110 000	×	0.06	×	1/12		= ＄550

如果没有将工资＄2 000、公用事业费＄600以及利息＄550记入到1月的费用中去，那么利润表中的费用和资产负债表中的负债将会被低估。

第三步：调整日记账分录：需要编制一个调整分录以增加工资费用＄2 000，公用事业费＄600，利息费用＄550以及相关的应付费用＄3 150。请注意，每一项费用都被相应地记入每一个单独的负债项目，它们分别为应付工资、应付公用事业费和应付利息，而不是合起来记为一项负债。

调整日记账分录7

	借方	贷方
借：工资费用（+E，-SE）………………	2 000	
公用事业费（+E，-SE）……………	600	
利息费用（+E，-SE）………………	550	
贷：应付费用（+L）……………………		3 150

资产	=	**负债**		+	**股东权益**	
		应付费用	+3 150		工资费用（+E）	-2 000
					公用事业费（+E）	-600
					利息费用（+E）	-550

等式分析：（1）借方＄3 150＝贷方＄3 150；（2）会计等式保持平衡

（调整日记账分录8）应付所得税费　最后一个日记账调整分录记录将在下期支付的所得税费用。这就需要计算调整后的税前利润（即，调整前试算平衡表中的余额加上所有其他调整项目的影响）：

来自图表4—2：

	收入和利得		费用和损失		
未调整总额	＄728 000		＄51 000		
日记账调整分录1	1 100				
日记账调整分录2	830				
日记账调整分录3	70				
日记账调整分录4			4 000		
日记账调整分录5			2 500		
日记账调整分录6			2 500		
日记账调整分录7			3 150		
	＄74 800	-	＄63 150	= ＄11 650	税前利润

Papa John's公司平均所得税率是34%。

第二步：金额：税前利润＄11 650×0.34＝＄3 961（1月的所得税费用），如果没有将所得税费＄3 961记入在1月的话，那么利润表中的费用和资产负债表中的负债都将被低估了。

第三步：调整日记账分录：需要编制一个调整分录以增加所得税费用和应付所得税＄3 961。

调整日记账分录8

借：所得税费用（+E，-SE）……………… 3 961

贷：应交所得税（+L）……………………… 3 961

资产	=	负债	+	股东权益
		应交所得税 +3 961		所得税费用（+E） -3 961

等式分析：(1) 借方 $ 3 961 = 贷方 $ 3 961；(2) 会计等式保持平衡。

在我们完成的所有调整中，你可能已经注意到了现金项目从未被调整过。现金有可能在期末已经收付，也有可能在期末以后才能收付。需要进行调整使得收入和费用记入相应的会计期间内，因为经济业务所涉及的现金是在不同时点收付的。现在轮到你来练习这些调整过程。

自测题

位于佛罗里达州菲利浦的一个水中呼吸潜水和教学指导型的企业，于2010年12月31日完成了第1年的经营活动。按照三个步骤程序（确认调整类型、确定金额和记录会计分录）调整下列各个项目：

调整日记账分录1　2010年11月15日，企业收到顾客支付的12月至1月在巴哈马群岛潜水旅游收入 $ 6 000。当日将 $ 6 000 记入了预收收入账户中。12月末，已经提供了1/3的潜水旅游服务。

调整日记账分录2　2010年12月31日，公司为10位顾客提供潜水教学培训，顾客将于1月支付给企业 $ 800。提供服务时没有编制会计分录。

调整日记账分录3　2010年9月1日，公司为未来的12个月支付了 $ 24 000 的保险费。在9月1日记录为预付保险费。

调整日记账分录4　2010年3月1日，公司借入利率为12%的长期借款 $ 300 000。利息费用将于以后三年的每年3月1日支付。

	调整类型	确定调整金额	调整日记账分录账户	借方	贷方
调整分录1					
调整分录2					
调整分录3					
调整分录4					

完成测试后，请参照参考答案予以核对。

自测题答案：

	类型	金额	调整日记账分录账户	借方	贷方
调整分录1	预收收入	$ 6 000 × 1/3 = $ 2 000 已赚得	预收收入（-L）	2 000	
			旅游收入（+R，+SE）		2 000

续表

	类型	金额	调整日记账分录账户	借方	贷方
调整分录2	应计收入	已赚得 $ 800 (给出)	应收账款 (+A) 培训收入 (+R, +SE)	800	800
调整分录3	预付费用	$ 24 000 ×1/12 = $ 2 000/月 $ 2 000 ×4 = $ 8 000	保险费用 (+E, -SE) 预付保险费 (-A)	8 000	8 000
调整分录4	应计费用	$ 30 0000 × 0.12 × 10/12 = $ 30 000	利息费用 (+E, -SE) 应付利息 (+L)	30 000	30 000

职业道德问题

调整与动机

公司所有者和经营者通常直接受披露的财务报表信息的影响。如果财务业绩和状况良好，公司的股票价格将会上涨，股东通常会收到股利，进而增加他们的投资价值。经理们则由于公司财务业绩的良好表现而收到奖金，并且高层管理人员还可能以低于市场的价格购买公司股票的期权而得到补偿。市场价值越高，他们得到的回报就越大。当真实业绩没有达到期望值时，经营者和所有者会倾向于操纵应计项目和递延项目来弥补部分差异。例如，经理们可能会将预收的现金记为当期已实现的收入或在年末不记录应计费用。

对公司的大量抽样调查的研究表明，一些经理们确实存在着这种行为。这项研究是由证券交易委员会针对一些公司或者也针对审计师强制开展的。2003 年 1 月，证券交易委员会的一个研究报告指出，在 5 年的时间内，一共有 227 项强制调查。在这些调查中，"有 126 项牵涉到了不恰当的收入确认，有 101 项牵涉到了不恰当的费用确认……在研究期间的 227 项强制事件中发现，有 157 项至少是由一名高级管理者进行操纵的……进一步的研究发现，有 57 项强制事件是由于审计人员违背道德操守而造成的……"(p. 47)。

在这些案例中，公司卷入其中，它们的经理们和审计人员就必须为此而受到惩罚。而且，所有者也会由于证券交易委员会的调查新闻对公司的股价所造成的负面影响而不得不蒙受损失。

* M. Nelson, J. Elliott, 和 R. Tarpley，"盈余是如何被操控的？来自审计师的案例。"《会计视野》，2003 年增刊，17 - 35 页。

证券交易委员会公布的统计报告研究，"报告追溯至 2002 萨班斯—奥克斯利法案的第 704 条"，2003 年 1 月 27 日。

4.2 编制财务报表

报告利润表（含每股收益）、股东权益变动表、资产负债表以及补充的现金流量信息。

在编制一套完整的财务报表之前，让我们首先更新一下试算平衡表以反映对某些经济业务所作出的调整，同时也要为报表的编制提供调整后的余额。在图表 4—3 中，增加了四栏。其中有两栏是用来反映每一个账户所作出的调整，另外两栏则为更新后的余额，每一行通过横向相加（或相减）便可得到调整后试算平衡余额，同样，我们也注意到，每一列中借方总额与贷方总额均相等。根据这些调整后的余额，我们即可编制利润表、股东权益变动表（包括留存收益表）、资产负债表和为公司补充现金流量信息的现金流量表。

图表 4—3　　　　Papa John's 公司的试算平衡表

Papa John's 公司
2007 年 1 月 31 日试算平衡表（单位：千美元）

		调整前试算平衡		调整		调整后试算平衡	
		借方	贷方	借方	贷方	借方	贷方
资产	现金	439 000				43 900	
	应收账款	19 200		调整分录 2：830		20 030	
	应收利息	0		调整分录 3：70		70	
	物资	26 000			调整分录 4：4 000	22 000	
	预付费用	17 000			调整分录 5：2 500	14 500	
	其他流动资产	4 000				14 000	
	投资（长期）	2 000				2 000	
	固定资产	396 000				396 000	
	累计折旧		189 000		调整分录 6：2 500		191 500
	应收票据（长期）	15 000				15 000	
	无形资产	67 000				67 000	
	其他资产	17 000				17 000	
负债	应付账款		39 000				39 000
	应付股利		3 000				3 000
	应付费用		73 000		调整分录 7：3 150		76 150
	应交所得税		0		调整分录 8：3 961		3 961
	预收特许权使用费		7 300	调整分录 1：1 100			6 200
	应付票据（长期）		110 000				110 000
	其他长期负债		27 000				27 000
股东权益	实收资本		66 000				66 000
	留存收益		81 000				81 000
收入和利得	餐馆销售收入		66 000				66 000
	特许权使用费收入		2 800		调整分录 1：1 100 调整分录 2：830		4 730
	投资收益		1 000		调整分录 3：70		1 070
	出售土地利得		3 000				3 000
费用和损失	销售成本	30 000				30 000	
	工资费用	14 000				16 000	
	一般行政管理费用	7 000				7 000	
	物资费用	0		调整分录 4：4 000		4 000	
	租金费用	0		调整分录 5：2 000		2 000	
	保险费用	0		调整分录 5：500		500	
	公用事业费	0		调整分录 7：600		600	
	折旧费	0		调整分录 6：2 500		2 500	
	利息费用	0		调整分录 7：550		550	
	所得税费	0		调整分录 8：3 961		3 961	
	总计	$668 100	$668 100	$18 111	$18 111	$678 611	$678 611

17 000−2 500=

为计算调整后余额，每行都要加上或减去借贷方：调整前余额 +/− 调整金额

2 800+1 100 +830=

调整分录的作用

正如在第 1 章所学的那样，财务报表之间是相互关联的，也就是说，数据从一张报表流向另外一张报表。图表 4—4 用会计基本等式列举了报表之间的相互关系。从右下角开始，我们注意：

（1）收入减去费用会得出利润表中的净利润。

（2）净利润和支付给股东的股利会影响股东权益变动表中的留存收益，而本期增发新股也会影响股东权益变动表中的实收资本的余额。

（3）股东权益是资产负债表的一个组成部分。

图表 4—4　　运用经济业务分析模型分析财务报表之间的联系

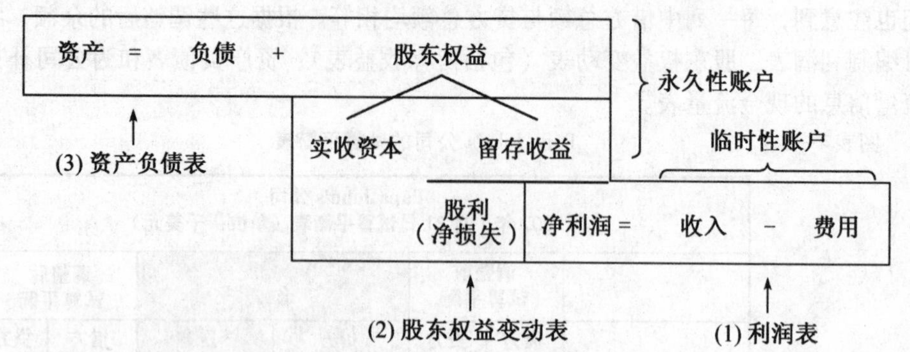

因此，如果利润表上的任何一个数据发生变化或出现错误，都将会对其他报表产生影响。

图表 4—4 也包括了账户的特殊分类。资产负债表账户被认为是永久性账户（实账户），这就意味着这一类账户的余额将从上一个会计期末保留到下一个会计期初。而收入、费用、利得和损失账户则是临时性账户（虚账户），因为它们只是累计某一会计期间发生的金额，而下一个会计期间的期初余额则从零开始。这些分类将在本教材陈述 Papa John's 公司的财务报表分类时予以讨论。

另一种描述财务报表之间关系的方式如下图所示。如果利润表的一个数额发生变化，则会影响其他报表。

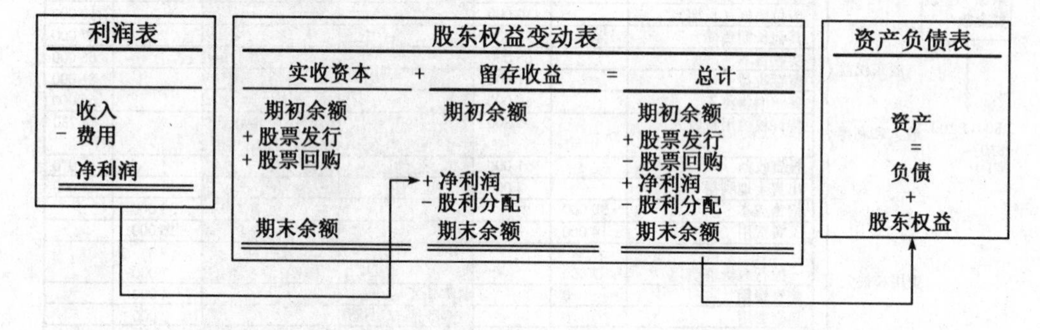

4.2.1　利润表

首先需要编制利润表是因为净利润是留存收益的一个组成部分。Papa John's 公司 1 月的利润表是以第 2 章和第 3 章的经济业务以及第 4 章的调整业务为依据。

你会注意到利润表报告了每股收益（EPS）。它被广泛应用于评估公司经营业绩和获利能力，也是唯一一个要求在利润表或利润表附注中披露的比率。该比率的实际计算相当复杂，适合更高级的会计课程。我们将每股收益的计算简化为：

$$每股收益 = \frac{净利润①}{本期发行在外的普通股平均股数}$$

分母是发行在外的平均股数（期初数加期末数除以 2）。对于 Papa John's 公司我们根据 2006 年的年度报告确定其发行在外的平均股数，也即公式中的分母为32 953 000。

① 如果有优先股股利（在第 11 章讨论），其金额要从净利润里扣除。

Papa John's 公司及其子公司
2007 年 1 月 31 日合并利润表
（单位：千美元）

经营收入	
餐厅销售收入	66 000
特许权使用费收入	4 730
收入总额	70 730
经营费用	
销售成本	30 000
工资费用	16 000
一般管理费用	7 000
物资费用	4 000
租金费用	2 000
保险费用	500
公用事业费用	600
折旧费用	2 500
费用总额	62 600
经营利润	8 130
其他项目	
投资收益	1 070
利息费用	(550)
出售土地利得	3 000
税前利润	11 650
所得税费用	3 961
净利润	7 689
本月 ——→ 每股盈余	$ 0.23

净利润 $ 7 689 000/股数 32 953 000 = 本月每股收益 $ 0.23

4.2.2 股东权益变动表

利润表最后的总计数（净利润）直接进入股东权益变动表的留存收益一栏。对此，报表的其他要素应增加，宣告分派股利和增加的新股发行（从先前章节可以看出）都包含在表中：

Papa John's 公司及其子公司的合并股东权益变动表
2007 年 1 月
（单位：千美元）

	实收资本	留存收益	股东权益	
期初余额	64 000	84 000	148 000	
发行新股	2 000		2 000	
净利润		7 689	7 689	←—— 来自于利润表
股利		(3 000)	(3 000)	
期末余额	66 000	88 689	154 689	

聚焦现金流量

披露

如前所述，现金流量表反映了本期资产负债表现金账户期末和期初余额之间的差额。简单地说，现金流量表反映本期所有影响现金账户的业务。分别由经营活动、投资活动和筹资活动所组成。由于本章没有影响现金的调账业务，所以Papa John's公司的现金流量表没有变化。

但是为了进行全面披露，相关部门要求公司在现金流量表上或报表附注中提供补充信息，包括以下内容：

（1）支付的利息。

（2）支付的所得税。

（3）重要的非货币投资与筹资业务。

举例说明，通过股票交易获得的土地和通过签订长期抵押应付款取得的一栋建筑属于不涉及现金的投资和筹资业务。下列列举的是总部设在得克萨斯州奥斯汀的一个引领世界天然有机食品超市的一个全食超市的现金流量表信息。

会计期末	2007 年	2006 年	2005 年
	9 月 30 日	9 月 24 日	9 月 25 日
（以千美元计算）			
现金流量表信息补充披露：			
支付利息	4 561	607	1 063
支付联邦和州所得税费	152 626	70 220	74 706
不涉及现金的交易：			
……			
可转换为普通股的转换	5 686	4 922	147 794

4.2.3 资产负债表

股东权益变动表中实收资本和留存收益的期末余额包含在资产负债表中。你将会注意到资产备抵账户的累计折旧已经从固定资产账户中抵减了，资产负债表中的月末余额反映出来的是账面净值。再回顾一下，资产是按照流动性的顺序列示，负债是以到期日顺序列示。流动性资产是指 1 年内变现或耗用的资产（如存货）。流动负债是指 1 年内需要用流动资产偿还的负债。

财务分析

经营现金流量、净利润和收益质量

许多标准的财务分析课本都提醒分析师在预测未来时期的收入时应注意那些不寻常的应计和递延项目。他们提醒说，如果净收益与经营性现金流量之间存在巨大差额，通常就是一个有用的预警信号。例如，Wild 等建议：

Papa John's公司及其子公司 合并资产负债表 2007年1月31日 （千美元）	
资产	
流动资产	
现金	$43 900
应收账款	20 030
应收利息	70
物资	22 000
预付费用	14 500
其他流动资产	14 000
流动资产总额	114 500
投资	2 000
财产和设备	
（减：累计折旧$191 500）	204 500
应收票据	15 000
无形资产	67 000
其他资产	17 000
资产总额	**$420 000**
负债和股东权益	
流动负债	
应付账款	39 000
应付股利	3 000
应付费用	76 150
应付所得税	3 961
流动负债总额	122 111
预收特许使用费	6 200
应付票据	110 000
其他长期负债	27 000
负债总额	265 311
股东权益	
实收资本	66 000
留存收益（来自股东权益变动表）	88 689
股东权益总额	154 689
负债和股东权益总额	**$420 000**

净利润比现金流量更易失真。会计应计制决定了净利润依赖于估计、递延、分配和估值等方法。这些方法通常使确定现金流量的因素具有更大的主观性。因此在评定收益质量时，我们经常把经营性现金流量和净利润联系起来考察。经营性现金流量与净利润的比值越高，那么收益的质量也就越高。这是根据与收入确认原则和费用应计标准而考虑得出的结论，即较高的净利润可能产生较低的现金流量。①

净利润率

在第2章中，我们曾介绍了如何通过财务杠杆比率来考察管理层使用负债作为增

① J. Wild，K. Subramanyan，R. Halsey，《财务报告分析》（麦克高·希尔/爱尔文，纽约，2004），P394。

加经济资源的一个工具，即利用负债为股东创造更多的利润。在第3章中，我们也介绍了利用总资产周转率考察管理层如何有效地利用资产从而为股东产生更多的收入。现在让我们来考察第三个比率——净利润率，衡量管理层如何通过控制收入和费用为股东创造更多利润的有效性。这三个比率就是将在第5章中讨论的净资产收益率的重要组成部分。

（1）分析问题

每1美元的销售收入所产生的利润中其管理的效率有多大呢？

（2）比率与比较

$$净利润率=\frac{净利润}{销售净额（或营业收入）①}$$

Papa John's公司2006年的净利润率是：

$$\frac{\$\ 63\ 375\ 000}{\$\ 1\ 001\ 557\ 000}=0.0633\ (6.63\%)$$

不同时期的比较		
Papa John's 公司		
2004	**2005**	**2006**
2.51%	4.75%	6.33%

不同公司的比较	
达美航空公司	联合航空公司
2006	**2006**
7.39%	8.62%

（3）解释

概述　一般来说，净利润率衡量一定时期内每1美元收入中产生多少利润。增长的净利润率意味着在销售和费用方面的高效管理。不同的行业导致了产品或提供服务的性质和竞争程度的不同。同一行业不同竞争者的净利润率的差异也反映了各个企业对竞争中变化的（以及对产品或服务的需要）销售产量、销售价格和成本的不同反应。财务分析师期望运营好的企业能在一定时期内保持或提高他们的净利润率。

聚焦公司分析　Papa John's公司的净利润率在2005年和2006年都有所增加，表明公司在销售和成本控制方面的成就。当薪酬、广告费和其他费用增长缓慢，经营收入稳定地增长时，就会形成更高的净收益。

Domino's公司是Papa John's公司比萨业务配送部分的主要竞争者。Domino's公司的净利润率达到7.93%，比Papa John's公司高出17%，这可能是源于Domino's公司物资供应活动的高效率。同样的，Yum! Brands公司的净利润率达到8.62%，比Papa John's公司高出1/3。Yum! Brands公司经营店内用餐、外卖以及外送餐馆，其更多地依赖于设施。企业战略的不同解释了比率分析的某些变量。

注意事项　管理层所作出的保持现阶段净利润率的决策可能对长期经营具有负面的影响。分析师应该对该比率进行更多的分析以确定收入和费用中每个组成部分的变化趋势，包括用利润表中的各个项目除以销售净额。这些百分比被称为共同百分比报表，表中净收益个别项目的百分比变化为经营战略的变化提供了信息。

① 销售净额是指用销售收入减去顾客的退货和其他抵减项目。而对于服务行业的公司而言，经营收入总额与销售净额是相等的。

4.3 结账

4.3.1 会计循环终点

资产、负债和股东权益每一个账户的期末余额即是下一期的期初账户余额。这些账户称为永久性账户（或实账户）（见图表4—4），在会计期末时不会减至为零。比如说，上一个会计期间现金账户的期末余额就是下一个会计期间现金账户的期初余额。仅仅是当某项资产不再拥有时或某项负债不再欠债时，永久性账户才有一个零余额。

从另一方面来说，收入、费用、利得和损失账户一般仅仅用于累积当期的会计数据，它们被称之为临时性账户（或名义账户）（见图表4—4）。会计循环的最终步骤是结账，是为了编制会计循环的下一个步骤——利润表作准备。因此，在每一个期末，临时性账户的余额都要通过编制结账分录结转至留存收益账户中。

结转分录有两个目的：

（1）把净收益或净损失结转到留存收益中[①]。

（2）将每一个临时性账户保持零余额，以便开始累积下一会计期间的数额。

通过这种方法，利润表账户又开始为下期临时性累积活动作准备。结账分录是被注入会计期间最后一天的日期来编制，必须符合借贷相等的原则（在日记账中），然后立刻被过入到分类账中（或者说T形账户）。临时性账户如果是借方余额，则需要被贷记结转，如果有贷方余额，则被借记结转。其净额等于净利润，影响留存收益的金额。

为了说明这个过程，我们以几个账户为例。日记账分录金额来自于T形账户结账前的余额：

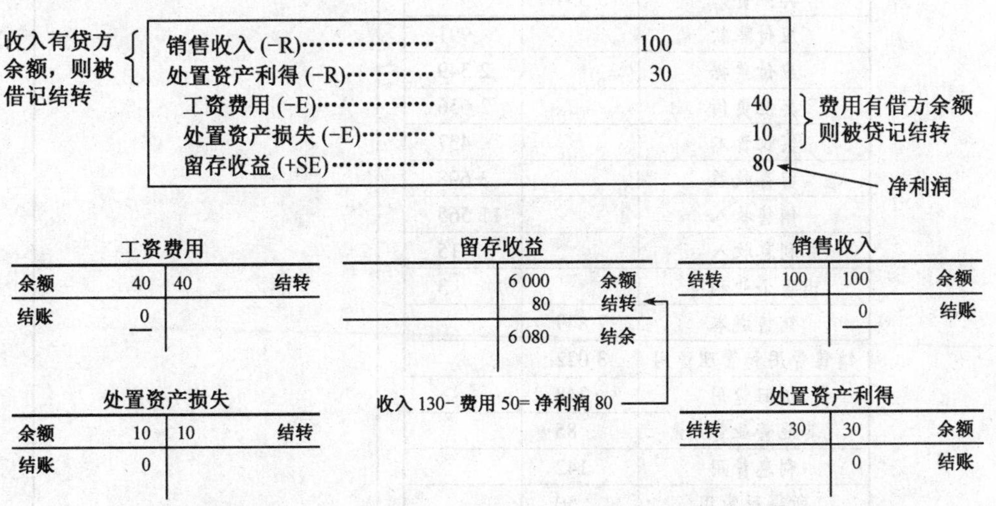

现在我们来编制 Papa John's 公司 2007 年 1 月 31 日的结账分录，尽管企业仅仅在会计年末才会结账[②]。这些数额取自于图表4—3 的调整后试算平衡表。

---

① 企业将利润表账户结转到一个特殊的临时性汇总账户，称为利润汇总账户，它最终需要结转到留存收益中。

② 大多数公司使用财务软件来记录日记账分录，生成试算平衡表和财务报表并结账。

餐厅销售收入（－R）……………………	66 000	
特许使用费收入（－R）………………	4 730	
投资收益（－R）…………………………	1 070	
销售土地利得（－R）…………………	3 000	
销售成本（－E）……………………		30 000
工资费用（－E）……………………		16 000
管理费用（－E）……………………		7 000
物资费用（－E）……………………		4 000
租金费用（－E）……………………		2 000
保险费用（－E）……………………		500
公用事业费（－E）…………………		600
折旧费用（－E）……………………		2 500
利息费用（－E）……………………		550
所得税费用（－E）…………………		3 961
留存收益（＋SE）…………………		7 689

自测题

下面是 Toys“R”公司近年的一个调整后试算平衡表（百万美元）。记录会计循环期末的日记账分录并结账。

	借方	贷方
现金	2 003	
应收账款	146	
固定资产	6 719	
累计折旧		1 984
其他资产	3 334	
应付账款		991
应付票据		2 349
其他负债		2 656
实收资本		437
留存收益		3 698
销售收入		11 565
利息收入		15
出售企业利得		3
销售成本	7 849	
销售费用和管理费用	3 022	
折旧费用	348	
其他营业费用	85	
利息费用	142	
所得税费用	50	
总计	23 698	23 689

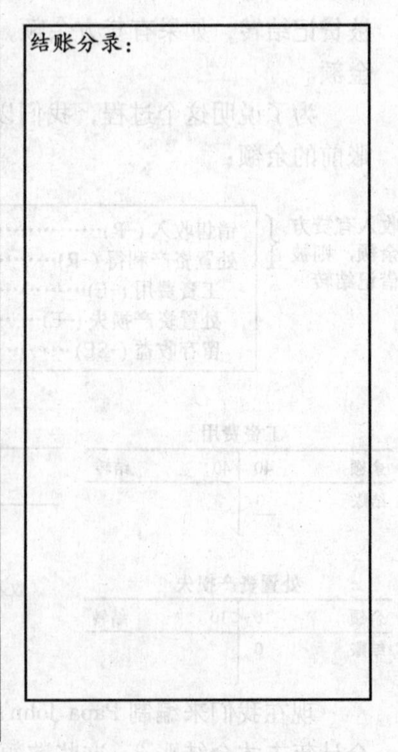

自测题答案：

	借方	贷方
销售收入（－R）	11 565	
利息收入（－R）	15	
处置企业利得（－R）	3	
销售成本（－E）		7 849
销售费用和管理费用（－E）		3 022
折旧费用（－E）		348
其他经营费用（－E）		85
利息费用（－E）		142
所得税费用（－E）		50
留存收益（＋SE）		87

图表 4—5 Papa John's 公司试算平衡表

Papa John's 公司
试算平衡表
2007 年 1 月 31 日（单位：千美元）

	调整后试算平衡		结账后试算平衡		
	借方	贷方	借方	贷方	
现金	439 000		43 900		资产
应收账款	20 030		20 030		资产
应收利息	70		70		资产
物资	22 000		22 000		资产
预付费用	14 500		14 500		资产
其他流动资产	14 000		14 000		资产
投资（长期）	2 000		2 000		资产
固定资产	396 000		396 000		资产
累计折旧		191 500		191 500	资产
应收票据（长期）	15 000		15 000		资产
无形资产	67 000		67 000		资产
其他资产	17 000		17 000		资产
应付账款		39 000		39 000	负债
应付股利		3 000		3 000	负债
应付费用		76 150		76 150	负债
应交所得税		3 961		3 961	负债
预收特许使用费		6 200		6 200	负债
应付票据（长期）		110 000		110 000	负债
其他长期负债		27 000		27 000	负债
实收资本		66 000		66 000	股东权益
留存收益		81 000		88 689	股东权益
餐厅销售收入		66 000		0	收入和利得
特许使用费收入		4 730		0	收入和利得
投资收益		1 070		0	收入和利得
销售土地利得		3 000		0	收入和利得
销售成本	30 000		0		费用和损失
工资费用	16 000		0		费用和损失
管理费用	7 000		0		费用和损失
物资费用	4 000		0		费用和损失
租金费用	2 000		0		费用和损失
保险费用	500		0		费用和损失
公用事业费	600		0		费用和损失
折旧费用	2 500		0		费用和损失
利息费用	550		0		费用和损失
所得税费用	3 961		0		费用和损失
总计	$678 611	$678 611	$611 500	$611 500	

净利润 $ 7 689 结转到留存收益：
$81 000+$7 689=$88 689

4.3.2 结账后试算表

结账程序完成后，所有的利润表账户余额均为零。此时这些账户为下一个会计期间记录收入和费用做好了准备。留存收益账户的期末余额也已经被更新了（与资产负债表中的数据相对应）并且直接作为下期的期初余额。作为会计信息程序循环的最终步骤，结账后试算平衡表（图表4—5）应该检测借方与贷方是否相等并且所有的临时性账户是否都已结账。

财务分析

应计和递延项目：判断盈余质量

本章讨论的大部分调整业务，比如预付保险费的分摊，或应计利息费用的确认，都要求直接计算和企业管理层进行判断。在后面的章节中，我们还将讨论更多的包括对未来的困难和复杂的估计的调整业务。包括诸如估计客户为其赊购产品的支付能力，新机器设备的使用年限以及公司为已售产品将来可能提供的担保等。这些估计和其他的很多估计都能对企业报告的净利润产生重大的影响。

当用资产负债表和利润表的数据对企业价值进行评估时，分析师们也要评估这些形成调整事项的估计情况。那些相当悲观的估计，即减少当期收益的估计被认为是遵循了谨慎性财务报告策略，经验丰富的分析师更信任这样的报告。这些企业报告的盈余数据经常被认为具有更高的质量，因为它们受到管理层主观的乐观主义影响较小。而那些持续使用乐观估计以致使报告的净利润过高的企业则被视为有企图的，分析者认为这些企业的经营业绩是低质量的。

示例

我们最后来看看 Terrific Lawn Maintenance 公司的会计活动，说明其会计循环的最终步骤：调整的流程，财务报表的编制以及结账程序。4 月没有发生反映收入赚取和费用发生的调整分录。Terrific Lawn Maintenance 公司 2009 年 4 月 30 日的试算平衡是以第 3 章的未调整余额为基础的，如下所示：

其他信息如下：

（1）4 月初从市政府收到的将在以后提供除草服务的现金 $ 1 600，其中的 1/4 在 4 月确认为收入，$ 1 600 的未实现收入表明要提供 4 个月的服务（4 月—7 月）。

（2）Terrific Lawn Maintenance 公司 4 月初支付的收益期为 6 个月（4 月—9 月）的保险费 $ 300，4 月已经使用了其中的一部分。

（3）割草机、旋转剪修器、沙耙和手动工具（设备）已在 4 月使用并产生收入。企业估计每年的折旧费为 $ 300。

（4）企业在 4 月 28 日支付工资费用。4 月最后两天的工资将会在 5 月支付。每天的应计工资费用是 $ 200。

（5）4 月又安装了一条电话线，估计成本是 $ 52，包括安装和使用费，账单将会在 5 月收到和支付。

（6）未结清的应付票据以 12% 的年利率计算利息，本金 $ 3 700 也尚未偿还。

（7）Terrific Lawn Maintenance 公司的企业所得税税率估计为35%。

Terrific Lawn Maintenance 公司

未调整试算平衡表

2009 年 4 月 30 日

	借	贷
现金	5 032	
应收账款	1 700	
应收票据	0	
预付费用	300	
土地	3 750	
设备	4 600	
累计折旧		0
应付账款		220
应付工资		0
应付公用事业费		0
应付票据		3 700
应付利息		0
应交所得税		0
预收账款		1 600
实收资本		9 000
留存收益		0
割草收入		5 200
利息收入		12
工资费用	3 900	
燃料费	410	
保险费	0	
公用事业费	0	
折旧费	0	
利息费	40	
所得税费用	0	
总计	$ 19 732	$ 19 732

要求：

1. 用本章概括的三个步骤，（1）确认与每笔经济业务相关的调整类型；（2）确定调整金额；（3）记录4月的调整日记账分录。

2. 编制调整后的试算平衡表。

3. 按照调整后的试算平衡表中的金额编制一份利润表、股东权益变动表和资产负债表。该公司发行股票1 500股。

4. 编制2009年4月30日的结账分录。

5. 计算企业本月的净利润率。

现在检查你的答案是否符合下面的参考答案。

参考答案：

1. a. **第一步：确认调整类型**，要求对未实现的收入（预收款项）予以调整。

第二步：确定金额，$ 1 600 ×1/4 = $ 400（已赚取的割草收入）。

第三步：记录调整分录，如果不进行调整，预收账款账户就会被高估了 $ 400，而割草收入却被低估了 $ 400。

调整分录 a

预收账款（-L）………………………	400	
割草收入（+R，+SE）…………………		400

资产	=	负债	+	股东权益
		预收账款 -400		割草收入 +400

恒等性检查：（1）借方 $ 400 = 贷方 $ 400；（2）会计等式仍然平衡。

b. **第一步：确认调整类型**，要求对预付费用予以调整。

第二步：确定金额，$ 300 ×1/6 = $ 50（4 月发生的保险费用）。

第三步：记录调整分录，如果不进行调整，预付费用账户就会被高估 $ 50，而保险费用却被低估了 $ 50。

调整分录 b

保险费用（+E，-SE）…………………	50	
预付费用（-A）…………………		50

资产	=	负债	+	股东权益
预付费用 -50				保险费用（+E）-50

恒等性检查：（1）借方 $ 50 = 贷方 $ 50；（2）会计等式仍然平衡。

c. **第一步：确认调整类型**，设备作为预付费用需要调整本期的使用金额。

第二步：确定金额，$ 300 ×1/12 = $ 25（4 月的设备折旧）。

第三步：记录调整分录，如果不进行调整，折旧费用就会被低估少计 $ 25，而设备的净值会被高估 $ 25。

恒等性检查：（1）借方 $ 400 = 贷方 $ 400；（2）会计等式仍然平衡。

调整分录 c

折旧费用（+E，-SE）…………………	25	
累计折旧（+XA，-A）………………		25

资产	=	负债	+	股东权益
累计折旧（+XA）-25				折旧费用（+E）-25

恒等性检查：（1）借方 $ 25 = 贷方 $ 25；（2）会计等式仍然平衡。

d. **第一步：确认调整类型**，未记录的工资费用需要调整为应计费用。

第二步：确定金额，$ 200/天 ×2 天 = $ 400（发生的工资费用）。

第三步：记录调整分录，如果不进行调整，工资费用和应付工资都会被低估 $ 400。

调整分录 d

工资费用（+E，-SE）…………………	400	
应付工资（+L）…………………		400

资产	=	负债		+	股东权益	
		应付工资	+400		工资费用（+E）	−400

恒等性检查：（1）借方＄400＝贷方＄400；（2）会计等式仍然平衡。

e. **第一步：确认调整类型**，本月已使用但未记录的公用事业费用需要调整为应计费用。

第二步：确定金额，估计发生费用＄52（已给出）。

第三步：记录调整分录，如果不进行调整，公用事业费用和应付公用事业费都将被低估＄52。

调整分录 e

公用事业费用（+E，−SE）…………………	52
应付公用事业费（+L）……………………	52

资产	=	负债		+	股东权益	
		应付公用事业费	+52		公用事业费用（+E）	−52

恒等性检查：（1）借方＄52＝贷方＄52；（2）会计等式仍然平衡。

f. **第一步：确认调整类型**，本月未记录的利息费用需要调整为应计费用。

第二步：确认金额，＄3 700（本金）×12%（利率）×1/12＝＄37（利息）。

第三步：记录调整分录，如果不进行调整，利息费用和应计利息都将被低估＄37。

调整分录 f

利息费用（+E，−SE）…………………	37
应付利息（+L）……………………	37

资产	=	负债		+	股东权益	
		应付利息	+37		利息费用（+E）	−37

恒等性检查：（1）借方＄37＝贷方＄37；（2）会计等式仍然平衡。

g. **第一步：确认调整类型**，本月未记录的所得税费用需要调整为应计费用。

第二步：确认金额。

计算税前利润

	收入	费用	
未调整总额	＄5 212	＄4 350	来自试算平衡表
a	400		
b		50	
c		25	
d		400	
e		52	
f		37	
调整金额	＄5 612	＄4 914	＝＄698 税前利润
			＄698（税前利润）×35%（税率）＝＄244（所得税费用）（四舍五入）

第三步：记录调整分录，如果不进行调整，所得税费用和应付所得税都将会被低估＄244。

调整分录 g

所得税费用（＋E，－SE）…………………	244	
应付所得税（＋L）…………………		244

资产	=	负债	+	股东权益
		应付所得税　＋244		所得税费用（＋E）－244

恒等性检查：（1）借方＄244＝贷方＄244；（2）会计等式仍然平衡。

2. **调整后试算平衡表**。

Terrific Lawn Maintenance 公司
调整后试算平衡表
2009 年 4 月 30 日

	未调整试算平衡表		调整		调整后试算平衡表	
	借方	贷方	借方	贷方	借方	贷方
现金	5 032				5 032	
应收账款	1 700				1 700	
应收票据	0				0	
预付费用	300			（b）50	250	
土地	3 750				3 750	
设备	4 600				4 600	
累计折旧		0		（c）25		25
应付账款		220				220
应付工资		0		（d）400		400
应付公用事业费		0		（e）52		52
应付票据		3 700				3 700
应付利息		0		（f）37		37
应交所得税		0		（g）244		244
预收账款		1 600	（a）400			1 200
实收资本		9 000				9 000
留存收益		0				0
割草收入		5 200		（a）400		5 600
利息收入		12				12
工资费用	3 900		（d）400		4 300	
燃料费用	410				410	
保险费用	0		（b）50		50	
公用事业费用	0		（e）52		52	
折旧费	0		（c）25		25	
利息费用	40		（f）37		77	
所得税费用	0		（g）244		244	
总计	＄19 732	＄19 732	＄1 208	＄1 208	＄20 490	＄20 490

3. 财务报表

Terrific Lawn Maintenance 公司
利润表
2009 年 4 月 30 日

营业收入	
割草收入	$5 600
营业费用	
燃料费	410
工资费用	4 300
保险费	50
公用事业费用	52
折旧费用	25
	4 837
营业利润	763
其他项目	
利息收入	12
利息费用	(77)
税前利润	698
所得税费用	244
净利润	$ 454
每股收益 ($454÷1 500 股)	$0.30

Terrific Lawn Maintenance 公司
股东权益变动表
2009 年 4 月 30 日

	实收资本	留存收益	总计
2009 年 4 月 1 日余额	$ 0	$ 0	$ 0
股票发行	9 000		9 000
净利润		454	454
股利		0	0
2009 年 4 月 30 日余额	$9 000	$454	$9 454

Terrific Lawn Maintenance 公司
资产负债表
2009 年 4 月 30 日

资产		**负债**	
流动资产		流动负债	
现金	$ 5 032	应付账款	$ 220
应收账款	1 700	应付工资	400
预付费用	250	应付公用事业费	52
流动资产合计	6 982	应付利息	37
		应付票据	3 700
		应交所得税	244
		预收账款	1 200
		流动负债合计	5 853
设备（减累计折旧 $25）	4 575		
土地	3 750		
		股东权益	
		实收资本	9 000
		留存收益	454
		负债和股东	
资产合计	$15 307	权益合计	$15 307

4. 结账分录

借：割草收入（－R）…………………	5 600	
利息收入（－R）…………………	12	
贷：工资费用（－E）…………………		4 300
燃料费用（－E）…………………		410
保险费用（－E）…………………		50
公用事业费用（－E）…………………		52
折旧费用（－E）…………………		25

贷：利息费用（-E）………………… 77

所得税费用（-E）………………… 244

留存收益（+SE）………………… 454

5. 4 月的净利润率

$\frac{净利润}{销售净额}$ = \$ 454 ÷ \$ 5 600 = 8.1%（4 月）

本章小结

1. 解释调整的目的并分析会计期末调整的必要性，以此更新资产负债表和利润表账户。

（1）为了恰当地计量收益、更正差错以及充分估计资产负债表的账户金额，会计期末的调整分录是必要的。其分析步骤包括：

第一步：确定调整类型：

• 预收账款——当预收现金时，先前所记录的负债必须在当期调整为已赚取的收入金额。

• 应计收入——本期已赚取但尚未入账的收入（现金将在未来收到）。

• 预付费用——先前记录的资产（预付租金、物资和设备），必须被调整为当期的应计费用金额。

• 应计费用——本期已经发生但尚未入账的费用（现金将在未来支付）。

第二步：确定取得的收入和发生的费用的金额。

第三步：记录必要的调整分录以此获得恰当的期末余额并将其影响金额分别过入 T 形账户中。

（2）记录对现金账户没有影响的调整分录。

2. 解释试算平衡表的目的。

试算平衡表是在相应的栏目中列示了所有账户的借方或贷方余额的一种表格，它是为了检查借方和贷方的恒等性。试算平衡表可以采取的形式是：

（1）未调整试算平衡表——指在调整之前编制的；

（2）调整后试算平衡表——指在调整之后编制的；

（3）结账后试算平衡表——指收入和费用被结转到留存收益之后编制的。

3. 编制包括每股收益的利润表、股东权益变动表、资产负债表和现金流量补充信息。调整后的账户余额用于编制下列的财务报表：

（1）利润表：收入 - 费用 = 净利润（包括每股收益，其计算公式为净利润/本期发行在外的加权平均普通股数）。

（2）股东权益变动表：（期初实收资本 + 股票发行 - 股票回购）+（期初留存收益 + 净利润 - 股利）= 期末股东权益合计数。

（3）资产负债表：资产 = 负债 + 股东权益。

（4）补充现金流量信息：支付的利息、支付的所得税以及重大的非现金交易。

4. 计算并解释净利润率。

净利润率（净利润/销售净额）计量的是本期每 1 美元的销售额能够产生多少利

润。增长的净利润率意味着更为有效的销售和费用管理。

5. 解释结账程序。

临时性账户（收入、费用、利得和损失）在会计期末余额为零，意味着开始累积下一会计期间的利润项目。当对这些账户进行结账时，借记每一笔收入和利得账户，贷记每一笔费用和损失账户，然后将其差异（等于净利润）结转至留存收益中。

结账分录：

借：收入 …………………………………………	XX	
利得 …………………………………………	XX	
贷：费用 …………………………………………		XX
损失 …………………………………………		XX
留存收益 ………………………………………		XX

（假设净利润是正的）

本章讨论了发生在年末的会计程序中的重要步骤。这些重要步骤包括调整程序，编制基本的财务报表以及为下一个会计期间记录作准备的结账程序。但是，这些企业内部会计程序的结束仅仅是向外部使用者传递会计信息的开始。

在下一章中，我们将更加详细地了解比较复杂的财务报表以及相关的披露。我们将会考察财务信息是如何传递到专业分析师、投资者、证券交易委员会、公众以及每一个分析和解释信息的参与者的过程。这些讨论将会帮助你夯实从前面章节中学到的关于财务报告相关知识，还将为我们在以后章节中讨论的许多重要问题做准备。

重要财务比率

净利润率计量的是本期每 1 美元的销售额能够产生多少利润。较高的或增长的净利润率意味着更为有效的销售和费用管理，其计算公式如下：

$$净利润率 = \frac{净利润}{销售净额（或营业收入）}$$

搜索财务信息

资产负债表

流动资产	**流动负债**
应计收入包括：	应计费用包括：
应收利息	应付利息
应收租金	应付工资
预付费用包括：	应付公用事业费
物资	应交所得税
预付保险费	
非流动资产	
预付费用包括：	
固定资产	
无形资产	

利润表

收入

调整分录增加的收入

费用

调整分录增加的费用

税前利润

所得税费用

净利润

现金流量表
不影响现金的调整分录
补充信息：
支付的利息
支付的所得税
重大的非现金交易

注释
各种注释（如果不在资产负债表中）
应付费用明细表
支付的利息、所得税，重大非现金交易（如果未在现金流量表中报告）

会计术语

会计循环	净值（账面价值，现有价值）	临时性（名义）账户
应计费用	永久性（实）账户	试算平衡表
应计收入	结账后试算平衡表	预收（递延）收入
调整分录	结账分录	备抵账户
预付费用		

习题

一、简答题

1. 记录调整分录的目的是什么？

2. 什么是试算平衡？其目的是什么？

3. 列举调整分录的四种类型，请对每一种类型举一个例子。

4. 什么是备抵资产？请举一个例子说明。

5. 解释财务报表之间的相互联系。

6. 下面每一个报表中的等式是什么：（a）利润表，（b）资产负债表，（c）现金流量表，（d）股东权益变动表。

7. 解释调整分录对现金的影响。

8. 每股收益是怎样计算和解释的？

9. 净利润率是怎样计算和解释的？

10. 比较未调整试算平衡表和调整后的试算平衡表，它们各自的目的什么？

11. 结账分录的目的是什么？

12. 区分（1）永久性账户（2）临时性账户（3）实账户和（4）名义账户。

13. 为什么利润表账户需要结账，而资产负债表账户却不用结账？

14. 什么是结账后试算平衡表？它是不是会计信息循环过程中有用的一部分？请解释。

二、选择题

1. 下面哪些账户不会在结账分录中出现？

a. 利息收益

b. 累计折旧

c. 留存收益

d. 工资费用

2. 下面哪些账户最不可能出现在调整日记账分录中？

a. 现金

b. 应收利息

c. 财产税费用

d. 应付工资

3. 2009 年 10 月 1 日，根据 1 年的保险政策，为建筑物支付＄6 000 的保险费并记录为预付保险费，2009 年末（会计期末）如何编制调整分录？

a. 保险费用　　4 500
　　预付保险费　　4 500

b. 预付保险费　　1 500
　　保险费用　　1 500

c. 保险费用　　1 500
　　预付保险费　　1 500

d. 预付保险费　　4 500
　　保险费用　　4 500

4. 2010 年 3 月 1 日，OAKCREST 公司签发为期 3 年，年利率 9%，票面价值＄100 000的应付票据。从 2011 年起，利息的到期日为每年的 3 月 1 日，请问在 2010 年 12 月 31 日利润表中的利息费用金额为多少？

a. ＄9 000　　b. ＄7500　　c. ＄6 750　　d. ＄2 500

5. 如果没有编制应计未付的工资的调整分录，将出现下面哪种情况：

a. 高估资产和股东权益

b. 高估资产和负债

c. 低估费用、负债和股东权益

d. 低估费用、负债，高估股东权益

6. 调整后的试算平衡：

a. 说明了在过入调整的日记账分录之前由借和贷形成的期末余额

b. 在结账分录过账后编制

c. 是财务分析师对上市公司的业绩评价的工具

d. 说明了由调整日记账分录借方和贷方形成的期末账户余额

7. JJ 公司拥有一幢建筑物，下面关于折旧表述中哪项是错误的：

a. 建筑物的价值随时间降低，因而要计提折旧

b. 折旧是对建筑物预计使用寿命的估计费用的记录

c. 记录折旧费用，意味着股东权益减少

d. 记录折旧费用，意味着资产的账面净值减少

8. 2010 年年初，Donna 公司拥有物资＄1000，2010 年该公司购入一批物资，金额为＄6 200（现金支付，借记存货）。2010 年 12 月 31 日，存货账户余额为＄1 600。请问 2010 年 12 月 31 日 Donna 公司有关物资的调整分录将包括：

a. 贷记物资费用＄5 600

b. 贷记物资＄1 600

c. 借记物资＄1 600

d. 借记物资费用 $ 5 600

9. 编制财务报表或附注时，GAAP 需要披露哪些比率？

a. 净资产收益率

b. 净利润率

c. 流动比率

d. 每股收益

10. 假设一家公司能够在保持产品的销售额和售价的前提下降低销售费用和管理费用，请问这对公司的净利润率会产生怎样的影响？

a. 比率不变

b. 比率会增加

c. 比率会减少

d. a 或 c

更多的选择题，请登录网站：www. mhhe. com/libby6e

三、迷你练习题

1. 编制试算平衡表

年末（2010 年 6 月 30 日），Puglisi 公司有以下调整后的账户和年末余额：

应付账款	$ 200	利息费用	$ 70
应收账款	370	利息收入	60
应计未付费用	160	存货	660
累计折旧	250	土地	300
房屋建筑物	1 400	长期负债	1 360
现金	150	预付费用	30
实收资本	400	工资费用	640
销售成本	880	销售收入	2 500
折旧费用	150	租金费用	460
所得税费用	110	留存收益	150
应交所得税	50	预收收入	90

编制 Puglisi 公司 2010 年 6 月 30 日的调整后试算平衡表。

2. 术语和名词搭配（会计术语的相关定义）

在空白处将每一定义和与之相匹配的会计术语连接起来（根据给出的定义，将相对应的会计术语的字母填在空白处）。

定义	会计术语
______（1）费用已发生，但尚未支付或记录	A. 应计费用
______（2）收到租金收入，但尚未确认收入	B. 预付费用
______（3）财产税已发生，但尚未支付	C. 应计收入
______（4）租金尚未收到，但已确认收入	D. 预收收入
______（5）收入尚未实现，但款项已收到	
______（6）下一会计期间使用的办公用品	
______（7）费用尚未发生，但已提前支付	
______（8）收入已实现，但尚未收到现金	

3. 定义和术语配对练习

选择适当的字母填入指定的空格处，以使每一个定义都与其相关的术语配对。

定义	会计术语
______（1）年末，服务收入 $ 4 000 已收到现金，但尚未确认收入	A. 应计费用
______（2）年末，确认应收票据利息 $ 550，但需在下一年才能收到	B. 预付费用
______（3）本年购买 $ 700 的办公用品，年末其中的 $ 100 在库（未用）	C. 应计收入
______（4）年末，应付工资 $ 5 600 尚未记录或支付	D. 预收收入

4. 记录调整分录（递延账户）

使用本章阐述的三个步骤，（1）确认 Morgan Marketing 公司以下（a）到（c）三笔业务各自的调整类型；（2）确定调整的金额；（3）记录年末（2011 年 12 月 31 日）的调整分录。

a. 2011 年 12 月 1 日收到 2011 年 12 月 1 日至 2012 年 4 月 1 日的租金 $ 1 000，贷记了预收租金收入 $ 1 000。

b. 2011 年 7 月 1 日支付两年期的保险费用 $ 3 800；借记了预付保险费用 $ 3 800。

c. 2008 年 1 月 1 日购入一台价值为 $ 32 000 的设备，以现金支付，公司估计年折旧费为 $ 3 000。

5. 确定调整分录对财务报表的影响（递延账户）

对题中的各笔业务，说明调整分录对资产负债表要素和利润表要素的影响金额和方向。填在下面的表格中，+代表增加，-代表减少，NE 代表没有影响。

	资产负债表			利润表		
业务	资产	负债	股东权益	收入	费用	净利润
a						
b						
c						

6. 记录调整分录（应计账户）

使用本章阐述的三个步骤，（1）确认 Morgan Marketing 公司以下（a）到（c）三笔业务各自的调整类型；（2）确定调整的金额；（3）记录年末（2011 年 12 月 31 日）的调整分录。

a. 预计将在 2012 年 1 月支付的 2011 年 12 月的电费为 $ 360。

b. 12 月底应付 10 名员工 4 天的工资，每人每天为 $ 150。公司将在 2012 年 1 月的第 1 个星期支付。

c. 2011 年 9 月 1 日，贷款 $ 5 000 给一名员工，1 年内归还本金和利息，年利率为 14%。

7. 确定调整分录对财务报表的影响（应计账户）

对题 6 中的每一笔交易，说明调整分录对资产负债表要素和利润表要素的影响金额和方向。填在下面的表格中，+代表增加，-代表减少，NE 代表没有影响。

业务	资产负债表			利润表		
	资产	负债	股东权益	收入	费用	净利润
a						
b						
c						

8. 编制包含每股收益的利润表

下列为 Morgan Marketing 公司 2011 年 12 月 31 日的调整后试算平衡表。没有分派股利，但是年末新发行股票 500 股，收到现金 $ 3 000 包括在下列表中。

	借方	贷方
现金	$ 1 500	
应收账款	2 000	
应收利息	100	
预付保险费	1 600	
应收票据（长期）	2 800	
设备	15 000	
累计折旧		$ 3 000
应付账款		2 400
应付费用		3 920
应交所得税		2 700
预收租金收入		500
股本（800 股）		3 700
留存收益		2 000
销售收入		37 450
利息收入		100
租金收入		750
工资费用	19 000	
折旧费	1 800	
公用事业费	320	
保险费	700	
租赁费	9 000	
所得税费用	2 700	
总计	$ 56 520	$ 56 520

要求编制 2010 年利润表，包括每股收益。

9. 编制股东权益变动表

根据题 8 编制 2011 年股东权益变动表。

10. 编制资产负债表并解释表中的调整事项对现金流量的影响

根据题 8，

（1）编制一份 2011 年 12 月 31 日资产负债表。

（2）解释题 4 和题 6 中的调整事项是如何影响现金流量表中的经营活动、投资活动和筹资活动的现金流量的。

11. 分析净利润率

根据题 8 中的试算平衡表计算净利润。然后计算 Morgan Marketing 公司 2011 年的净利润率。

12. 编制结账分录

根据题 8 中的调整后的试算平衡表，编制 2011 年 12 月 31 日的结账分录。

第5章 会计信息的传递与解释

学习目标

学完本章，应达到如下目标：

1. 识别会计信息传递过程中参与各方（规制者、管理层、董事会、审计师、信息中介者、使用者）扮演的角色，以及需要遵守的法律法规和职业准则。

2. 理解财务信息传递的每一步，包括发布新闻公报、年报、季报和证交会存档、电子化信息服务。

3. 能够理解并掌握习题中公司的各种财务报表和披露形式。

4. 利用净资产收益率及其分解要素分析公司的绩效。

聚焦公司：Callaway Golf 公司

传递财务信息和公司战略

Callaway Golf 公司是生产高级高尔夫球杆的企业，它是以其创始人 Ely Callaway 的名字命名的。在短短的20年里，Callaway 先生将年销售额只有500 000 美元、生产特种高尔夫球杆的小型企业发展成一个年销售额达800 000 000 美元的行业龙头企业。Callaway Golf 公司的成长依靠的是产品创新，他们的目标是让人们能够更加容易地学习和参与到高尔夫运动中。如今，无论是巡回赛冠军菲尔·米克尔森还是一般的高尔夫运动员，甚至连前总统比尔·克林顿和乔治·布什，都在使用 Callaway Golf 球杆。

公司成长的速度如此之快，这就要求它在融资时必须在健全公司治理和向金融市场传递信息方面达到更高的标准。1989 年 Callaway Golf 公司及其首席财务官 Carol Kerley 从通用电气养老基金经理那里争取到了 10 000 000 美元的投资，他们承诺要做到信息披露真实完整。1992 年 Callaway Golf 公司首次公开发行股票（第一次对公众发行股票，即 IPO），公司的首席财务官和她的会计职员与外部审计师普华永道、投资银行美林证券，为了准备首次公开上市必须提供的财务信息而辛苦地工作。

作为一家上市公司，Callaway Golf 公司必须依照证券交易委员会的要求，在定期报告中披露详细的信息。作为公司财务信息的保证人，现任总裁 George Fellows、首席财务官 Bradley J. Holiday、高级副总裁以及主要的财务职员，要保证定期报告中信息的准确性。董事会和审计师负责监督生成披露信息的系统是否健全。向投资者和财务报告的其他使用者提供真实完整的财务报表是维护资本提供者关系的关键。

了解企业

Callaway Golf 公司是一家设计、生产和销售高品质高价位创新型高尔夫球杆的公司。采用了熔合技术生产的 Big Bertha 系列木制及不锈钢球杆构成了公司销售额的主要部分。公司大部分的球杆是在加州的 Carlsbad 工厂生产的，而杆头、杆和把手是由独立的供应商提供。这些球杆都在专卖店和运动品商店销售。Callaway Golf 公司在产品研发方面投入了大量资金，并且它在现有产品的生命周期结束前早早就推出全新的创新型产品，公司也因此而闻名。

Callaway Golf公司在公司治理方面同样下了很大的功夫：制定规章以保证公司在经营管理中代表股东的权益。公司的公司治理机制主要用来保证财务报告真实完整。这种优秀的公司治理机制便于企业取得资本，并降低了借款费用（利息）和Callaway Golf公司的股票风险。

Callaway Golf公司深知如果投资者对公司的财务数据失去信任，公司股票必将受挫。公司的财务欺诈的曝光，一般情况下，将导致这个公司的股票价格下降20%[①]。安然和世通的会计丑闻性质极为恶劣，这也致使他们的股票跌到几乎一文不值。为了使投资者恢复信心，国会通过了《萨班斯—奥克斯莱法案》，它要求上市公司加强财务报告和公司治理。即使有这道新增的保护措施，著名分析师Jack Ciesielski仍然向财务报告使用者提出了明确的告诫：

即便是最聪明的分析师也可能会在某些情况下为虚假报告所蒙蔽，不过，掌握会计知识并且保持合理的怀疑态度是避免遭受欺诈的最佳防范方式。

从第2章到第4章我们学习了利润表、资产负债表和股东权益变动表的编制过程，对这些财务报表有了进一步的了解。接下来我们将细观网络时代下在会计信息向报表使用者传递的过程中涉及的各个群体和需要遵守的法律法规。我们还将详述财务报表的格式和财务报告中披露的其他信息，以便我们学会如何在报告中查找相关信息。最后，我们将学习一种基于这些报告来评估公司业绩的总体框架。

现实世界摘要：分析师会计观察

“会计有什么作用?”，在回答这一问题时，通常的答案是它能帮助我们避免“把事情搞砸”。当公司的管理层参与了会计欺诈，并继而导致公司的股票暴跌时，我们就会清楚地看到不懂会计可能带来的令人不快的结果。了解会计知识的分析师能够知道，财务报告在哪些地方是软肋，而企业正是通过操纵这些地方达到盈利目标或者避免违背贷款契约。

资料来源：Analyst’s Accounting Observer, www. accountingobserver. com

本章结构图示

5.1 会计信息传递过程中的参与者

为确保财务报告流程的完整，各方参与者发挥了各自的作用，图表5—1描述了相关各方及其角色。

5.1.1 监管者（证券交易委员会，美国财务会计准则委员会，上市公司会计监管委员会，证券交易所）

美国证券交易委员会的职责就是保护投资者的利益，维护证券市场的诚信。证券

① Z. Palmrose, V. Richardson, and S. Scholz, “Determinants of Market Reactions to Restatement Announcement,” Journal of Accounting and Economics, 2004, 59 - 90.

交易委员会的任务之一，就是监督以下机构的工作：制定 GAAP 的美国财务准则委员会，为上市公司独立审计师制定审计准则的上市公司监管委员会，与州政府共同制定整套公司治理标准的证券交易所（例如：纽约证券交易所）。

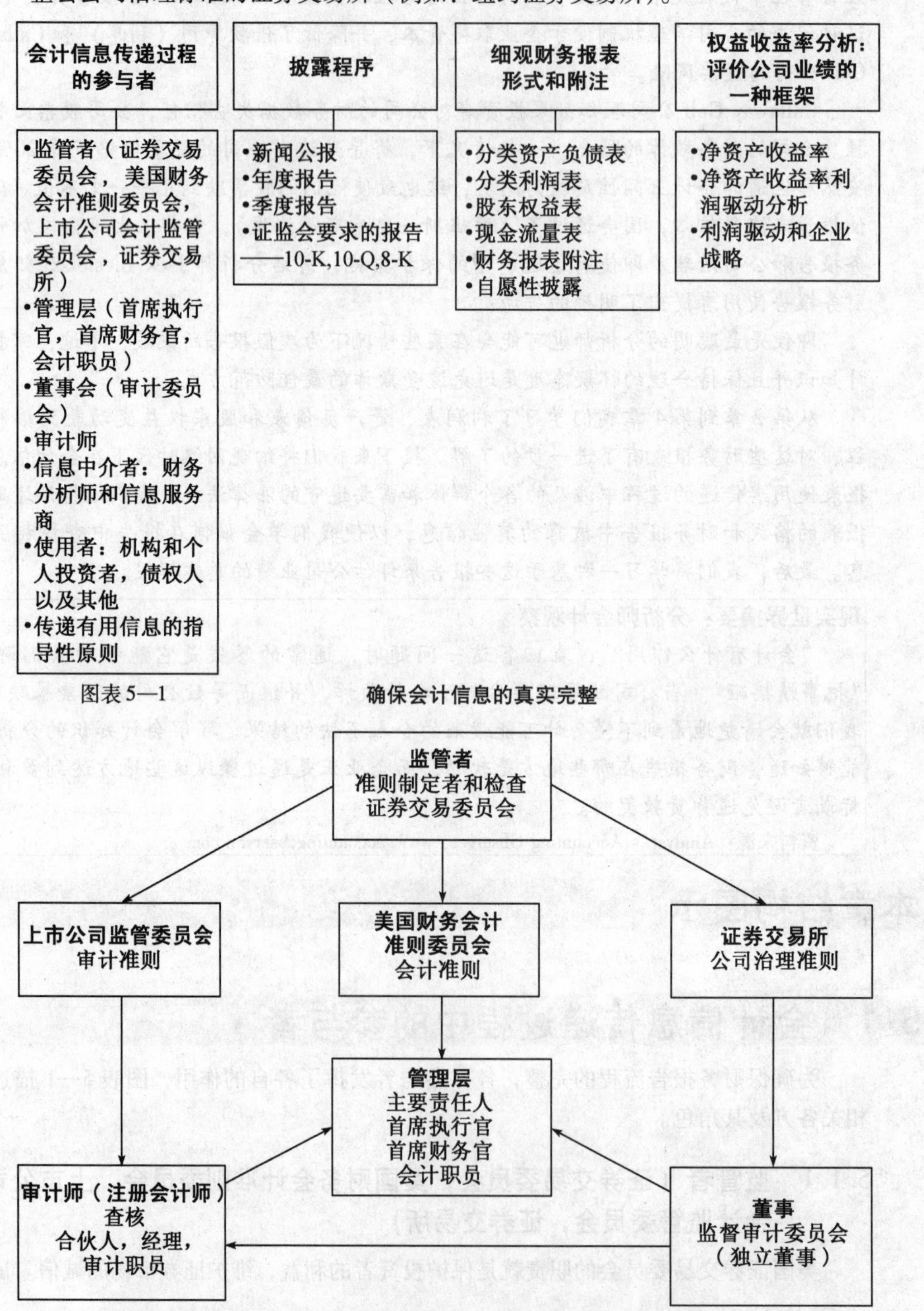

图表 5—1

证券交易委员会的工作人员将审核各种财务报表是否遵循了相应的准则，对其中异常的情况进行调查，并对违规者作出处罚①。在2002年到2006年间，证券交易委员实施了854项与财务报告相关的执法行动。结果，近期有许多的公司高级管理人员受到罚款并被判入狱。公司因此受到的影响不仅包括数额巨大的经济处罚，也会导致类似安然和世通公司的破产案件。你可以在下面的网站上阅读美国证券交易委员会的执法行动：

www. sec. gov/dibisions/enforce/friactions. shtml。

5.1.2 管理层（首席执行官，首席财务官，会计职员）

对于Callaway Golf公司财务报表上的信息和相关披露承担主要责任的是公司的管理层，尤其是公司的最高管理者——我们通常称之为首席执行官，以及企业在财务和会计方面的最高管理者——我们称之为首席财务官。在Callaway Golf公司和所有上市公司里，这两类高级管理人员必须以个人名义对下列事项作出保证：

（1）向证交会提交的每一份报告都不含有任何虚假信息，也没有隐瞒任何事实，同时，在所有重大方面都公允地反映了公司的财务状况、经营成果和现金流量。

（2）与财务报告相关的内部控制不存在重大缺陷。

（3）已经向审计师和董事会下属的审计委员会披露了内部控制的所有缺陷，以及所有涉及管理层或者对财务报告发挥重大作用的其他员工参与的舞弊。

高级管理人员如果明知财务报表存在虚假信息还予以保证，将被处以500万美元的罚款和20年的有期徒刑。那些具体负责编制财务报表的会计人员，虽然在法律上承担的责任较小，但也要对财务信息的准确性承担职业责任。他们未来事业上的成功，将主要取决于他们在诚信和胜任能力方面的声誉。对含有重大错误的财务报告负责的会计主管通常会被解雇，并且他们往往很难再找到其他的工作②。

5.1.3 董事会（审计委员会）

如Callaway Golf公司在有关公司治理的声明中所述，董事会（由股东选举产生）负责建立相关程序，以确保公司的会计记录、财务报表编制和财务报告真实完整。审计委员会必须由具备财务知识的独立董事组成，他们负责聘请公司的独立审计师。他们还要分别与审计师会面，讨论公司的管理层是否履行了财务报告责任。

5.1.4 审计师

证券交易委员会要求公开上市交易的公司应当聘请已登记的具有独立性的公共会计公司（独立审计师），对其财务报表和内部控制按照公开上市监管委员会制定的审计准则进行审计。通过出具无保留（清洁）审计意见，会计师事务所对财务报表和相关披露的公允性承担一定的经济责任。这种审计意见增加了财务报表的可信程度，因此在与债权人和私人投资者签订协议时经常需要这类审计意见。公司的财务报表经由独立审核，这降低了财务报表对公司财务状况作出不实反映的风险。最终，为公司

① 来源：CFO. com。

② H. Desai, C. E. Hogan, and M. S. Wilkins, "The Reputation Penalty for Aggressive Accounting: Earnings Restatements and Management Turnover," *The Accounting Review* , 2006, pp. 83 - 113.

提供资本的理性投资者和债权人将会降低其所要求的投资回报率（利率）[1]。

德勤会计师事务所是 Callaway Golf 公司现任的审计师。该公司和毕马威、普华永道以及安永并称为我们所说的“四大”会计师事务所。他们当中每一家事务所都聘用了成千上万的注册会计师，并在全球范围内设立了分支机构。大部分的上市公司都是由他们审计的，并且许多的非上司公司也聘请他们来审计。那些规模较小的会计师事务所则为某些上市公司和大部分非上市公司提供审计服务。下面列出了几家著名公司及其聘用的会计师事务所：

公司名称	行业	会计师事务所
Harrah's	赌场和旅馆	德勤
Deckers' Outdoor	鞋类	毕马威
Papa John's	快餐	安永

5.1.5 信息中介者：财务分析师和信息服务商

学生们经常将公司和财务报告使用者之间的信息传递看作是一个简单的过程——公司将报告邮寄给每个独立的股东，股东阅读收到的报告，然后根据他们知道的信息作出投资决策。这样的场景和现实状况大相径庭。现在大部分的投资者依靠资深的财务分析师和信息服务商来收集和分析信息。图表 5—2 简单概括了这个流程。

财务分析师从电子信息服务商那里得到公司的财务报告和相关信息。他们还会通过访谈公司高级管理人员，参观公司实地，了解竞争对手等方式收集信息。

图表 5—2　　**财务报告的使用**

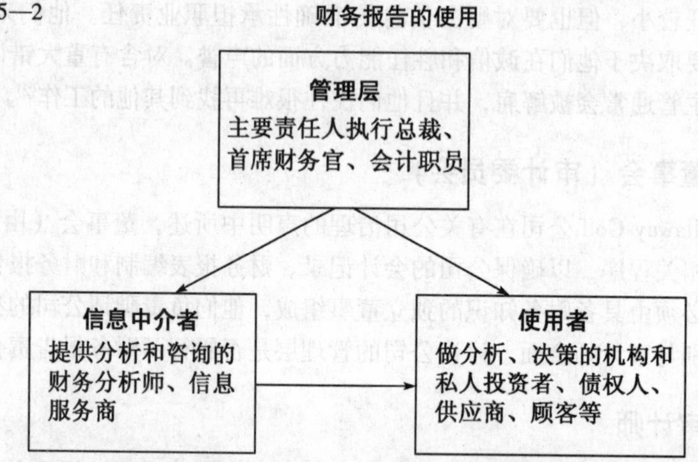

财务分析师会将分析的结果写入他们的报告。报告通常包括对未来季度及年度的每股收益和股价的预测，对买入、持有或卖出的建议以及他们对这些判断作出的解释。分析师主要依靠他们所了解的会计系统，确定如何把业务交易转变成报表数字的方法，财务报表数字正是本书所关注的内容。每一位分析师通常都有自己专攻的特定行业（如运动品公司和能源公司）。对于分析师工作的评价一般是基于其预测的准确

---

① Examples of accounting research that examine this relationship are P. Hribar and N. Jenkins. “The Effect of Accounting Restatements on Earnings Revisions and the Estimated Cost of Capital,” *Review of Accounting Studies*, 2004, pp. 337 - 356 and C. A Botosan and M. A Plumlee, “A Re-examination of Disclosure Level and the Expected Cost of Equity Capital,” *Journal of Accounting Research*, March 2002, pp. 21 - 40.

性和所推荐股票的盈利程度。① 在撰写本章时，三家主要公司对 Callaway Golf 公司的收益预测和股票建议列示如下：

公司名称	股票建议	2007 年收益预测	2008 年收益预测
Wedbush Morgan	买入	0. 90	1. 12
Merriman Curhan Ford	买入	0. 89	1. 25
Morgan Joseph & Co.	买入	0. 96	1. 15

不同分析师预测的数据相差很小，表明他们对这家公司的未来意见一致。

分析师通常在券商和投资银行（如美林证券）、信托基金公司（如富达投资集团）和投资咨询服务公司（如价值线）的研究部门工作。分析师将他们对于会计知识、公司及其所处行业的了解，通过报告和建议的形式，传递给缺乏这种专长的顾客。许多人认为基于分析师的建议作出的决定会使股价对财务报表信息作出快速反应。能对信息作出快速、公正的反应，在财务上被称为“有效市场”。从财务报表中，投资新手不太可能比那些已经对报表研究通透的专业分析师获得更多的信息。接下来讨论信息服务商可以帮助投资者自己去收集公司的相关信息，并对各类分析师的建议进行综合考量。

事实上，公司是通过 EDGAR（电子数据收集和检索）服务系统向证券交易委员会提交各类电子格式的资料。信息使用者可以在数据提交后的 24 小时内，在电子数据收集和检索服务系统的网站上检索到公司提交的财务报表。与通过电子邮件来邮寄信息相比，这种方式更加快捷。电子数据收集和检索服务系统提供的是免费服务，网址是

www. sec. gov

许多公司也在自己的网站上直接提供他们财务报表和其他信息。你可以在 Callaway Golf 公司的网站上点击“投资者关系”一栏，获得相关信息，网址是

www. callawaygolf. com

财务分析师和其他富有经验的信息使用者从各种商业网络信息服务商那里获得大部分他们需要的信息。像 Compustat 和 Thompson 这样的研究机构提供了更多的财务报表和新闻消息。使用者可以通过关键字搜索数据库，包括用财务报表术语进行查询。欲了解更多的信息，可以登录它们的网站：

www. compust. com

www. thompson. com

需要提醒读者的是，数据来源不同，计算主要比率的方法往往也有所不同。

还有很多的一般信息服务商，比如 Factiva 和 Bloomberg（彭博资讯）。Factiva 提供关于公司的新闻报道和公司新闻公告，包括年度和季度经营成果的首发公告。彭博资讯服务商还提供基于不同来源信息的综合分析服务。欲了解服务详情，可以浏览它们的网站：

www. factiva. com

① See M. B. Mikhail, B. R. Walther and R. H. Willis, “Does Forecast Accuracy Matter to Security Analysts?” *The Accounting Review*, April 1999, PP. 185 – 200; and R. A. McEwen and J. E. Hunton. “Is Analyst Forecast Accuracy Associated with Accounting Information Use?” *Accounting Horizons*, March 1999, pp. 1 – 16.

www. bloomberg. com

越来越多的信息服务商在网络上混搭提供免费及收费信息。这类服务网站有：

www. reuter. com/finance

www. hoovers. com

finance. yahoo. com

财务分析

信息服务商与求职

信息服务商已经成为专业分析师用来分析竞争对手企业的主要工具。信息服务商也是求职者的重要信息来源。潜在的雇主们希望求职者在面试时能够证明他们了解公司。电子信息服务商就是获得公司信息的有效途径。他们的网站是你着手了解潜在雇主的最好去处。你一定要阅读员工招聘部分以及投资者关系部分的材料。为了获取更多的关于电子信息服务商的内容，你可以与学校的行政或资料管理人员联系，也可以浏览前面提到的网站。

5.1.6 使用者：机构和个人投资者、债权人以及其他

机构投资者包括养老基金（关系到特定公司或政府部门的工会及雇员）、共同基金、捐赠基金、慈善基金和信托基金（比如你们学院或大学提供的捐赠基金）。这些机构投资者通常聘请自己的分析师，而这些分析师也要依靠我们刚才提到的信息中介机构。机构投资者控制了美国上市公司的大部分股票。例如，在本会计年度末，机构投资者持有 Callaway Golf 公司 99% 的股份。持有 Callaway Golf 公司股票的三大机构投资者分别是：

机构名称	持股比例
Fidelity Management & Research	15.5%
Royce & Associates	5.5%
Barclays Global Investors	4.4%

大多数小规模投资者通过共同基金和养老基金间接持有像 Callaway Golf 公司这样的股票。

私人投资者既包括持股数量巨大的个人投资者，比如 Ely Callaway 和他的那些最初就直接投资 Callaway Golf 公司的朋友，也包括那些通过像美林银行这类证券经销商购买公开上市公司股票的个人投资者（散户）。散户通常缺乏理解财务报表所需的专业能力和有效收集数据所需的资源。他们往往依靠信息中介者的建议作出决策，或者请共同基金和退休基金这样的机构投资者代为理财。

债权人主要包括供应商、银行、商业信贷公司以及贷款给公司的其他金融机构。这些机构中负责贷款的高级职员和财务分析师使用相同的公共信息资源。此外，作为贷款合同的部分条款，公司通常会同意提供其他的财务信息（如月度报表）。债权人是非上市公司财务报表的主要外部使用者。机构和私人投资者在购买公司公开交易的债券时，也成为了公司的债权人。

财务报表在供应商与消费者的关系中也扮演着重要角色。消费者通过目前供应商

提供的信息资源对其财务健康状况进行评估，以确定他们是否可靠。供应商对他们的顾客进行评估以确定他们的未来需求和偿债能力。竞争对手也会力图从公司的财务报表上获取有用信息。公司可能会因此丧失竞争优势，这也是公开披露财务信息所付出的一种成本。公司在披露信息中遵循的是成本效益约束原则，即信息核算和报告带来的收益应当超过花费的成本。

5.1.7 传递有用性信息的指导性原则

为了保证会计信息可用，它必须具有相关性和可靠性。相关性信息是指可以用来评价企业过去经营活动并预测未来经营活动的信息，它能够影响信息使用者的决策。可靠性信息是指准确的、无偏见的并可被证实（独立的各方对交易的性质和金额能够得出统一的意见）的信息。我们在讨论比率分析时，强调了比较同一公司不同时期的各种比率的重要性，也强调了各种比率在竞争性公司之间进行比较的重要性。不过，只有当信息按照一致性原则和可比性原则来编制时，这种比较才有意义。一致性信息是指在同一企业的各个时期使用的会计方法基本相似。可比性信息是指不同的企业采用的会计方法基本相似。信息有用性的这些特征，连同全面披露原则，成为美国会计准则委员会用于确定哪些财务信息应该披露的指导原则。

财务报表的阅读者需要了解会计计量中的某些重要限定，以便能够准确理解财务报表。首先，那些不会影响到报表使用者的金额较小的账户，不必严格按照一般 GAAP 的要求单独列报和核算。会计人员通常认定这样的事项及金额不具有重要性。重要性金额的确定常常是带有很大主观性。

其次，谨慎性原则要求在会计工作中必须特别注意避免以下两种情况：（1）高估资产和收入；（2）低估负债和费用。这条指导性原则意在限制和抵消管理者们对经营活动固有的乐观态度，而这种态度常常不知不觉地体现到了他们编制的财务报告中。这一限制性原则将会使利润表和资产负债表的披露金额更为保守。最后，一些特定行业，如公共事业部门，往往遵守具体的行业财务报告惯例，以便更好反映出这些行业的经济状况。

国际视野

国际会计准则委员会和会计准则在全球范围内的差异

财务会计准则和披露要求是由各国的监管机构和准则制定机构来确立的。包括欧盟成员国在内的许多国家都承诺采用国际会计准则委员会制定的国际财务报告准则。国际财务报告准则和 GAAP 比较相似，但它们之间在某些方面也存在着重大的差异。下面列出了到撰写本章时尚存的部分差异，以及我们将要在哪些章节讲述这些内容。

差异	GAAP	国际会计报告准则	章节
非经常性项目	允许	禁止	5
存货的后进先出法	允许	禁止	7
存货跌价准备的转回	禁止	允许	7
固定资产的计价基础	历史成本	公允价值或历史成本	8

来源：德勤国际会计准则附录，2007年，12月

美国财务会计准则委员会和国际会计准则委员会正在努力消除这些差异以及其他方面的不同。

自测题

将左边一栏的关键术语和右边的定义搭配起来。

1. 相关性信息	a. 对会计信息负主要责任的管理层
2. 执行总裁和首席财务官	b. 审核财务报告的独立团体
3. 财务分析师	c. 影响使用者决策的信息
4. 审计师	d. 只提供报告收益大于成本的信息
5. 成本效益约束原则	e. 分析财务报告并提供建议的个体

自测题答案：

1. c　2. a　3. e　4. b　5. d

5.2 披露程序

我们在讨论信息服务商和信息中介时已经提到过，会计信息传递流程中包含的步骤和参与者远非人们想象的那么简单，并不是把年报和季报邮寄给股东之后这个过程就结束了。证交会的公平披露原则要求公司向所有的投资者平等地提供关于公司的所有重大信息，禁止管理层和其他内部人员依据非公开（内部）信息交易公司的股票，以便确保没有人可以利用内部信息获利。

5.2.1 新闻公报

为了向外部信息使用者提供及时的信息，同时降低信息有选择性地被泄漏出去的可能性，Callaway Golf公司和其他上市公司都会在信息经过审核以后（年度盈利需审计，季度盈利需审阅）尽快以新闻公报的方式公布季度和年度的盈利情况。Callaway Golf公司通常在会计年度末的最后4周内发布盈利状况新闻公报，这些公示以电子方式发到主要媒体和电子新闻服务商（包括道琼斯、路透社、彭博资讯），这样订阅信息服务的人就能够及时阅读到这些信息。图表5—3摘录自Callaway Golf公司一份典型性的盈利状况新闻公报，其中包含了关键的财务数据。在这样的公报发布之后，紧接着公布的就是管理层对经营成果的讨论分析，以及简要利润表和资产负债表，这些都会包括在发给股东的正式报告中，股东可在新闻公报发布之后收到这类报告。

包括Callaway Golf公司在内的许多公司都会在发布了新闻公报之后召开一个电话会议，期间，公司的高级管理人员将回答分析师提出的有关季度经营成果的问题。这种电话会议是向投资大众公开的。通过听取这类会议的记录，我们可以很好地了解公司的经营战略和未来预期，以及分析师在评价公司业绩时需要考虑的某些关键指标。

图表 5—3　　Callaway Golf 公司盈利新闻公报的摘录

Callaway Golf 公司宣布第三季度销售额增长了 22%，创造了 2007 年前 9 个月的纪录

卡尔斯巴德，加利福尼亚——（商业有线）——2007 年 11 月 1 日——Callaway Golf 公司（纽约证券交易所：ELY）今天公示了截至 2007 年 9 月 30 日的第三季度财务成果。第三季度的财务亮点有：销售净收入为 23 550 万美元，比上年同期的 19 380 万美元增长了 22%……这期间完全稀释后每股收益为 0.02 美元，前 1 年度为每股 -0.18 美元。2007 年第三季度的财务成果还包括因出售一栋建筑而获得了每股 0.03 美元的稀释后盈余。

2007 年第三季度的净利润为 9 400 万美元（占销售净收入的 40%），2006 年第三季度为 6 770 万美元（占销售净收入的 35%），同比增长了 39%。销售毛利率的增长主要是由于公司在 2006 年 11 月宣布了提高毛利的新方案，其次是因为推出了融合铁杆和 X 系列铁头球杆的组合产品，这个组合更为市场青睐，毛利也更高。

2007 年第三季度的经营费用为 9 310 万美元（占销售额的 40%），而 2006 年则为 8 460 万美元（占销售净额的 44%）。

财务分析

股票市场对盈利公告作何反应?

像 Callaway Golf 公司这样交易比较活跃的股票，大多数股票市场通常都会对其新闻公报中的信息迅速作出反应（股价随着投资者的交易上涨或下跌）。回忆一下，有很多分析师关注 Callaway Golf 公司，并且经常对公司盈利状况进行预测。当实际盈利与预期不同时，市场不是对盈利数而是对期望的盈利数和实际盈利数之间的差额作出反应，这个差额叫“**非预期盈余**”。10 月，分析师预期 Callaway Golf 公司公布的将是每股亏损 0.05 美元，而该季度结束时的实际收益为每股盈利 0.02 美元。非预期盈余（实际数 - 预期数）为每股 0.07 美元 [2 美分 - （-5 美分）]。结果，股价上涨了大约 1.78 美元，也就是 17%，达到 17.05 美元。

Callaway Golf 这样的公司也会发布一些涉及重大事件的新闻公报，包括新产品的发布、与职业高尔夫运动员签订新的代言合同。涉及年收益和季度收益的新闻公报通常比季报或年报的发布要早 15 到 40 天。在这段时间里，公司可以进一步完善报告的具体内容，以及印制和分发这些报告。

5.2.2　年度报告

对于非上市公司来说，**年度报告**只是影印在高档白色纸张上的一份相对简单的文件。它们通常只包含下列内容：

1. 四张基本财务报表：利润表、资产负债表、股东权益表或留存收益表和现金流量表。

2. 相关的附注（脚注）。

3. 如果报告经过审计，还应有审计报告（审计意见）。

上市公司的年报则更加复杂。一方面，是因为证监会对财务报表有更多的要求；另一方面，是因为很多公司把年报作为开展公共关系的工具。公司年报一般分为两个部分。第一部分为“非财务部分”，这部分包括：董事长和总经理对股东的致辞；介

绍公司的管理理念、产品和成就（和偶尔的失败）；描述当前的机遇和未来的挑战。在这里也经常插入一些关于产品、设备和员工的精美图片。第二部分为财务部分，它是报告的核心部分。证交会规定了上市公司年报中财务部分的最低披露标准。财务部分的主要内容有：

（1）5 年或 10 年的财务数据概要。

（2）管理层对财务状况和经营成果讨论与分析，对市场风险的披露。

（3）四张基本财务报表。

（4）附注（脚注）。

（5）审计报告（审计意见）和管理层声明书。

（6）近期股价信息。

（7）未经审计的季度财务数据概要（我们将在后文讲述）。

（8）公司高级管理人员和董事的名单及相关简介。

以上这些内容的列示顺序可能不同。

管理层讨论与分析以及对市场风险的披露这部分内容，包括对财务报表中主要数据的解析，以及对公司未来面临各种风险的分析。除这部分内容外，大部分的内容已经在前面几章里讲述过了。

5.2.3 季度报告

通常季度报告的开头是向股东的简短致辞，紧接着是一份季度的简要利润表，它一般没有年度利润表那么详细。此外，还有一张季度最后一天（如第一季度的最后一天为 3 月 31 日）的简要资产负债表。这些简要财务报表是没有经过审计的，因此都标注着“未经审计”的字样。这里通常不包括现金流量表、股东权益表（或留存收益表）和部分财务报表附注。非上市公司一般也会为满足债权人的需要而编制季报。

5.2.4 证监会报告——10-K，10-Q，8-K

上市公司必须向证监会定期提交报告。这些报告包括填写在 10-K 表上的年报，10-Q 表上的季报和 8-K 表上的近期重大事件报告，我们通常用表的编号来指代这些财务报告（例如，“10-K”就是指年报）。一般情况下，10-K 表和 10-Q 表反映了年报和季报中的全部信息，以及管理层讨论和其他需要披露的信息。

举例来说，10-K 表详细描述了公司的产品、新产品的研发、销售、市场、生产和竞争对手等一系列的情况。它还会列出拥有或租赁的资产，公司涉及的诉讼案件，签订的重大合同等。此外，10-K 表对利润表和资产负债表上诸如坏账、担保、存货和广告等多个数字提供了更为详细的信息。将 10-K 表中的信息整合到公司年报中已经成为眼下的一种趋势。**Callaway Golf 公司**在今年的年报中用了 8 页篇幅来详细地介绍产品，并发表了总裁向股东的致辞，随后披露了 10-K 表的全部内容。

5.3 细观财务报表形式和附注

为了便于投资者、债权人和分析师使用财务报表，报表中的信息应当有具体的分类。实务中的**分类**多种多样，所以当你发现不同公司使用的财务报表形式略有不同时，你不必感到困惑。在本部分中，我们将关注 **Callaway Golf 公司**和 **Papa John's** 这两家公司的资产负债表、利润表和现金流量表中，分类和科目设置有何相同和相异之处。我们还将更为详细地讨论 Callaway Golf 公司在附注中披露的信息。

5.3.1 资产负债表分类

图表 5—4 列示的是 **Callaway Golf 公司** 2006 年 12 月 31 日的资产负债表。它的资产结构与第 4 章中的 Papa John's 公司十分相似。资产负债表分类列示如下：

资产（按流动性排序）

流动资产（短期项目）

非流动资产

资产合计

负债（按到期日排序）

流动负债（短期项目）

长期负债

负债合计

股东权益（按来源排序）

实收资本（由所有者投入）

留存收益（累计收益减去累计宣告发放的股利）

股东权益合计

负债和股东权益合计

在后面章节讨论比率分析时，我们将主要依据上述分类。

Callaway Golf 公司资产负债表上有两个项目是 Papa John's 公司上没有的，我们将另外讨论这两个项目。**无形资产**没有实务形态，使用寿命也不是很长。专利权、商标、版权、特许经营权和公司合并时产生的商誉都是无形资产。除了商誉和其他没有特定寿命的无形资产外，大部分无形资产在使用时，都要按照类似实物资产计提折旧的方法进行摊销。它们在资产负债表上列示的金额是减去摊销后的净值。

图表 5—4　　Callaway Golf 公司的资产负债表

Callaway Golf 公司

2005 年 12 月 31 日和 2006 年 12 月 31 日的资产负债表

（单位：千美元、股票数和每股数据除外）	12 月 31 日 2006	2005
资产		
流动资产		
现金及现金等价物	$ 46 362	$ 49 481
应收账款净值	118 133	98 082
存货净值	265 110	241 577
其他流动资产	63 595	49 450
流动资产合计	$ 493 200	$ 438 590

续图表

固定资产净值	131 224	127 739
无形资产净值	175 159	175 191
其他资产	46 364	22 978
	$ 845 947	$ 764 498
负债及股东权益		
流动负债		
应付账款和应计费用	$ 143 455	$ 140 184
1 年内到期的应付票据	80 000	21
流动负债合计	$ 223 455	$ 140 205
长期负债		
其他负债	43 388	28 245
少数股东权益	1 987	
承诺付款和或有事项		
股东权益		
2005 年 12 月 31 日和 2006 年 12 月 31 日分别发行了 85 096 782 股和 84 960 694 股面值为 0.01 美元的普通股	851	850
资本公积	141 192	164 202
留存收益	435 074	430 996
股东权益合计	$ 577 117	$ 596 048
	$ 845 947	$ 764 498

附注是本报表的组成部分，请一并阅读。

学到本章，我们知道了由投资者提供的资金叫做**实收资本**。不过，在实务中这一账户通常列示为两个账户：普通股股本和资本公积①。每一份普通股股票都有一个印在证书上的名义（低的）票面价值。票面价值是董事会确立的每股法定金额，它规定了每个股东必须出资的最小金额，而与股票的市场价格无关。**Callaway Golf 公司**普通股股票的面值为每股 0.01 美元②，但是 1992 年以每股 16 美元的价格公开上市交易了 1 000 000 股。公司发行股票时，收到的金额中一部分作为普通股股本（股份数×每股面值），另一部分作为**资本公积**（也叫投入资本或实收资本的股票溢价）。**Callaway Golf 公司**记录 1992 年首次上市发行的日记账分录如下：

现金（+A）（$ 16×1 000 000 股）………………	16 000 000	
普通股股本（+SE）（$ 0.01 每股×1 000 000 股）………………		10 000
资本公积（+SE）（$ 16 000 000 − 10 000）………………		15 990 000

资产		=	负债	+	股东权益	
现金	+16 000 000				普通股股本	+10 000
					资本公积	+15 990 000

① Callaway's accrual statement lists an amount as treasury stock that is the shares that have been repurchased by the company from shareholders. Chapter 11 discusses these terms in more detail.

② 这些金额是取整数。

5.3.2 利润表分类

图表5—5是**Callaway Golf公司**2006年的合并利润表。利润表有两个部分，第一部分列示的是我们在前面章节提到的利润表，第二部分列示的是每股净利或者每股收益。

1. 持续经营

Callaway Golf公司的利润表是根据下面这个基本框架编制的。

销售净收入
－销货成本
毛利
－营业费用
营业利润
+/－营业外收入/支出和利得/损失
税前利润
－所得税费用
净利润

Callaway Golf公司属于制造业，而Papa John's公司属于服务业。因此，Callaway Golf公司的利润表上有一个Papa John's公司没有的项目——小计。与大多数制造业和商品流通公司[①]一样，**Callaway Golf公司**在报表中列报了小计——**毛利润**，它是销售净收入与销货成本的差额。另一个小计——**营业利润**，它等于毛利润减去营业费用。

非经营性项目包括与公司主营业务无关的收入、费用、利得和损失。例如，利息收入、利息费用，以及出售固定资产和投资活动所产生的利得和损失。营业利润加上或扣除这些非经营性项目就会得到所得税税前利润，也叫税前利润。到了这一步，通常再减去计提的所得税（所得税费用）就计算出净利润了。一些公司在利润表上没有列出许多的小计，这种形式上的不同并不会使收入、费用、利得和损失产生差异。只是类别和小计金额有所不同。

2. 非经常性项目

一些公司也在其利润表中对下面的一项或两项非经常性项目加以列报。

（1）终止经营

（2）非经常项目

只要这两个项目中的任何一个项目发生，就要增加小计——持续经营产生的利润（或者非经常性项目之前的获得利润），并在此之后列示非经常性项目。这两个非经常性项目要单独列示，因为就性质而言，它们不经常发生，所以这两个项目对预测公司的未来收益没有意义。

当企业的重要业务部门被出售或废弃时，来自这个部门的利润或损失以及处置的利得和损失，都应该包括在终止经营中。非经常项目是指不经常发生或很少发生的活

① A merchandiser buys products from manufacturers for resale, and a manufacturer produces goods for sale to wholesalers or retail merchandisers.

动产生的利得或损失。本章的附录通过拉兹男孩公司的利润表来解释并举例说明这两种非经常性项目。

3. **每股收益**

正如我们在第4章中阐述的那样，简单计算每股收益的公式如下：

每股收益 = 普通股股东可获得的净利润/报告期流通在外普通股的平均股数

4. **比较利润表**

我们注意到Callaway Golf公司还列示了利润表每一行的项目占销售净收入的比率，我们通常将这类报表叫做比较利润表。很多分析师把计算这些比较报表作为分析工作的第一步，因为这便于他们对各年进行比较。

图表5—5　　**Callaway Golf公司的利润表**

Callaway Golf公司
2004—2006年度合并利润表

（单位：千美元，每股数据除外）　　年末12月31日

	2006		2005		2004	
销售净收入	$ 1 017 907	100%	$ 998 093	100%	$ 934 564	100%
销货成本	619 832	61%	583 679	58%	575 742	62%
毛利润	398 075	39%	414 414	42%	358 822	38%
销售费用	254 526	25%	290 074	29%	263 089	28%
管理费用	79 709	8%	80 145	8%	89 878	10%
研发费用	26 785	3%	26 989	3%	30 557	3%
营业费用总额	361 020	35%	397 208	40%	383 524	41%
营业利润	37 055	4%	17 206	2%	(24 702)	(3)%
利息和其他收入净额	3 364		(390)		1 934	
利息费用	(5 421)		(2 279)		(945)	
税前利润	34 998	3%	14 537	1%	(23 713)	(3)%
所得税费用	11 708		1 253		(13 610)	
净利润	23 290	2%	13 284	1%	10 103	(1)%
每股收益	$ 0.34		$ 0.19		$ (0.15)	
普通股股数	67 732		68 646		67 721	

附注是本报表的组成部分，请一并阅读。

财务分析

解读比较利润表

比较利润表将每一行的项目占销售净收入的百分比列示出来（每一行的项目除以销售净收入再乘以100%）。图表5—5上的Callaway Golf公司的比较利润表清晰明了地揭示了该公司收益增加的原因。虽然2005—2006年度其销售净收入有所增加，但是销货成本增长的幅度更大，占销售净收入的比例从58%涨到了61%。这是因为边际贡献高的产品销售量下降，同时也受到了来自竞争对手的价格打压。与此同时，营业费用总额从40%降到了35%。这些因素综合起来，导致净利润从1%增加

到 2%。

自测题

1. 编制以下业务的日记账分录：发行 1 000 股每股面值为 1 美元的股票，发行价为每股 12 美元。

2. 完成下面的表格，标出每项业务影响的方向（增加填 +，减少填 -，没有影响填 NE）和发生的金额。业务之间没有关联。

a. 记录并支付了利息费用 200 美元。

b. 记录销售收入 400 美元，销售成本为 300 美元。

业务	流动资产	毛利润	营业利润
a.			
b.			

自测题答案：

1. 现金（+A）（$ 12×1 000 股）…………………………12 000

普通股股本（+SE）（每股 $ 1×1 000 股）……………………… 1 000

资本公积（+SE）（$ 12 000 - 1 000）………………………… 11 000

2. a. -200，NE，-200；b. +100，+100，+100

5.3.3 股东权益变动表

股东权益变动表列示了会计期间股东权益每个科目的变动情况。我们将在第 11 章，对此报表深入阐述。

5.3.4 现金流量表

我们在前面章节已经介绍了现金流量表中对现金流量的三种分类：

经营活动产生的现金流量：这部分列示了与赚得营业利润相关的现金流量。

投资活动产生的现金流量：这部分的现金流量与下列项目的购买和出售相关：（1）生产用资产（不包括存货）和（2）对其他公司的投资。

筹资活动产生的现金流量：这些现金流量与发行债券、偿还债务、发行股票、股票回购和股利分配等企业筹资活动有关。

图表 5—6 是 **Callaway Golf 公司** 2006 年的合并现金流量表。第一部分（经营活动产生的现金流量）可以通过直接法或间接法来列报。**Callaway Golf 公司**的第一部分的列报使用的是间接法，它是将权责发生制下的净利润调整为经营活动产生的现金流量。这种方法应用得更为普遍，而在第 3 章中 Papa John's 公司编制的报表并不是这种格式，那种列报形式采用的是直接法。

聚焦现金流量

经营活动（间接法）

使用间接法编制的现金流量表有助于分析师理解公司的净利润与现金流量之间存在差异的原因。净利润和经营活动产生的现金流量可能会大不相同。我们要记住利润表是按权责发生制编制的。收入在赚得当期就入账，不论相应的现金流量何时发生。同样的，与收入相关的费用也在当期入账，不论与之相关的现金流是何时发生。

在间接法下，经营活动的部分首先是在权责发生制下计算的净利润，然后再扣除非现金项目，最后得到经营活动产生的现金流量。

净利润①
+/－ 非现金流项目调整
经营活动产生的现金流量

在净利润和经营活动产生的现金流量这两部分之间，列示了需要调整的非现金项目，这正解释了两者间差异的原因。例如，利润表上列示的 **Callaway Golf 公司**的折旧费用在当期是没有支付现金的，所以在调整过程中就要加回来。与此类似，某些流动资产和负债的增减变动也是利润表和经营活动产生的现金流量存在差异的原因。例如，赊销会带来销售净收入的增加，也会引起流动资产中应收账款的增加，但是不会造成现金的增加。从第 6 章到第 12 章，我们将详细全面地讲解利润表和资产负债表的各个部分，与此同时，我们也会对现金流量表中的相关内容加以论述。之后，我们将在第 13 章对整个现金流量表进行详细解释。

图表 5—6　　Callaway Golf **公司的现金流量表**

Callaway Golf 公司
截至 12 月 31 日的年度合并现金流量表

单位：千美元	2006	2005	2004
经营活动产生的现金流量：			
净利润	$ 23 290	$ 13 284	$ (10 103)
将净利润调整为经营活动产生的现金流量：			
折旧与摊销	32 274	38 260	51 154
其他非现金项目	14 035	9 060	21 089
非现金购买引起的资产和负债变化：			
应收账款净值	(12 128)	2 296	(1 048)
存货净值	(16 842)	(65 595)	10 299
其他资产	(4 475)	7 583	1 554
应付账款和应计费用	(10 803)	38 768	(23 601)
应付所得税	(6 936)	26 676	(40 711)
其他负债	(1 128)	(351)	(273)
经营活动现金净流量	$ 17 287	$ 69 981	$ 8 360
投资活动产生的现金流量：			
资本性支出	(32 453)	(33 942)	(25 809)
并购净收入	374	—	(9 204)
投资有价证券	(10 008)	—	—
出售固定资产收入	469	1 363	431
投资活动现金净流量	$ (41 618)	$ (32 579)	$ (34 582)
筹资活动产生的现金流量：			
普通股发行	9 606	14 812	20 311

① *如果存在优先股（第 11 章讨论），优先股的股利应从分子的净利润中扣除。

续图表

回购库存股	(52 872)	(39)	(6 298)
发放股利净额	(19 212)	(19 557)	(19 069)
偿还贷款支出净额	80 000	(13 000)	13 000
其他筹资活动	2 549	(44)	
筹资活动现金净流量	$ 20 071	$ (17 828)	$ 7 944
现金以及现金等价物的汇率变化产生的影响	1 141	(1 750)	2 595
现金及现金等价物净增加额	(3 119)	17 824	(15 683)
现金及现金等价物期初余额	49 481	31 657	47 340
现金及现金等价物期末余额	$ 46 362	$ 49 481	$ 31 657

附注是本报表的组成部分，请一并阅读。

5.3.5 财务报表的附注

虽然各种财务报表上列报的数字向使用者提供了重要的信息，不过要想更好地进行分析，使用者仍然需要更为具体的信息。所有的财务报表都在报表之后通过附注的形式披露了的更多的信息。**Callaway Golf 公司** 2006 年的附注含有以下三类信息：

(1) 对公司财务报表中采用的主要会计原则的描述。
(2) 用以解释说明列报数字的其他细节内容。
(3) 没有在财务报表中披露的有关财务信息。

1. 财务报表中使用的会计政策

一般来说对重大会计政策的概述在附注中要首先披露。我们在后续章节的学习中会介绍，GAAP 允许企业从可接受的会计方法中作出选择。重大会计政策概述可以让使用者了解到公司采用了哪种会计方法。**Callaway Golf 公司**在财产、厂房和设备方面的会计政策如下：

附注 2：重大会计政策

固定资产

固定资产列示的成本减去累计折旧后的净值。折旧的计算使用直线法，预期使用年限如下：

建筑物及改良支出	10—30 年
机器设备	5—15 年
办公用品、电脑及相关办公设施	3—5 年
生产模具	2 年

如果想有效地分析公司的财务结果，就必须了解公司所使用的各种会计方法。

财务分析

会计方法的选择与 GAAP

许多人误认为 GAAP 只允许对使用一种会计方法来计量财务报表上的账户价值(例如，存货)。实际上，它允许企业从一系列可接受的会计方法中进行选择。这就允许企业选择最能反映其特定经济环境的方法。然而，这种灵活性使财务报告使用者的工作更加复杂，他们必须弄清楚公司对会计方法的选择会对财务报表产生怎样的影响。正如高盛集团投资银行著名的财务分析师 Gabrielle Napolitano、Michael Moran 和 Abby Joseph Cohen 在他们最近的研究报告中说的那样：

财务报告中会计政策的选择可能最终导致或产生未来收益的震荡，并继而引起股票价格的波动，因此会计政策的披露是十分必要的。财务分析师必须对财务报表进行调整以减少或消除这些因素对公司业绩的影响。鉴于此，财务报表使用者必须：(1) 认真了解每家公司日常经营中采用的基本会计方法；并且 (2) 熟悉他们正在分析的公司所采用的财务报告惯例*。

* Gabrielle Napolitano Michael A. Moran and Abby Joseph Cohen, "Demand for Forensic Accounting Intensifies." Global Strategy Research (New York: Goldman, Sachs & Co)

例如，在对两家使用了不同会计方法的公司进行财务报表分析时，我们必须先将其中一家公司的财务报表按照另一个公司所使用的会计方法加以调整，这样才具有可比性。否则，就好比让阅读者在没有转换为同一度量尺度的情况下，比较以公里数和海里数分别表示的距离。在后面几章，我们将学习如何进行这类调整。

2. 支持报告数据的更多细节内容

第二类附注为财务报告上的数据提供补充信息。这类信息内容很多，可以按照地区分部或业务分部来分别列示收入，可以描述非经常性交易，还可能提供特定分类下的更多细节。例如，在附注 6 中，**Callaway Golf 公司**说明了许多账户的构成情况，如应收账款、存货、固定资产，以及资产负债表中列示的其他项目。附注 16 按地区分部列示了利润表上的销售收入和资产负债表上的长期资产项目。

附注 16：分部信息

	销售收入	长期资产
		单位：千美元
2006		
美国	$ 566 600	$ 279 879
欧洲	159 886	9 406
日本	105 705	1 871
其他亚洲国家	75 569	4 518
其他国家	110 147	10 709
	$ 1 017 907	$ 306 383

3. 未在财务报表中披露的其他相关财务信息

最后一类附注包括那些能够对公司产生经济影响，但未在财务报表上披露的信息。例如，法律问题，以及自年末之后到财务报告披露之前发生的任何重大事项。在附注 15 中，**Callaway Golf 公司**披露了租赁协议的具体内容。

附注 15：租赁协议

公司通过经营租赁租入部分仓库、配电设备、办公室附属设施、运输工具和办公设备，通过融资租赁租入部分电脑和通信设备。租赁期限从 1—10 年不等，各租赁项目在 2011 年 12 月前的不同时间到期，到期日后可重新商定租赁条款。在 2006 年 12 月 31 日，为不可撤销的经营租赁协议支付的最低租赁费用如下：

	单位：千美元
2007	6 031
2008	3 611
2009	2 318
2010	1 975
2011	1 852
以后年度	6 864
	22 651

5.3.6 自愿披露原则

GAAP 和证监会只规定了财务信息强制性披露的最低要求。很多公司都在达到规定的基础上，披露了更多的重要信息。例如，**Callaway Golf 公司**在其年报即 10-K 表和近期收益公报中披露了主要产品的销售收入，这些信息可以帮助投资者了解到新产品的成功开发。

职业道德问题

会计与可持续发展

在美国，越来越多的公司开始自愿披露可持续发展报告。对此，《首席财务官》杂志描述如下：

> 可持续能力或可持续发展意味着，公司在经营过程中不仅应使股东受益，还要让环境和社会也从中受益。在全球，支持这一理念的企业数量虽然不多，不过也在日渐增加。世界可持续发展工商理事会这一商业组织，已经拥有了大约 170 个国际成员，其中包括 30 多家世界 500 强企业。正如该协会网站所述，这些公司秉承一个理念——“追求可持续发展有助于企业发展，发展企业有利于可持续发展”。
>
> 为了向股东讲述这种理念，这些公司现在都公布可持续发展报告。许多公司，如加拿大油气公司，正在按照全球报告倡议组织（GRI）发布的严格规定来编制可持续发展报告。全球报告倡议组织于 1997 年成立，是一个旨在制定可持续报告一般框架的独立机构。在常用的搜索引擎上键入“可持续发展报告”，你就会发现很多著名公司的名字，如 Alcoa，Alcan，Bristol-Myers Squibb，General Motors，Baxter International 和 FedEx Kinko's 等。总之，大约 500 个组织或机构按照全球报告倡议组织指南发布了可持续发展报告。现在一些国家，如法国、南非和新西兰，要求在证券交易所上市的公司必须公布环境或社会可持续发展报告。
>
> 来源：CFO 杂志，2004 年 11 期，P97－100

在美国，这些报告都是自愿披露的。但是，许多人认为，公司代表着范围更广的利益相关者的利益来经营，并且发布这类报告，是道义使然。

5.4 净资产收益率分析：评价公司绩效的框架

评价公司绩效是财务报表分析的主要目标。公司管理者以及竞争对手能够通过分析财务报表来更好地理解和评价公司的经营战略。财务分析师、投资者和债权人在评估企业的股票价值和信用等级时，同样要利用这些财务报表。那么，我们接下来在讨论财务报告中包含的财务数据时，就需要设计一个整体框架，以便利用这些数据来评估企业绩效。在这类框架中，最具全面性的就是净资产收益率分析或者 ROE 分析（也叫股权收益率或投资回报率）。

重要比率分析

净资产收益率

1. **分析问题**

在本期管理层对股东投入资本的利用程度如何？

2. **比率及比较**

净资产收益率 = 净利润/平均股东权益 *

Callaway Golf 公司 2006 年的净资产收益率：

\$ 23 290/（（\$ 596 048 + \$ 577 117）÷2）=0.040（4.0%）

不同时期的比较		
Callaway Golf		
2004	2005	2005
−1.7%	2.3%	4.0%

不同公司的比较	
Adams Golf	Recreational Products Industry
2007	2007
0.24%	23.6%

3. **解释**

（1）**概述** 净资产收益率计量的是公司利用股东的每一元钱所取得的收益。从长远来看，在其他方面相同的情况下，净资产收益率高的公司其股票价格比净资产收益率低的公司要高，管理层、分析师和债权人使用这个比率评价公司的整体经营战略（经营、投资、筹资战略）的成效。

（2）**聚焦公司分析** Callaway Golf 公司 1995 年到 1997 年的净资产收益率分别是 47.5%，41.7%和 31.5%。如此之高的净资产收益率在新进入者和现有竞争者的冲击下正逐年下降。财务分析师有时称之为“经济重力”。一些大型公司，像阿迪达斯旗下品牌“泰勒制造”，正在这一行业里投入巨额资金，希望动摇 Callaway Golf 公司的市场霸主地位。同时，新的进入者，如亚当斯高尔夫公司将 Callaway Golf 挤出低端市场。Callaway Golf 公司 2000 年的净资产收益率为 16%，股价为 28 美元。2003 年和 2004 年其股价因为净资产收益率的降低而下降了 10 美元，但是 2006 年又因为报出的净资产收益率的升高回到了 15 美元。有关股票评估的文献已对净资产收益率和股价之间的关系给出了详尽的论述。

（3）**注意问题** 不断增长的净资产收益率也会表明公司没有将资金投入到产品研发和厂房、设备的现代化改造方面。虽然这种策略在短期内会降低费用，并因此提高了净资产收益率，但是随着公司产品生命周期的终结或者厂房及设备使用寿命的到期，在未来净资产收益率也将因此而降低。所以，经验丰富的决策者会将净资产收益率放在公司经营战略的背景中来分析。

* 平均股东权益 =（期初股东权益 + 期末股东权益）÷2

5.4.1 净资产收益率利润驱动分析

要想有效地分析 **Callaway Golf 公司**的业绩，还要了解它的净资产收益率与前期水平和行业竞争者存在差异的原因。净资产收益率利润驱动分析（也称 ROE 分解或杜邦分析）将净资产收益率分解成如图表 5—7 所示的三个因素。这些因素通常被称为**利润驱动或利润杠杆**，因为它们描述了管理层用来提高净资产收益率的三种途径。我们利用在第 2 章到第 4 章学过的主要比率来对它们加以计量。

1. **净利率**。净利率是净利润与销售净收入之比，它反映了每单位销售收入带来的利润。提高该比率方式有：

（1）增加销售数量。

（2）提高销售价格。

（3）减少费用支出。

2. **总资产周转率**。总资产周转率是销售净收入与平均总资产之比，它反映了每单位资产能够带来的销售收入。提高该比率方式有：

（1）增加销售数量。

（2）处置（减少）生产性资产。

3. **财务杠杆**。财务杠杆是平均总资产与平均股东权益之比，它反映了每单位股东投资能够带来的资产。提高该比率方式有：

（1）增加借款。

（2）回购（减少）在外流通股票。

这三个比率分别反映了企业经营、投资和筹资活动的效果。

图表 5—7　　**ROE 利润驱动分析**

净资产收益率 = 净利润 × 资产周转率 × 财务杠杆

净利润/平均股东权益 =（净利润/销售净收入）×（销售净收入/平均总资产）×（平均总资产/平均股东权益）

5.4.2 利润驱动和企业战略

成功的制造企业通常采用以下两种策略之一。第一种是**高价值**或产品**多元化战略**。采用这种战略的公司需要依靠产品研发、升级和宣传来使消费者为其产品的优质或特色所征服。在这种战略下，产品的定价较高，取得的利润率也较高。第二种是**低成本战略**，这种战略依靠公司对应收账款、存货和生产性资产的有效管理来提高资产周转率。

Callaway Golf 公司采用了典型的高价值战略。图表 5—8 中的净资产收益率利润驱动分析揭示了净资产收益率的来源及其增长的原因。分析表明在 2006 年它的净利率不断提高，同时资产周转率下降。这说明 **Callaway Golf 公司**单位资产带来的销售收入在减少，但是单位销售收入产生的利润在增加。**Callaway Golf 公司**财务杠杆的增长放大了近期净利率增长的效果，但如果在未来遇到不景气的年份，那么股东的风险就会增大。

图表 5—8　Callaway Golf 公司 ROE 利润驱动分析

会计期末	12/31/2004	12/31/2005	12/31/2006
净利润/销售净收入	−0. 011	0. 013	0. 023
×销售净收入/平均总资产	1. 295	1. 331	1. 264
×平均总资产/平均股东权益	1. 262	1. 269	1. 373
=净利润/平均股东权益	−0. 017	0. 022	0. 040

公司通常会考虑从不同方面采取措施以提高净资产收益率，包括：

（1）提高销售收入、降低营业费用，以提高净利率。

（2）加快应收账款的回款速度，集中供货减少库存，将生产设备整合到更少的厂房中去以减少产生单位销售收入所必需的资产数额。

（3）利用更多贷款（利用财务杠杆），这样，单位股本可以带来更多的资产。

如果 **Callaway Golf 公司**仍然沿用他们过去的战略，那么提高净资产收益率的唯一秘诀就是加快产品升级以支持其提高售价。2006 年，**Callaway Golf 公司**在新产品的开发和费用的降低方面取得了长足的进步，同时它在新产品推介上取得的成功为未来净资产收益率的提高做好了铺垫。

遵循低成本战略的公司，如惠普和戴尔，其净利率较低，因此它们通常依靠提高资产周转率和加大财务杠杆来保持较高的净资产收益率。我们在本部分的自测题中将说明这种策略。

正如前文所述，一个公司可以采用不同的措施来影响利润驱动的因素。财务分析师通常将每个利润驱动因素分解成更多的具体比率，以便了解企业采取的各种措施效果如何。例如，资产周转率可进一步分解成各个具体资产项目的周转率，如应收账款周转率、存货周转率、固定资产周转率。对于这些更为具体的比率，我们将在本书第 8 章加以深入的讲解。然后，在第 14 章我们将整合这些比率，进行综合性的分析。

自测题

我们利用图表 5—8 中的 ROE 分析来了解 Callaway Golf 公司的 ROE 在过去三年里发生的变化，这种分析方法叫时间序列分析。ROE 分析也可以用来解释在某一定特定时点，公司与其竞争者之间在 ROE 存在上的差异，这种分析方法叫横向分析。下面是苹果和惠普最近 1 年的 ROE 分析。苹果使用的是产品差异策略，它以提供市场上最新款的产品而闻名。惠普主要是遵循低成本战略，它以具有竞争优势的价格来提供优质的产品和服务。苹果公司取得了比惠普更高的净资产收益率，这在股价上也有所反映。运用 ROE 分析，可以解释为什么苹果公司取得了更高的 ROE。

ROE 利润驱动	苹果	惠普
净利润/销售净收入	0. 103	0. 068
销售净收入/平均总资产	1. 35	1. 15
平均总资产/平均股东权益	1. 65	2. 11
=净利润/平均股东权益	0. 23	0. 17

答完后，可对照下面的答案。

自测题答案：

苹果公司和惠普公司都有较高的净利率，但是苹果因其产品独特而带来了相当高的净利率。它们都以经营效率高著称，这一点可从其较高的资产周转率中反映出来，不过相比之下，苹果公司的资产效率更高一筹。惠普公司通过使用较高的财务杠杆来弥补在这两个比率上的不足，因此公司的负债较多。

5.5 结语

在 2007 年第三季度，**Callaway Golf 公司**表示，由于使用融合技术的 X 系列铁制球杆销售增长，并且 Top-Flite D2 高尔夫球推介成功，因此公司第三季度和本年的收益将高于之前所做的预期。投资者对其收益公告和持续的利好消息作出了反应，进而推动股价上涨到 17 美元左右。你可以在 **Callaway Golf 公司**的网站 www. callawaygolf. com 上找到它最新发布的年度和季度报告，以便评估它的业绩增幅。

示例

微软公司

请在回答问题之后再看参考答案。微软公司作为一家软件开发商，推出了种类繁多的电脑软件，包括 Windows 操作系统、Word、Excel，目前它已成为全球最大的计算机产品提供商。下面列示的财务报表项目和金额摘自微软公司近期的利润表和资产负债表。这些项目的借方和贷方余额没有异常，列报单位为百万美元。该年度，有 10 062 百万股（加权平均数）流通在外的股票。公司的结账日为 2006 年 6 月 30 日。

要求：

1. 编织一张多步式利润表（有毛利、营业利润和息税前利润）和一份分类财务报表。

2. 做一个净资产收益率利润驱动分析，简单解释一下其含义。（微软的资产合计和负债合计的年初数分别为 70 815 百万美元和 48 115 百万美元。）

应付账款	$ 2 909	其他流动资产	$ 5 533
应收账款	9 316	其他流动负债	6 900
应付职工薪酬	1 938	其他投资	9 232
现金和短期投资	34 161	其他非流动资产	8 311
普通股股本和资本公积	59 005	固定资产（净值）	3 004
销货成本	7 650	所得税费用	5 663
管理费用	3 758	研发费用	6 584
应付所得税	1 557	留存收益	(18 901)
投资收益（损失）和其他收入（费用）	1 790	销售费用	9 818
净收入	44 282	预收账款	9 138
		长期负债	7 051

参考答案：

1.

微软公司 2006年利润表 （单位：百万美元）	
净收入	$ 44 282
销货成本	7 650
毛利润	36 632
营业成本：	
研发费用	6 584
销售费用	9 818
管理费用	3 758
营业成本合计	20 160
营业利润	16 472
营业外收入与支出：	
投资收益（损失）和其他收入（费用）	1 790
税前利润	18 262
所得税费用	5 663
净利润	$ 12 599
每股收益	$ 1.25

微软公司 2006年6月30日资产负债表 （单位：百万美元）	
资产	
流动资产	
现金和短期投资	$ 34 161
应收账款	9 316
其他流动资产	5 533
流动资产合计	49 010
非流动资产	
固定资产	3 044
其他投资	9 232
其他非流动资产	8 311
资产合计	$ 69 597
负债	
流动负债	
应付账款	$ 2 909
应付职工薪酬	1 938
应交所得税	1 557
预收账款	9 138
其他流动负债	6 900
流动负债合计	22 442
长期负债	7 051
股东权益	
普通股股本和资本公积	59 005
留存收益	(18 901)
股东权益合计	40 104
负债和股东权益合计	$ 69 597

2.

会计期末	2006年6月30日
净利润/销售净收入	0.28
×销售净收入/平均总资产	0.63
×平均总资产/平均股东权益	1.59
=净收益/平均股东权益	0.28

在截至6月30日的会计年度里，微软股东的净资产收益率为28%。微软公司保持着很高的利润率，1美元销售净收入产生的净利润为0.28美元，但是资产周转率比较低，1美元资产仅带来了0.63美元的销售净收入。分析还显示，微软在电脑软

件业务的主导地位使其可以对其产品进行高额定价。另外，财务杠杆比率显示，微软的资本主要来自于股东投资（而非负债）。1 美元的股东权益带来的是 1.59 美元的资产，由此可见微软运用的财务杠杆（或者借贷）没有惠普和苹果那样多。

附录

1. 非经常性项目

正如本章中所论述的那样，公司可能报告的非经常性项目有两种：终止经营和非经常项目。LA-Z-BOY 公司是全球最大的躺椅制造商，图表 5—9 是它的利润表，其中包含了上述两类非经常性项目。

图表 5—9　　LA-Z-BOY 公司利润表

LA-Z-BOY 公司
年度合并利润表
截至 2005 年 4 月 30 日

销售收入	$ 1 815 202
销货成本	1 374 174
毛利润	441 028
销售费用和管理费用	362 967
营业利润	78 061
利息费用	(10 442)
利息收入	3 616
其他收入（费用）净值	(3 443)
持续经营下的税前利润	67 792
所得税费用	(25 363)
持续经营下的利润（损失）	42 429
终止经营产生的利润（损失）（在 2005 年扣除 $ 3 856 所得税后的净值）	(7 338)
非经常项目利得（在 2005 年扣除 $ 1 283 所得税后的净值）	2 094
净利润（损失）	$ 37 185

参见合并里报表的附注

2. 终止经营

终止经营是指放弃或者出售主要的业务部分。它包括终止经营部分产生的营业利润和处置利得或损失（被处置资产的账面价值与售价或者处置费用之间的差额）。这些金额可以在附注或者利润表上单独列式，报告的金额为扣除所得税后的净值。对终止经营的部分单独列报，意在告知信息使用者这些结果不能用于预测企业未来的经营状况。

拉兹男孩公司出售了其家具业务部分。图表 5—10 中的利润表上将这项业务的经营成果及其处置损失在扣除所得税之后列示为终止经营。

3. 非经常项目

非经常项目是指非正常的活动或不经常发生的事项所产生的利得和损失，例如在不经常发生洪水和飓风的地理区域因发生这些灾害所造成的损失。这些项目应在利润表中以税后净值的形式单独列示。单独列示再次提醒决策者这些项目不太可能再次发生，所以也可以用来预测公司的未来经营状况。对于非经常项目应在附注中披露其具体性质。**公司一般很少报告这样的项目**①。600 家公司中只有 5 家按照《会计趋势与技术》报告了非经常项目。

本章小结

1. 识别会计信息传递过程中的参与者（监管者、管理层、董事会、审计师、信息中介机构、报表使用者）及其在这一过程中的发挥的作用，以及法律和职业准则给予他们的指导。

公司管理层编制的财务报告应当使用适当的格式（分类），披露适度的信息。独立审计增加了信息的可信程度。董事会对管理层遵守报告准则的情况进行监督，并聘请审计师。报表使用者通常可以利用电子信息服务在第一时间获得上市公司财务报表公告。证交会负责审查上市公司财务报表是否遵守法律和职业准则，调查违法违规行为，并对违规者实施处罚。分析师通过推荐股票和预测收益来帮助投资大众了解财务报表及相关信息。

2. 识别会计信息传递过程中的每个环节，包括发布新闻公报、年报、季报和证交会要求提交的报告，以及电子信息服务商在这一过程中的作用。

公司首先在新闻公报中公布收益，之后将发布包含报表、附注和其他相关信息的年报和季报。上市公司必须向证交会提交指定的报告，包括 10-K 表、10-Q 表和 8-K 表，这些报告提供了更多有关上市公司的详细信息。电子信息服务商是信息深度使用者获取这类信息的关键来源。

3. 了解并掌握实务中公司编制的各种财务报表和披露形式。

为了便于分析，大部分财务报表都进行了分类并包含小计。在资产负债表中，流动资产与非流动资产、流动负债与非流动负债是最为重要的分类。在利润表和现金流量表中，经营活动和非经营活动是最为重要的分类。财务报表附注披露使用的会计政策和财务报表中有关项目的具体信息，以及未包含在财务报表中的有关经济事项。

4. 利用净资产收益率及其构成因素分析公司业绩。

净资产收益率可以用于评价公司管理层在某一定期间内使用股东投入资本的效率。它的三个构成因素，净利率、资产周转率和财务杠杆，能够说明净资产收益率与前期或行业竞争对手之间存在差异的原因，因此为提高未来各期净资产收益率提供战略建议。

在第 6 章，我们将开始深入讨论财务报表中的具体项目。我们首先学习的是流动性最强的两项资产——现金和应收账款，以及涉及销售收入和某些销售费用的业务。收入确认以及相关销售成本归结（在第 7 章中讨论）的准确性，对于财务报表的准确性，进一步而言对于财务报表的有用性是最重要的决定因素。另外，管理和控制现金及应收账款是企业的重要职责，对此我们将介绍相关的思路与方法。总之，深入理

① 大部分非经常项目利得是由于合并和并购而产生的。提前清偿债务产生的利得或损失（如果金额重大）应当作为持续经营产生的利润的一部分来单独披露。它们不再属于非经常项目。

解上述问题对于未来从事管理、会计和财务分析工作至关重要。

重要财务比率

净资产收益率（ROE）用于衡量单位股东权益取得的收益。计算公式如下：

净资产收益率＝净利率/平均股东权益

搜索财务信息

资产负债表
主要分类
流动与非流动资产、流动与非流动负债
实收资本和留存收益

利润表
主要小计
毛利润
营业利润
税前利润
净利润
每股收益

现金流量表
经营活动部分
（间接法）
净利润
+/－对非现金项目的调整
经营活动产生的现金流量

附注
主要分类
财务报表中采用的会计政策
支持列报数据的更多具体内容
未在报表中披露的其他相关财务信息

会计术语

资本公积	非经常项目	机构投资者
董事会	8-K 表	债权人
可比性信息	10-K 表	重要金额
谨慎性	10-Q 表	股票面值
一致性信息	毛利润	新闻公报
公司治理	税前利润	私人投资者
成本效益约束	营业利润	相关性信息
终止经营		可靠性信息
收益预测		无保留（清洁）审计意见

习题

一、简答题

1. 描述管理层和独立审计师在财务报告过程中的角色和责任。

2. 界定下述三种财务会计披露的使用者，并阐述他们之间的关系：财务分析师、私人投资者和机构投资者。

3. 简要描述信息服务商在会计信息传递过程中的角色。

4. 解释为什么只有具备了可靠性和相关性的信息才是有用的信息。

5. GAAP 要求利润表，资产负债表和现金流量表使用哪种会计编制基础？

6. 简要说明非上市公司年度财务报告的一般排序和格式。

7. 简要说明上市公司年度财务报告的一般排序和格式。

8. 利润表中包含哪四个主要的小计或合计？

9. 什么是非经常项目？为什么这些项目要在利润表中单独列示？

10. 列出资产负债表中的六个主要分类。

11. 解释资产负债表中列示的固定资产的（a）成本，（b）累计折旧和（c）账面净值。

12. 简要描述公司股东权益变动表的主要分类。

13. 现金流量表包括了哪三个部分？

14. 年报中的附注或脚注有哪三种类型？请分别举例。

15. 简要说明什么是净资产收益率，以及它评价的内容。

二、选择题

1. 如果平均总资产增加，但是净利润，销售净收入以及平均股东权益保持不变，那么净资产收益率会受到什么影响？

a. 增加　b. 减少　c. 保持不变　d. 条件不足，无法判断

2. 如果一家公司打算采取对批量销售产品给予低价和折扣的策略（这就好像折扣零售商要求顾客必须有会员资格一样），那么该公司是想提高 ROE 利润驱动分析中的哪个因素？

a. 净利润　b. 资产周转率　c. 财务杠杆　d. 以上都包括

3. 某公司在利润表中列出了以下项目（销售成本 $ 5 000、所得税费用 $ 2 000、利息费用 $ 500、营业费用 $ 3 500、销售收入 $ 14 000），那么它的营业利润是多少？

a. $ 9 000　b. $ 3 000　c. $ 5 000　d. $ 5 500

4. 下面哪个项目不需要作为非经常性项目在利润表中单独列示于持续经营活动产生的利润之下？

a. 出售固定资产的利得和损失　b. 终止经营

c. 非经常项目　d. a 和 b 都是

5. 下列哪项是需要向证交会提交的报告？

a. 10-Q 表　b. 10-K 表　c. 8-K 表　d. 新闻公报

6. 下列哪项是比较利润表的用途？

a. 比较同一行业不同公司的业绩　b. 比较同一公司不同时期的业绩

c. a 和 b 都是　d. 以上都不是

7. 下列哪项不是财务分析师的一般职责？

a. 发布收益预测

b. 审核财务报表是否按照 GAAP 来编制

c. 提供有关购入、持有和出售公司股票的建议

d. 对机构投资者的证券持有提供建议

8. 资产负债表的分类格式让使用者能够更加便捷地确定哪项内容？

a. 价值最高的公司资产　　　b. 公司所有负债的具体到期日

c. 在1年内必须偿还的负债　　d. 以上都不是

9. 公司发行带有面值的股票并收到现金，通常会影响到哪些账户？

a. 普通股股本、资本公积和固定资产净值

b. 现金、固定资产净值

c. 普通股股本、资本公积和留存收益

d. 普通股股本、资本公积和现金

10. 净利润为＄900 000，期初和期末的股东权益分别为＄8 000 000和＄9 600 000。那么净资产收益率（ROE）是多少？

a. 9.4%　　b. 10.23%　　c. 11.25%　　d. 10.41%

如需练习更多选择题，请登录网址 www. mhhe. com/libby6e。

三、迷你练习题

1. 将会计信息传递过程中的参与者和其相应的定义对应起来。

找出每个参与者的定义，并将字母填在前面的空格处。

参与者	定义
______（1）CEO 和 CFO	A. 通过分析财务和其他经济信息来提供预测和股票建议的咨询师
______（2）独立审计师	B. 机构和个人投资者、债权人（以及其他人）
______（3）使用者	C. 对财务报表上的信息披露承担主要责任的首席执行官和首席财务官
______（4）财务分析师	D. 审核财务报表并鉴证其公允性的独立注册会计师

2. 指出披露的顺序。

指出上市公司发布下列披露或报告的一般顺序。

顺序	名称
	年报
	10-K 表
	收益新闻公报

3. 查找财务信息：将财务报表和其包含的项目对应起来。

找到每个报表项目对应的财务报表，并将字母填在前面的空格处。

财务报表项目	财务报表
（1）负债	A. 利润表
（2）经营活动产生的现金流量	B. 资产负债表
（3）损失	C. 现金流量表
（4）资产	D. 以上都不是
（5）收入	
（6）筹资活动产生的现金流量	

（7）利得

（8）股东权益

（9）费用

（10）股东拥有的个人资产

4. 指出交易对资产负债表和利润表项目的影响。

完成下面表格，用符号标出具体的影响（用 + 代表增加，用 - 代表减少，用 NE 代表没有影响）。单独考虑每项交易。

a. 赊销收入为＄80，相关销货成本为＄50，已入账。

b. 发生的广告费用为＄10，已入账但尚未支付。

交易	流动资产	毛利润	流动负债
(a)			
(b)			

5. 指出销售收入、销货成本和发行带有面值的股票对财务报表的影响。

利用如下分类说明下列交易的影响。用 + 代表增加，用 - 代表减少，并说明影响的项目和金额。

a. 赊销收入为＄500，相关销售成本为＄200。

b. 发行面值为＄1 的股票 5 000 股，收到现金＄80 000。

事项	资产	=	负债	+	股东权益

6. 记录销售收入、销货成本和发行带有面值的股票。

对题 5 中列示的交易编制日记账分录。

7. 计算和解释净资产收益率。

Chen 公司最近在财务报表中列示了 12 月 31 日的如下金额（单位：千美元）：

	本年度	上年度
毛利润	＄150	＄110
净利润	80	40
总资产	1 000	900
股东权益合计	800	600

计算当年的净资产收益率。这个比率可以用来衡量什么内容？

第6章 销售收入、应收款项及现金的报告和解释

学习目标

学完本章，应达到如下目标：

1. 运用收入原则来确定零售商、批发商、制造商和服务商确认收入的时间。
2. 分析信用卡销售、销售折扣、销售退回对销售净额列报的影响。
3. 分析和解释销售毛利率。
4. 估计、报告和评价坏账对财务报表的影响。
5. 分析和解释应收账款周转率，以及应收账款对现金流量的影响。
6. 报告、控制和保障现金。

聚焦公司：Deckers Outdoor 公司

建立品牌来取得销售毛利润：管理产品开发、生产和营运资本

由现任主席（当时加州大学圣芭芭拉分校的学生）Doug Otto 创立的 Deckers Outdoor 公司因其沙滩运动凉鞋和雪地羊皮靴而闻名。Deckers Outdoor 公司凭借为徒步旅行者、野外跑步者、划船爱好者以及冲浪爱好者提供舒适、适用以及高性能的产品而在休闲、户外以及运动鞋市场上扮演重要的角色。公司的发展战略是通过产品开发和引入更多创新性的运动鞋来满足舒适、高性能和高质量的标准，从而提供公司产品的品牌认知度。品牌意识使得 Deckers Outdoor 公司拥有很多忠实的消费者，并不断开拓新的市场。

Deckers Outdoor 公司发展战略还有一个关键因素，那就是在运动鞋这样一个存在激烈竞争的市场里，需要将产品生产与顾客需要相匹配，而且要做好应收账款的管理，这样才能取得成功。Deckers Outdoor 的成功在于公司关注品牌开发、产品创新和营运资本管理，使得公司取得了历史上最高的销售毛利润和净利润。

了解企业

Deckers Outdoor 公司每项成功的要素都可以在利润图表（图表6—1）列报的信息中找到。首先是销售净额，然后是在费用中单独列报的销售成本，之后是销售毛利润，即销售收入减去销售成本的差额。

制定 Deckers Outdoor 公司的发展战略需要销售和生产活动相协调，还包括向客户收账。这些协调围绕信用卡、销售折扣的使用，以及管理销售退回和坏账。这些活动都会影响利润表中的销售净额，以及资产负债表中的现金和应收账款，这些内容都会在本章研究。我们还会介绍销售毛利率来作为衡量销售毛利润变动的基础，以及应收账款周转率来衡量信用政策和收账活动的效果。最后，由于从顾客收回现金具有欺诈和挪用的诱惑，我们会讨论包括控制、预防和检测这些差错的会计系统。

图表 6—1 **利润表中的销售净额和销售毛利润**

Deckers Outdoor 公司及子公司合并利润表

2004 年、2005 年、2006 年

（单位：千美元）

	2004	2005	2006
销售净额	$ 214 787	$ 264 760	$ 304 423
销售成本	124 354	153 238	163 224
销售毛利润	90 433	111 522	141 999

本章结构图示

销售收入的会计核算	应收款项的计量和报告	现金的报告和保障
•对顾客采用信用卡销售 •对公司给予销售折扣 •销售退回与折让 •报告销售净额 •销售毛利率	•应收账款的分类 •坏账的会计核算 •应收账款和坏账费用的报告 •坏账的估计 •应收账款的控制 •应收账款周转率	•现金及现金等价物的定义 •现金管理 •现金的内部控制 •现金账簿和银行对账单的调节

6.1 销售收入的会计核算

在第 3 章中我们讲到，收入原则要求收入在实现时（商品已经发出或者劳务已经提供，具有能客观证明顾客付款的协议，价格固定或者可确定，收款可以合理地保证）加以确认。对于销售商来说，这些条件通常在所有权证明和风险转移给买方时满足[①]。所有权证明转移的时点取决于销售协议中规定的发货方式。当商品采用起运点交货（FOB shipping point）方式销售时，当商品发货时所有权即发生转移，购货方通常负担运费。当商品采用目的地交货（FOB destination）方式销售时，当商品交货时所有权即发生转移，销售方通常负担运费。企业在采用起运点交货方式下应在发货时确认收入，在采用目的地交货方式下应在交货时确认收入。

服务企业通常在向客户提供服务完成时确认销售收入。公司应当在财务报告附注中的重要会计政策项目下披露收入的确认方法。Deckers Outdoor 公司在附注中披露的有关内容如下：

① 见 SEC 财务会计准则公告（Staff Accounting Bulletin）101 号，财务报表收入确认，2000。

现实世界摘要：Deckers Outdoor 公司年度财务报告

> 财务报表附注
>
> 1. 重要的会计政策
>
> 收入确认方法
>
> 公司在同时满足下列条件时确认收入：
>
> (1) 产品已发出；
>
> (2) 所有权证明及相关风险和损失已经转移给买方；
>
> (3) 很可能收回应收货款；
>
> (4) 具有表明客观证据的协议；
>
> (5) 销售价格固定或可确定。

像 Deckers Outdoor 公司一样，很多制造商、批发商和零售商都在发货时确认收入，这是 Deckers Outdoor 公司将所有权及相关风险转移给买方的时点。注册会计师需要花费大量精力来审核公司收入是否在合理的期间确认。

收入应当按照销售价格来记录金额。具体的销售方式取决于向企业或是向顾客销售而有所不同。Deckers Outdoor 公司将鞋和衣服销售给零售商，包括 Athlete's Foot 公司和 Eastern Mountain Sports 公司，然后再由零售商将商品出售给顾客。此外，Deckers Outdoor 公司也通过自己的网站直接将鞋销售给顾客。

Deckers Outdoor 公司使用很多方法来鼓励顾客购买它的产品并支付货款，这主要包括：(1) 允许顾客使用信用卡支付货款；(2) 向企业客户提供商业信用并对提前付款的客户予以折扣；(3) 允许所有顾客在一定条件下退货。这些方法会影响到我们来计算销售净额。

6.1.1 对顾客采用信用卡销售

Deckers Outdoor 公司对它的商品目录和网络销售采用现金和信用卡两种支付方式。Deckers Outdoor 公司的管理者决定接受信用卡（主要包括 Visa，Mastercard，America Express 等），支付的原因主要包括：

(1) 增加客户交易的金额；

(2) 避免直接向顾客提供信用产生的成本，包括记录成本和坏账损失（本章稍后讨论）；

(3) 降低空头支票的损失；

(4) 避免欺诈性的信用卡销售损失。因为只要 Deckers Outdoor 公司遵守信用卡公司的验证程序，信用卡公司就会承担任何可能发生的损失；

(5) 加快收取现金的时间。因为信用卡收入会很快存入银行账户，所以 Deckers Outdoor 公司会比直接向客户提供信用更早地收到现金。

信用卡公司会对提供的服务收取一定的费用。当 Deckers Outdoor 公司将信用卡收入存入银行的时候，它可能只会收到销售收入的 97%。信用卡公司对提供的服务收取 3% 的手续费，称为信用卡折扣。比如某日的信用卡销售收入为 3 000 美元，Deckers Outdoor 公司会报告如下：

Account receivable 2,910
Credit card discount 90
Sales Revenue 3,000

销售收入	$ 3 000
减：信用卡折扣（3 000 × 3%）	90
销售净额（在利润表中列报）	$ 2 910

6.1.2 对公司给予销售折扣

大多数 Deckers Outdoor 公司的收入是采用赊销方式通过往来账户发生的，也就是说，并没有采用正式的商业票据或者信用卡方式。当 Deckers Outdoor 公司将鞋采用赊销方式销售给零售商时，信用期限在销售合同和给客户的销售发票上注明。通常信用期限简略成符号来表示。如果全部价款要在发票开出后 30 天内支付，那么信用期限就使用 n/30 来表示。这里面 n 代表全部销售价款减去销售退回的金额。

鼓励提前付款

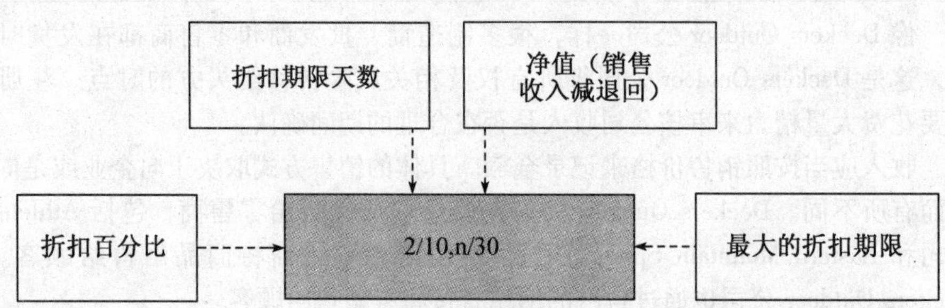

在有些情况下，为了鼓励购货方提前付款，销售方会提供销售折扣（或者现金折扣）条件。[①] 比如 Deckers Outdoor 公司可能会制定标准的信用条件为：（2/10，n/30），这意味着买方如果在购货日后的 10 天之内付款，可以享受发票金额 2% 的折扣。如果购货方没有在 10 天的折扣期内付款，就需要在最迟 30 天之内支付全部货款（扣除销售退回的部分）。

Deckers Outdoor 公司提供销售折扣的目的是鼓励客户及早付款，这样做对 Deckers Outdoor 公司有两个好处：

（1）加快从客户取得现金的时间，从而降低了公司为了满足经营需要而借款的需要；

（2）因为客户倾向于优先支付提供销售折扣的账单，因而销售折扣可以降低客户在支付 Deckers Outdoor 公司账单之前就把钱花光的可能性。

如果价款在信用期内支付（通常是这种情形），公司通常要记录销售折扣，并从销售收入中抵减。[②] 比如，如果赊销金额为 1 000 美元，信用期限是（2/10，n/30），那么在折扣期内支付的价款为 980 美元（$ 1 000 × 0.98），销售净额应当按照下列格式列报：

销售收入	$ 1 000

---

① 很重要的是不要将现金折扣与商业折扣混淆。销售商有时会对销售报价给予商业折扣，此时售价为目录价格减去商业折扣。比如，一件标价为 10 美元的商品对 100 件以上的订单给予 20% 的商业折扣，这样对大订单的售价为每件 8 美元。销售收入应当按照扣除商业折扣后的净价记录。Deckers Outdoor 公司也对早期的订购和装运给予商业折扣，以帮助管理生产流转。

② 本书中所有例题均使用总价法。有些公司采用净价法，按照扣除现金折扣后的金额记录销售收入。由于方法的选择对财务报表影响很小，所以该问题留给高级课程讨论。

减：销售折扣（$ 1 000 ×0.02）	20
销售净额（在利润表中列报）	$ 980

如果价款支付发生在折扣期之后，则销售净额为全部货款 1 000 美元。

注意销售折扣的目的和会计处理和信用卡折扣非常相似。销售折扣和信用卡折扣都向顾客提供了一个有吸引力的服务，同时加快了现金回收的速度，降低了记账的成本，减少了坏账损失。销售折扣的会计处理将在附录 A 中作更详细的讨论。

财务分析

是否要接受折扣，这是一个问题

顾客经常会选择在折扣期内付款，因为能够节约大量的资金。在（2/10，n/30）的折扣条件下，顾客可以因为提前 20 天（选择在第 10 天付款而不是第 30 天）付款而节约 2% 的资金，这可以折算成 37% 的年利率。要计算年利率，首先要计算折扣期内的利率。如果享有 2% 的折扣，顾客只需要支付总价款的 98%。比如：对 100 美元的价款开出（2/10，n/30）的折扣条件，提前 20 天将会支付 98 美元而节约 2 美元。

在 20 天的折扣期内的利率计算如下：

$$20\text{ 天的利率}=\frac{\text{节约的金额}}{\text{支付的金额}}$$

$$\frac{\$\ 2}{\$\ 98}=2.04\%$$

年利率计算如下：

$$\text{年利率}=20\text{ 天的利率}\times\frac{365}{20}$$

$$2.04\%\times\frac{365}{20}=37.23\%$$

只要银行利率低于放弃接受现金折扣的利率，顾客接受折扣就会节约成本。比如，即使顾客必须从银行借入 15% 的利率，他们仍然能够节约很多。

6.1.3 销售退回与折让

零售商和顾客有权退回不满意的或者毁坏的商品而收到退款或者调整他们的账单。这些退回经常通过一个单独的账户“销售退回与折让”来归集，并从销售毛收入中抵减从而得到销售净额。这个账户用于告知 Deckers Outdoor 公司管理者退回与折让的总额，从而提供一个很重要的衡量客户服务质量的标准。假设纽约伊萨卡的 Fontana Shoes 公司，从 Deckers Outdoor 公司购买 40 双凉鞋，价款为 2 000 美元。在支付凉鞋价款之前，Fontana Shoes 公司发现有 10 双鞋的颜色与订单不符，所以退回给 Deckers Outdoor 公司[①]。Deckers Outdoor 公司计算销售净额如下：

销售收入	$ 2 000
减：销售退回与折让（0.25 × $ 2 000）	500
销售净额（在利润表中列报）	$ 1 500

① Deckers Outdoor 公司也可以提供给 Fontana $ 200 的折让。如果 Fontana 公司接受这个条件，Deckers Outdoor 公司需要记录 $ 200 的销售退回与折让。

同时，这 10 双凉鞋的销售成本也需要冲减。

6.1.4　报告销售净额

在公司的账簿上，信用卡折扣、销售折扣和销售退回与折让都要单独地记录，以便管理者能够监控信用卡、销售折扣以及销售退回的成本。使用前面例子的数字，利润表中销售净额的计算如下：

销售收入	$ 6 000
减：信用卡折扣	90
销售折扣	20
销售退回与折让（0.25 × $ 2 000）	500
销售净额（在利润表中列报）	$ 5 390

Deckers Outdoor 公司在附注中要披露收入确认时进行了相关的扣除。

现实世界摘要：Deckers Outdoor 公司年度财务报告

Deckers Outdoor 公司合并财务报表附注（摘要）

1. 公司重要的会计政策

收入确认政策

公司在记录收入时确认所提供的折让、退回和折扣。

2006 年，Deckers Outdoor 公司根据特定的订单、出货以及支付时间等提供给顾客的销售折扣共计 243 万美元。

像我们之前所提到的，销售净额减去销售成本等于销售毛利润。财务分析师经常计算销售毛利润占销售净额的比率（销售毛利率）。

重要财务比率分析

销售毛利率

1. 分析问题

公司对销售商品或提供服务超出购货成本或生产成本的管理效果如何？

2. 比率及比较

销售毛利率的计算如下：

$$销售毛利率=\frac{销售毛利润}{销售净额}$$

Deckers Outdoor 公司 2006 年的销售毛利率为（见图表 6—1）：

$$\frac{\$\ 141\ 199}{\$\ 304\ 423}=0.464\ (46.4\%)$$

与竞争对手的比较	
Skechers 公司	Timberland 公司
2006	2006
43.4%	47.3%

不同时期的比较		
Deckers Outdoor 公司		
2004	2005	2006
42.1%	42.1%	46.4%

选择的焦点公司比较

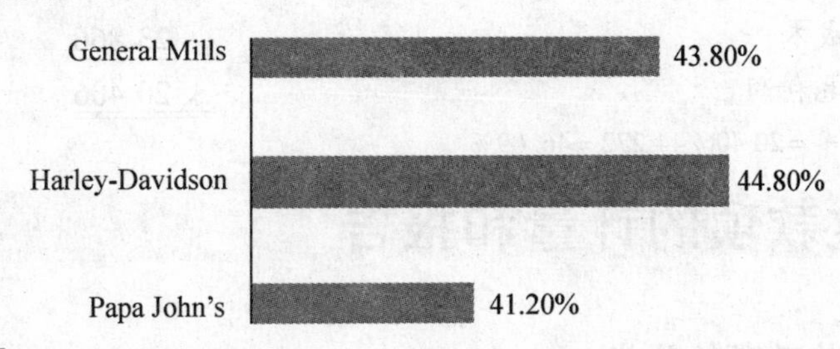

3. **解释**

（1）**概述** 销售毛利率衡量一个公司取得溢价以及以低成本销售商品或服务的能力。在其他条件相等的情形下，更高的销售毛利率意味着更高的净利润。

公司的竞争战略会影响销售毛利率。追求产品差异化战略的公司在研发支出和产品推广活动进行投入，通过产品的优越性和独特性来吸引顾客。这会使公司收取溢价，产生较高的销售毛利率。追求低成本战略的公司依靠更有效率的产品管理来降低成本，从而提高销售毛利率。管理者、分析师以及债权人使用该财务比率来评价公司的产品开发、市场营销以及生产战略的效果。

（2）**聚焦公司分析** Deckers Outdoor 公司在过去的 3 年里销售毛利率不断增长，并超过了行业 45% 的平均水平，介于 Skechers 公司和 Timberland 公司两个竞争对手之间。在本章开篇中，我们讨论了 Deckers Outdoor 公司战略的重要因素，公司致力于开发新技术、新生产线以及新款式，同时注重生产和存货成本的管理。以上这些因素都会对销售毛利率产生较大的影响。

（3）**注意问题** 要评价公司维持销售毛利润的能力，就必须要清楚销售毛利率变化的原因。比如，因为寒冬所带来的高腰皮靴销售毛利润的增长肯定没有因为推出新产品带来的销售毛利润增长更持久。而且，高价格经常由较高的研发支出和营销成本所支撑，这可能会耗尽销售毛利润的增长。最后，要注意销售毛利率的一个微小变化可能会导致净利润的重大变化。

自测题

1. 假设 Deckers Outdoor 公司向零售商销售价值 30 000 美元的鞋，并附有（1/10，n/30）的折扣条件，其中 1/2 的货款在折扣期内收到。全部商品目录和网络销售的金额为 5 000 美元，其中 80% 以信用卡支付，信用卡折扣为 3%，其余以现金支付。

要求：计算 Deckers Outdoor 公司本月的销售净额。

2. 在 2006 年第一季度，Deckers Outdoor 公司的销售净额为 44 272 美元，销售成本为 23 866 美元。

要求：验证 Deckers Outdoor 公司第一季度的销售毛利率为 46.09%。

完成解答之后，与下面的答案核对。

自测题答案：

1. 销售总额	$ 35 000
减：销售折扣（0.01×1/2×30 000）	150
信用卡折扣（0.03×0.8×5 000）	120
销售净额	$ 34 730

2. 销售净额	$ 44 272
销售成本	23 866
销售毛利润	$ 20 406

销售毛利率 = 20 406/44 272 = 46.09%

6.2 应收款项的计量和报告

6.2.1 应收款项的分类

应收款项通常以三种形式进行分类。第一，应收款项可以分为应收账款和应收票据。应收账款是在赊销交易中通过往来账户产生的。比如，当 Deckers Outdoor 公司通过往来账户将鞋销售给纽约伊萨卡的 Fontana Shoes 公司，这时应收账款就产生了。应收票据是通过正式的书面文件来承诺：（1）在未来某一特定日期（到期日）支付确定金额的现金（本金）；（2）在未来一个或多个日期支付一定金额的利息。利息是对本金使用产生的费用。我们将在后面的章节中讨论应付票据利息的计算。

第二，应收款项可以分为贸易应收账款和非贸易应收账款。贸易应收账款是在企业日常业务中以商业信用的方式销售商品或提供劳务产生的。非贸易应收账款是除销售商品或提供劳务以外的交易中产生的。比如，Deckers Outdoor 公司向一位新的副总裁提供贷款以帮助他在新的工作地点购买房屋，这项贷款应该划分为非贸易应收款。第三，在分类的资产负债表中，应收款项可以分为流动的（短期的）和非流动的（长期的），这取决于现金预期何时可以收回。和很多公司一样，Deckers Outdoor 公司只列报一种应收款项，即来自于顾客的贸易应收账款，并将其分类为流动资产，因为其所有的应收账款都在 1 年之内到期。

国际视野

外币应收账款

出口销售是美国经济的一个增长部分。比如，Deckers Outdoor 公司 2006 年销售额中的 12.6% 来自于出口贸易。和国内贸易一样，绝大多数出口贸易采用商业信用的方式来完成。当购货方同意以当地货币来取代美元支付货款时，Deckers Outdoor 公司不能以外币计量的应收账款金额直接与美元应收账款金额相加。Deckers Outdoor 公司的会计人员首先应该将外币按照期末两种货币的汇率折算成美元。比如，一家法国的百货公司 2006 年 12 月 31 日应付 Deckers Outdoor 公司的货款为 20 000 欧元，当日的汇率为 1 欧元兑换 1.38 美元，那么在资产负债表中的应收账款项目应该增加 27 600 美元。

选定的外汇汇率（以美元计价）

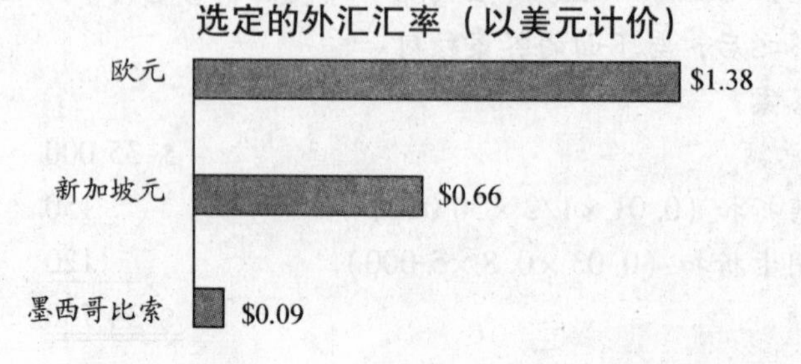

6.2.2 坏账的会计核算

为了记账和收账的目的，Deckers Outdoor 公司为每个购买公司鞋和服装的零售商开立一个单独的应收账款账户（称为明细账户）。资产负债表中的应收账款金额是为所有客户开立的明细账户金额之和。

当 Deckers Outdoor 公司为商业客户延展信用期时，它清楚有些客户可能不会支付欠款。配比原则要求企业应当在相关收入确认的期间确认坏账费用。这就产生了一个很重要的会计难题。Deckers Outdoor 公司可能并不知道本期到底有哪些客户不会付款。所以，在销售期间的期末，通常无法知道哪些应收账款是坏账。

Deckers Outdoor 公司解决这个难题的方法是采用备抵法来计量坏账费用以满足配比原则的要求。备抵法的基础是估计坏账的金额。应用备抵法的两个主要的步骤是：

（1）编制期末调整分录来记录估计坏账费用的金额；

（2）核销特定应收账款已确定当期实际无法收回的金额。

1. 估计坏账费用的核算

坏账费用（也称为呆账费用）是与估计无法收回的应收账款相关联的费用。在会计期末，公司编制调整分录来记录估计的坏账费用。2006 年 12 月 31 日，Deckers Outdoor 公司估计坏账费用为 4 685 000 美元，编制的调整分录为：

坏账费用（+E，-SE）………………	4 685 000	
坏账准备（+XA，-A）………………		4 685 000

资产		=	负债	+	所有者权益	
坏账准备	-4 685 000				坏账费用	-4 685 000

坏账费用在利润表中列示在“销售费用”项目下，它会减少净利润和所有者权益。在调整分录中，贷方不记录应收账款账户，因为无法知道包括对哪些客户的应收账款。所以，贷方记录一个资产的备抵账户“坏账准备”。作为一项备抵资产，坏账准备的余额要从应收账款的余额中扣除。这样，调整分录会减少应收账款的账面净值，从而减少总资产的金额。

2. 核销特定坏账的核算

在 1 年当中，如果确定应收某一客户的账款确实无法收回（比如客户破产），那么要编制会计分录来核销这一坏账。这时，可以辨认具体无法收回的应收账款，所以可以从贷方核销。同时，我们不再需要相关的备抵项目坏账准备。Deckers Outdoor 公司核销坏账 6 969 000 美元的会计分录为：

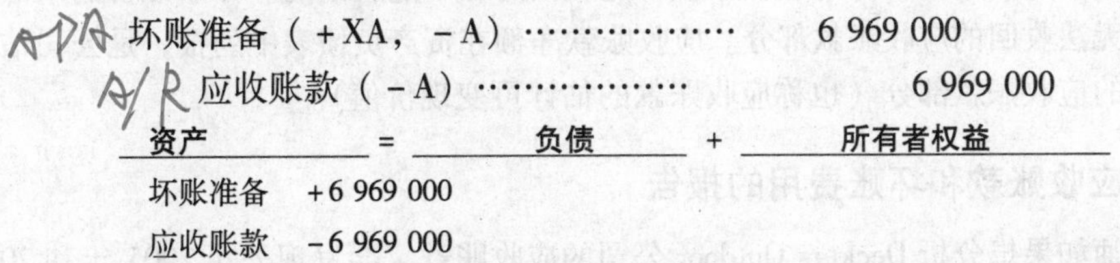

坏账准备（+XA，-A）………………	6 969 000	
应收账款（-A）………………		6 969 000

资产		=	负债	+	所有者权益
坏账准备	+6 969 000				
应收账款	-6 969 000				

需要注意的是，上面的会计分录对利润表没有任何影响，因为坏账费用在销售确认的期间已经通过调整分录确认了，所以此时不再确认坏账费用。同样，这个分录也不会减少应收账款的账面净值，因为资产账户（应收账款）的减少和资产备抵账户

（坏账准备）的减少相互抵消了。所以，该分录也不影响总资产的金额。

当客户归还已经核销的坏账时，首先应将核销坏账的会计分录转回以在账面上恢复应收账款的记录，然后再记录收到现金的会计分录。

3. 会计核算过程概要

要记住坏账的核算有两个步骤。

步骤	核算时间	账户影响	报表影响
1. 编制坏账费用调整分录	销售发生的会计期末	坏账费用（+E） 坏账准备（+XA）	-净利润 -资产（应收账款账面净值）
2. 辨认并核销实际发生的坏账	坏账实际发生时	应收账款（-A） 坏账准备（-XA）	净利润，无影响 资产（应收账款账面净值），无影响

Deckers Outdoor 公司 2006 年对坏账的会计核算可以用应收账款和坏账准备①的变动来概括。

应收账款（总额）（资产账户） 单位：千美元

期初余额	48 067	收回应收账款	289 850
赊销发生额	304 423	核销坏账	6 969
期末余额	55 671		

坏账准备（资产备抵账户） 单位：千美元

		期初余额	8 384
核销坏账	6 969	计提坏账费用	4 685
		期末余额	6 100

应收账款（2006 年 12 月 31 日）

应收账款（总额）（A）	$ 55 671
-坏账准备（XA）	6 100
应收账款（净额）（A）	$ 49 571

应收账款总额包括所有的应收账款，能收回的和不能收回的。坏账准备的余额是公司估计无法收回的应收账款部分。应收账款净额在资产负债表中列报，是公司估计能够收回的应收账款部分（也称应收账款的估计可变现价值）。

6.2.3 应收账款和坏账费用的报告

分析师如果想分析 Deckers Outdoor 公司的应收账款，会发现公司 2005 年和 2006 年在资产负债表中列报的应收账款的账面净值分别为 38 683 000 美元和 49 571 000 美

① 假设公司所有的销售均为赊销。

元（见图表6—2）。坏账准备的余额（2005 年为 8 384 000 美元，2006 年为 6 100 000 美元）也同时列报。应收账款总额可以将二者相加得到。

图表 6—2　　**收支平衡表中的应收账款**

Deckers Outdoor 公司及子公司

合并资产负债表

2006 年 12 月 31 日　　单位：千美元

	2005	2006
资产		
流动资产		
现金和现金等价物	$ 50 749	$ 34 255
短期投资	2 500	64 637
应收账款（减去坏账准备：2005 年 8 384 千美元，2006 年 6 100 千美元）	39 683	49 571
存货	33 374	32 375
预付费用和其他流动资产	1 364	2 199
递延所得税资产	5 949	4 386
流动资产合计	$ 133 619	$ 187 423

通常年度财务报告中不需要披露公司当期坏账费用和核销应收账款的金额。如果它们的金额重要，这些金额应当在 SEC 规定的年度财务报告 10-K 表格中报告。图表 6—3 列示了 Deckers Outdoor 公司 2006 年的文件。①

图表 6—3　　**应收账款计算表（10-k 表格）**

Deckers Outdoor 公司及子公司

计价账户

2004、2005、2006 年年末　　单位：千美元

项目	年末余额	增加额	减少额	年末余额
坏账准备年末余额				
2004 年 12 月 31 日	3 573	10 063	7 799	5 837
2005 年 12 月 31 日	5 837	10 101	7 554	8 384
2006 年 12 月 31 日	8 384	4 685	6 969	6 100

自测题

近年来，Deckers Outdoor 公司的主要竞争对手 Timberland 公司坏账准备账户的期初贷方余额为 4 910 000 美元。本年公司核销 1 480 000 美元的坏账，并且调整了本年的坏账费用 2 395 000 美元。

要求：

1. 编制 Timberland 公司年末坏账的调整分录。
2. 编制 Timberland 公司本年核销坏账的分录。
3. 计算坏账准备账户的年末余额。

完成解答之后，和下面的答案核对。

自测题答案：

① Deckers Outdoor 公司的资产负债表和其附注中也披露销售折扣准备，在计算应收账款净额中应予以扣除。

1. 借：坏账费用（+E，-SE）………………　　2 395

　　贷：坏账准备（+XA，-A）………………　　2 395

2. 借：坏账准备（+XA，-A）………………　　1 480

　　贷：应收账款（+A）………………　　1 480

3. 期初余额+估计的坏账费用-核销的坏账=期末余额

4 910+2 395-1 480=5 825（千美元）

6.2.4 坏账的估计

公司在期末编制调整分录记录的坏账费用金额通常按照下列两种方法确定：(1) 当期赊销收入百分比法；(2) 应收账款账龄分析法。这两种方法都符合GAAP，在实务中广泛应用。赊销百分比法应用简单，但账龄分析法通常更精确。很多公司每周或每月使用简单的方法，而每月或每季度使用更精确的方法来检查之前估计的准确性。在本书的例子中，两种方法估计相同，这在实物中很少发生。

1. 赊销百分比法

很多公司使用赊销百分比法估计坏账费用，估计的基础是以前年度坏账费用占赊销额的百分比。赊销收入产生坏账的平均百分比可以用总的坏账损失除以总的赊销收入计算确定。一个经营多年的公司有足够的经验来估计未来的坏账损失。比如，假设Deckers Outdoor公司估计2007年的坏账损失为当年赊销收入的0.5%，公司当年的赊销收入为300 000美元，那么估计本年的坏账费用金额为：

赊销收入	$ 300 000
×坏账损失率（0.5%）	×0.5%
坏账费用	$ 1 500

这个金额直接确认为当期的坏账费用（同时增加坏账准备账户）。公司2007年坏账准备账户的年初余额即2006年坏账准备账户的年末余额。假设2007年公司核销的坏账为1 600美元，那么期末余额计算如下：

坏账准备 (XA)

借方		贷方				
		2007年期初余额	6 100	根据赊销收入的百分比估计	期初余额	$6 100
2007年核销坏账	1 600	2007年调整的坏账费用	1 500		+坏账费用	1 500
					-核销坏账	1 600
		2007年期末余额	?	=6 000 ←	期末余额	6 000

2. 账龄分析法

除了赊销百分比法之外，很多公司使用应收账款账龄分析法。账龄分析法的依据是，应收账款的账龄越长，逾期越久，他们收回的可能性就越小。比如，一个30天到期的应收账款在45天之后要远比120天之后收回的可能性更大。根据以往的经验，公司可以估计不同账龄的应收账款哪些无法收回。

假定Deckers Outdoor公司将2007年应收账款期末余额60 000美元根据账龄划分为3个类别。首先，管理者检查为每一个客户设置的应收账款，将其归类至3个账龄类别中。然后，管理者估计每一类别可能发生的坏账损失率。比如：尚未到期的应收账款：2%；逾期1—90天的应收账款：10%；逾期90天以上的应收账款：30%。

如下面的账龄分析表所示，估计坏账损失的总额为6 000美元。这个根据账龄分析法计算的结果是坏账准备账户的期末余额。根据这个估计的期末余额，记录坏账费用（同时增加坏账准备）的调整金额可以计算如下：

2007 年账龄分析表

应收账款账龄			估计的坏账损失率		估计的坏账损失
尚未到期	$30 000	×	2%	=	$600
逾期 1—90 天	18 000	×	10%	=	1 800
逾期 90 天以上	12 000	×	30%	=	3 600
估计的坏账准备余额					6 000
减：坏账准备调整前的余额 ($6 100-1 600)					4 500
本年坏账费用					$1 500

坏账准备 (XA)

2007 年核销坏账金额	1 600	2007 年期初余额	6 100
		2007 年调整的坏账费用	? =1 500
		2007 年期末余额	6 000 估计总的无法收回的账款

3. **两种方法的比较**

学生经常无法将赊销百分比法与账龄分析法相区别：

（1）赊销百分比法：直接计算在本期损益表中通过调整分录确认的坏账费用金额。

（2）账龄分析法：首先计算坏账准备账户调整分录之后在资产负债表中列报的期末余额，然后将期末余额与调整前的余额之间的差额通过调整分录确认为坏账费用。

在每种情况下，资产负债表中列报的金额为应收账款的期末余额减去坏账准备的期末余额，即 54 000 美元（$ 60 000 – $ 6 000）。

4. **核销坏账与估计坏账的比较**

从 Deckers Outdoor 公司年度财务报告的 10-K 表格中，可以清晰地提供公司估计坏账的方法以及该估计可能产生差错的潜在影响。

现实世界摘要：Deckers Outdoor 户外用品公司 10-k 表格

重要的会计政策

坏账准备账户。我们建立一个应收账款的准备账户，用来估计客户无法支付货款的损失。我们根据分析以往的坏账、应收账款的账龄、经济环境、历史经验以及客户的信用等级来确定坏账准备的金额，采用不同的估计和假设会得到不同的财务结果。比如，应该是 1% 坏账损失率的变动，而不是确实无法收回，会使坏账准备账户的金额变动 349 美元。

如果实际核销的坏账金额与提前确认的估计金额不相等，那么在下一个期间将增加或减少确认金额以弥补前一期间估计的差错。如果发现之前的估计是错误的，那么前期财务报表的金额就不正确。

6.2.5 应收账款的控制

很多管理者没有意识到，虽然扩大信用会增加销售额，但是除非相关的应收账款可以收到，否则并不会增加最终结果。很多公司发现，仅强调销售而不增加对应收账款的监管，很快就会发现公司的流动资产大部分是应收账款。下面几个方法可以降低坏账损失：

1. 需要独立与销售和收账人员负责对客户的信用历史进行核准；

2. 定期对应收账款进行账龄分析，联系那些已经超期的客户；

3. 对能够尽快收回账款的销售和收账部门都进行奖励，以促使他们进行团队合作。

管理者和分析师通常通过应收账款周转率来总体评价信用授予和收账工作的效果。

重要比率分析

应收账款周转率 Receivables Turnover

1. 分析问题

公司商业信用授予与收账活动的效果如何？

2. 比率及比较

应收账款周转率的计算如下（见图表6—1和图表6—2）：

$$应收账款周转率=\frac{销售净额^*}{应收账款平均净值}$$

应收账款平均净值 =（期初应收账款净值 + 期末应收账款净值）÷2

* 因为赊销净额的金额通常不会单独列报，所以大多数的分析师使用销售净额来代替。

Decker Outdoor 公司2006年的应收账款周转率为：

$$\frac{\$\ 304\ 423}{\$\ (39\ 683+49\ 571)\ \div 2}=6.8$$

不同时期的比较		
Deckers Outdoor 公司		
2004	2005	2006
8.1	6.9	6.8

与竞争对手的比较	
Skechers 公司	Timberland 公司
2006	2006
7.7	8.4

3. 解释

（1）**概述** 应收账款周转率反映在一定期间应收账款平均余额记录和收回的次数。该比率越高，应收账款收回越快。较高的应收账款周转率对公司有利，因为公司可以将收回的资金投资取得利息收入或者减少借款从而降低利息费用。过度慷慨的付款方法以及低效率的收账方法会使得该比率较低。分析师和债权人会关注这个指标，因为该比率的突然下降意味着公司延长支付期限，来改善产品滞销的情况，甚至确认客户将会退回的收入。很多管理者和分析师计算和应收账款周转率相关的另外一个指标：平均收款期或应收账款周转天数（365 ÷ 应收账款周转率）。该指标意味着客户平均支付账款的期限。Deckers Outdoor 公司2006年应收账款周转天数计算如下：

$$平均收款期=\frac{365}{应收账款周转率}=\frac{365}{6.8}=53.7\text{ 天}$$

（2）**聚焦公司分析**　Deckers Outdoor 公司的应收账款周转率从 2004 年较高的 8.1 显著地降低到 2006 年的 6.8。这意味着公司要花更多的时间将应收账款转化为现金。而且，和竞争对手 Skechers 公司、Timberland 公司比起来，该比率也低于行业的平均值 7.8[①]。

（3）**注意问题**　因为不同行业和公司的客户购货款融资方式不同会导致该比率有显著的差异，所以特定公司的比率只应和该公司历史年度数据或者同行业采用相同融资方法的公司相比较。

选定行业的比较：应收账款周转率

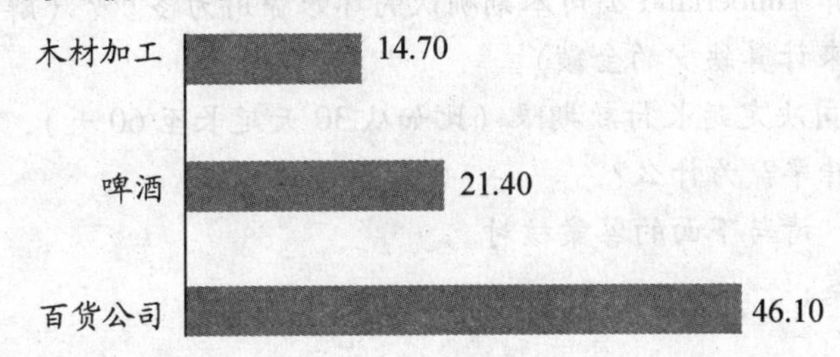

聚焦现金流量

应收账款

应收账款的变动是公司经营活动现金流量的主要决定因素。尽管利润表反映公司当期的收入，而经营活动现金流量可以反映从顾客那里收到的现金金额。因为赊销收入会增加应收账款的余额，而收回货款会减少应收账款的余额，所以应收账款期初和期末的差额就是本期赊销和收账的差额。

对现金流量表的影响

概要

如果当期应收账款余额减少，则从顾客那里收回的现金大于本期的赊销收入，这样应收账款的减少额应当在计算经营活动现金流量时加上。如果当期应收账款余额增加，则从顾客那里收回的现金小于本期的赊销收入，这样应收账款的增加额应当在计算经营活动现金流量时减去。*

	对现金流量的影响
经营活动（间接法）	
净利润	$ ×××
调整项目	
加：应收账款的减少额	+
或减：应收账款的增加额	−

聚焦公司分析　图表 6—4 列示了 Deckers Outdoor 公司现金流量表的经营活动部分。2006 年销售收入的增加导致了公司应收账款余额的增加。这个增加额应在净利

① Dun and Bradstreet 咨询公司行业规范和关键的公司比率（2002）。

润和经营活动现金流量调整的过程中减去，因为2006年赊销收入的金额超过了从顾客那里收回现金的金额。当应收账款减少，这个减少额在净利润和经营活动现金流量调整的过程中加上，因为从顾客那里收到的现金金额超过了赊销收入的金额。

*如果公司有外币应收账款，或者因公司收购或处置产生应收账款，那么现金流量表中报告的变动金额与资产负债表中报告的应收账款变动金额并不相等。

自测题

1. 前几年，Deckers Outdoor公司的竞争对手Timberland公司报告的坏账准备期初余额为723 000美元。当年公司核销坏账648 000美元。年末，公司采用账龄分析法估计无法收回的应收账款为904 000美元。

要求：计算Timberland公司本期确认的坏账费用为多少？（解答方法：采用坏账准备T形账户来计算缺少的金额）

2. 如果公司决定延长付款期限（比如从30天延长至60天），那么会提高还是降低应收账款周转率？为什么？

做完之后，请与下面的答案核对。

自测题答案：

1.

坏账准备（XA）			
核销坏账	648	期初余额	723
		坏账费用（解答）	829
		期末余额	904

估计的坏账准备期末余额	$ 904
减去：坏账准备计提前余额（$ 723 − $ 648）	75
本年坏账费用	$ 829

2. 延长信用期限很可能会减少应收账款周转率，因为延迟收账会增加应收账款的平均余额（该比率的分母），从而减少该比率。

现实世界摘要：Deckers Outdoor公司年度财务报告

图表6—4　现金流量表应收账款部分摘要

Deckers Outdoor公司及子公司
合并现金流量表
2006年12月31日

	2004	2005	2006
经营活动现金流量：			
净利润（或亏损）			
将净利润调整至经营活动净现金流量	$ 25 539	$ 31 845	$ 31 522
……			
资产和负债的变动额			
（增加）或减少：			
应收账款（扣除坏账准备）	(22 683)	(2 022)	(9 888)
存货	(14 154)	(7 950)	999
经营活动净现金流量	$ 12 416	$ 29 607	$ 48 498

6.3 现金的报告和保障

6.3.1 现金及现金等价物的定义

现金是指库存现金以及银行可以作为存款或信贷接受的票据，比如：支票、汇款单、汇票等。现金等价物是指到期日在3个月之内的、易于转化为现金、价值变动风险很小（对利率变动不敏感）的短期投资。典型的现金等价物包括银行存单、美国政府发行的国债等。

尽管公司可能同时拥有几个银行账户和几种类型的现金等价物，但是为了财务报告的目的，所有的现金账户和现金等价物通常合并为一个金额。Deckers Outdoor 公司列报一个单独的账户——现金及现金等价物。此外，公司披露现金等价物在资产负债表中列报的账面价值等于它的市场价值，这是因为我们假设该投资的特征是价格一般不会变动。

6.3.2 现金管理

很多公司每天都从客户那里收到大量金额的现金、支票以及信用卡收据。任何人都会使用现金，所以管理层必须要制定程序来保障公司使用的现金。有效的现金管理不仅包括保护现金以防盗窃、欺诈，或者由于粗心而损失，其他的现金管理措施还包括：

1. 准确记账以保证能够报告现金流量和余额情况；

2. 通过控制以确保公司拥有足够的现金来满足：（1）当期经营需要；（2）偿还即将到期的债务；（3）无法预测的紧急情况。

3. 避免公司持有过多闲置的现金。闲置现金不会取得收入。所以，在经营活动需要之前，闲置现金可以用于投资购买有价证券来取得收益。

6.3.3 现金的内部控制

内部控制是指公司保障资产安全，保证公司财务报告可靠，公司经营高效、合法、合规的过程。内部控制程序应扩展至所有的资产：现金、应收账款、投资、固定资产等。控制能够确保公司准确地进行会计记录，防止出现像第1章讨论的Maxidrive 公司出现的疏忽和舞弊事件。因为内部控制可以提高财务报告的可靠性，所以要由外部独立的审计人员进行审核。

因为现金是最容易发生盗窃和欺诈的资产，因而需要建立大量针对于现金的内部控制程序。尽管你当时可能不知道，但是你已经观察到了一些针对现金的内部控制方法。在绝大多数的电影院，一名员工负责售票，而另外一名员工负责收款。如果只由一名员工来做这两项工作会节约开支，但是单个员工很容易通过不打票让观众入场的方式来盗取现金。如果由不同的员工来完成这项工作，就需要两人合作才能完成盗窃行为。

有效的现金内部控制程序包括：

1. 职务分离

（1）现金收取和支付职能的分离。

（2）现金收款和现金付款核算程序的分离。

（3）现金实物管理和会计核算职能的分离。

2. 规定政策和程序

（1）要求所有收到的现金当日送存银行，对库存现金进行严格的控制。

（2）要求采购和实际支付现金核准的分离。使用事先编号的支票。因为没有受控的凭证（支票），所以要特别关注电子货币转账结算方式。

（3）现金支付核准、签发支票或电子资金转账的职能要分离。

（4）每月将银行对账单和公司的现金账簿进行调节（下一部分详细讨论）。

职务分离以及规定政策和程序是现金控制的主要要素。职务分离能够防范偷窃行为，因为需要两个或两个以上的人勾结才能偷窃现金并在会计账簿中隐藏偷窃行为。规定程序的目的是使每个人的工作能够受到其他人报告结果的检查。比如：销货员通过收银机收取的现金金额可以和另一员工存入银行的现金金额进行核对。现金账簿和银行对账单的余额调节可以对存款进行进一步的控制。

职业道德问题

职业道德和内部控制的需求

有人对所有好公司都需要完善的内部控制机制的建议感到困惑。他们认为内部控制机制暗示管理层不相信公司的员工。尽管绝大多数的员工是值得信任的，但是员工偷窃行为每年让公司承受数十亿美元的损失。对这些罪犯的采访显示在很多案件里，他们从老板那里偷窃是因为他们认为这很容易，没人在意（公司没有内部控制程序）。

很多公司都有一套正式的职业道德规范，在处理与顾客、供货商、同事以及公司财产等关系方面提出了高标准。尽管每位员工最终对其个人的道德行为负责，然而管理层一般都认为内部控制程序具有很高的价值。

6.3.4 现金账簿和银行对账单的调节

1. 银行对账单的内容

正确使用银行对账单是内部现金控制的一个重要程序。每个月，银行都提供给公司（存款人）对账单，内容包括：（1）当期每一笔存款记录；（2）当期每一笔兑现的支票记录；（3）公司账户的余额。对账单也列示银行直接从公司账户扣除的收费或扣款（比如服务费）金额。一张典型的 ROW. COM 有限公司的银行对账单如图表 6—5 所示。

图表 6—5 列示的项目中有四个问题需要解释。注意列示在“支票和借方”栏下的 500 美元和 100 美元的编码 ETF①。这是电子资金转账的编码。ROW. COM 使用电子支票支付电费和保险费账单。如果公司使用电子转账方式，在公司账簿的记录方式和纸质支票结算相同，不需要额外的会计分录。

注意在“支票和借方”栏下有一个 18 美元减少项的编码是 NSF。这个分录是指公司从顾客那里收到了一张 18 美元的支票，并存入 ROW. COM 公司的银行。银行通

① 这些编码在银行间有所不同。

过银行渠道向顾客的银行兑现支票时，发现顾客的银行账户没有足够的资金来支付该支票。因而顾客开户银行将支票退还给 ROW. COM 公司的银行，ROW. COM 公司的银行再从公司账户中冲回该存款。这种类型的支票称为空头支票（余额不足的支票）。空头支票现在转换成应收账款，因而 ROW. COM 公司需要编制一个会计分录：借记应收账款账户、贷记现金账户，金额为 18 美元。

注意“支票和借方”栏下列示在 6 月 30 日的 6 美元，其编码是 SC。这是银行服务费的编码。银行对账单包括一个银行备注来解释这个服务费（并没有支票记录）。ROW. COM 公司需要编制一个会计分录来反映银行存款余额减少 6 美元，借记一个相关的费用账户，比如银行服务费用，贷记现金账户。

注意“存款和贷方”栏下列示在 6 月 18 日的 20 美元，其编码是 INT，用来核算公司的利息收入。银行将利息存入公司的活期账户，在利息取得的期间增加 ROW. COM 公司的账户金额。ROW. COM 公司需要编制一个确认利息收入的会计分录，借记现金账户，贷记利息收入账户，金额为 20 美元。

图表 6—5　**银行对账单实例**

银行上期对账单	存款和贷项		支票和借项		银行本期对账单
	编号	总金额	编号	总金额	
7 762. 40	5	4 050. 00	14	3 490. 20	8 322. 2

支票和借项				存款和贷项			每日余额	
日期	编号	金额		日期	金额		日期	金额
							06 - 01 - 09	7 762. 40
06 - 02		500. 00	ETF	06 - 02	3 000. 00		06 - 02 - 09	10 262. 40
06 - 03	102	55. 00					06 - 03 - 09	10 207. 40
06 - 09		100. 00	ETF	06 - 09	500. 00		06 - 06 - 09	10 607. 40
06 - 10	122	8. 20					06 - 10 - 09	10 599. 20
06 - 11	124	2 150. 00					06 - 11 - 09	8 449. 20
06 - 18	125	46. 80		06 - 18	20. 00	INT	06 - 18 - 09	8 422. 40
06 - 19	127	208. 00					06 - 19 - 09	8 214. 40
06 - 24	128	82. 70		06 - 24	230. 00		06 - 24 - 09	8 361. 70
06 - 25		18. 00	NSF				06 - 25 - 09	8 343. 70
06 - 25	129	144. 40					06 - 25 - 09	8 199. 30
06 - 26	132	22. 52		06 - 26	300. 00		06 - 26 - 09	8 476. 78
06 - 27	130	96. 50					06 - 27 - 09	8 380. 28
06 - 30	126	52. 08					06 - 30 - 09	8 328. 20
06 - 30		6. 00	SC				06 - 30 - 09	8 322. 20

编码：
INT—利息收入
NSF—空头支票
SC—银行服务费
EFT—电子资金转账

2. 调节的必要性

银行存款余额调节表是比较（调节）公司现金账簿期末余额和银行每月对账单余额的过程。公司应于每个月末编制银行存款余额调节表。通常情况下，银行对账单的现金期末余额与公司现金账簿的余额并不相符。比如，ROW. COM 公司现金账簿 6 月末的记录如下（ROW. COM 只有一个支票账户）：

现金（A）

6 月 1 日余额	7 090.00	6 月签发支票金额	3 800.00
6 月存款金额	5 750.00		
6 月 30 日余额	9 040.00		

银行对账单的余额 8 322 美元（图表 6—6）并不等于 ROW. COM 公司现金账簿的余额 9 040 美元。大多数差异的原因是记录交易的时间上存在差异：

（1）有些交易影响 ROW. COM 公司现金账簿的金额，但是并没有在银行对账单上记录。

（2）有些交易影响银行对账单的金额，但是并没有在 ROW. COM 的账簿中记录。

也有一些差异是因为记录交易的差错产生的。

银行对账单余额和公司现金账簿余额不一致的主要原因包括：

（1）未兑现的支票。这是指公司签发支票并且在公司现金账簿中计入贷方金额，但是持票人并没有到银行兑现该支票（没有在银行对账单的银行余额中扣除）。未兑现支票可以通过核对银行对账单中列示的已兑现支票和公司账簿上记录的支票（比如支票存根或日记账）来发现。

（2）在途存款。这些存款公司已存入银行，并且在公司现金账簿中计入借方金额，但是银行尚未记录这些存款（没有在银行对账单中增加存款金额）。在途存款经常产生于存款业务在银行对账单所包含期间结束前一两天发生的时候。在途存款可以通过核对银行对账单列示的存款记录和公司存款记录来发现。

（3）银行服务费。银行服务费在对账单上列示，但是没有在公司账簿中记录。

（4）空头支票。已存入的空头支票必须从公司现金账簿中扣除，并且确认为应收账款。

（5）利息。银行支付给公司的利息在银行对账单中有记录。

（6）差错。银行和公司都有可能发生差错，特别在现金交易大量发生时尤其如此。

3. 银行存款余额调节表说明

公司应于收到银行对账单后立即编制银行存款余额调节表，通常格式如下：

现金账簿期末余额	$ XXX	银行对账单期末现金余额	$ XXX
+银行支付的利息	XX	+在途存款	XX
−空头支票/服务费	XX	−未兑现支票	XX
±公司记账错误	XX	±银行差错	XX
正确的现金余额	$ XXX	正确的现金余额	$ XXX

图表 6—6 列示了 ROW. COM 公司编制的 6 月银行存款余额调节表，将银行对账

单余额（8 322.2 美元）与现金账簿的余额（9 040 美元）进行调节。经过调解之后，正确的现金余额为 9 045 美元。这个正确的金额是调节后应在公司现金账簿中列示的金额。因为 ROW. COM 公司只有一个支票账簿，没有库存现金，因而这也是在公司资产负债表中现金一栏中应列报的金额。

ROW. COM 编制银行存款余额调节表的步骤如下：

（1）确认未兑现支票。通过对银行对账单和公司账簿支票和电子支付的比较，发现 6 月末下列支票尚未兑现（银行尚未办理转账）：

支票编号	金额
101	$ 145.00
123	815.00
131	117.20
合计	$ 1 077.20

将合计金额记录到调节表中作为银行记录的减少。这些支票将在银行办理转账时由银行扣除。

图表 6—6　**银行存款余额调节表说明**

ROW. COM 股份有限公司

银行存款调节表

2006 年 6 月 30 日

公司账簿		银行对账单	
期末现金余额	$ 9 040.00	银行对账单现金余额	$ 8 322.20
加上：		加上：	
银行支付的利息	20.00	在途存款	1 080.00
99 号支票错误	9.00		
	9 069.00		10 122.20
减去：		减去：	
R. 史密斯的空头支票	18.00	未兑现支票	1 077.20
银行服务费	6.00		
期末正确的现金余额	9 045.00	期末正确的现金余额	9 045.00

（2）确定在途存款。通过比较手中的存款单和银行记录的存款，发现公司 6 月 30 日的一笔存款 1 800 美元没有列示在银行对账单上。这个金额应该记录到调节表中作为银行记录的增加，它会在银行记录该存款时由银行增加。

（3）记录银行收费和利息：

a. 收到的银行存款利息 20 美元，记录到调节表中作为现金账簿余额的增加，该金额已经包含在银行对账单中。

b. 来自 R. 史密斯的空头支票 18 美元，记录到调节表中作为现金账簿余额的减少，该金额已经在银行对账单中扣除。

c. 银行服务费 6 美元，记录到调节表中作为现金账簿余额的减少，该金额已经在银行对账单中扣除。

（4）确定差错的影响。此时，ROW. COM 发现银行存款余额调节表仍然存在 9

美元的差异。通过检查本月的会计分录，发现签发的用来偿还货款的 99 号支票 100 美元，在现金账簿中记录的金额为 109 美元。这样，应在调节表中现金账簿的余额增加 9 美元（109－100）。银行是按照正确的金额 100 美元进行转账支付的。

图表 6—6 中，银行存款余额调节表的两栏调节后的余额相等，都是 9 045.00 美元。

图表 6—6 列示的银行存款余额调节表的比较主要有两个作用：

（1）核对银行存款余额和公司现金账簿记录的正确性，而且计算了现金的正确余额。这个正确的余额（再加上库存现金的余额）即为资产负债表中现金项目下列报的金额。

（2）确定之前没有记录的交易或变动。任何在余额调节表中公司账簿一栏进行调节的交易或变动都需要编制会计分录。因而，下面是根据公司现金账簿进行调节的会计分录。

ROW. COM 公司的会计分录：

a. 记录银行利息

现金（+A）………………	20	
利息收入（+R，+SE）………………		20

b. 记录空头支票

应收账款（+A）………………	18	
现金（－A）………………		18

c. 记录银行服务费

银行服务费用（+E，－SE）………………	6	
现金（－A）………………		6

d. 更正偿还货款金额的差错

现金（+A）………………	9	
应付账款（+L）………………		9

资产	=	负债	+	所有者权益
现金（+20，－18，－6，+9）+5		应付账款 +9		利息收入 +20
应收账款 +18				银行服务费用 －6

再次注意所有余额调节表公司账簿一栏中的增加或减少项目都需要会计分录，来更新现金账簿的金额。而银行对账单一栏中的增加或减少项目不需要会计分录，因为这些会在银行转账时自动处理。

自测题

指出下列在编制银行存款余额调节表时发现的项目中，哪些会调整资产负债表中现金项目的金额？

1. 未兑现支票
2. 在途存款
3. 银行服务费
4. 存入的空头支票

解答之后与下面的答案核对。

自测题答案：

3. 银行服务费应从公司现金账簿中扣除，因而现金应减少，同时记录一项费用。

4. 已存入的空头支票已经在公司账簿中作为现金增加记录，因而现金应减少，同时如果公司预期会收到该款项，应增加应收账款。

6.4 结语

正如我们本章开始提到的那样，Deckers Outdoor 公司认识到如果要将增长转化为利润，就必须：（1）不断地引入新技术、新款式和新产品类型来更新产品系列；（2）成为更加精细、敏捷的制造商，利用低成本、更富有弹性的生产地点；（3）关注存货管理和应收账款的回收，因为无法收回的账款对公司来讲没有任何价值。每一项努力的目的都是提高销售净额和降低商品销售成本，从而增加销售毛利润。2007 年前三季度已经发出 Deckers Outdoor 公司战略持续成功的积极信号。销售净额和销售毛利润和 2006 年相比都增加了 41%。你可以通过访问 www.deckers.com 网站查阅公司最近的年度和季度报告，来评价 Deckers Outdoor 公司战略的进一步成功。

示例 A

（在看建议答案之前先根据要求完成计算。）Wholesale 仓储式商店 2008 年出售商品 950 000 美元，其中 400 000 美元为赊销，现金折扣条件为 2/10，n/30（其中 75% 的金额在折扣期内支付），500 000 美元使用信用卡支付（信用卡折扣为 3%），其余金额以现金支付。2008 年 12 月 31 日，应收账款的余额为 80 000 美元。坏账准备账户的期初余额为 9 000 美元，本年核销 6 000 美元的坏账。

要求：

1. 计算 2008 年的销售净额，假定销售折扣和信用卡折扣为收入的备抵项目。

2. 假定 Wholesale 公司使用销售百分比法来估计坏账费用，估计有 2% 的赊销收入会产生坏账。记录 2008 年的坏账费用。

3. 假定 Wholesale 公司使用账龄分析法来估计坏账费用，估计有 10 000 美元的账款无法收回。记录 2008 年的坏账费用。

参考答案：

1. 销售折扣和信用卡折扣都应当从销售收入中扣除来计算销售净额。

销售收入	$ 950 000
减：销售折扣（0.02 ×0.75 × $ 400 000）	6 000
信用卡折扣（0.03 × $ 500 000）	15 000
销售净额	$ 929 000

2. 坏账估计百分比应乘以赊销收入。现金销售不产生坏账。

坏账费用（+E，-SE）（0.02 × $ 400 000）…………………	8 000	
坏账准备（+XA，-A）………………		8 000

资产		=	负债	+	所有者权益	
坏账准备	-8 000				坏账费用	-8 000

3. 使用账龄分析法时，会计分录记录的金额为估计的余额减去当前余额。

估计坏账准备的期末余额	$ 10 000
减：坏账准备当前余额（ $ 9 000 − $ 6 000）	3 000
本年坏账费用	$ 7 000

坏账费用（ +E， −SE）（0. 02 × $ 400 000）……………… 7 000

　坏账准备（ +XA， −A）……………… 7 000

资产		=	负债	+	所有者权益	
坏账准备	−7 000				坏账费用	−7 000

示例 B

（在看建议答案之前先根据要求完成计算。） Heather Ann Long 是一名国立大学的新生，刚收到她的第一本支票账户对账单。这是她第一次尝试进行银行余额调节。她要对一下信息进行调整：

银行存款余额，9 月 1 日	$ 1 150
9 月存款	650
9 月兑现的支票	900
银行服务费	25
银行存款余额，10 月 1 日	875

Heather 惊讶地发现她在 9 月 29 日存入的 50 美元并没有过入账户，而高兴地发现她的租金支票 200 美元也没有兑现。她的支票簿余额为 750 美元。

要求：

1. 完成 Heather 的银行存款余额调节表。

2. 为什么对像 Heather 这样的个人以及企业来说，每月进行银行存款调节表是非常重要的?

参考答案：

1. Heather 的银行存款余额调节表：

Heather 的支票簿			银行对账单		
10 月 1 日现金余额		$ 750	10 月 1 日现金余额		$ 875
加：			加：		
无			在途存款		50
减：			减：		
银行服务费		(25)	未兑现支票		(200)
正确的现金余额		$ 725	正确的现金余额		$ 725

2. 银行对账单，不论个人的还是企业的，都应当每月进行调节。这个过程能够帮助确保客户账簿反映正确的余额。缺少银行对账单的调节会增加错误不被发现的机会，而且可能导致签发空头支票。企业进行银行存款余额调节还有一个原因：经过调节得到的正确余额应当在资产负债表中列报。

附录

记录折扣与退回

在本章中，信用卡折扣和现金折扣都记录为收入备抵项目。比如，如果信用卡公司对其服务收取3%的费用，1月2日互联网信用卡销售额为3 000美元，则Deckers Outdoor公司记录如下：

现金（+A）………………　2 910
信用卡折扣（+XR，-R，-SE）………………　90
　　销售收入（+R，+SE）………………　3 000

资产		=	负债	+	所有者权益	
现金	+2 910				销售收入	+3 000
					信用卡折扣	-90

类似的，如果赊销收入为1 000美元，现金折扣条件为2/10，n/30（$ 1 000 × 0.98 = $ 980），货款支付发生在折扣期内，则Deckers Outdoor公司记录如下：

应收账款（+A）………………　1 000
　　销售收入（+R，+SE）………………　1 000

资产		=	负债	+	所有者权益	
应收账款	+1 000				销售收入	+1 000

现金（+A）　980
销售折扣（+XR，-R，-SE）………………　20
　　应收账款（-A）………………　1 000

资产		=	负债	+	所有者权益	
现金	+980				销售折扣	-20
应收账款	-1 000					

销售退回与折让应确认为收入备抵项目。假定纽约伊萨卡的Fontana Shoes公司从Deckers Outdoor公司赊购40双凉鞋，金额为2 000美元。在销售日，Deckers Outdoor公司编制的会计分录如下：

应收账款（+A）………………　2 000
　　销售收入（+R，+SE）………………　2 000

资产		=	负债	+	所有者权益	
应收账款	+2 000				销售收入	+2 000

在支付凉鞋货款之前，Fontana Shoes公司发现其中10双与订货颜色不符，退回给Deckers Outdoor公司。当日Deckers Outdoor公司记录如下：

销售退回与折让（+XR，-R，-SE）………………　500
　　应收账款（-A）………………　500

资产		=	负债	+	所有者权益	
应收账款	-500				销售退回与折让	-500

此外，相关已记录的10双凉鞋的商品销售成本应当转回。

本章小结

1. 应用收入原则确定典型的零售商、批发商、制造商和服务公司的收入确认时间。

收入确认政策被广泛认为是财务报表公允表达的决定因素之一。对大多数的商业企业和制造企业来说，收入确认的时点是所有权归属于买方时（装运或交付商品时）。对服务公司来说，该时点是服务已经提供的时间。

2. 分析信用卡销售、销售折扣和销售退回与折让对净收入列报的影响。

信用卡折扣和销售或现金折扣都可以确认为收入备抵项目或者费用。当确认为收入备抵项目时，他们会减少净收入。销售退回与折让，始终作为收入备抵项目，同样会减少净收入。

3. 分析和解释销售毛利率。

销售毛利率衡量公司收取溢价和低成本生产商品或服务的能力。管理者、分析师以及债权人使用该指标来评价公司产品开发、营销和生产战略的效果。

4. 估计、报告和评价无法收回的应收账款（坏账）对财务报表的影响。

当应收账款重大时，公司必须采用备抵法来记录无法收回的应收账款。记录的步骤如下：

（1）期末编制调整分录确认估计的坏账费用。

（2）核销当期确定无法收回的特定应收账款。

调整分录会减少净利润和应收账款净额。核销对二者都没有影响。

5. 分析和解释应收账款周转率以及应收账款对现金流量的影响。

（1）应收账款周转率——衡量信用授予和收账活动的效果。该比率可以反映平均商业应收款本期确认和收回的次数。分析师和债权人关注该比率，因为该比率的突然降低意味着公司延长了支付期限，来改善产品滞销的情况，甚至确认客户将会退回的收入。

（2）对现金流量的影响——当本期应收账款余额减少，则从顾客那里收回的现金大于本期的赊销收入，结果经营活动现金流量增加。当本期应收账款余额增加，则从顾客那里收回的现金小于本期的赊销收入，结果经营活动现金流量减少。

6. 报告、控制和保障现金

现金是流动性最强的资产，持续不断流入和流出企业。结果是应当采用很多重要的控制程序，包括银行存款余额调节表。同样，管理现金对决策者至关重要，必须要保证现金能够满足当期需要，同时避免过多无法产生收入的闲置现金。

与记录收入联系紧密的是记录商品销售成本。第7章将会聚焦存货相关交易以及商品销售成本。该问题很重要是因为销售成本对公司销售毛利润和净利润影响很大，而投资者、分析师和其他财务报表使用者十分关注销售毛利润和净利润。对质量、生产能力和成本的越来越多的重视使管理者更加注意商品销售成本和存货。因为存货成本的金额对产品引入和定价决策扮演重要角色，所以对营销经理和总经理来说也非常重要。最后，由于存货会计对很多公司的应交税金影响很大，所以这是一个很重要的介绍纳税对管理者决策和财务报告影响的地方。

重要财务比率

销售毛利率衡量公司销售价格超出购货成本或生产成本的百分比，计算公式如下：

$$销售毛利率 = \frac{销售毛利润}{销售净额}$$

应收账款周转率衡量公司商业信用授予与收账活动的效果，计算公式如下：

$$应收账款周转率 = \frac{销售净额^{*}}{应收账款平均净值}$$

搜索财务信息

资产负债表
流动资产
应收账款（扣除坏账准备账户余额）

利润表
收入
销售净额（销售收入减去折扣、销售退回与折让）
费用
销售费用（包括坏账费用）
费用
销售费用（包括坏账费用）

现金流量表
经营活动（间接法）
净利润
+应收账款的净减少额
−应收账款的净增加额

附注
重要的会计政策
收入确认政策
单独的附注
坏账费用和核销坏账金额

会计术语

应收账款	坏账准备	坏账费用
账龄分析法	备抵法	
银行存款余额调节表	内部控制	销售（或现金）折扣
现金	应收票据	销售退回与折让
现金等价物	赊销百分比法	信用卡折扣

习题

一、简答题

1. 阐述销售收入与销售净额之间的区别。

2. 什么是销售毛利润？销售毛利率如何计算？在你的解释中，假定销售净额为1 000 000美元，销售成本为60 000 美元。

3. 什么是信用卡折扣？它如何影响利润表中报告的金额？

4. 什么是现金折扣？在你的解释中，使用1/10，n/30 的现金折扣条件。

5. 销售折让与销售折扣的区别是什么？

6. 阐述应收账款与应收票据的区别。

7. 备抵法下坏账损失的会计处理符合哪一项基本会计原则？

8. 在备抵法下，坏账损失的确认是在（1）发生坏账的收入确认期间，还是（2）销货方意识到顾客无法支付货款期间？

9. 在备抵法下，核销坏账对净利润及应收账款净值有何影响？

10. 应收账款周转率的提高通常意味着应收账款回收速度的加快还是减慢？并加以解释。

11. 从会计的角度解释现金及现金等价物的含义，并指出其包括和不包括的项目类型。

12. 概括一个有效的现金内部控制系统应具备的主要特征。

13. 为什么要设置不同人员分别负责现金保管和现金记录？职务分离是如何完成的？

14. 编制银行存款余额调节表的作用是什么？什么余额需要调节？

15. 简要解释资产负债表中现金项目报告的金额是如何计算的。

16. 在本章讨论的确认销售折扣的总价法中，发生的销售折扣金额确认在（1）记录收入时，还是（2）记录应收账款收回时？

二、选择题

1. 附有 2/10，n/30 条件的销售折扣意味着：

a. 在 30 天内付款将获得付款额 10% 的折扣。

b. 10 天内付款将获得付款额 2% 的折扣，或者在 30 天之内支付全部货款（减去退回）。

c. 30 天内付款将获得 2/10 的折扣。

d. 以上均不正确。

2. 销售总额为 250 000 美元，其中的一半为赊销。在赊销中，发生销售退回和折让 15 000 美元，发生的销售折扣为赊销净额的 2%。信用卡销售收入为 100 000 美元，信用卡折扣为 3%。则企业本期销售净额的金额是多少？

a. 227 000 美元　　b. 250 000 美元　　c. 229 800 美元　　d. 240 000 美元

3. 公司通过迁移厂址成功降低了产品的制造成本，在其他不变的情况下，上述因素对该公司销售毛利率有何影响？

a. 该比率不变　　b. 该比率增加　　c. 该比率降低　　d. b 或者 c

4. 当采用备抵法的公司在会计记录中核销了一特定客户金额为 100 000 美元的应收账款，下列说法中哪一个正确？

（1）所有者权益总额不变。

（2）总资产不变。

（3）总费用不变。

a. （2）　　b. （1）和（3）

c. （1）和（2）　　d. （1）、（2）和（3）

5. X 公司采用账龄分析法估计坏账费用。X 公司通过账龄分析估计无法收回的应收账款金额为 250 美元。坏账准备的期初余额为 220 美元，本期核销的坏账为 180 美元，则本期应确认坏账费用金额是多少？

a. 180 美元　　b. 250 美元　　c. 210 美元　　d. 220 美元

6. 通过检查最近的银行对账单，发现最近从一客户那里收到了一张空头支票。则在编制银行存款余额调节表时，下列哪一个能够描述应采取的行动？

	企业银行账面余额	银行对账单
a.	不变	减少
b.	减少	增加
c.	减少	不变
d.	增加	减少

7. 下列哪一项不是现金的有效内部控制应采取的步骤？

a. 管理者和财务主管须在所有的支票上签字

b. 要求现金每日送存银行

c. 要求负责从收银机取出现金的人员不能接触现金记录

d. 上述均是有效现金内部控制应采取的步骤

8. 当使用备抵法记录坏账费用时，（　　）。

a. 资产总额和所有者权益总额均不变

b. 资产总额和所有者权益总额均减少

c. 资产总额增加，所有者权益总额减少

d. 负债总额增加，所有者权益总额减少

9. 下列哪项最好地描述应收账款在财务报表中的列报？

a. 应收账款总额加上坏账准备账户的余额在资产负债表的资产项目中列报

b. 应收账款总额在资产负债表的资产项目中列报，坏账准备账户余额在利润表的费用项目中列报

c. 应收账款总额减去坏账费用余额在资产负债表的资产项目中列报

d. 应收账款总额减去坏账准备账户的余额在资产负债表的资产项目中列报

10. 下列哪一项不是销售净额的组成部分？

a. 销售退回和折让　　b. 销售折扣　　c. 商品销售成本　　d. 信用卡折扣

更多的选择题，到本书网站 www. mhhe. com/libby6e 中查找。

三、迷你练习题

1. 解释收入原则。

对于下列交易，指出你认为销售收入确认最有可能的时间。

交易	时点 A	时点 B
（1）航空公司通过信用卡销售机票	销售机票时	飞行完成时
（2）采用信用卡销售方式通过邮递公司销售电脑	起运货物时	交付货物时
（3）使用往来账户向企业客户销售存货	起运货物时	收回货款时

2. 报告附有现金折扣的销售净额。

发票金额为 9 500 美元的商品通过 1/10，n/30 的折扣条件销售。如果购货方在折扣期内付款，那么利润表中销售净额的金额是多少？

3. 存在销售折扣、信用卡折扣及销售退回时销售净额的报告

本期销售总额包括下列项目：

信用卡销售收入（3% 的折扣）	$ 8 400
赊销收入（1/15，n/60）	$ 10 500

赊销收入中发生销售退回 500 美元。所有的销售退回均发生在付款之前。剩余赊销收入的一半在折扣期内支付。公司将所有的折扣和退回均视为收入的备抵项目，那么利润表中销售净额的列报金额是多少？

4. 计算和解释销售毛利率。

本期销售净额为 49 000 美元，销售成本为 28 000 美元。计算本年销售毛利率。该比率衡量什么？

5. 坏账的确认。

对下列交易编制会计分录。

（1）本期核销坏账的金额为 22 000 美元。

（2）期末估计坏账费用为 13 000 美元。

6. 确定坏账对财务报表的影响。

使用下列分类，指出下列交易的影响。使用 + 代表增加，− 代表减少，并支出影响的账户及金额。

（1）本期期末，估计坏账费用为 17 000 美元。

（2）本期核销坏账的金额为 7 000 美元。

资产 = 负债 + 所有者权益

7. 确定信用政策的变化对应收账款周转率的影响。

支出下列信用政策的变化对应收账款周转率最有可能的影响。（+ 代表增加，− 代表减少，NE 代表没有影响）

（1）缩短商业信用的付款期限。

（2）增加收账方法的有效性。

（3）对信用不佳的客户授予信用。

8. 匹配银行存款余额调节表中的调节项目。

指出下列项目在编制银行存款余额调节表时会增加（ + ）或减少（ − ）公司账簿还是银行对账单。

调节项目	公司账簿	银行对账单
a. 未兑现支票		
b. 银行服务费		
c. 在途存款		

9. 记录销售折扣。

销售收入为 8 000 美元，附带条件为 1/10，n/30。在总价法记录销售折扣时应记录的收入金额是多少？编制相关的会计分录。编制假定在折扣期间收账的会计分录。

第7章　商品销售成本和存货的报告与解释

学习目标

学完本章，应达到如下目标：

1. 应用成本原则确定存货的金额，应用配比原则确定销售给零售商、批发商和制造商的商品成本。
2. 采用存货成本方法报告存货和商品销售成本。
3. 确定公司应如何选择有利的存货成本计价方法。
4. 采用成本与市价孰低法报告存货。
5. 使用存货周转率评价存货管理水平，评价存货对现金流量的影响。
6. 比较采用不同存货成本计价方法的公司。
7. 理解控制和跟踪存货的方法，分析存货差错对财务报表的影响。

聚焦公司：Harley-Davidson 摩托车公司

建立了一个世界级制造商的传奇

www. harley-davidson. com

Harley-Davidson 公司的雄鹰商标曾经是纹身店最受欢迎的标志。如今，经过21年连续不断的销售额和利润的增长，Harley-Davidson 公司仍然是绝大多数公司羡慕的对象。尽管在这期间地处密尔沃基的公司每年的产量已经从37 000 辆增加到349 000辆，但是仍然难以满足顾客的需要。它已经占有北美重型摩托车市场48.6%的份额。为了缩小产品供需之间的差距，Harley-Davidson 公司过去5年在威斯康星州、密苏里州和宾夕法尼亚州已经花费了12亿美元用于扩建和改善生产设备。

然而，增加产量只是公司战略的一个部分。公司正在推出新的和改进的产品，以领先于包括本田、雅马哈和宝马等在内的主要竞争对手。同时，公司重视控制存货质量和成本来保证目前的销售毛利率。奖励、培养和训练全职雇员和工会成员，和供应商之间建立长期的、成熟的、有利的关系，开发提供适时存货和订单信息的会计信息系统是公司各种努力的关键部分。而且，选择合适的存货会计方法能够对 Harley-Davidson 公司缴纳所得税产生十分重要的影响。对产品开发和生产的持续改进、存货管理和信息系统的设计等，对 Harley-Davidson 公司的持续增长是非常必要的。

了解公司

存货成本和质量是所有现代制造商和零售商关注的问题，它们关注利润表中的商品销售成本项目和资产负债表中的存货项目，图表7—1列示的 Harley-Davidson 公司财务报表的相关摘要包括这些项目。在利润表中，销售净额减去商品销售成本得到销售毛利。在资产负债表中，存货属于流动资产，列报在现金、交易性证券、应收账款、应收利息项目之下，因为存货的流动性弱于上述资产。

存货管理的主要目标是保证公司持有足够数量的高质量的存货以满足顾客的需

求，同时使公司持有存货的各种成本最低化（包括生产、储存、过时和筹资等成本）。存货的低质量会导致顾客不满、退货，以及未来销售额的下滑。购买或制造太少的热销商品会导致缺货，这意味着将失去销售收入和降低顾客的满意度。而购买太多滞销的商品又会增加存货的储存成本、为购货发生的短期筹资的利息成本等。当公司无法按照合理价格出售商品时，甚至会导致亏损。

会计系统在存货管理过程中扮演三个重要角色。第一，会计系统能够为每期财务报表的编制和纳税申报表提供准确的信息。第二，会计系统能够提供存货最新的数量和成本的信息来帮助公司做出订购和生产决策。第三，因为存货容易失窃和发生其他形式的滥用，所以会计系统应提供必要的信息来帮助保护这些重要资产。

现实世界摘要：Harley-Davidson 股份有限公司年度财务报告

图表 7—1

利润表和资产负债表摘要

Harley-Davidson 股份有限公司

合并利润表

（单位：千美元）

年末截至 12 月 31 日	2006	2005	2004
销售净额	$ 5 800 686	$ 5 342 214	$ 5 015 190
商品销售成本	3 567 839	3 301 715	3 115 655
销售毛利	2 232 847	2 040 499	1 899 535

Harley-Davidson 股份有限公司

合并资产负债表

（单位：千美元）

12 月 31 日	2006	2005
资产		
流动资产		
现金及现金等价物	$ 238 397	$ 140 975
交易性证券	658 133	905 197
应收账款净额	143 049	122 087
应收利息净额	2 101 366	1 641 766
存货	287 798	221 418
递延所得税	73 389	61 285
预付费用	48 501	52 509
流动资产合计	3 550 633	3 145 237

Harley-Davidson 公司成功的生产和存货管理战略，以及混合生产线（如图表 7—2 所示）是本章非常好的例子。尽管是最著名的摩托车制造商，Harley-Davidson 公司也购买然后再出售一些产成品，比如非常受欢迎的摩托车服装系列。在第二种情况下，Harley-Davidson 公司扮演批发商的角色。摩托车和摩托车服装系列都销售给独立的经销商。从会计的角度来看，这些独立的经销商都是 Harley-Davidson 公司的客户，

它们作为零售商再将产品出售给社会公众。

首先，我们来讨论存货的构成、管理层在编制财务报告和进行纳税申报时必须做出的重要选择，以及这些选择怎样影响财务报告和支付的税金。其次，我们将讨论管理者和分析师怎样评价公司存货管理的效率。再次，我们将简要地讨论如何构建会计系统来跟踪存货的数量和成本，以满足存货决策和控制的需要。这个问题将是管理会计课程讲述的主要内容。

图表 7—2　　Harley-Davidson 公司生产线划分

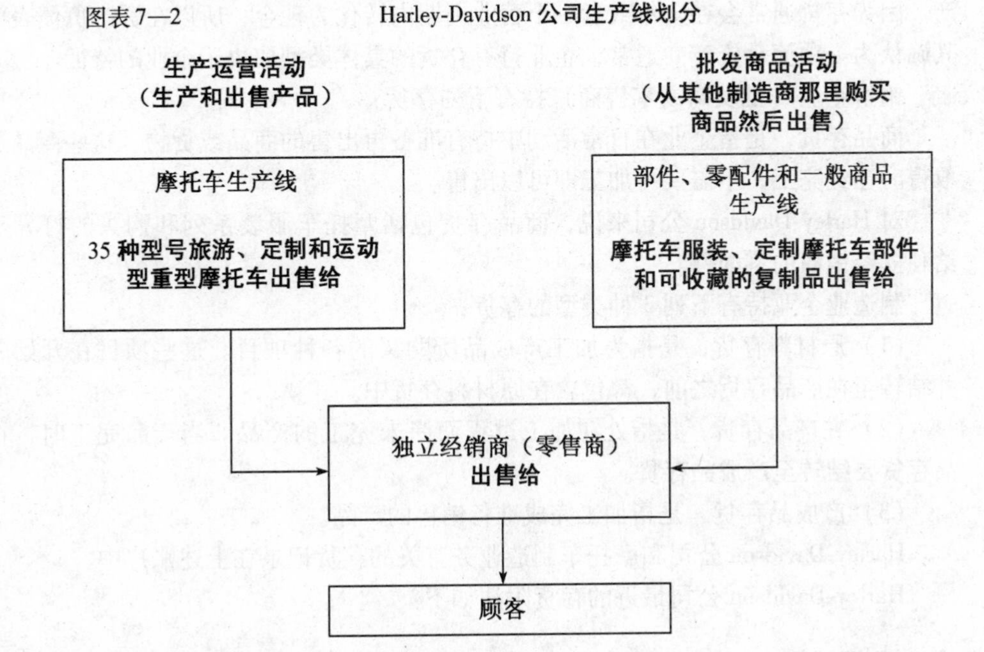

本章结构图示

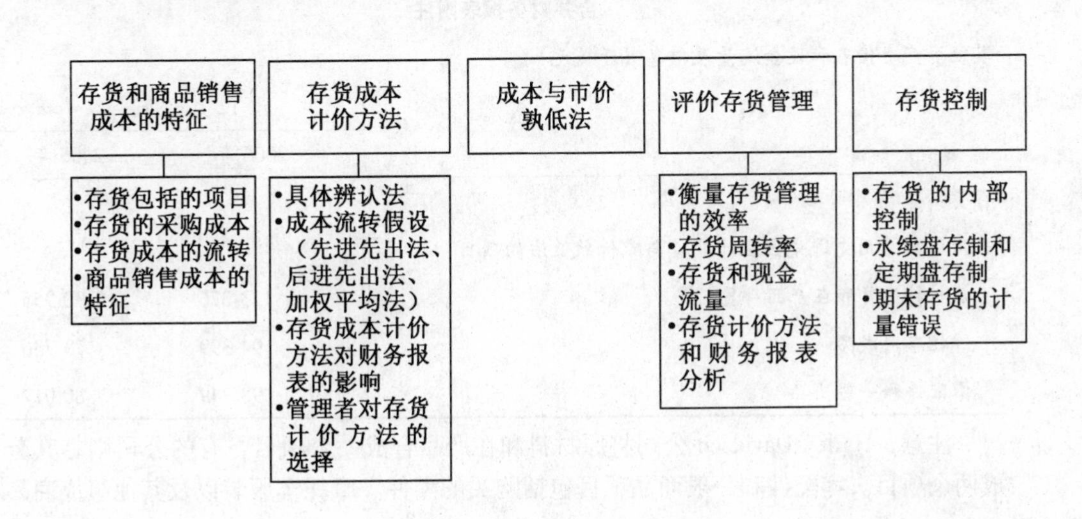

7.1 存货和商品销售成本的特征

7.1.1 存货包括的项目

存货是指企业在日常活动中持有以备销售或者用以生产产品或提供劳务的有形资产。因为存货通常会在1年或者一个营业周期内转化为现金，所以在资产负债表中将其确认为一项流动资产。通常，企业持有存货的具体类型取决于企业的特征。

销售企业（批发商或零售商）持有下列存货：

商品存货，是指企业在日常活动中持有准备再出售的商品或货物。这些商品通常取得时已经完工，不需要再加工即可以出售。

对 Harley-Davidson 公司来说，商品存货包括摩托车服装系列和购买的打算出售给独立经销商的零配件。

制造业企业持有下列3种类型的存货：

（1）原材料存货，是指为加工产成品所购买的各种项目。这些项目在开始领用并结转至在产品存货之前，都包含在原材料存货中。

（2）在产品存货，是指处在加工过程而尚未完工的产品。当产品完工时，在产品存货要结转至产成品存货。

（3）产成品存货，是指加工完成准备销售的产品。

Harley-Davidson 公司和摩托车制造业务有关的存货记录在上述账户中。

Harley-Davidson 公司最近的存货附注如下：

现实世界摘要：Harley-Davidson 股份有限公司年度财务报告

Harley-Davidson 股份有限公司

合并财务报表附注

其他资产负债表和现金流量表信息（千美元）

	12月31日	
	2006年	2005年
存货：		
采用成本（用先进先出法计量）与市价孰低法的项目：		
原材料存货和在产品存货	$ 123 376	$ 90 955
摩托车产成品	94 399	73 736
零配件和一般商品	98 749	80 017

注意，Harley-Davidson 公司将原材料和在产品合成一个项目，有的公司则将其分成两个项目。零配件和一般商品项目包括购买的零件、摩托车服装以及其他组成商品

存货的配件。[①]

7.1.2 存货的采购成本

外购存货以成本进行初始计量。存货成本包括达到可使用或可销售状态和到达场所之前所发生的所有成本。当 Harley-Davidson 公司购买原材料和商品存货时，所记录的金额应当包括发票金额和其他采购费用，比如入库前发生的运费、验收和准备成本。通常，公司采购成本应归集到原材料可供使用之前或商品待装运之前。其他和存货销售给经销商有关的成本，比如销售部门的工资、经销商培训会议费用等，都发生在存货可供使用之后，因而应当包括在发生当期的销售费用、管理费用中。

财务分析

重要性原则在实务中的应用

像验收和准备成本这些附属费用通常在金额上不重要（参看第 5 章有关重要性原则的讨论），因而不一定要分配到存货成本中。所以，在实务中，很多公司将发票金额扣除退回与折扣后的金额分配到原材料或商品成本中，而将其他直接支出作为单项成本确认为一项费用。

7.1.3 存货成本的流转

如图表 7—3A 所示，存货的流转对于销售商（批发商或零售商）来说很简单。企业购买商品时，商品存货账户金额会有所增加。当期销售商品时，商品销售成本会有所增加，同时商品存货会有所减少。

如图表 7—3B 所示，在制造业环境下，存货成本的流转要复杂得多。首先要购买原材料（也称直接材料）。对 Harley-Davidson 公司来说，这些原材料包括钢和铝的铸件、锻件、板材和钢筋，以及由它的小供货商生产的特定摩托车零部件，包括汽化器、电池、轮胎等。当领用原材料时，其成本由原材料存货账户结转至在产品存货账户。

另外两个生产成本项目是直接人工和制造费用，当它们发生时，也计入在产品存货账户。直接人工成本包括直接从事产品生产的职工的薪酬。制造费用包括其他制造成本。比如，车间质检人员的工资，以及供热、照明、车间动力等费用都属于制造费用。当摩托车制造完成准备出售时，相关金额从在产品存货账户结转至产成品存货账户。当销售产品时，产品销售成本增加，同时产成品存货减少。

如图表 7—3 所示，对商业企业和制造企业来说，存货成本流转都包括三个阶段。第一阶段，是采购或生产阶段。第二阶段，上述活动导致资产负债表中增加存货项目。第三阶段，存货出售，金额计入利润表商品销售成本项目。因为从商品成本或产品成本到销售成本的流转非常类似，所以我们将在剩下的讨论中重点研究商品存货。

---

① 这些项目的金额没有加到图表 7—1 报告的余额中去，因为它们不包括我们将在后面讨论的对后进先出法的调整。

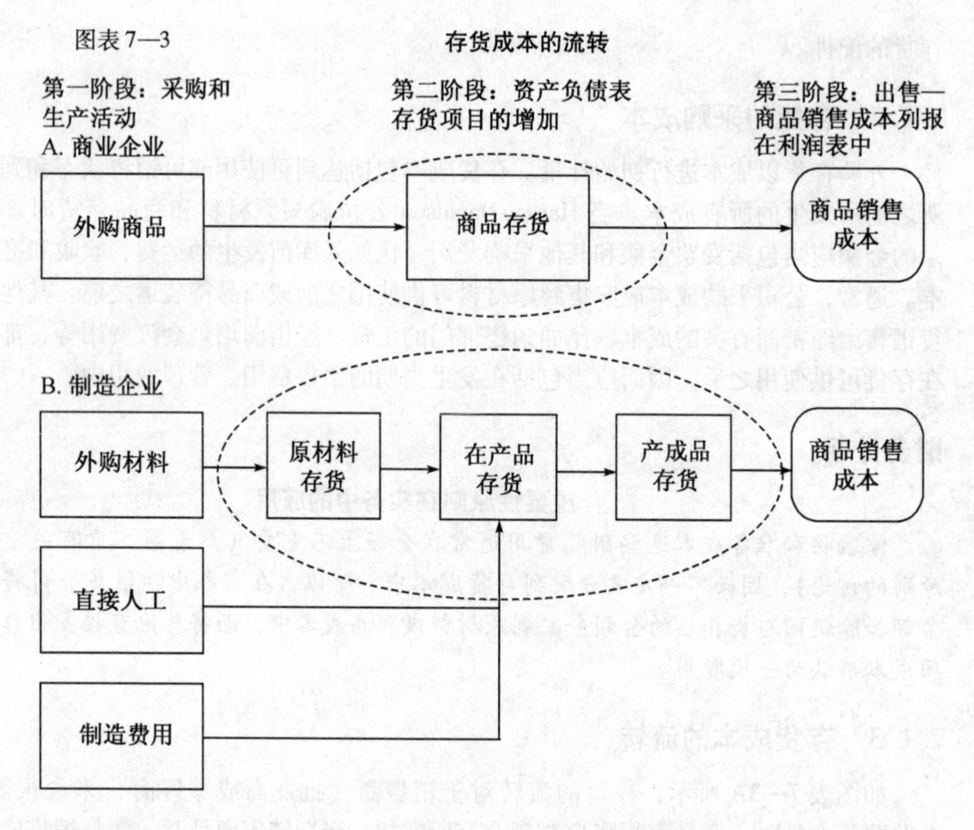

财务分析

现代制造技术和存货成本

图表 7—3B 所绘制的存货成本流转描述了制造成本和质量控制的关键。因为公司必须支付融资和储存原材料和外购零部件的成本，所以最小化这些存货，使其能够和计划的制造需求相一致是这个过程需要考虑的首要问题。要想这样，Harley-Davidson 公司就要和供货商在设计、生产、零部件的运输和原材料的运输等方面联系紧密。这种存货管理的方法称为适时制。检查和设计制造流程、职工培训及发展计划是降低直接人工和制造费用成本的关键。设计制造简单的新产品，可以改善产品质量，降低残值和再加工成本。

Harley-Davidson 公司设计管理会计系统是用来监督这些变化的成功，以促进生产的持续改进。该系统的设计是管理会计和成本会计课程的主要内容。

7.1.4 商品销售成本的特征

商品销售成本（COS）是直接和销售收入相关的费用。某会计期间的销售收入等于销售数量乘以销售价格。商品销售成本等于相同的数量乘以单位成本。

让我们查看一下利润表中商品销售成本和资产负债表中存货之间的关系。Harley-Davidson 公司在每个会计期间开始时都有期初存货（BI）。在本期，新的采购（P）增加了存货成本。上述两个金额之和构成本期可供销售的存货。期末没有销售的存货形成资产负债表中的期末存货（EI）。本期可供销售存货中的销售部分就成为利润表中的商品销售成本。一个期间的期末存货就是下一个期间的期初存货。不同存货金额之间的关系联合起来构成了商品销售成本的等式。

举例而言，Harley-Davidson 公司期初摩托车服装存货成本为40 000美元，本期又购入55 000美元的商品，期末存货为35 000美元。这些金额合计在一起可以计算出商品销售成本为60 000美元，如下所示：

期初存货	$ 40 000
+ 本期购入商品	55 000
可供销售商品	95 000
− 期末存货	35 000
商品销售成本	$ 60 000

这些关系也可以如图表7—4所示以商品存货的T形账户来描述。

图表7—4　**商品销售成本**

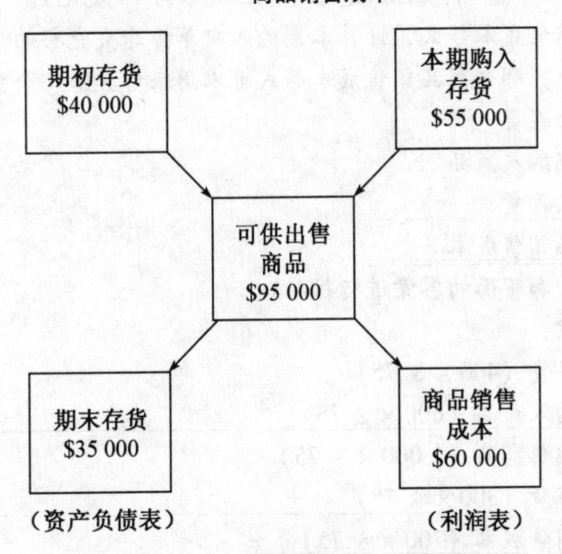

商品存货（A）

单位：美元

期初存货	40 000		
加：本期购进	55 000	减：商品销售成本	60 000
期末存货	35 000		

如果上述4个金额中有3个是已知的，则可以用商品销售成本等式或者存货T形账户来计算出第4个金额。

自测题

1. 假设下列是Harley-Davidson公司2007年摩托车皮革棒球夹克衫系列产品的有关信息：

期初有存货400件，单位成本为75美元。

本期购入600件，单位成本为75美元。

销售700件，售价为100美元（单位成本为75美元）。

要求：使用商品销售成本等式，计算本期可供销售存货、期末存货和皮革棒球夹克衫的商品销售成本。

期初存货
+本期购入商品
可供销售商品
-期末存货
商品销售成本

2. 假设下列是 Harley-Davidson 公司 2008 年摩托车皮革棒球夹克衫系列产品的有关信息：

期初有存货 300 件，单位成本为 75 美元。

期末有存货 600 件，单位成本为 75 美元。

销售 1 100 件，售价为 100 美元（单位成本为 75 美元）。

使用商品销售成本等式，计算本期购入皮革棒球夹克衫的金额。记住，如果 4 个金额中已知 3 个，那么商品销售成本等式可以用来计算第 4 个金额。

期初存货
+本期购入商品
-期末存货
商品销售成本

计算之后，和下面的答案进行核对。

自测题答案：

1.		
	期初存货（400 × $ 75）	$ 30 000
	+本期购入商品（600 × $ 75）	45 000
	可供销售商品（1 000 × $ 75）	75 000
	-期末存货（300 × $ 75）	22 500
	商品销售成本（700 × $ 75）	$ 52 500

2. BI = 300 × 75 = $ 22 500　　BI + P − EI = CGS

EI = 600 × 75 = $ 45 000　　22 500 + P − 45 000 = 82 500

CGS = 1 100 × 75 = $ 82 500　　P = 105 000

7.2 存货成本计价方法

在自测题的摩托车服装例子中，所有皮革棒球夹克衫的成本都是相同的——均为 75 美元。如果存货成本不变，那我们的讨论就结束了。但是我们所知道的是，绝大多数商品的价格都是变化的。在最近几年，很多制造业的产品，比如汽车和摩托车，价格都在逐步上涨。在有些行业里，比如计算机，零售价格随着产品成本一起大幅下降。

当存货成本发生变动时，人们认为售出或留存哪些存货会使公司从盈利变成亏损，同时使公司支付或节约数以百万的税金。用一个简单的例子来说明这个重要的影响。不要被这个例子中的简单性误导，这在公司的真实业务中应用得更广泛。

假定 Harley-Davidson 公司的一个经销商发生了以下采购业务：

1 月 1 日，期初存货为 2 件 A 样式的皮革夹克衫，单位成本为每件 70 美元。

3 月 12 日，购买 4 件 A 样式的皮革夹克衫，单位成本为每件 80 美元。

6 月 9 日，购买 1 件 A 样式的皮革夹克衫，单位成本为每件 100 美元。

11 月 5 日，出售 4 件，每件价格为 120 美元。

注意从 1 月到 6 月，皮革夹克衫的价格上涨得很快。11 月 5 日，公司以每件 120 美元的价格出售 4 件，记录收入 480 美元。商品销售成本为多少？答案取决于我们假设出售了哪些具体的商品。有 4 种允许的存货成本计价方法可以采用：

1. 具体辨认法。
2. 先进先出法（FIFO）。
3. 后进先出法（LIFO）。
4. 平均成本法。

这 4 种存货成本计价方法是将可供出售商品成本总额分配到（1）期末存货和（2）商品销售成本中的不同方法。第一种方法具体辨认期末结存或本期销售的货物。其他 3 种方法假设存货成本按照一定方式流转。

7.2.1 具体辨认法

当采用具体辨认法时，每次销售的成本都要具体辨认并记录为商品销售成本。这种方法要求跟踪每一件货物的采购成本。这种方法应用于：（1）公司在入库之前对每一件货物进行编码；（2）单独记录每件货物并使用一系列的序号加以辨认。在皮革夹克衫这个例子中，任何 4 件商品都有可能被出售。如果我们假设 1 件 70 美元的货物，2 件 80 美元的货物，和 1 件 100 美元的货物被售出，那么这些货物的成本（$ 70 + $ 80 + $ 80 + $ 100）就成为商品销售成本（$ 330）。剩余货物的成本即为期末存货成本。

当公司持有大量类似货物的时候采用具体辨认法是不切实际的。另外，当公司持有贵重的、唯一性的货物时，比如房屋、贵重首饰，采用该方法是比较合适的。当每件货物都是相同的时，采用这种方法会引起滥用，因为公司可以通过可供选择的货物成本来影响商品销售成本和期末存货成本的金额。因此，大多数存货项目都采用其余 3 种成本流转假设进行核算。

7.2.2 成本流转假设

存货成本计价方法的选择不是按照存货上架和下架的实物流转做出的，这就是我们称之为成本流转假设的原因。一个描述存货成本流转假设的有用工具是箱子或容器。试着将这些存货成本计价方法设想为从容器中流入和流出的流转过程。根据惯例，我们应用这些方法时假设本期所有的采购都发生在销售收入和销售成本被记录之前。

1. 先进先出法

先进先出法，通常称为 FIFO，假设最早购买的商品（先进商品）最先售出，而最后购买的商品留存在期末存货里。在 FIFO 方法下，商品销售成本和期末存货假设按照图表 7—5 所示的流转方式来计算。首先，每次购买都被认为是按照从上到下的顺序放入容器中的（即起初有2件单位成本为70美元的期初存货，然后购买了4件单位成本为80美元的商品，然后又购买了1件单位成本为100美元的商品），得到可供销售的商品560美元。每一笔销售都是从容器的底部开始的（即2件单位成本为70美元的商品和两件单位成本为80美元的商品），这就是先进先出法。这些商品的总成本为300美元，即为商品的销售成本（CGS）。剩下的商品（2件单位成本为80美元的商品和1件单位成本为100美元的商品，合计260美元）构成了期末存货。FIFO把最早取得的商品成本分配到商品销售成本中，而把最近取得的商品成本分配到期末存货中。

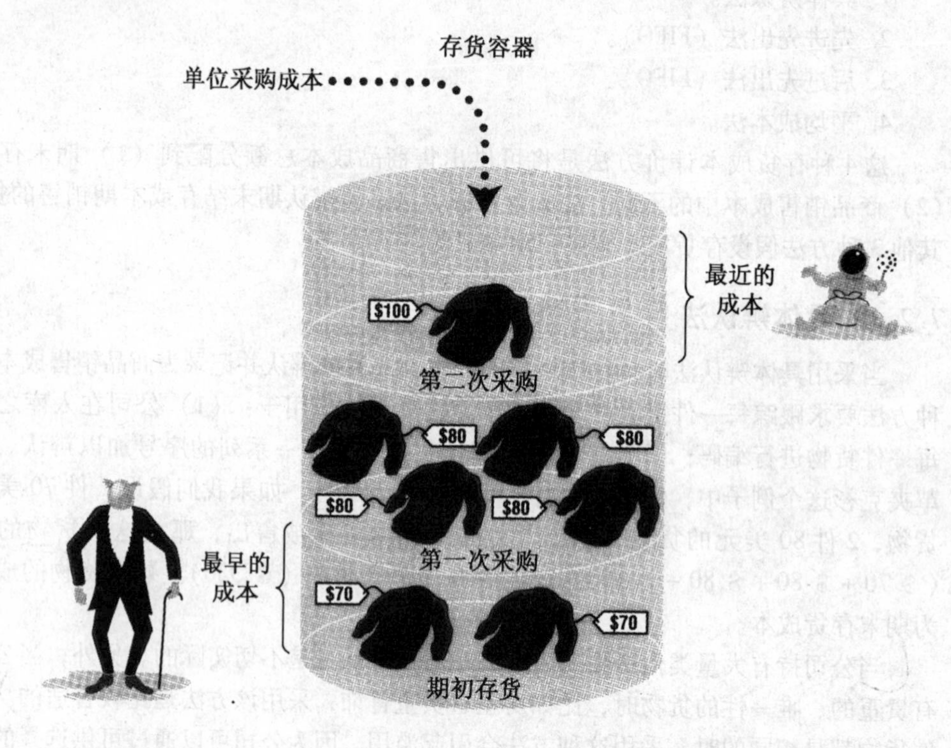

图表7—5　　FIFO和LIFO存货流转

商品销售成本计算（FIFO）		
期初存货	（2件，单位成本为$ 70）	$ 140
+本期购买	（4件，单位成本为$ 80）	320
	（1件，单位成本为$ 100）	100
可供销售的商品		560
-期末存货（2件，单位成本为$ 80美元；1件，单位成本为$ 100）		260
商品销售成本（2件，单位成本为$ 70；2件，单位成本为$ 80）		$ 300

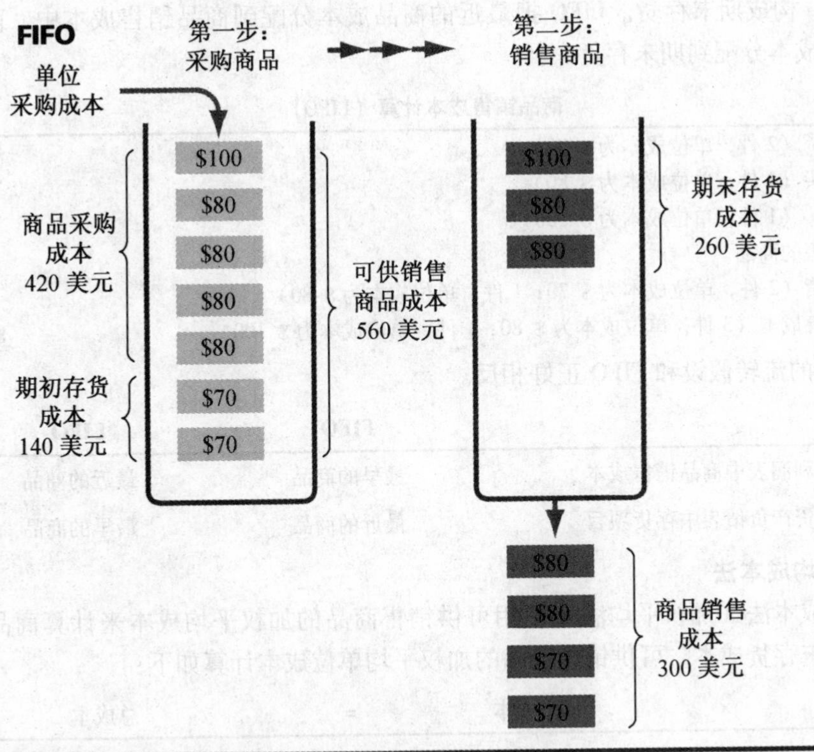

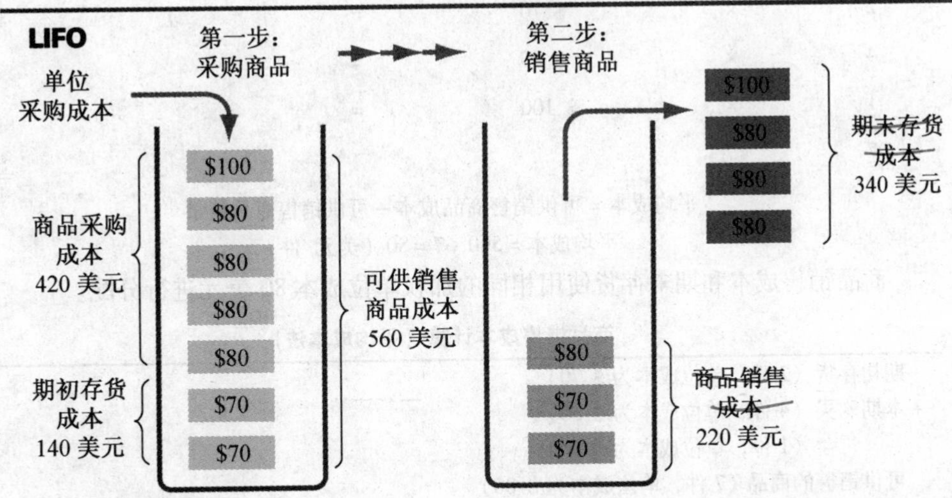

2. 后进先出法

后进先出法，通常称为 LIFO，假设最近采购的商品（后进商品）最先售出，最早的商品留存在期末存货中。像 FIFO 一样，我们用图表 7—5 中的 LIFO 容器来说明，每一批购货我们假设按照从上到下的顺序放入容器中（即先有 2 件单位成本为 70 美元的期初存货，然后购买 4 件单位成本为 80 美元的商品，然后又购买 1 件单位成本为 100 美元的商品），得到可供销售商品成本为 560 美元。和 FIFO 不同的是，每一笔销售从容器的顶部开始发出（即 1 件单位成本为 100 美元的商品和 3 件单位成本为 80 美元的商品）。这些商品的总成本为 340 美元，即为商品的销售成本（CGS）。剩下的商品（1 件单位成本为 80 美元的商品和 2 件单位成本为 70 美元的商品，合计

260 美元）构成期末存货。LIFO 把最近的商品成本分配到商品销售成本中，而把最早的商品成本分配到期末存货中。

商品销售成本计算（LIFO）

期初存货（2 件，单位成本为 \$ 70）	\$ 140
+ 本期购买（4 件，单位成本为 \$ 80）	320
（1 件，单位成本为 \$ 100）	100
可供销售的商品	560
- 期末存货（2 件，单位成本为 \$ 70；1 件，单位成本为 \$ 80）	220
商品销售成本（3 件，单位成本为 \$ 80；1 件，单位成本为 \$ 100）	\$ 340

LIFO 的流转假设和 FIFO 正好相反。

	FIFO	LIFO
利润表中商品销售成本	最早的商品	最近的商品
资产负债表中存货项目	最近的商品	最早的商品

3. 平均成本法

平均成本法（加权平均法）使用可供销售商品的加权平均成本来计算商品销售成本和期末存货成本。可供销售商品的加权平均单位成本计算如下：

数量	×	单位成本	=	总成本
2	×	\$ 70	=	\$ 140
4	×	\$ 80	=	320
1	×	\$ 100	=	100
7				\$ 560

平均成本 = 可供销售商品成本 ÷ 可供销售商品数量

平均成本 = 560 ÷ 7 = 80（美元/件）

商品销售成本和期末存货使用相同的加权单位成本 80 美元进行分配。

商品销售成本计算（平均成本法）

期初存货（2 件，单位成本为 \$ 70）	\$ 140
+ 本期购买（4 件，单位成本为 \$ 80）	320
（1 件，单位成本为 \$ 100）	100
可供销售的商品（7 件，单位成本为 \$ 80）	560
- 期末存货（3 件，单位成本为 \$ 80）	240
商品销售成本（4 件，单位成本为 \$ 80）	\$ 320

7.2.3 存货成本计价方法对财务报表的影响

每种存货成本计价方法都符合 GAAP 和税法。要理解为什么管理者会在不同的环境下选择不同的计算方法，我们必须知道这些方法对利润表和资产负债表的影响。图表 7—7 总结了我们上述例子中先进先出法、后进先出法和加权平均法对财务报表的影响。记住这些方法只是在可供销售商品成本分配给商品销售成本和期末存货成本方面存在差异。由于这个原因，使用这些方法能够得到最高的期末存货成本、最低的商品销售成本、最高的销售毛利润、最高的所得税费用、最高的利润，以及相反的结果。通常，加权平均法得到的利润和存货成本介于 FIFO 和 LIFO 之间。

图表 7—6　平均成本存货流转

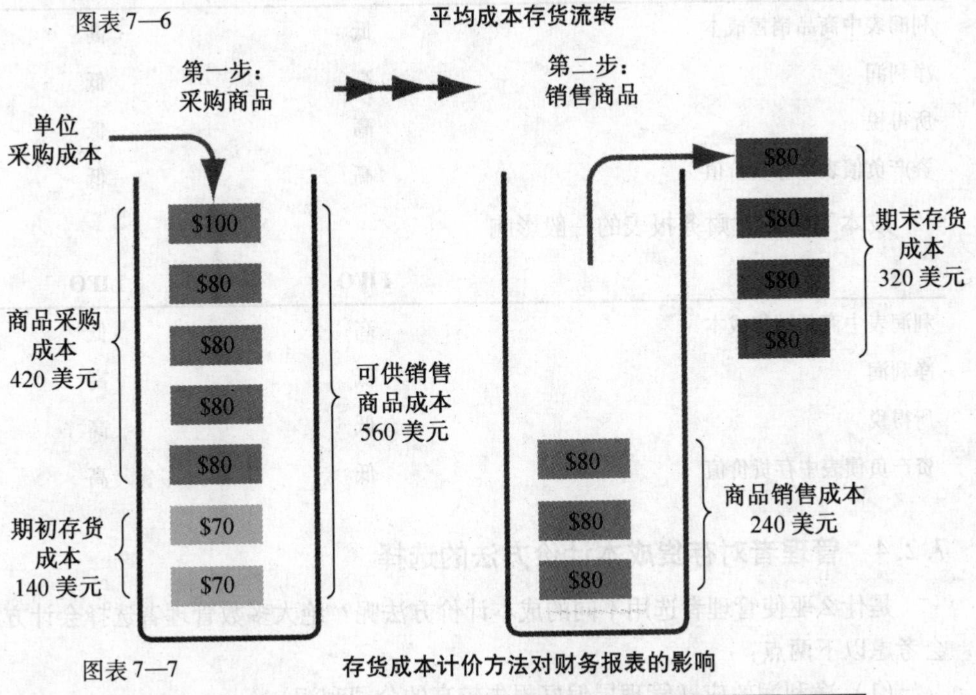

图表 7—7　存货成本计价方法对财务报表的影响

	先进先出法	后进先出法	加权平均法
对利润表的影响			
销售收入	$480	$480	$480
商品销售成本：			
期初存货	$140	$140	$140
加：本期购货	420	420	420
可供销售商品成本	560	560	560
减：期末存货（转入资产负债表）	260	220	240
商品销售成本	300	340	320
毛利润	180	140	160
其他费用	80	80	80
税前利润	100	60	80
所得税费用 (25%)	25	15	20
净利润	$ 75	$ 45	$ 60
对资产负债表的影响			
存货	$260	$220	$240

通过比较会发现，图表 7—7 中的单位成本在增加。当商品的单位成本增加时，和 FIFO 相比，LIFO 能够得到最低的利润和最低的存货成本。即使在通胀时期，有些商品的成本也会下降。当商品的单位成本降低时，和 FIFO 相比，LIFO 能够得到最高的利润和最高的存货成本。这些影响，只要存货的数量固定或增加就会一直存在，可以用下面的表格来说明：

成本上升：对财务报表的一般影响

	FIFO	LIFO
利润表中商品销售成本	低	高
净利润	高	低
所得税	高	低
资产负债表中存货价值	高	低

成本下降：对财务报表的一般影响

	FIFO	LIFO
利润表中商品销售成本	高	低
净利润	低	高
所得税	低	高
资产负债表中存货价值	低	高

7.2.4 管理者对存货成本计价方法的选择

是什么驱使管理者选用不同的成本计价方法呢？绝大多数管理者选择会计方法时会考虑以下两点：

（1）净利润效应（管理层偏好报告较高的公司利润）。

（2）所得税效应（管理层偏好在税法允许的情况下缴纳最少金额的所得税，而且越迟越好——最少最迟规则）。

上述两个动机之间存在的冲突，通常通过编制对外财务报告时选择一种会计方法而编制纳税申报表时选择不同的方法来解决。不过，存货成本计价方法的选择是一个特殊的情况，因为LIFO一致性规则。如果纳税申报表中使用LIFO，那么财务报表中计算存货成本和商品销售成本也必须使用LIFO。

1. 存货成本增加

当存货成本增加时，在纳税申报表时使用LIFO，因为这样会导致更低的所得税费用。

这可以用图表7—7来说明，在FIFO下，税前利润为100美元，而在LIFO下，税前利润为60美元。在所得税费用一行中，从FIFO中的25美元降低到LIFO中的15美元，LIFO可以产生10美元的现金节约。[①] 在美国，LIFO一致性规则要求当存货成本上升时，公司应同时采用LIFO来进行纳税申报和财务报告的编制。Harley-Davidson公司是一个面临成本上涨的典型公司。从2006年公司采用LIFO开始，已经节约了将近1 000万美元的税款。

对于不允许采用LIFO进行纳税申报或者不需要遵循LIFO一致性规则的国家，在存货成本上升的情况下，公司经常采用FIFO或者加权平均法以获得利润表中更高

① 理论上，LIFO并不能产生永久的税收节约，因为当存货水平降低，或者成本下降时，对利润的影响相反，而且要支付递延所得税。在这种情况下，递延所得税的经济利益在于可以取得利息，否则所得税只能在当期支付。

的利润。

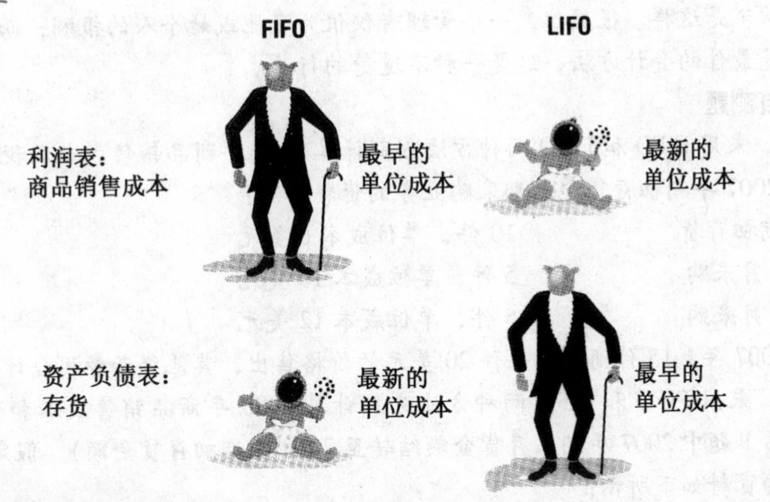

2. **存货成本降低**

在存货成本降低的情况下，在纳税申报和编制财务报表时经常同时采用 FIFO。

当公司存货成本降低时，使用这种方法（同时使用成本与市价孰低法，后面讨论）能够产生最低的所得税支付金额。很多高科技公司面临成本降低的情况。在这种情况下，FIFO 将最早购买的、也是最贵的存货作为商品销售成本，这样能够得到最高的商品销售成本、最低的税前利润，从而负担最低的所得税负债。比如，苹果公司和戴尔公司都采用 FIFO 来进行存货核算。

因为同一行业的绝大多数公司有着相同的成本结构，所以同一行业中的公司通常采用相同的会计方法。

3. **采用存货成本计价方法的一致性**

很重要的一点是要记住不论商品的实物如何流转，公司都可以采用任意一种存货成本计价方法。同样，并不要求某家公司对所有的存货项目都采用相同的存货成本计价方法，也不需要特别的正当理由来选择一种或几种可接受的方法。Harley-Davidson 公司和绝大多数大公司一样，都对不同的存货项目采用不同的成本计算方法。[①] 然而，会计准则要求公司在不同会计期间采用的会计方法要保持一致性。公司不允许在一个期间采用 LIFO，而在下一个期间采用 FIFO，然后又回到 LIFO。只有在能够证明该变更能够改进财务结果和财务状况的计量时，才允许进行会计方法的变更。

职业道德问题

LIFO 和管理者与所有者之间的利益冲突

我们已经看到，存货成本计价方法的选择对财务报表有很重要的影响。公司管理层有动机选择一个和所有者目标不一致的方法。比如，在物价上涨期间，采用 LIFO 最符合所有者的利益，因为 LIFO 会降低公司的所得税负债。如果管理者的报酬与利润挂钩，则他们可能更愿意选择 FIFO，因为这样会得到更高的利润。

---

① 《会计趋势和技术》(*Accounting Trends & Techniques*, New York: AICPA, 2006) 一文指出，尽管在接受调查的 600 家公司中，有 229 家（38.2%）对部分存货采用 LIFO，但只有 16 家（2.7%）对所有的存货都采用 LIFO。

一个设计良好的报酬计划应当对管理层为所有者的最佳利益服务进行奖励，但情况通常不是这样。很显然，一个管理者仅仅为了他或她个人的报酬，而选择对公司来讲不是最佳的会计方法，这是一种不道德的行为。

自测题

1. 采用 FIFO 和 LIFO 两种方法分别计算 2007 年商品销售成本和税前利润。假定公司 2007 年期初存货和本期采购业务的资料如下：

期初存货　　　　10 件，单位成本 6 美元

1 月采购　　　　5 件，单位成本 10 美元

5 月采购　　　　5 件，单位成本 12 美元

2007 年，15 件商品以每件 20 美元的价格售出，其他经营费用合计为 100 美元。

2. 采用 FIFO 和 LIFO 两种方法分别计算 2008 年商品销售成本和税前利润（提示：第 1 题中 2007 年期末存货金额结转至 2008 年期初存货金额）。假定公司 2008 年的采购资料如下所示：

3 月采购　　　　6 件，单位成本 13 美元

11 月采购　　　　5 件，单位成本 14 美元

2008 年，10 件商品以每件 24 美元的价格售出，其他经营费用合计为 70 美元。

3. 你建议公司采用哪一种方法？为什么？

计算解答之后，和本页下方的答案进行核对。

自测题答案：

1.

2007	FIFO	LIFO
期初存货	$ 60	$ 60
本期采购（5×10+5×12）	110	110
可供销售商品	170	170
期末存货 *	60	30
商品销售成本	110	140
销售收入（15×20）	300	300
商品销售成本	110	140
毛利润	190	160
其他经营费用	100	100
税前利润	$ 90	$ 60

* FIFO 期末存货 $=5\times12=60$（美元）

商品销售成本 $=10\times6+5\times10=110$（美元）

* LIFO 期末存货 $=5\times6=30$（美元）

商品销售成本 $=5\times12+5\times10+5\times6=140$（美元）

2.

2008	FIFO	LIFO
期初存货	$ 60	$ 30
本期采购（6×13+5×14）	148	148
可供销售商品	208	178
期末存货*	83	43
商品销售成本	125	135
销售收入（10×24）	240	240
商品销售成本	125	135
毛利润	115	105
其他经营费用	70	70
税前利润	$ 45	$ 35

* FIFO 期末存货 = 5×14+1×13 = 83（美元）

商品销售成本 = 5×12+5×13 = 125（美元）

* LIFO 期末存货 = 5×6+1×13 = 43（美元）

商品销售成本 = 5×14+5×13 = 135（美元）

3. 建议采用 LIFO，因为在成本上升的情况下可以得到较低的税前利润和较低的税款。

7.3 成本与市价孰低法

按照成本原则，存货应以采购成本进行初始计量。当存货留存到期末，可以用相同的更低成本的存货来代替，那么这个更低的成本应该用于存货估价。对于毁损、过时和变质的存货，如果可变现净值（销售价格减去销售费用）低于成本，则也应当计算出单位成本来代表其可变现净值。这个原则就是将存货按照成本与市价孰低法（LCM）进行计量。

上述对成本原则的违背是基于谨慎性，应特别注意不要高估资产和收益。谨慎性对两种类型的公司特别重要：（1）高科技公司，比如戴尔公司，所生产的产品价格和成本不断降低；（2）像 American Eagle Outfitters 这样的公司，其出售的产品具有明显的季节性（比如服装），商品的价格在每个销售旺季（秋季或春季）之后会明显下跌。

在成本与市价孰低法下，公司要在某一存货项目重置成本下跌的期间确认持有损失，而不是在实际出售期间。持有损失是采购成本和较低的重置成本之间的差额，会增加当期的商品销售成本。举例而言，假定戴尔股份有限公司期末存货如下：

存货项目	数量	单位成本	单位重置成本（市价）	采用单位成本与市价孰低法所得成本	采用成本与市价孰低法所得成本合计
英特尔芯片	1 000	$ 250	$ 200	$ 200	1 000 × $ 200 = $ 200 000
硬盘驱动器	400	100	110	100	400 × $ 100 = $ 40 000

这 1 000 个英特尔芯片应当按照现行市价（200 美元）来记录期末存货成本，因为现行市价比成本（250 美元）更低。戴尔公司编制下面的会计分录来记录资产

减值：

商品销售成本（+E，-SE）（1 000 × $ 50）………………50 000

存货（-A）………………………………………………… 50 000

资产		=	负债	+	所有者权益	
存货	-50 000				商品销售成本	-50 000

因为硬盘驱动器的市价（$ 110）比初始成本（$ 100）高，所以不需要确认资产减值。硬盘驱动器仍然在账面上保留它们的成本每件 100 美元（合计 40 000 美元）。GAAP 不允许确认存货的持产利得。

将奔腾处理器的资产价值减记至市场价格，会对利润表和资产负债表产生以下影响：

采用成本与市价孰低法计提减值的影响	本期	下期（假定售出）
商品销售成本	增加 50 000 美元	减少 50 000 美元
税前利润	减少 50 000 美元	增加 50 000 美元
资产负债表期末存货	减少 50 000 美元	没有影响

注意，对销售期间的影响与确认资产减值期间的影响正好相反。成本与市价孰低法仅仅改变了确认商品销售成本的时间，将商品销售成本从销售期间提前到计提减值期间确认。

对季节性的商品而言，比如服装、过时商品或者毁损的商品，如果销售价格减去销售费用（即可变现净值）降低至成本以下，则这个差额应从期末存货中扣除，加到本期的商品销售成本中。将资产计提减值至重置成本，对当期和未来期间的财务报表影响相同。

在下面的两个例子中，不管是 Harley-Davidson 公司（采用混合的 LIFO），还是戴尔公司采用 FIFO），都在财务报表中应用成本与市价孰低法。①

现实世界的摘录：Harley-Davidson 股份有限公司的年度财务报告

Harley-Davidson 股份有限公司

合并财务报表附注

1. 重要会计政策的说明

存货——存货使用成本与市价孰低法计价。基本上，所有在美国的存货都使用后进先出法（LIFO）计价。2006 年其他存货总计 10 350 万美元和 2005 年总计 7 740 万美元，同时采用成本与市价孰低法和先进先出法（FIFO）计价

现实世界摘要：戴尔股份有限公司年度财务报告

戴尔股份有限公司

合并财务报表附注

附注 1——公司概述和重要会计政策的说明

存货——存货按照成本与市价孰低法列报，成本按照先进先出法确定金额

① 对纳税而言，成本与市价孰低法可以应用到除了 LIFO 之外的所有存货成本计价方法中。

7.4 存货评估管理

7.4.1 衡量存货管理的效率

本章开始时强调，存货管理的主要目标是持有足够数量的高质量存货，以满足顾客的需求，同时最低化持有存货的成本（包括生产、储存、过时和筹资成本）。存货周转率是衡量公司平衡上述冲突目标成功与否的一个重要指标。

重要比率分析

存货周转率 Inventory Turnover

1. 分析问题

存货管理活动的效率如何?

2. 比率及比较

存货周转率 = 商品销售成本 ÷ 平均存货余额

2006 年 Harley-Davidson 公司的上述比率为（等式中的数据参照图表 7—1）：

$ 3 567 839 ÷ （（$ 287 798 + $ 221 418） ÷2） = 14.0

不同时期的比较		
Harley-Davidson 公司		
2004	2005	2006
14.3	14.7	14.0

不同公司的比较	
杜卡迪摩托车公司	本田摩托车公司
2006	2006
4.4	7.4

3. 解释

（1）概述

存货周转率反映本期存货被生产和销售的次数。较高的存货周转率意味着，存货从生产到最终转换到顾客那里速度较快，从而减少了储存和过时的成本。由于存货占用较少的资金，剩余部分可以进行投资来取得利息收入并减少筹资，因此减少了利息费用。更高效率的采购和生产技术，比如适时制存货管理，以及对产品的高需求会导致该比率较高。分析师和债权人也会分析存货周转率，因为该比率的大幅下降意味着公司面临存货需求无法预期的下降，或者管理者草率地进行产品管理。很多管理者和分析师会计算与之相关的存货平均周转天数。Harley-Davidson 公司的存货平均周转天数计算如下：

存货平均周转天数 = 365 ÷ 存货周转率 = 365 ÷ 14.0 = 26.1（天）

该比率是指公司产品从生产到发送给顾客的平均天数。

（2）聚焦公司分析

Harley-Davidson 公司的存货周转率从 2004 年的 14.3 下降至 2006 年的 14.0。Harley-Davidson 公司的存货周转率也比其较小规模的欧洲竞争对手——杜卡迪公司要高出很多，说明杜卡迪公司的经营效率较低。Harley-Davidson 公司能够从经济学家所说的规模经济中收益。Harley-Davidson 公司的存货周转率甚至比日本大型汽车和摩托车制造商本田公司还要高。

(3) 注意问题

不同行业在采购、生产和销售环节的差异导致该比率相差较大。比如，像 Papa John's 公司这样的餐饮公司，必须很快地周转其容易腐坏的存货，因此倾向于使用很高的存货周转率。特定公司的存货周转率，应当只和自己以前期间的数据或者同行业其他公司的数据进行比较。

选定的焦点公司的存货周转率

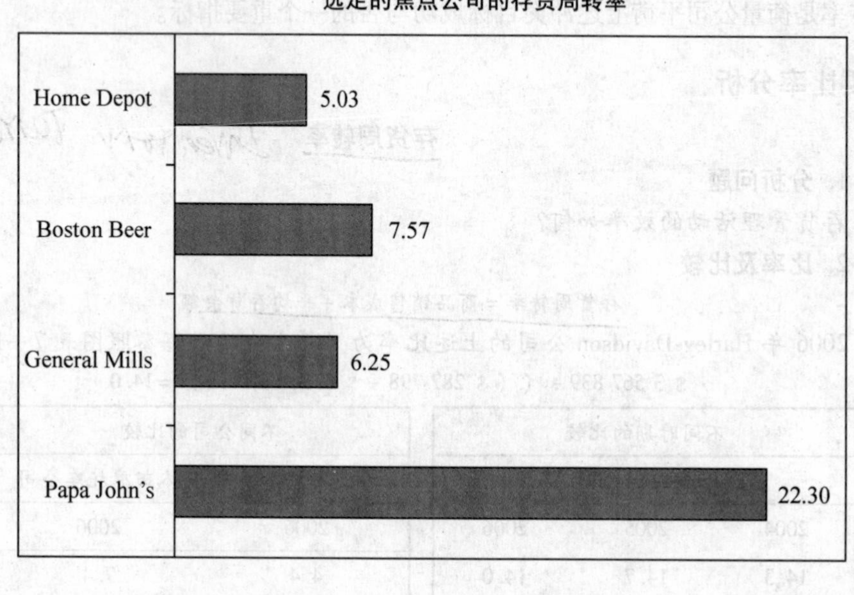

7.4.2 存货和现金流量

当公司为了满足需求增长而扩大产量时，这个存货增长的金额就被列报在资产负债表中。然而，当公司高估了产品需求时，它们通常会生产太多滞销的产品。这会增加储存成本和为存货发生的短期借款的利息成本，甚至会因为过多的存货难以按照正常价格出售而发生亏损。透过现金流量表，我们能够发现该问题即将出现的一些端倪。

聚焦现金流量

存货

和应收账款的变动一样，存货的变动对公司经营活动现金流量也有很大的影响。利润表中的商品销售成本可能大于或小于本期实际支付给供货商的现金。因为大多数的采购是通过赊账发生的（从供货商那里获得的融资通常称为应付账款），所以要调节商品销售成本和现金流出之间的关系，既要考虑存货的变动，也要考虑应付账款的变动。

考虑存货变动影响最简单的方法是，购买（增加）存货最终会减少现金，出售（减少）存货最终会增加现金。类似的，从供货商那里融资，会增加应付账款，也会增加现金。向供货商还款，则会减少应付账款，并减少现金。

对现金流量表的影响

(1) 概述

当本期发生存货净减少时，意味着销售比购买要多，那么这个减少的金额必须在计算经营活动现金流量时加回。

当本期发生存货净增加时，意味着销售比购买要少，那么这个增加的金额必须在计算经营活动现金流量时减去。

当本期发生应付账款净减少时，意味着向供货商还款比新发生的采购要多，那么这个减少的金额在计算经营活动净现金流量时应减去。

当本期发生应付账款净增加时，意味着向供货商还款比新发生的采购要少，那么这个增加金额在计算经营活动净现金流量时应加回。

	对现金流量的影响
经营活动（直接法）	
净利润	$ xxx
调整项目	
加：存货减少	+
或减：存货增加	−
加：应付账款增加	+
或减：应付账款减少	−

(2) 聚焦公司分析

图表 7—8 是 Harley-Davidson 公司现金流量表中的经营活动部分。像 Harley-Davidson 公司 2006 年那样，当本期存货余额增加时，公司采购或者生产的存货比销售的要多，这样，这个增加额要在计算经营活动现金流量时减去。相反，当本期存货余额减少时，公司出售的存货要比采购或生产的要多，这样，这个减少额要在计算本期经营活动现金流量时加回。当本期应付账款金额增加时，公司从供货商那里融资的金额比偿还的金额（或延期支付）要多，这样，这个增加额要在计算经营活动现金流量时加回。*

*当公司持有外币或进行合并或处置公司时，现金流量表中列报的变动金额不会和资产负债表中列报的项目变动金额相等。

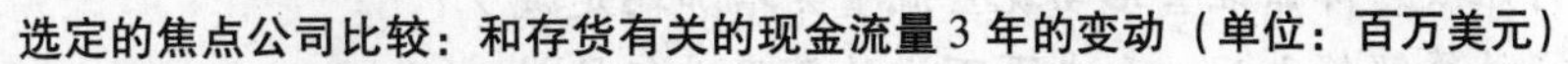
选定的焦点公司比较：和存货有关的现金流量 3 年的变动（单位：百万美元）

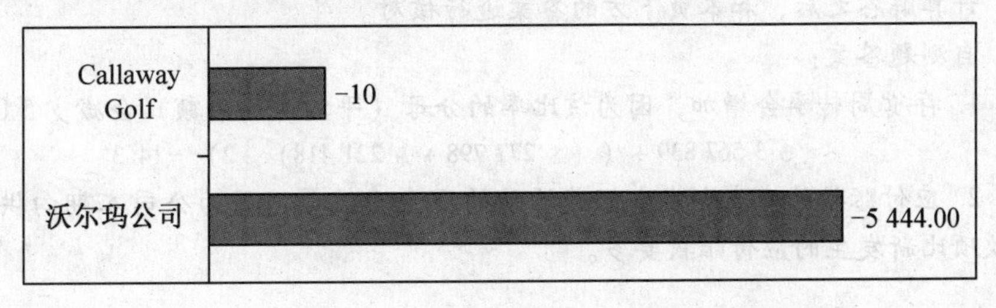

现实世界摘要：Harley-Davidson 股份有限公司年度财务报告

图表 7—8　　**现金流量表中的存货**

Harley-Davidson 股份有限公司
合并现金流量表
2006 年，2005 年

单位：千美元

	2006	2005
经营活动现金流量：		
净利润	$ 1 043 153	$ 959 604
将净利润调整到净现金流量：		
折旧和摊销	213 769	205 705
长期职工薪酬准备	801 379	71 461
股份支付费用	21 446	22 974
本期证券利得	(32 316)	(46 581)
应收款项的增加额	(516 926)	(33 280)
企业年金缴费	(13 512)	(296 859)
递延所得税	(39 768)	48 165
其他	24 560	50 684
流动资产和流动负债的净变动		
应收账款	(16 361)	(11 556)
存货	**(54 352)**	**(6 366)**
预付费用和其他流动资产	(708)	(9 895)
应收利息和其他应收款	(23 442)	(16 252)
应付账款和应计负债	**76 058**	**24 810**
调整总额	(281 373)	3 010
经营活动净现金流量	$ 761 780	$ 962 614

自测题

1. 参考 Harley-Davidson 公司存货周转率的关键比率分析。以 2006 年的计算为基础，回答下面问题。如果 Harley-Davidson 公司能够更高效地管理存货，减少 2006 年的采购和期末存货 10 000 美元，那么存货周转率会增加还是减少？并加以解释。

2. 以聚焦现金流量部分为基础，回答下面问题。如果 Harley-Davidson 公司减少应付账款，那么经营活动现金流量会增加还是减少？

计算解答之后，和本页下方的答案进行核对。

自测题答案：

1. 存货周转率会增加，因为该比率的分母（平均存货余额）会减少 5 000 美元。

$$\$\ 3\ 567\ 839 \div ((\$\ 277\ 798 + \$\ 221\ 418) \div 2) = 14.3$$

2. 应付账款的减少会减少经营活动的现金净流量，因为公司本期向供应商偿付的款项比新发生的应付账款要多。

7.4.3　存货计价方法和财务报表分析

当两个公司采用不同的存货成本计价方法编制财务报表时，分析师会怎样比较这两个公司？在进行有意义的比较之前，其中一个公司的财务报表应当转换成可比较的形式。这个转换可以通过下列方式省略：采用LIFO的美国上市公司在与FIFO计算的金额显著不同的情况下，需要在附注中披露采用FIFO计算的期初存货和期末存货金额。我们可以利用这个信息和商品销售成本等式，将资产负债表和利润表进行相应转换。

1. 采用FIFO对利润表进行转换

我们知道，成本流转假设的选择会影响怎样将可供销售商品成本分配到期末存货和商品销售成本中，但不影响采购记录。期末存货在不同方法中是不同的，而且因为上期期末存货的金额就是本期期初存货的金额，所以本期期初存货也是不同的。

期初存货金额	不同
+本期采购商品成本	相同
-期末存货金额	不同
商品销售成本	不同

这个等式意味着如果我们知道一个公司LIFO和FIFO下的期初存货金额和期末存货金额，我们就可以计算商品销售成本的差异。图表7—9列示了Harley-Davidson公司2006年期初存货和期末存货采用LIFO和FIFO计算金额的差异。这些金额，指的是“后进先出法准备”或者“FIFO超出LIFO金额”，LIFO使用者要在附注中进行披露。

通过图表7—9附注中披露的Harley-Davidson公司的后进先出法准备，我们可以看到如果使用FIFO，商品销售成本会减少5 436美元。

期初LIFO准备（FIFO超出LIFO金额）	$ 23 290
-期末　LIFO　准备（　FIFO　超出　LIFO　金额）	- 28 726
使用FIFO商品销售成本的差异	($ 5 436)

因为FIFO下的商品销售成本较低，所以税前利润会高出5 436美元。结果是，乘以35%之后的所得税金额比使用FIFO要高。

现实世界摘要：Harley-Davidson公司年度财务报告

图表7—9　**存货计价方法对财务报表的影响**

Harley-Davidson股份有限公司

合并财务报表附注

2. 其他资产负债表和现金流量表信息

单位：千美元

	12月31日	
	2006	2005
存货：		
……		
FIFO下的存货	316 524	244 708
FIFO超出LIFO的金额（LIFO准备）	28 726	23 290
LIFO下的存货（资产负债表中列报的存货）	$ 287 798	$ 221 418

FIFO 下的税前利润差异	$ 5 436
税率	×0.35
FIFO 下的所得税差异	$ 1 903

合并上述两个影响，净利润将由于商品销售成本增加 5 436 美元和所得税费用减少 1 903 美元而净增加 3 533 美元。

商品销售费用的减少（利润增加）	$ 5 436
所得税费用的增加（利润减少）	(1 903)
净利润增加	$ 3 533

上述计算针对 Harley-Davidson 公司 2006 年的财务报表。很重要的一点是，即使通常情况下成本保持增长的公司，成本有时也会降低。比如，2000 年，Harley-Davidson 公司一种新存货成本因为生产高效而有所降低。结果是，当我们将 LIFO 转换为 FIFO 时，2000 年的商品销售成本实际增长 1 851 美元，而税前利润的转换影响则是相反的——减少 1 851 美元。这样，尽管使用 LIFO 通常节约税款，但 Harley-Davidson 公司 2000 年却多支付了税款。

2. 采用 FIFO 对资产负债表进行转换

我们可以用附注中 FIFO 的金额替换 LIFO 的金额（2005 年和 2006 年分别是 316 524美元和 244 708 美元），来调整资产负债表的存货金额（如图表 7—9 所示）。或者，我们可以把 LIFO 准备加到资产负债表中 LIFO 下的相应金额上，也可以得到相同的金额。

财务分析

LIFO 和存货周转率

对很多使用 LIFO 的公司而言，存货周转率具有欺骗性。记住，对这些公司来说，构成分母的期初存货和期末存货金额可以因为反映最早的成本而很小。看看 Deere & Co. 公司，John Deere 农场、草坪和建筑设备的制造商，其存货附注列示了以下金额：

现实世界摘要：迪尔公司（Deere & Co.）年度财务报告

迪尔公司

合并财务报表附注

存货

单位：百万美元

	2006	2005
FIFO 总金额	$ 3 097	$ 3 267
调整到 LIFO 基础	1 140	1 132
存货	$ 1 957	$ 2 135

John Deere 公司 2006 年的商品销售成本为 153.62 亿美元。如果使用 LIFO 来计算该比率，则：

$$存货周转率 = \$ \ 15\ 362 \div ((\$ \ 1\ 957 + 2\ 135) \div 2) = 7.5$$

如果将商品销售成本（分子）转换为FIFO基础，使用更当前的FIFO存货价值为分母，则：

$$存货周转率=(\$15\,362-8)\div((\$3\,097+3\,267)\div2)=4.8$$

注意，这两个比率的最大差异是分母。FIFO下的存货成本是LIFO价值的两倍。所以，FIFO下计算的比率刚好比LIFO下的一半多。LIFO下的期初存货和期末存货因为反映最早的成本而很小。这样，在第一个计算中分子和分母并不真正相关。[①]

国际视野

后进先出法和国际比较

本章所讨论的存货成本计价方法在大多数工业国家中都采用。然而在有些国家里，LIFO不能采用。在英格兰和加拿大，LIFO不被税法所接受。LIFO在澳大利亚和新加坡不能使用，不过在中国编制财务报表和纳税时都可以使用[②]。国际财务报告准则禁止使用LIFO。这个差异给不同国家公司之间的比较带来了难题。比如，通用汽车公司和福特汽车公司在美国使用LIFO，而在美国以外的地区则使用加权平均法或先进先出法，而日本本田公司则对所有存货都采用FIFO。

自测题

在最近一年，卡特彼勒股份有限公司（Caterpillar Inc.），一个主要的农场和建筑设备制造商，报告其税前利润为16.15亿美元。它的存货附注中指出“如果使用FIFO，本年和上年存货金额会分别高出2 103美元和2 035美元”（附注中披露的金额为LIFO准备金额）。

要求：将本年的税前利润从LIFO转换为FIFO。

期初LIFO准备（FIFO超出LIFO金额）	
减：期末LIFO准备（FIFO超出LIFO金额）	
使用FIFO的商品销售成本准备	
税前利润（LIFO）	
使用FIFO的税前利润差异	
税前利润（FIFO）	

计算解答之后，和本页下面的答案核对。

自测题答案：

期初LIFO准备（FIFO超出LIFO金额）	$ 2 035
减：期末LIFO准备（FIFO超出LIFO金额）	2 103
使用FIFO的商品销售成本准备	($ 68)
税前利润（LIFO）	$ 1 615
使用FIFO的税前利润差异	68
税前利润（FIFO）	$ 1 683

---

① 因为LIFO下利润表中的商品销售成本和LIFO下资产负债表中的商品销售成本更接近当前的市价。

② 我国《企业会计准则第1号——存货（2006）》不再允许企业使用LIFO存货成本计算法——译者注。

7.5 存货控制

7.5.1 存货的内部控制

除了现金，存货是第二个容易失窃的资产。有效的存货管理可以避免缺货和过剩的情况出现，这对绝大多数公司的盈利来说是非常重要的。所以，很多控制细则提出保护存货以向管理者提供决策所需的最新信息，其中主要有：

1. 将存货会计核算和实物管理的职能分离。
2. 加强存货储存管理，防止失窃和毁坏。
3. 限制授权人员接近存货。
4. 保持永续盘存制的记录。
5. 比较永续盘存制和定期盘存制的记录。

7.5.2 永续盘存制和定期盘存制

1. 永续盘存制

在永续盘存制下，针对每种类型的存储商品都需保持一个详细的记录，并列示：（1）期初存货的数量和成本，（2）每一批购买的数量和成本，（3）每一批销售的数量和成本，以及（4）每一时点结存的数量和成本。这个实时的记录按照逐笔交易的顺序来记录。在完整的永续盘存制下，存货记录能够提供任何时点的期末存货和商品销售成本记录。在这个制度下，公司应随时进行实地盘点，以确保存货记录的准确性，以防出现差错和偷窃行为。

到本书目前为止，所有为采购和销售交易所做的会计分录都使用永续盘存制。在永续盘存制下，采购交易直接计入存货账户。当确认每笔销售时，同时编制一个相应的商品销售成本分录，减少存货的同时确认商品销售成本。结果是，商品销售成本和期末存货的信息建立在一个连续的（永续的）基础之上。

2. 定期盘存制

在定期盘存制下，本年没有保持一个实时的存货记录。每个期末需要对结存存货进行实地盘点，用每种结存商品的数量乘以其单位成本来计算期末存货的金额。商品销售成本利用商品销售成本等式来计算。

因为存货金额只有在期末实地盘点时才能确定，所以商品销售成本也只能等到实地盘点之后才能可靠地计量。存货采购借记“采购”账户，这是一个资产账户。每笔销售发生时，确认销售收入。但是，商品销售成本只能在实地盘点之后才能确认。在其他时间，采用定期盘存制的公司只能估计结存存货的金额。估计的方法在中级会计课程中会展开讨论。

在能够负担的计算机和条形码可得之前，使用定期盘存制的主要原因就在于其成本较低。定期盘存制的主要缺点是缺乏足够的存货信息。管理者无法了解存货短缺或过剩的情况。绝大多数现代公司没有这样的信息就无法生存。像本章开篇所提到的，随着竞争的加剧，以及计算机成本的大幅下降，成本和质量压力已经导致除了小公司之外的其他所有公司都必须采用复杂的永续盘存制。

3. **实务中永续盘存记录和现金流量假设**

无法追踪具体项目和批次的存货系统通常采用 FIFO 或者估计的平均（标准）成本基础。对那些可辨认的高价存货，应采用具体辨认法。在 LIFO 基础上，很少采用永续记录的理由有两个：（1）这样做太复杂，成本太高；（2）会增加税款支付。使用 LIFO 的公司将永续存货记录的结果通过调整分录转换至 LIFO。

7.5.3 期末存货的计量错误

商品销售成本等式说明，因为不在期末存货中的项目就假定其本期已售出，所以期末存货和商品销售成本之间存在直接关系。这样，期末存货数量和成本的计量就会同时影响资产负债表（资产项目）和利润表（商品销售成本、销售毛利润和净利润）。期末存货的计量不仅影响本期净利润，而且影响下期净利润。对两个期间产生影响的原因是，一个期间的期末存货就是下一期间的期初存货。

贺卡制造商 Gibson Greetings 公司高估了 20% 的净利润，原因是一个部门高估了当年期末存货的金额。你可以使用商品销售成本等式来计算这个错误对本年和次年税前利润的影响。假定期末存货由于记录错误高估了 10 000 美元没有被发现，则会对本年和次年产生如下影响：

本年		次年	
期初存货		期初存货	高估 \$10 000
+ 本期采购存货		+ 本期采购存货	
− 期末存货	高估 \$10 000	− 期末存货	
商品销售成本	低估 \$10 000	商品销售成本	高估 \$10 000

因为低估了商品销售成本，导致本年税前利润高估了 10 000 美元。由于本年期末存货即为次年期初存货，因此会产生下列影响：因为商品销售成本被高估，导致次年的税前利润低估 10 000 美元。

因为每个错误都会结转到留存收益中，因此本年年末，留存收益被高估了 10 000 美元（减去相关的所得税费用）。这个差错会在次年被抵消掉，所以次年年末的留存收益和存货金额都是正确的。

在这个例子中，我们假定期末存货的高估是因为记录错误这个疏忽而产生的。然而，存货欺诈是财务报表欺诈的一种基本方式。它发生在第 1 章讨论过的马克西驱动公司（Maxidrive）的案例中以及真实的 MiniScribe 公司的欺诈案中。

自测题

假定 2008 年年末，公司首次接受 CPA 的独立审计。公司编制的年度利润表如下所示。假定后来 CPA 发现 2008 年期末存货被低估了 15 000 美元，要求更正和重编利润表。

	年末12月31日			
	2008年更正前		2008年更正后	
销售收入		$ 750 000		
商品销售成本				
期初存货	$ 45 000			
加：本期采购	460 000			
可供销售商品成本	505 000			
减：期末存货	40 000			
商品销售成本		465 000		
销售毛利润		285 000		
经营费用		275 000		
税前利润		10 000		
所得税费用（20%）		2 000		
净利润		$ 8 000		

计算解答之后，请与下面的答案核对。

自测题答案：

销售收入		$ 750 000
商品销售成本		
期初存货	$ 45 000	
加：本期采购	460 000	
可供销售商品成本	505 000	
减：期末存货	55 000	
商品销售成本		450 000
销售毛利润		300 000
经营费用		275 000
税前利润		25 000
所得税费用（20%）		5 000
净利润		$ 20 000

注：一年的期末存货错误导致当年税前利润发生相同金额的错误，次年也会导致税前利润发生相同的错误，但方向相反。

示例

（在看建议答案之前先完成问题解答。）这个案例复习 FIFO 和 LIFO 存货成本计价方法的应用，以及存货周转率。

Balent Appliances 公司销售一定数量的家用电器。其中一种产品微波炉，在我们这个案例中使用。假定下列总括的交易是在 2008 年 12 月 31 日之前完成的，给定的顺序是（假定所有的交易都是现金交易）：

	数量	单位成本
（1）期初存货	11	$ 200
（2）本期采购存货	9	220
（3）本期销售（销售价格 420 美元）	8	?

要求：

1. 假定使用 FIFO 和 LIFO 存货成本计价方法，计算下列金额：

	期末存货		商品销售成本	
	数量	金额	数量	金额
FIFO				
LIFO				

2. 假定公司希望存货成本能够反映当期趋势，那么你建议巴伦特公司选择哪一种方法来核算这些存货项目？解释你的选择。

3. 假定其他经营费用为 500 美元，所得税税率为 25%，使用你建议的方法来编制本期的利润表。

4. 使用你所选择的方法计算本期的存货周转率，该比率能说明什么？

参考答案：

1.

单位：美元

	期末存货		商品销售成本	
	数量	金额	数量	金额
FIFO	12	$ 2 580	8	$ 1 600
LIFO	12	$ 2 420	8	$ 1 760

计算过程

期初存货（11 × $ 200）	$ 2 200
+本期采购（9 × $ 220）	1 980
可供销售商品成本	$ 4 180
FIFO 存货（期末计算）	
可供销售商品成本	$ 4 180
−期末存货（ 9 × $ 220 + 3 × $ 200 ）	2 580
商品销售成本（8 × $ 200）	$ 1 600
LIFO 存货（期末计算）	
可供销售商品成本	$ 4 180
−期末存货（ 11 × $ 200 + 1 × $ 220 ）	2 420
商品销售成本（8 × $ 220）	$ 1 760

2. 应该选择 LIFO。因为成本是上涨的，所以 LIFO 可以得到更高的商品销售成本，更低的税前利润，更低的所得税支付。因为要遵循 LIFO 一致性规则，所以纳税申报和利润表都要采用 LIFO。

3.

BALENT APPLIANCES 公司 利润表 2008 年	
商品销售收入	$ 3 360
商品销售成本	1 760
商品销售利润	1 600
其他费用	500
税前利润	1 100
所得税费用（25%）	275
净利润	$ 825

计算过程：

商品销售收入 = 8 × $ 420 = $ 3 360

4.

存货周转率 = 商品销售成本 ÷ 平均存货余额
= $ 1 760 ÷ （（$ 2 200 + 2 420） ÷ 2）
= 0.76

存货周转率反映存货本期从生产或采购到售出的次数。所以，巴伦特电器公司本年从采购到销售存货的次数不到 1 次。

本章小结

1. 应用成本原则来确定存货成本的金额，应用配比原则来确定典型的零售商、批发商和制造商的商品销售成本。

存货应当包括所有公司拥有的准备出售的项目。当商品采购或生产时，成本流入存货。当存货售出或处置时，成本流出（确认为一项费用）。为了满足配比原则，本期所有的商品销售成本应当与本期实现的销售收入相配比。

2. 使用 4 种存货成本计价方法列报存货成本和商品销售成本的金额。

本章讨论了 4 种将成本分配到期末结存存货和售出存货的成本计价方法，以及它们在不同经济环境下的应用。这些讨论的方法包括具体辨认法、先进先出法、后进先出法和平均成本法。每一种成本计价方法都符合 GAAP。上市公司使用 LIFO 时，必须在附注中披露期末存货和商品销售成本转换到 FIFO 的金额。记住成本流转假设不需要和实物流转假设相匹配。

3. 确定何时应用哪种存货成本计价方法对公司是有利的。

存货成本计价方法的选择会影响报告的利润、所得税费用（以及今后的现金流量），以及资产负债表中列报的存货金额，所以这是十分重要的。在价格上涨的时期，FIFO 通常会导致和 LIFO 相比较高的利润、较高的所得税。在价格下跌的时期，则正好相反。选择存货成本计价方法时通常要考虑最小化所得税。

4. 按照成本与市价孰低法（LCM）报告存货。

期末存货应当以实际成本和重置成本孰低的基础（LCM 基础）来计量。这个惯例对面临成本下降的公司的财务报表有很重要的影响。毁损的、过时的和过季的存货如果可变现净值低于成本，则应计提减值至当前估计的可变现净值。LCM 调整增加了商品销售成本，减少了利润，同时在计提减值当期减少了存货列报的金额。

5. 使用存货周转率评价存货管理以及评价存货对现金流量的影响。

存货周转率衡量公司存货管理的效率。它可以反映存货本期从生产到销售的次数。分析师和债权人分析存货周转率，因为该比率的大幅下降意味着公司面临存货需求无法预期的下降，或者管理者草率地进行产品管理。如果存货本期净减少，销售超过采购，那么这个减少额要在计算经营活动净现金流量时加回。如果本期存货净增加，销售少于采购，那么这个增加额要在计算经营活动净现金流量时减去。

6. 对采用不同存货成本计价方法的公司进行比较。

这些公司可以将采用 LIFO 编制的财务报表转换成采用 FIFO 编制的财务报表。上市公司使用 LIFO 时，必须在附注中披露期末存货和商品销售成本转换到 FIFO 的金额。这个金额通常称为 LIFO 准备金额。期初的 LIFO 准备金额减去期末 LIFO 准备金额等于采用 FIFO 后的商品销售成本差异，对税前利润的影响金额相同，但方向相反。这个差额乘以税率就是对所得税的影响金额。

7. 理解控制和追踪存货的方法，分析存货差错对财务报表的影响。

不同的控制程序可以限制失窃和管理不善的行为。公司可以追踪本期期末存货成本和商品销售成本，通过如下方法：（1）永续盘存制，保持详细的连续的存货记录；（2）定期盘存制，通过对期末存货的实地盘点和使用存货等式来确定本期销售成本。期末存货计量上的差错，会影响本期利润表中的商品销售成本和资产负债表中的期末存货项目。因为本年期末存货余额即为次年的期初存货余额，所以差错同时会以相同的金额和相反的方向影响次年的商品销售成本。这个关系可以通过商品销售成本等式来理解（BI + P − EI = CGS）。

在本章和之前的章节中，我们讨论的是公司的流动资产。这些资产对经营活动至关重要，但是它们中的很多并不能直接产生价值。在第 8 章中，我们将会讨论非流动的固定资产、自然资源和无形资产，它们都是生产要素。很多非流动资产也能够产生价值，比如在其中生产汽车的厂房。由于这些资产会在若干个会计期间受益，因此存在一些有意思的会计问题。

重要财务比率

存货周转率是衡量存货管理水平的比率。它反映本期存货被生产和销售的次数。

存货周转率 = 商品销售成本 ÷ 平均存货余额

搜索财务信息

资产负债表	利润表
流动负债	费用
存货	商品销售成本

现金流量表 经营活动项目（间接法） 净利润 －存货的增加 ＋存货的减少 ＋应付账款的增加 －应付账款的减少	附注 重要的会计政策： 管理者选择存货会计方法（FIFO，LIFO，LCM 等）的说明 单独的附注 如果没有在资产负债表中列报，则应披露存货的构成（商品、原材料、在产品、产成品） 如果使用 LIFO，则应披露 LIFO 准备金额（FIFO 超出 LIFO 的金额）

会计术语

平均成本法	后进先出法（FIFO）	采购折扣
商品销售成本等式	LIFO 等式	采购退回与折让
直接人工	LIFO 准备	原材料存货
制造费用	成本与市价孰低法（LCM）	重置成本
产成品存货	商品存货	具体辨认法
先进先出法（FIFO）	可变现净值	在产品存货
可供销售商品	定期盘存制	永续盘存制

习题

一、简答题

1. 为什么说存货对于内部（管理者）和外部报表使用者而言都是一个重要的项目？

2. 确定存货包括哪些项目的一般原则是什么？

3. 解释成本原则在期末存货项目中的应用。

4. 什么是可供销售商品？它与商品销售成本有何区别？

5. 什么是期初存货？什么是期末存货？

6. 本章讨论了 4 种存货成本计价方法，列出这 4 种方法并简单解释每种方法。

7. 解释公司使用具体辨认法时怎样进行利润操纵？

8. 当物价上涨和物价下跌时，对比 LIFO 和 FIFO 对报告资产（即期末存货）的影响。

9. 当物价上涨和物价下跌时，对比 LIFO 和 FIFO 对利润表（即税前利润）的影响。

10. 对比先进先出法和后进先出法对现金流出量和现金流入量的影响。

11. 当市价低于成本时，简要解释对期末存货应用成本与市价孰低法（LCM）对利润表和资产负债表的影响。

12. 当采用永续盘存制时，在每个出售日可以得到出售项目的单位成本。相反，当采用实地盘存制时，只有在会计期末才能计算出单位成本。为什么这种说法是正确的？

二、选择题

1. 考虑下列信息：期末存货成本为24 000美元，销售收入为250 000美元，期初存货成本为20 000美元，销售和管理费用为70 000美元，采购成本为90 000美元，则商品销售成本是多少？

a. 86 000美元　b. 94 000美元　c. 16 000美元　d. 84 000美元

2. 公司对存货成本计价方法的选择会影响下列哪一项？

a. 现金流量表　b. 留存收益表　c. 利润表　d. 以上都影响

3. 下列哪一项不是存货成本的组成部分？

a. 管理费用　b. 原材料　c. 直接人工　d. 制造费用

4. 考虑下列信息：期初存货的数量为20件，单位成本为20美元；第一次购进35件，单位成本为22美元；第二次购进40件，单位成本为24美元；本期销售了50件。用先进先出法计算的本期商品销售成本是多少？

a. 1 000美元　b. 1 060美元　c. 1 180美元　d. 1 200美元

5. 有如下信息：期初存货的数量为20件，单位成本为20美元；第一次购进35件，单位价格为22美元；第二次购进40件，单位价格为24美元；本期销售了50件。用后进先出法计算本期销售的商品的成本为：

a. 1 000美元　b. 1 060美元　c. 1 180美元　d. 1 200美元

6. 存货周转率的提高说明（　　）。

a. 从订货到收到货物之间的时间被延长

b. 从订货到收到货物之间的时间被缩短

c. 从存货采购到存货销售之间的时间被缩短

d. 从存货采购到存货销售之间的时间被延长

7. 如果应付账款的期末余额从本期到下期有所减少，则下列说法中正确的是哪一个？

a. 支付给供货商的现金超过本期采购所花的现金

b. 支付给供货商的现金小于本期采购所花的现金

c. 从顾客那里收到的现金超过支付给供货商的现金

d. 从顾客那里收到的现金超过本期采购所花的现金

8. 下列关于存货成本与市价孰低法的说法中正确的是哪一个？

（1）成本与市价孰低法是历史成本原则的一个例子。

（2）当存货的重置成本低于会计记录中的成本时，净利润会降低

（3）当存货的重置成本低于会计记录中的成本时，总资产会降低

a.（1）　b.（2）　c.（2）和（3）　d. 以上都正确

9. 下面哪种成本计价方法可以使本期销售成本与销售收入更好的配比，而在资产负债表中则列报存货的过时价值？

a. 先进先出法　b. 加权平均法　c. 后进先出法　d. 具体辨认法

10. 下列关于永续盘存制的说法哪一个是错误的？

a. 由于需对逐笔交易加以记录，因此实物盘点是不必要的

b. 存货账户的余额要随着每次发生采购和销售交易而进行随时更新

c. 商品销售成本会随着收入的确认而有所增加

d. 不使用采购账户，而使用存货账户

三、迷你练习题

1. 将存货项目与公司类型进行匹配

存货类型	公司类型	
	商业企业	制造企业
商品		
产成品		
在产品		
原材料		

2. 记录商业企业的采购成本

Elite Apparel 公司采购 90 件新衬衫，记录的总成本为 2 620 美元，其计算过程如下：

发票价格	$ 2 180
运输费用	175
进口关税	145
为采购借款 2 180 美元的利息（5.5%）	120
	$ 2 620

要求：

对上述计算进行必要的更正，并根据正确的金额编制会计分录记录该采购，假定使用永续盘存制。列出具体计算过程。

3. 辨认制造企业的存货成本

制造企业发生的经营成本：（1）成为存货成本，当产成品出售时确认为商品销售成本费用；（2）发生时直接确认为费用。指出下列各项成本属于分类（1）还是（2）。

a. 车间职工的工资

b. 销售人员的工资

c. 原材料的采购成本

d. 厂房的取暖、照明和动力费用

e. 总部办公室的取暖、照明和动力费用

4. 使用商品销售成本等式推断采购成本

JC Penney 股份有限公司是一家大型零售商，在所有 50 个州都设有百货商店。该公司业务的主要部分是通过百货商店包括目录商店向顾客提供商品和服务。在最近一期的财务报告中，JC Penney 公司报告的销售成本为 109.69 亿美元，本年期末存货成本为 30.62 亿美元，上年期末存货成本为 29.69 亿美元。

要求：

能否合理地估计本年商品采购的成本？如果可以，列出估计过程；如果不行，解释其原因。

5. 将财务报表影响与存货成本计价方法进行匹配

指出是 FIFO 还是 LIFO 存货成本计价方法通常会在列出的情形下造成下列各项影响。

a. 成本上升时

最高的净利润________

最高的存货成本________

b. 成本降低时

最高的净利润________

最高的存货成本________

6. 将存货成本计价方法与公司环境进行匹配

指出当存货成本上升时，通常会选择 FIFO 还是 LIFO 存货成本计价方法。解释其原因。

7. 采用成本与市价孰低法报告存货

Kinney 公司本年年末持有的存货项目如下所示（金额单位：美元）：

数量	单位成本	单位重置成本	
项目 A	60	$ 85	$ 100
项目 B	30	60	45

以单项为基础，计算成本与市价中较低的金额，确定资产负债表中存货项目列报的金额。

8. 确定存货管理的变化对存货周转率的影响

指出下列存货管理的变化会对存货周转率产生的最有可能的影响（“+”代表提高，“-”代表降低，“NE”代表无影响）。

a. 部件存货从由供货商每周发送变为每日发送

b. 将生产过程从 10 天缩短至 8 天

c. 存货采购付款时间从 15 天延长至 30 天

9. 确定存货差错对财务报表的影响

假定 2009 年期末存货的成本少计 100 000 美元，解释这个差错会对 2009 年和 2010 年的税前利润金额产生怎样的影响？如果 2009 年期末存货的成本多计而不是少计 100 000 美元，又会产生什么影响？

第8章　固定资产、自然资源和无形资产的列报和解释

学习目标

学完本章，应达到如下目标：

1. 定义、分类和解释长期生产用资产的特征，解释固定资产周转率。
2. 应用成本原则对固定资产的取得和维护进行计量。
3. 对长期持有并使用的资产应用多种成本分摊方法进行分摊。
4. 解释资产减值对财务报表的影响。
5. 分析固定资产的处置。
6. 对自然资源和无形资产应用计量和报告观念。
7. 解释长期资产的取得、使用和处置对现金流量的影响。

聚焦公司：西南航空公司

通过管理生产能力成为低价的领导者

www. southwest. com

自2007年12月31日起，西南航空公司（Southwest Airlines）经营520架波音737飞机，在美国国内32各州64个城市提供服务，成为美国运送旅客数量最多和国内航班最多的航空公司。西南航空公司是一个资本密集型公司，拥有超过108亿美元的固定资产，列报于资产负债表中。在2007年，西南航空公司花费了13多亿美元用于飞机、其他航空设备以及地面设备的购买。由于航空旅行的需求是季节性的，夏季是需求旺季，因此航空业计划最佳的产能是非常困难的事情。西南航空公司的管理者必须确定在哪些城市何时需要多少架飞机来满足所有的座位需求。否则，公司会失去收入（座位不足）或者发生较高的成本（座位太多）。

需求经常对宏观经济环境和其他公司无法控制的事项异常敏感。即使最好的公司规划师也无法预测2001年9月11日对美国实施恐怖袭击，对航空业带来的打击。在2003年上半年，对伊拉克的战争使人们对航空旅游的需求进一步降低。针对上述需求的大幅下降，很多航空公司加速其飞机的报废，或者使其暂时停飞，并考虑延迟新飞机的购买。

了解企业

绝大多数公司管理者面对的一个挑战是预测公司长期的生产能力（即预测公司厂房和设备的金额）。如果管理层低估了消费者的需求，那么公司无法生产或提供足够的商品或服务来满足其需求，就会失去赚取收入的机会。另外，如果它们高估了需求，则公司会发生额外的成本，也会降低公司的盈利能力。

航空业是一个难以计划和分析生产能力的典型行业。如果一架飞机从堪萨斯州或密苏里州起飞，在飞往纽约的路途中尚有空座，那么这些座位就失去了经济价值。当飞机驶离登机口，就再也没法向乘客售票了。和制造商不同，航空公司无法为未来储存“座位”。

同样的，如果大量无法预期的乘客想登机，则航空公司必须拒绝一些乘客。当你打算从西尔斯百货公司（Sears）购买一台电视机时，即使你需要等待一周才能到货，你也会愿意等。但是你一定不希望当你打算订一张感恩节周末回家的机票时，航空公司告诉你没有座位。你会直接选择另外一家航空公司或者其他交通运输方式。

西南航空公司有很多人们熟悉的规模较大的竞争对手，比如全美航空公司（US Airways）、美国航空公司（American）、联合航空公司（United）、捷蓝航空公司（JetBlue）和达美航空公司（Delta）。西南航空公司的10-K报告中提到，我们现在和其他航空公司在所有航线上展开竞争，有些航空公司有很多大飞机，在有些市场中有很高的知名度。

航空公司在争夺乘客的过程中很大一部分是以购买固定资产的形式进行的。乘客希望得到方便的时间表（这需要很多飞机），而且他们希望乘坐新的、现代的飞机。因为航空公司在设备上需要很大的投资，而没有机会储存未使用的座位，所以它们十分希望飞机的每个航班都能满载。西南航空公司2007年度的财务报告提及它能够提供低价票和针对频繁旅行者的优惠。

现实世界摘要：西南航空公司2007年度财务报告

西南航空公司具有低成本结构，使其能够以较低的价格收费。通过对站程进行调整，西南航空公司和其他大型航空公司相比具有较低的单位成本。西南航空公司的低成本优势，依赖于单一机型、操作效率高的航线结构和高效的职工。

从上述讨论中可以看出，和固定资产有关的问题对公司战略、定价决策和盈利能力有很重要的影响。管理者贡献相当多的时间来计划最佳生产能力水平，而财务分析师则严密地评价公司的财务报表以确定管理者决策产生的影响。

本章根据长期资产的生命周期——取得、使用和处置，进行组织。首先，我们讨论固定资产的计量和报告问题。然后，我们讨论自然资源和无形资产的计量和报告问题。在这些问题中，我们还要讨论维护、使用和处置固定资产，以及计量、报告具有产生未来现金流量的能力且发生减值的资产。

本章结构图示

固定资产的取得和维护	固定资产的使用、减值和处置	自然资源和无形资产
•长期资产的分类 •固定资产周转率 •取得成本的计量和记录 •修理、维护和扩建	•折旧概念 •折旧方法 •管理者的选择 •资产减值的计量 •固定资产的处置	•自然资源的取得和折耗 •无形资产的取得和摊销

8.1 固定资产的取得和维护

图表 8—1 列示了西南航空公司 2007 年 12 月 31 日资产负债表中的资产部分，有超过 65% 的资产是航空设备和地面设备。西南航空公司同时还报告了其他很可能长期受益的资产。让我们从这些资产的分类开始。

8.1.1 长期资产的分类

决定一个公司生产能力的资源通常称为长期资产。这些资产在资产负债表中被列示为非流动资产，包括有形的和无形的，具有下列特征：

1. 有形资产具有实物形态，也就是说可以感触到。这种分类称为不动产、厂房和设备，也称为固定资产。3 种长期的有形资产包括：

（1）经营用土地。在西南航空公司的例子中，土地通常不在资产负债表中单独列示。

（2）经营用房屋、装置和设备。对西南航空公司而言，这个分类包括飞机、为飞机服务的地面设备，以及办公地点。

（3）经营用自然资源。西南航空公司在资产负债表中没有列报任何自然资源。然而，其他行业的公司可能会报告自然资源，比如林木、银矿等。

2. 无形资产是指没有实物形态的授予所有者特定权利的资产。比如专利、版权、特许权、经营权、商标权等。西南航空公司在资产负债表中没有列报任何无形资产。

现实世界摘要：西南航空公司年度财务报告

图表 8—1　**西南航空公司资产负债表资产部分**

西南航空公司
合并财务报表
2007 年和 2006 年 12 月 31 日

单位：百万美元

资产	2007	2006
流动资产：（合计）	$ 4 443	$ 2 601
固定资产		
飞机设备	13 019	11 769
地面不动产和设备	1 515	1 356
飞机设备采购合同订金	626	734
	15 160	13 859
减：累计折旧	4 286	3 765
固定资产合计	10 874	10 094
其他资产	1 455	765
资产总计	$ 16 772	$ 13 460

选定公司的长期资产占总资产的比例

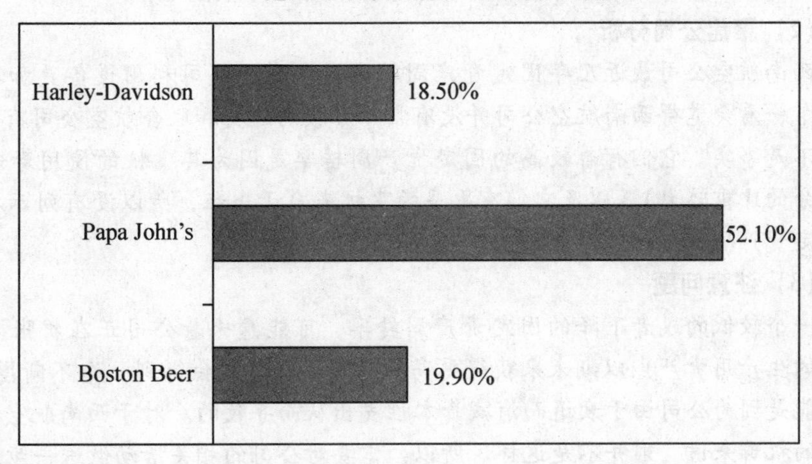

重要比率分析

固定资产周转率

1. 分析问题

评价管理层利用固定资产获得收入的效率。

2. 比率及比较

固定资产周转率 = 销售净额（或营业收入）÷平均资产余额*

*（固定资产期初净值 + 固定资产期末净值）÷2

西南航空公司 2007 年该比率为：

$ 9 861 ÷［（$ 10 874 + $ 10 094）÷2］= 0.94（次）

不同时期的比较		
西南航空公司		
2005	2006	2007
0.84	0.94	0.94

不同公司的比较	
达美航空公司	联合航空公司
2007	2007
1.55	1.77

选定公司 2006 年的固定资产周转率

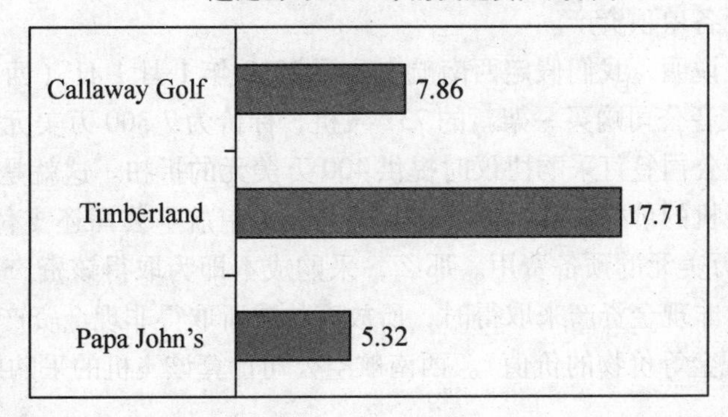

3. 解释

（1）概述

固定资产周转率衡量每一元固定资产创造的销售收入。该比率高则意味着管理效率高。该比率随着时间不断增长说明，固定资产的使用效率越来越高。债权人和证券分析师利用这个指标来评价公司利用长期资产创造收入的效率。

（2）**聚焦公司分析**

西南航空公司最近几年固定资产周转率提高说明公司利用设备更加有效率。然而，乍一看会觉得西南航空公司并没有常年亏损的达美和联合航空公司有效率，其实这并不是事实。它们有着较高的固定资产周转率是因为其飞机的使用寿命较长（折旧部分的比重较大），以及它们有更多的飞机来自于出租，所以没有列示在资产负债表固定资产项目下。

（3）**注意问题**

一个较低的或者下降的固定资产周转率，可能意味着公司正在扩张（通过取得更多的生产用资产）以期未来获得更高的收入。之所以会得到一个不断增长的比率，也可能是因为公司由于衰退而消减资本性支出从而导致的。对于西南航空公司不断扩张它的机群来讲，则并不是这样。所以，需要对公司的相关活动做进一步的调查，以对固定资产周转率做出合理的解释。

8.1.2 取得成本的计量和记录

在成本原则下，为使资产达到可使用（或存货的可销售）状态而发生的取得或准备过程中的所有合理和必要的支出都记录为资产的成本。当该支出被确认为资产成本的一部分，而不是当期费用时，该支出被称为资本化支出。所有消费税、法律费用、运输成本以及安装成本都应计入资产的采购成本中。然而，折扣优惠应予以扣除，采购发生的利息费用应在发生时确认为费用。

除了购买建筑物和设备之外，公司也会取得未开发的土地，打算用于建造厂房或办公楼。当公司购买土地时，所有的采购费用，比如产权费用、销售佣金、法律费用、产权保险费、滞纳税款、测量费用，都应该计入成本之中。

有时，公司会购买一幢旧房屋或一台使用过的设备用于经营活动，在使用之前公司发生的更新和维修成本都应视作成本的一部分。此外，当公司同时购买土地、厂房和设备作为一个资产组时，总成本应按照各单项资产的市场价值占资产组总市场价值的比例分配至各单项资产。

为了方便说明，我们假定西南航空公司 2010 年 1 月 1 日（西南航空公司会计年度期初）从波音公司购买一架新的 737 飞机，标价为 7 300 万美元。我们假设波音公司同西南航空公司签订采购协议时提供 400 万美元的折扣。这就是说，西南航空公司购买一架新飞机的价格实际为 6 900 万美元。西南航空公司还支付了 20 万美元的运输费用和 80 万美元的预备费用。那么，采购成本即为取得该资产的净现金金额，或者当公司支付非现金资产来取得时，所放弃的或所取得非现金资产的公允价值中更可靠的价值（现金等价物的价值）。西南航空公司计算该飞机的采购成本过程如下：

发票价格	$ 73 000 000
减：波音公司给予的折扣	4 000 000
发票净价格	69 000 000
加：西南航空公司发生的运输费用	200 000
西南航空公司发生的预备费用	800 000

飞机的成本（计入资产账户） $70 000 000

1. 现金购买

假定西南航空公司支付现金购买飞机，并支付相关的运输费用和预备费用，则该交易的会计分录为：

飞机设备（+A）……………………………… 70 000 000

　现金（-A）…………………………………………… 70 000 000

资产		=	负债	+	所有者权益
现金	-70 000 000				
飞机设备	+70 000 000				

西南航空公司支付现金来购买价值7 000万美元的新资产看起来并不常见，但确实经常发生。当公司购买生产性资产时，会用经营活动产生的现金或最近借入的现金来支付。对卖方来说，也可能为买方提供商业信用。

2. 承担债务购买

现在我们假定西南航空公司签发一张应付票据来购买飞机，并以现金支付运输费用和预备费用。在这种情况下，西南航空公司的会计分录为：

飞机设备（+A）……………………70 000 000

　现金（-A）……………………………… 1 000 000

　应付票据（+L）……………………… 69 000 000

资产		=	负债	+	所有者权益
飞机设备	+70 000 000		应付票据 +69 000 000		
现金	-1 000 000				

3. 权益购买（或者以非现金对价方式）

非现金对价，比如公司的普通股或者公司给予卖方以特定价格购买公司商品或服务的权利，也可能是交易的一部分。当采购一项资产采用非现金对价时，需要确定其现金等价物成本（所放弃或所取得资产的公允价值）。

假定西南航空公司向波音公司发行面值为1美元、市价为5美元的股票9 000 000股，差额支付现金。那么，会计分录及其影响如下：

飞机设备（+A）…………… 70 000 000

　普通股（+SE）（1×9 000 000）……… 9 000 000

　资本公积（+SE）（4×9 000 000）…… 36 000 000

　现金（-A）　……………………… 25 000 000

资产		=	负债	+	所有者权益	
现金	-25 000 000				普通股 +	9 000 000
飞机设备	+70 000 000				资本公积 +	36 000 000

4. 建造形成的固定资产

在有些情况下，公司可能自行建造一项资产自己使用来代替从制造商购买资产。当公司这样做时，该资产的成本包括所有和建造有关的必要成本，比如人工成本、材料，以及绝大多数情况下在建造期间发生的利息，其被称为资本化利息。当支付利息时，借记资本化的利息费用，贷记现金。资本化利息的计算很复杂，将在其他的会计课程中详细讨论。对人工、材料以及一部分利息费用的资本化会增加资产金额，减少费用，从而增加净利润。我们假定西南航空公司建造一个新的飞机库，支付 600 000 美元的人工成本和 1 300 000 美元的物资和材料费用。西南航空公司同时在建造项目期间支付 100 000 美元的利息费用：

房屋 (+A) …………………………… 2 000 000

　现金 (−A) ………………………………… 2 000 000

资本性支出：	
支付的工资	600 000
使用的物资	1 300 000
支付的利息	100 000

资产		=	负债	+	所有者权益
现金	−2 000 000				
房屋	+2 000 000				

达美航空公司最近一年的财务报告中包括有关资本化利息的附注。

现实世界摘要：达美航空公司年度财务报告

合并财务报表附注：

1. 重要的会计政策说明

资本化利息——公司将用于购买新飞机和建造地面设施的预付款中的利息资本化，并将其增加至相关资产成本中。

自测题

最近几年，麦当劳公司购买了价值 18 亿美元的固定资产。假定公司同时支付 7 000万美元消费税、800 万美元运输费，并花费 130 万美元用于固定资产使用前的安装和准备工作，还花费 10 万美元用于固定资产使用期间的维修。

1. 计算固定资产的取得成本。

2. 怎样记录消费税、运输成本和安装成本？请解释原因。

3. 在下列独立的假设中，指出取得固定资产对会计等式的影响。使用“+”代表增加，使用“−”代表减少，并指出具体账户和金额。

	资产	负债	所有者权益
(1) 支付 30% 的现金，余额签发一张应付票据			
(2) 以每股 45 美元的市价发行 1 000 万股普通股（面值为 0.1 美元），余额用现金支付			

计算答案之后，与下面的答案核对。

自测题答案：

1. 固定资产

取得成本	$ 1 800 000 000
消费税	70 000 000
运输费	8 000 000
安装费	1 300 000
合计	$ 1 879 300 000

因为维修费用不是使资产达到预定可使用状态之前发生的必要支出，所以不包括在取得成本里。

2. 消费税、运输费和安装费应当资本化，因为它们是使资产达到预定可使用状态所发生的必要、合理的支出。

3.

	资产	负债	所有者权益
(1)	固定资产 +1 879 300 000 现金 −563 790 000	应付票据 +1 315 510 000	
(2)	固定资产 +1 879 300 000 现金 −1 429 300 000		普通股 +1 000 000 资本公积 +449 000 000

8.1.3 修理、维护和扩建

大多数资产需要在使用寿命之内发生后续支出来保持或增强它们的生产能力。这些支出包括用于日常修理和维护、大修理、替换和扩建的现金支出。资产取得之后发生的支出可以分为以下几类：

1. 日常修理和维护是指只在当前会计期间内用于保持资产生产能力的支出。这些现金支出在当期确认为费用。日常修理和维护，也称为收益性支出，是用于长期资产日常维护和保养的支出。这些支出本质上是重复发生的，每次发生的金额相对较小，不会直接延长资产的使用寿命。

在西南航空公司的实例中，日常修理包括更换飞机引擎机油，替换控制板指示灯，修理破裂的乘客座椅布料。尽管单独的日常修理成本相对较小，但这些支出的合计可能很大。2007 年，西南航空公司支付 6.16 亿美元用于飞机的维护和修理。这个金额在利润表中被列报为一项费用。

2. 扩建和改良支出是指能够增加使用寿命、经营效率或资产生产能力的支出。这些资本性支出要增加到合适的资产账户里。这些支出很少发生，金额巨大，通过提高效率或延长寿命来提高资产的经济利益。这样的例子包括扩建、大修理、更新，以及重要的替换和改良，比如彻底替换飞机的引擎。

在很多情况下，改良（资产）和日常的维护（费用）并没有明显的界限。在这种情况下，管理者必须通过职业判断来主观确定。资本化费用会增加当年的资产和净利润金额，而通过每年计提折旧来降低未来期间的利润。另外，从所得税的角度来看，本期费用化会立即减少所得税。因为资本化或费用化的确定是主观的，所以审计人员要严密地检查这些项目报告为资本性支出还是收益性支出。

为了避免企业花费太多的时间来对扩建和改良（资本性支出）以及修理费用（收益性支出）进行分类，有的公司会制定政策来决定这些支出的会计处理。比如，一个大型计算机公司制定政策将所有低于 1 000 美元的单项支出费用化。可以接受这样的政策的原因是不重要的金额（相对较小的金额）在使用者分析财务报表时不会影响决策。

财务分析

世通公司（WorldCom）：通过资本化隐藏数十亿美元费用

当应该作为当期费用的支出错误地资本化为资产的一部分成本时，对财务报表的影响是巨大的。在历史上最大的一个会计舞弊案中，世通公司（现在是 Verizon 公司的一部分）仅仅通过这样一个方案就虚增了数十亿美元的利润和经营活动现金流量。这个舞弊使得世通公司将亏损变成大幅的盈利。

在2001和2002年的5个季度里，公司最初宣布将本该确认为经营费用的38亿美元予以资本化。在2004年初，审计人员发现2000年和2001年有744亿美元需要重述（减少以前年度的税前利润）。

将费用确认为资本化支出会增加利润，因为这将会使一个期间的经营费用以费用折旧的方式分散到未来诸多期间。同时，这也会将现金流量表中经营活动的现金流量转化为投资活动现金流量，从而增加经营活动现金流量。

自测题

一个初始成本为400 000美元的建筑物已经使用了10多年，需要进行连续的维护和修理。对下列每项支出，指出应当确认为当期费用还是资本化计入资产成本。

	费用化还是资本化
1. 替换建筑物的电线	______
2. 修理建筑物的前门	______
3. 每年清理空调系统的过滤网	______
4. 由于罕见的洪水导致建筑物损坏而进行的大修理	______

完成解答之后，和下面的答案核对。

自测题答案：

1. 资本化　2. 费用化　3. 费用化　4. 资本化

8.2 固定资产的使用、减值和处置

8.2.1 折旧概念

除了具有无限使用寿命的土地之外，长期资产均具有有限的使用寿命，比如飞机，代表着未来一系列服务和利益的预付成本。配比原则要求将资产成本的一部分分配到通过使用资产产生收入的相同期间，并确认为费用。西南航空公司当提供旅行服务的时候会产生收入，同时由于使用飞机来获得收入也会发生费用。

折旧是用来配比固定资产产生收入的成本。折旧是指将固定资产成本在使用寿命内进行系统合理分摊的过程。

学生们经常对会计使用的折旧概念感到困惑。在会计里，折旧是成本分摊的过程，而不是确定资产当前市价或价值的过程。当资产计提折旧时，资产负债表列报的剩余金额并不代表它的当前市价。在资产取得后的资产负债表里，尚未计提折旧的成本并不按照市价或公允价值的基础来计量。

在每个期末需要编制一个调整分录来反映固定资产在当期的使用情况：

折旧费用（+E，-SE）	×××	
累计折旧（+XA，-A）		×××

资产		=	负债	+	所有者权益	
累计折旧（+XA）	-×××				折旧费用（+E）	-×××

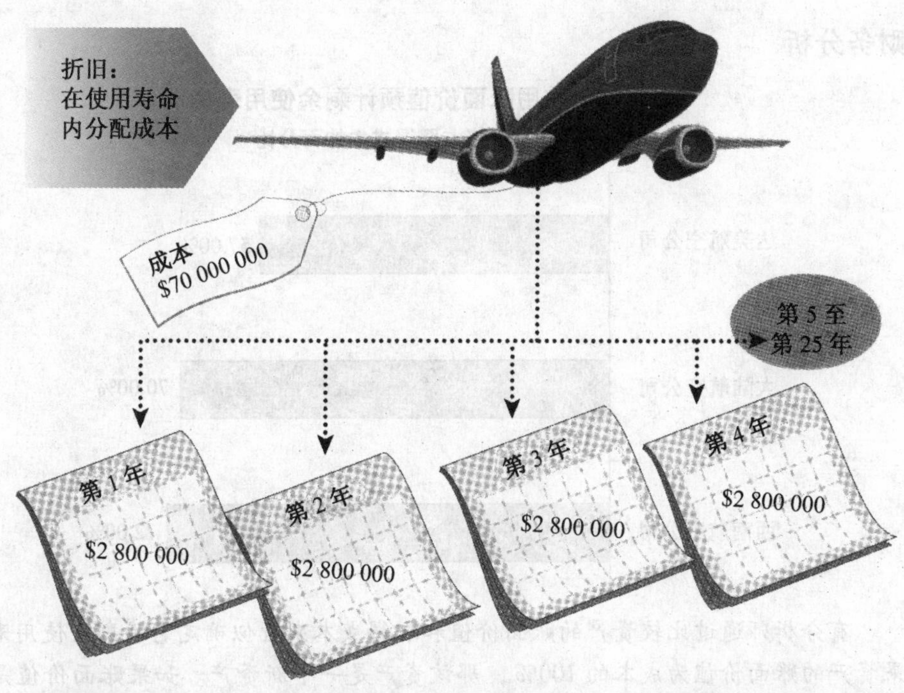

当期确认的折旧金额在利润表中反映为折旧费用。从取得日开始计算的累计折旧金额在资产负债表中作为一个备抵项目来列报，从相关的资产成本中扣减。资产负债表中反映的净值称为账面净值或账面价值。长期资产的账面净值（或账面价值）是指取得成本减去自取得日至资产负债表日累计折旧后的金额。

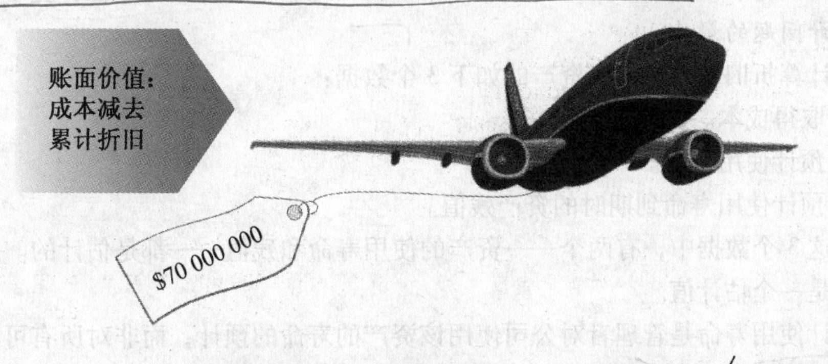

	第1年	第2年	第3年	第25年
成本	$70 000 000	$70 000 000	$70 000 000	$70 000 000
累计折旧	2 800 000	5 600 000	8 400 000	70 000 000
账面净值	$67 200 000	$64 400 000	$61 600 000	$ 0

如图表8—1所示，西南航空公司2007年末固定资产的取得成本为151.6亿美元，累积折旧为42.86亿美元。这样，报告的账面价值为108.74亿美元。同时，西南航空公司在利润表中列报2007年的折旧费用为5.55亿美元。

财务分析

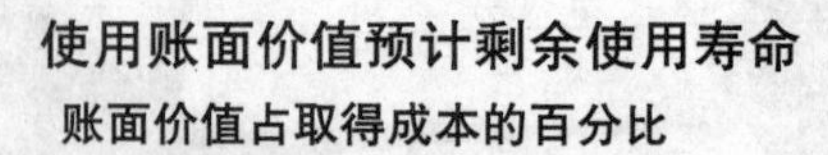

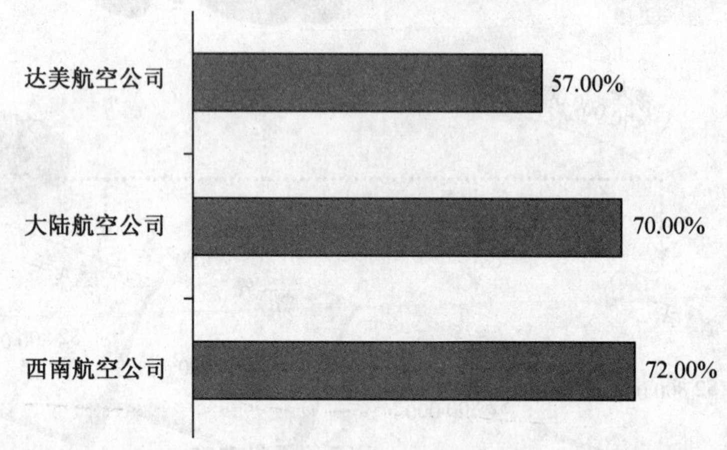

有分析师通过比较资产的账面价值和取得成本来近似确定它的剩余使用寿命。如果资产的账面价值为成本的100%，那该资产是一个新资产。如果账面价值是成本的25%，那么该资产的剩余使用寿命为其原有寿命的25%。在西南航空公司的实例中，固定资产的账面价值是成本的72%，和大陆航空公司的70%以及达美航空公司的57%可以进行比较。通过比较，可以发现，西南航空公司飞机的预计剩余使用寿命比大陆航空公司和达美航空公司更长。这个比较只是一个粗略的近似值，受下面讲到的一些会计问题的影响。

要计算折旧费用，需要资产的如下3个数据：

1. 取得成本。
2. 预计使用寿命。
3. 预计使用寿命到期时的资产残值。

在这3个数据中，有两个——资产的使用寿命和残值——都是估计的。因而，折旧费用是一个估计值。

预计使用寿命是管理者对公司使用该资产的寿命的预计，而非对所有可能使用者而言的经济寿命。资产的期望使用寿命往往比公司打算使用的寿命要长。使用寿命可以用年限来表示，也可以用生产能力来表示，比如设备预计使用工时或生产数量。西南航空公司的机队预期能够飞行超过25年，但是西南航空公司希望通过将旧飞机更新为现代飞机来提供高质量的服务。从会计的角度来讲，西南航空公司预计飞机的使用寿命为23~25年。该飞机的随后拥有者（一家地区航空公司）会根据自己的政策来确定预计使用寿命。

残值代表管理者预计在资产预计使用寿命到期时处置该资产能够回收的金额。残值可能是资产回收的残余价值，也可能是出售给其他使用者的期望价值。在西南航空公司的实例中，飞机残值是公司预计将飞机出售给使用旧飞机的一家小型地区航空公司所能收到的金额。西南航空公司财务报表附注中指出，公司对不同资产估计的残值占成本的0～15%。

财务分析

同一行业估计使用寿命的差异

不同航空公司在最近的财务报告中列示飞机不同的预计使用寿命：

公司	预计寿命（年）
西南航空公司	23～25
大陆航空公司	25～30
美国航空公司	5～25
新加坡航空公司	15
达美航空公司	25

导致上述预计使用寿命不同的主要因素包括：每个公司使用飞机的类型不同、飞机更换计划存在差异、经营上存在差异，以及管理者的谨慎程度有所不同。而且，假定飞机类型相同，计划飞机使用寿命较短的公司会比计划使用寿命较长的公司估计更高的残值。比如，新加坡航空公司对其预计使用寿命相对较短的客机估计10%的残值率。比较而言，达美航空公司预计飞机的使用寿命为25年，估计的残值率为5%。

资产预计使用寿命和残值的差异对比较竞争对手的盈利能力有重要的影响。分析师必须弄清楚折旧年限产生差异的原因。

8.2.2 折旧方法

因为不同公司拥有的资产存在重大差异，所以会计师不会赞同存在某种最佳的折旧方法。结果是，管理者可以从可供选择的不同折旧方法中确定能够使折旧费用和产生的收入相配比的方法。一旦选定了方法，该方法应当在各期保持一致，以增强财务信息的可比性。我们将讨论3种最常用的折旧方法：

1. 直线法（最普遍，95%以上的受调查企业采用）。
2. 工作量法。
3. 余额递减法。

使用不同折旧方法的公司数量[①]

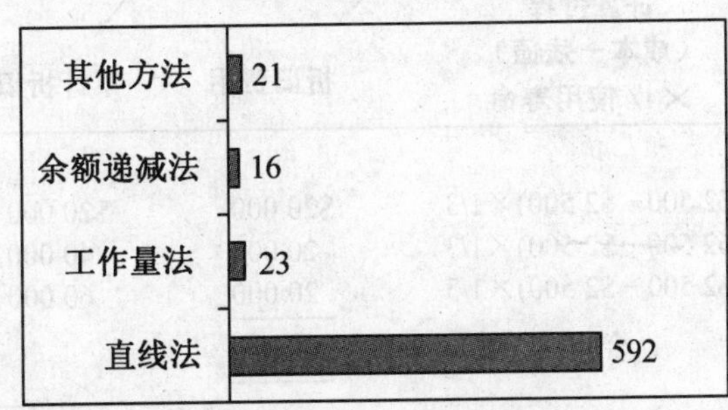

为了说明每种方法，我们假定西南航空公司2010年1月1日取得一辆新的服务车辆（地面设备），相关信息如图表8—2所示。

① 来自《会计趋势与技术》(*Accounting Trends & Techniques*，AICPA，2006）文中样本公司报告的方法。

图表 8—2　　**使用不同方法计算折旧的说明数据**

西南航空公司 **一辆新服务车辆的取得**		
成本，2010 年 1 月 1 日购买	\$ 62 500	
预计残值	\$ 2 500	
预计使用寿命		3 年或 100 000 英里
实际（预计）行驶里程	2010 年	30 000 英里
	2011 年	50 000 英里
	2012 年	20 000 英里

1. 直线法

很多公司，包括西南航空公司，都使用直线法编制财务报告，数量超出了使用其他方法的公司的合计数。在直线法下，资产的应计提折旧在预计使用寿命内的各个期间平均分摊。预计各年折旧费用的计算公式如下：

直线法公式：

（成本－残值）×1÷使用寿命＝折旧费用

（\$ 62 500－\$ 2 500）×1/3＝\$ 20 000

在这个公式里，“成本减去残值”是应计提折旧额，也称为折旧成本。“1÷使用寿命”是直线法折旧率。使用图表 8—2 中的数据，西南航空公司的新卡车每年的折旧费用为 20 000 美元。

公司经常编制折旧表来显示机器设备全部使用寿命内每年计算的折旧费用。你也可以使用计算机计算程序，比如 Excel，来创建折旧表。使用图表 8—2 中的数据，西南航空公司的折旧表如下所示（单位：美元）：

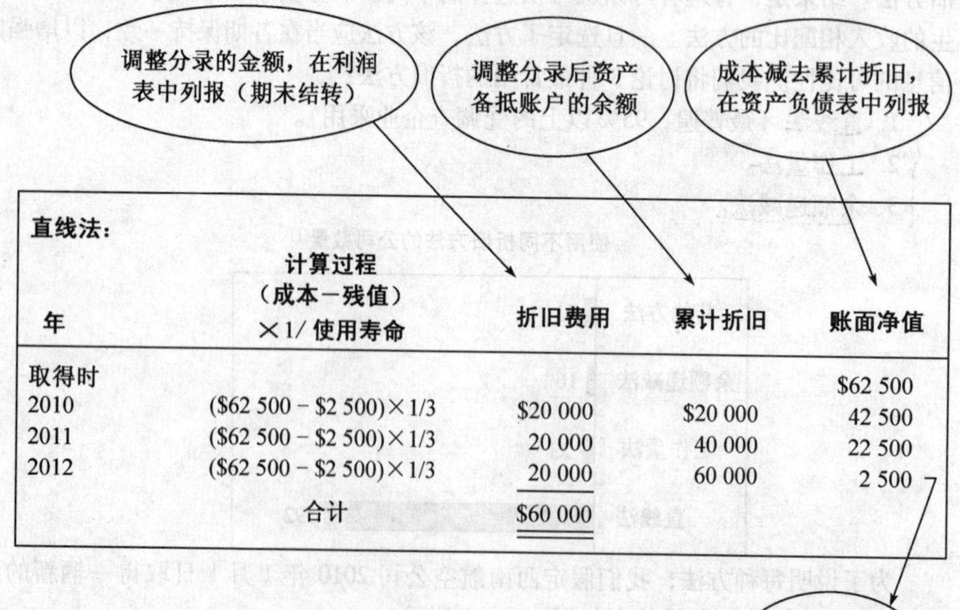

直线法：

年	计算过程（成本－残值）×1/ 使用寿命	折旧费用	累计折旧	账面净值
取得时				\$62 500
2010	(\$62 500－\$2 500)×1/3	\$20 000	\$20 000	42 500
2011	(\$62 500－\$2 500)×1/3	20 000	40 000	22 500
2012	(\$62 500－\$2 500)×1/3	20 000	60 000	2 500
	合计	\$60 000		

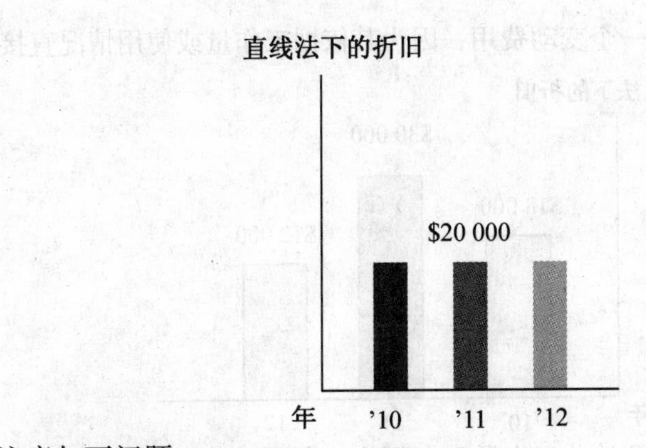

注意如下问题：

（1）折旧费用每年固定不变。

（2）累积折旧每年增加相等的金额。

（3）账面净值每年减少相等的金额，直到与预计残值相等。

这就是直线法名称的缘由。调整分录可以根据折旧表编制，对利润表和资产负债表的影响是已知的。西南航空公司的所有资产都采用直线法。公司 2007 年报告 5.55 亿美元的折旧费用，几乎相当于公司当年收入的 6%。绝大多数的航空公司都采用直线法。

2. 工作量法

工作量折旧法下，折旧成本与预计的总工作量相关。在这种方法下，预计每年折旧费用的计算公式如下：

工作量法：

（成本 – 残值）÷ 预计总工作量 × 实际工作量 = 折旧费用

将折旧成本除以预计总工作量得到每工作量的折旧额，然后再乘以当期的实际工作量得到折旧费用。在我们的例子中，新卡车每行驶 1 英里，西南航空公司就记录 0.6 美元的折旧费用。该卡车使用工作量法编制的折旧表如下所示：

工作量法：

年	计算过程 （成本 – 残值）÷ 预计总工作量 × 实际工作量	折旧费用	累计折旧	账面净值
取得时				$ 62 500
2010	0.6 × 30 000	$ 18 000	$ 18 000	44 500
2011	0.6 × 50 000	30 000	48 000	14 500
2012	0.6 × 20 000	12 000	60 000	2 500
	合计	$ 60 000		

注意，各期的折旧费用、累计折旧和账面价值都随着工作量的变化而变化。在工

作量法下，折旧费用是一个变动费用，因为其依据工作量或使用情况直接变化。

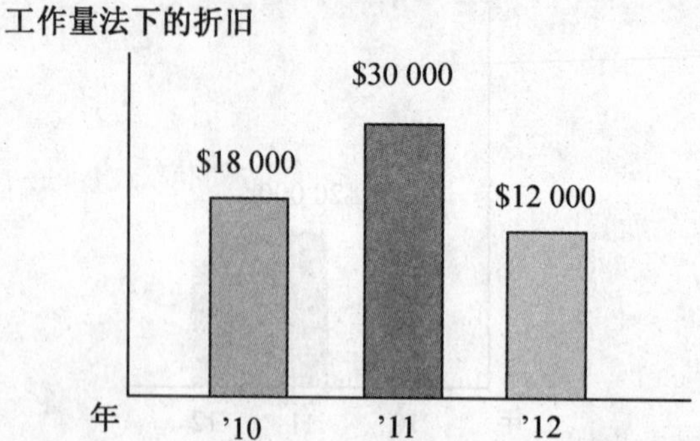

你也许会问，如果预计总工作量和实际总工作量不同会怎样。要记住估计是管理者对总工作量的最佳猜测。如果在资产使用寿命到期时发生差异，则最后一个折旧费用的调整分录应列出使资产的账面净值等于资产预计残值的金额。比如，如果2012年，西南航空公司的卡车实际行驶了25 000英里，仍然要记录使资产的账面净值等于资产预计残值的折旧费用，即12 000美元。

尽管西南航空公司不采用工作量法，埃克森美孚公司（Exxon Mobil），一家世界著名的开采、加工、运输和出售原油、天然气的大型能源公司，仍使用工作量法，正如公司年度财务报告附注中解释的那样。

现实世界摘要：埃克森美孚公司2006年年度财务报告

> 1. 重要的会计政策
>
> 固定资产
>
> 折旧、折耗和摊销，以资产成本减去预计残值为基础，考虑过时因素估计资产的服务年限，主要采用工作量法或直线法来计算。工作量法的折旧率以已正式的开采储备为基础，包括原油、天然气和其他矿产品，这些资源使用目前的设备和经营方法估计可以开采。
>
> 工作量法以估计资产未来总工作量和产出量为基础，这是很难确定的。这是体现会计内在主观性的另一个例子。

3. 余额递减法

当资产被认为较新、更有效率、更多产时，管理者也许会选择余额递减法在资产最初几年内确定较高的费用和较高的收入相配比，而在之后的几年内确定较低的折旧费用。这是一种加速折旧方法。尽管加速折旧法以财务报告的目的较少使用，然而余额递减法是比其他加速折旧法更常用的方法。

余额递减法根据资产各期的账面净值采用超过直线法的比率计提折旧。这个比率通常是直线法比率的两倍，称为双倍余额递减比率。比如，如果估计使用寿命为10年的资产的直线法比率是10%（1÷10年），那么余额递减法的比率是20%（2×直线法比率）。其他常用的加速比率是直线法比率的1.5倍和1.75倍。双倍余额递减比率是公司采用加速方法时最常用的，所以我们在说明中会使用这个比率。

双倍余额递减法公式：

（成本 - 累计折旧）×2 ÷ 使用寿命 = 折旧费用

第一年折旧费 =（＄62 500 - 0）×2/3 = ＄41 667

这种方法和前面讨论的方法相比有两个重要差异：

（1）公式中使用的是累计折旧，而不是残值。因为累计折旧每年增加，所以账面净值（成本减去累计折旧）逐年降低。对一个逐年减少的账面净值应用双倍折旧率，会导致每年的折旧费用逐年减少。

（2）资产的账面价值不能折旧至比残值还低。这样，计算当年折旧导致账面净值低于残值时，就必须记录一个较低的折旧费用金额，使得账面净值等于残值。在以后年度就不再计算额外的折旧费用了。

双倍余额递减法折旧费用的计算可以用如下折旧表来说明：

年	计算 （成本 - 累计折旧） ×2 ÷ 使用寿命	折旧费用	累计折旧	账面净值
取得时				＄62 500
2010	（＄62 500 - 0）×2/3	＄41 667	＄41 667	20 833
2011	（＄62 500 - ＄41 667）×2/3	13 889	55 556	6 944
2012	（＄62 500 - ＄55 556）×2/3	~~4 629~~（计算金额太大）	~~60 185~~	~~2 315~~
		4 444	60 000	2 500
	合计	＄60 000		

2012 年计算的折旧费用（4 629 美元）并不是利润表中实际报告的金额（4 444 美元）。资产无论何时都不能使折旧后的账面价值低于残值。西南航空公司持有资产的预计残值为 2 500 美元。如果折旧费用记录为 4 629 美元，那么资产的账面价值会低于 2 500 美元。所以 2012 年正确的折旧费用为 4 444 美元，该金额会使账面价值正好减至 2 500 美元。

处于预期设备会很快过时行业的公司会使用双倍余额递减法计提折旧。索尼公司（Sony）就是使用该方法的公司之一，正如其年度财务报告附注中所披露的那样。

现实世界摘要：索尼公司 2006 年财务报告

> 2. 重要会计政策说明
>
> 固定资产和折旧
>
> 固定资产以成本列报。索尼公司及其日本的子公司对固定资产主要采用双倍余额递减法……而对国外的子公司则采用直线法，根据资产的预计使用寿命计算折旧率，建筑物的使用寿命介于 15 ~ 50 年之间，机器设备的使用寿命介于 2 ~ 10 年之间。

正如上述附注中所说的，公司可以对不同类型的资产采用不同的折旧方法。在一致性原则下，公司在不同期间应对资产采用相同的折旧方法。

4. 总结

下面的表格概括了 3 种折旧方法的计算以及每年折旧费用的差异：

方法	计算	折旧费用
直线法	（成本－残值）×1÷使用寿命	每年折旧金额相等
工作量法	（成本－残值）×1÷预计工作总量×当年实际工作量	每年折旧金额随工作量水平变动
双倍余额递减法	（成本－累计折旧）×2÷使用寿命	每年折旧金额递减

财务分析

不同折旧方法的影响

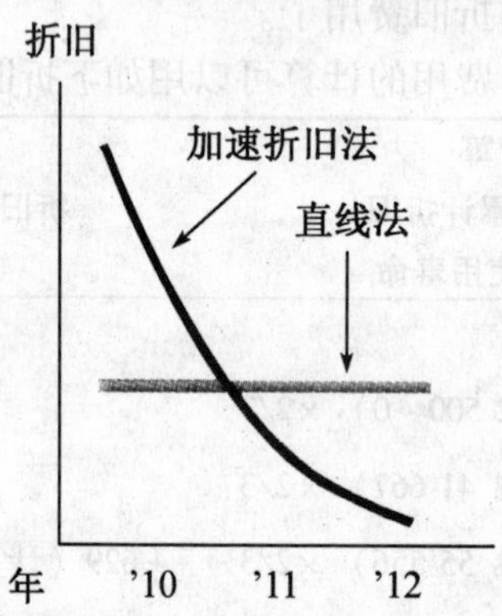

假设你要比较两个非常相似的公司，一个使用加速折旧法，而另一个使用直线法。你会预期哪家公司报告的利润更高？实际上这个问题有些复杂。答案是你无法确定哪家公司的利润更高。

使用加速折旧法在资产最初几年报告较高的折旧费用，以及较低的净利润。当资产使用年限增加时，结果正好相反。所以，在使用资产的后几年，使用双倍余额递减法的公司报告较低的折旧费用，以及较高的净利润。上边的图显示了本章讨论的直线法和余额递减法在使用年限内的折旧模型。当加速折旧法的曲线低于直线法时，加速折旧法会产生比直线法更高的利润。不过，到资产使用寿命到期时两种方法所计提的折旧总额相等。

财务报表使用者必须清楚不同折旧方法对公司各期的影响。折旧方法的差异，而不是真实的经济差异，导致了净利润的重大变动。

自测题

假定西南航空公司取得一台新的成本为240 000美元的计算机设备。该设备预计使用寿命为6年，预计运转工时为50 000小时，预计残值为30 000美元。采用以下方法计算确定该设备第一年的折旧费用：

1. 直线法。
2. 工作量法（假定供设备第一年实际工作8 000小时）。
3. 双倍余额递减法。

计算答案之后，与下面的答案核对。

自测题答案：

1. （$ 240 000－$ 30 000）×1/6＝$ 35 000
2. （$ 240 000－$ 30 000）÷50 000×8 000＝$ 33 600

3. ($ 240 000 - 0) ×2/6 = $ 70 000

财务分析

新加坡航空公司通过会计调整来增加盈利能力？阅读附注

财务分析师很关注公司的会计估计变更，因为这会对公司税前的营业利润产生重大影响。2001 年，新加坡航空公司在年度财务报告中披露公司将飞机的预计使用寿命从 10 年延长至 15 年，以反映飞机更换政策的变化。这个变更使当年的折旧费用减少 2.65 亿美元，且在资产剩余使用年限内都会减少类似的费用。分析师非常关注这个数字，因为这意味着公司仅仅通过会计调整来增加盈利能力。

8.3 管理者的选择

1. 财务报告

以财务报告为目的，公司管理者要确定对任意固定资产而言哪种折旧方法能够更好地将费用与收入相配比。如果预期资产于各期产生的经济利益较均衡，那么采用直线法最好。管理者也发现该方法最容易操作和解释。如果没有其他更系统和更合理的方法，那么就选择直线法。而且，在使用资产的最初几年，使用直线法会比使用加速折旧法报告更高的利润。由于上述原因，直线法是迄今为止最常用的方法。

另外，有些固定资产在最初几年因为比后来效率更高而产生更多的收入。在这种情况下，管理者应选择一种加速折旧法来分摊成本。

2. 所得税报告

西南航空公司和大多数上市公司一样，同时使用两套会计记录。这两套记录都反映相同的交易，但是对该交易采用两种计量规则来记录。一套是依据 GAAP 为股东报告的，另一套是根据税法编制确定公司所得税义务的。这两个规则不同的原因很简单：GAAP 和税法的目标不同。

财务报告（GAAP）	所得税报告（税法）
财务报告的目标是提供公司有用的经济信息来预测公司未来的现金流量。财务报告准则遵循 GAAP	税法的目标是筹集足够的收入来支付联邦政府的各项支出。很多税法条款的制定是为了鼓励改进社会的行为（慈善捐款可以抵扣，以鼓励民众支持公益事业）

在某些情况下，税法和 GAAP 的差异使得管理者没有选择，只能使用单独的记录。而有的情况则是管理者的选择导致了差异。在税法允许的会计方法中，管理者会应用“最少最迟规则”。所有的纳税人都想在可能的最迟时点支付税法所允许的最少金额的税款。如果你可以选择今年年末或者明年年末支付 100 000 美元给联邦政府，你一定会选择明年年末支付。这样，你可以将资金用于额外 1 年的投资，以取得投资的高回报。

类似的，持有两套账簿，公司可以延迟支付数百万，甚至数十亿美元的税款。下列公司今年报告了重大的递延所得税负债。这些递延所得税负债中的很多是由资产分摊方法的差异造成的。

公司	递延所得税负债（亿美元）	采用不同成本分摊方法的比重（%）
西南航空公司	27.69	87
百事可乐公司（PepsiCo）	23.04	34
Hertz 公司	24.21	50
Marriott 国际集团	1.77	18

大多数公司使用税法允许的修正加速成本回收系统（MACRS）来计算折旧费用以用于纳税申报。MACRS 类似余额递减法，是在相对较短的资产使用寿命的最初几年里计提较高的折旧费用。在 MACRS 方法下的高折旧费用减少了公司的应纳税所得额，从而减少了应交所得税的金额。MACRS 激励公司投资新式的固定资产以提高在国际市场的竞争力，这种方法对财务报告来说并不适用。

职业道德问题

两套账簿

当人们第一次发现公司拥有两套账簿时，一些人会质疑该操作的合理性和合法性。事实上，拥有独立的纳税和财务报告既合法又合理。不过，这些记录必须反映相同的交易。在所得税申报表中低估收入或高估费用会导致财务罚金或坐牢，而且会因此失去职业许可。

8.3.1 资产减值的计量

公司必须对长期有形和无形的资产可能发生的减值进行核查，这需要两个步骤：

1. 当事项发生或环境变化导致资产的预计未来现金流量（未来经济利益）低于账面价值时，资产发生减值。

如果账面净值 > 预计未来现金流量，那么资产发生减值。

2. 对任何认为发生减值的资产，公司要将资产账面价值和公允价值（市场价格）之间的差额确认为损失。

减值损失 = 账面净值 − 公允价值

即将资产的账面价值冲减至公允价值。

尽管西南航空公司在最近的财务报告中没有报告资产减值损失，但在财务报表附注中披露了公司遵循资产减值核查的惯例。

现实世界摘要：西南航空公司财务报告

在适当的时候，公司会评估其经营中使用的长期资产是否已发生减值。当事项和环境表明资产可能发生减值，该资产产生的未折现的现金流量低于账面价值时，应当确认减值损失。资产可能发生减值的迹象包括但不局限于，长期资产市价的大幅下跌，长期资产的实物状况发生重大变化，与该长期资产的使用有关的运营或现金流量发生损失等。公司继续取得正的现金流量，继续运营所有的飞机，所以 2005、2006 和 2007 年没有对长期资产确认重大的资产减值损失。

通用汽车公司（General Motors），另外一家资本驱动的公司，在最近 1 年的财务报告中报告了金额重大的减值损失。

现实世界摘要：通用汽车年度财务报告

附注 5

减值

2006 年，通用汽车公司定期对分类为持有并使用的长期资产进行核查，记录了 4.24 亿美元的生产用资产减值损失。而且，公司 2006 年记录了 1.72 亿美元的减值，其中 1.02 亿美元和生产用资产有关，0.7 亿美元和因为 2008 年计划要关闭多拉维尔的生产车间和乔治亚的组装车间而导致盈利能力和产量降低所带来的各种厂房资产的冲减有关。此外，公司 2006 年因为关闭葡萄牙的装配车间而记录 0.89 亿美元的减值，该车间于 2006 年 12 月关闭。

为了便于说明，我们假设西南航空公司进行资产减值核查时发现一架账面净值为 10 000 000 美元的飞机可能发生减值。如果未来现金流量预计为 8 000 000 美元，那么该资产会因为无法取得和账面净值一样多的未来经济利益而发生减值。要计算资产减值损失，必须确定公允价值。对西南航空公司来说，这个过程包括使用公开的资料和第三方的报价来确定资产的价值。如果资产的公允价值为 7 500 000 美元，那么减值损失为 2 500 000 美元（账面净值 10 000 000 美元减去公允价值 7 500 000 美元）。调整分录被记录如下：

资产减值损失（+Loss，-SE）………2 500 000

　　飞机设备（-A）………………　　　　2 500 000

资产	=	负债	+	所有者权益
飞机设备 -2 500 000				资产减值损失 -2 500 000

8.3.2　固定资产的处置

某些情况下，公司可能会自主决定不再持有一项长期资产至使用寿命到期。公司可能不再生产某种产品，因而不再需要生产该产品的设备，或者管理者打算将某机器替换为一台更有效率的机器。处置包括出售、交换或者报废。当西南航空公司处置一架旧飞机时，公司会将它出售给一家货运航空公司或者地区航空公司。公司也可能因飓风、火灾或意外导致的事故而被动地处置一项资产。

处置固定资产很少会发生在会计期末。所以，必须要计提折旧至处置日。处置一项应计提折旧的资产需要两个会计分录：

1. 编制一个调整分录更新折旧费用账户和累计折旧账户。
2. 记录处置的会计分录。资产成本和处置日的累计折旧要从账面结转。处置资产的收入和处置日账面价值的差额确认为一项资产处置利得或损失。该利得或损失在利润表中列报。然而，因为该利得或损失是由次要的和偶发的活动而不是主要经营活动产生的，所以不属于营业收入或费用。处置利得或损失经常在利润表中列示为一个单独的项目。

假定在第 17 年年末，西南航空公司由于取消到某一小城市的服务而出售一架不再使用的飞机。该飞机出售取得 500 万美元的现金。该飞机的初始成本为 2 000 万美元，采用直线法在20年内进行摊销，没有残值（每年100万美元的折旧费用）。最后一个折旧发生在第16年年末，这样必须记录第17年的折旧费用。计算如下：

收到现金		$ 5 000 000
飞机的初始成本	$ 20 000 000	
减：累计折旧（$ 1 000 000 × 17 年）	17 000 000	
处置日的账面价值		3 000 000
飞机出售的利得		$ 2 000 000

在处置日的会计分录和影响如下：

（1）计提第17年的折旧费用：

折旧费用（+E，-SE）…………… 1 000 000

　累计折旧（+XA，-A）………………… 1 000 000

（2）记录出售：

现金（+A）…………………… 5 000 000

累计折旧（-XA，+A）………… 17 000 000

　飞机设备（-A）……………………… 20 000 000

　飞机出售利得（+Gain，+SE）…………… 2 000 000

资产		=	负债	+	所有者权益	
（1）累计折旧	-1 000 000				折旧费用（+E）	-1 000 000
（2）飞机设备	-20 000 000				资产处置利得	+2 000 000
累计折旧（-XA）	+17 000 000					
现金	+5 000 000					

自测题

让我们假定情况和上述相同，除了资产出售的价格是2 000 000美元外。编制处置日的两个会计分录。

1. 计提第17年的折旧费用。
2. 记录出售。

资产=负债+所有者权益

计算完毕之后，和下面的答案核对。

自测题答案：

（1）计提第17年的折旧费用：

折旧费用（+E，-SE）………1 000 000

　累计折旧（+XA，-A）………… 1 000 000

（2）记录出售：

现金（+A）……… 2 000 000

累计折旧（-XA，+A）……… 17 000 000

飞机出售损失（+Loss，-SE）… 1 000 000

　飞机设备（-A）………………… 20 000 000

资产		= 负债 +	所有者权益	
(1) 累计折旧	−1 000 000		折旧费用（+E）	−1 000 000
(2) 飞机设备	−20 000 000		资产处置损失	−1 000 000
累计折旧（−XA）	+17 000 000			
现金	+2 000 000			

国际视野

固定资产的计量基础（IFRS）

美国 GAAP 和国际财务报告准则（IFRS）的一个重要区别是固定资产的计量基础。IFRS 允许公司按照历史成本对固定资产计价或者按资产负债表日的公允价值对其进行重估。重估主要针对的是 15～20 年前购买的固定资产，其历史成本由于通胀的原因而变得毫无意义。比如，大多数人不会将 1978 年取得的房屋的购买价格和 2008 年购买的隔壁相同房屋的价格进行比较，因为房价在这些年之间发生了显著的变化。然而在美国（遵循 GAAP），重估至公允价值是禁止的。一个主要反对重估的理由是估计资产现行成本缺少客观性。

8.4 自然资源和无形资产

8.4.1 自然资源的取得和折耗

你一定对涉及制造业（福特、Black & Decker）、流通业（Sears、Home Depot）和服务业（联邦快递、假日酒店）等行业的大公司非常熟悉。还有很多大公司，有些并不知名，从包括矿藏在内的自然资源（比如金矿、铁矿石、油井和森林等）中开发原料和产品。这些自然资源通常称为递耗资产，因为它们会耗尽（即实体用尽）。开发自然资源的公司对经济至关重要，因为它们生产要素项目，比如用于建造的木材、用于取暖和运输的燃料，以及消耗的食物。因为自然资源对环境影响的重要性，所以这些公司受到公众相当大的关注。有关人士经常要阅读这些公司的财务报表，来了解石油、煤炭和各种矿藏的开采情况，以决定它们保护环境将花费的现金数额。

当取得或开发自然资源时，它们的确认符合成本原则。因为自然资源会耗尽，所以取得成本要依据配比原则在取得收入的期间进行分配。折耗这个术语用来描述将自然资源的成本在开采过程中进行分配。[①] 工作量法经常用来计算折耗。

当自然资源，比如油井，发生折耗时，公司会取得存货（石油）。因为自然资源的折耗对取得存货来说是必要的，所以当期计算的折耗应计入存货成本，而不是计入当期费用。看下面的说明：

一个成本为 530 000 美元的森林，在估计的采伐年限里按照预计每年 20% 的采伐率计提折耗。

① 这与折旧的记录相一致，需要使用累计折耗账户。不过在实务中，大多数公司直接贷记资产账户来反映当期的折耗。这种方法也经常用于无形资产，我们将在下一部分讨论。

木材存货(+A)……	106 000	
森林(−A)或累计折耗(+XA)……		106 000

资产		=	负债	+	所有者权益
木材存货	+106 000				
森林	−106 000				

注意，自然资源折耗的金额应资本化为存货，而不是予以费用化。当存货出售时，商品销售成本将包括在利润表中的费用项目中

下面是国际纸业公司（International Paper）2006 年资产负债表中资产部分的摘要，以及描述公司自然资源（森林）会计政策的相关附注。

现实世界摘要：国际纸业公司 2006 年财务报告

合并资产负债表（单位：百万美元）

	2006
资产	
现金	$ 1 624
……	
森林	259

附注：

森林

2006 年 12 月 31 日，国际纸业公司及其子公司拥有或管理的森林在美国大约有 500 000 英亩，在巴西大约有 370 000 英亩，并且通过森林管理许可和协议，拥有俄罗斯国有的大约500 000英亩森林的采伐权。当砍伐树木时，木材的成本会抵减利润。抵减的比率取决于发生的成本和估计的成材数量之间的关系。

8.4.2 无形资产的取得和摊销

无形资产是公司越来越重要的资源。无形资产，和其他资产相同，由于法律授予其所有者权利（包括特权）而具有价值。然而，和土地、建筑物这样的有形资产不同的是，无形资产不具有实物形态。无形资产的例子包括专利权、商标权和许可权。大多数无形资产由法律文件所证明。目前，无形资产在计算机信息系统、互联网技术以及公司高价并购狂潮领域发生了重要性的增长。

无形资产只有在外购取得时按照历史成本记录。如果这些资产是公司内部开发的，则开发支出应在发生时确认为当期费用。当取得无形资产时，管理者要确定该项无形资产具有有限寿命还是无限寿命。

有限寿命

具有有限寿命的无形资产的成本在使用年限内采用直线法分摊计入各期，该过程称为摊销，类似折旧和折耗。大多数公司不预计无形资产的残值。摊销费用在各期利润表中列报，无形资产按照成本减去累计摊销后的净值在资产负债表中列报。

我们假设购买一个 800 000 美元的专利，打算使用 20 年。记录 40 000 美元（\$ 800 000 ÷ 20 年）摊销费用的调整分录如下：

专利摊销费用（+E，-SE）…………40 000

专利权（-A）或累计摊销（+XA）………… 40 000

资产	=	负债	+	所有者权益
专利 -40 000				专利摊销费用（+E） -40 000

无限寿命

具有无限寿命的无形资产不予摊销。但是，这些资产每年至少要做一次减值测试，如果发生减值需将资产的账面价值冲减（减少）至公允价值。这两个步骤和前面讨论的和页边概括的减值过程类似。

AICPA 于 2006 年在《会计趋势和技术》一文中总结了接受调查的 600 家公司主要披露的无形资产的种类。

	公司数量	占 600 家公司的百分比
企业合并中确认的商誉	542	90%
商标权、品牌、版权	296	49%
客户名单/关系	290	48%
专利/专利权	153	26%
专有技术	142	24%
许可权、特许权、资格	111	19%
非公司契约	103	17%
合同、协议	89	15%
其他——在年度报告中描述	77	13

1. 商誉

到目前为止，公司报告最多的无形资产是商誉（成本超出取得的净资产的差额）。商誉，为大多数商人所使用，意味着公司在顾客中建立的良好声誉。增加商誉的因素包括：顾客信任、优质服务或商品的信誉、地理位置、杰出的管理团队，以及财务状况。从开始经营的第一天起，一个成功的公司就在持续地建立商誉。在本书中，自创的商誉（即非外购取得的）不能列报为资产。

将商誉列报为资产的唯一方式是购买另一家公司。通常，购买公司的价格超出其所有净资产（资产减去负债）的公允价值。为什么公司愿意比购买单项资产支付更多的钱去购买整个被并公司？答案是为了获取被并公司的商誉。你可以很简单地购买一个先进的装瓶设备来生产和出售一种新可乐，但是你无法比取得可口可乐或百事可乐品牌的商誉所赚的钱更多。

从会计的角度来看，商誉被定义为购买整个公司的价格和其净资产公允价值的差额。

买价

-可辨认资产和负债的公允价值

报告的商誉

在很多并购中，报告为商誉的金额非常巨大。比如，Google 于 2006 年购买 Youtube 时，购买价格中有 11 亿美元分配给商誉。商誉被认为具有无限的寿命，必须每年至少复核一次，考虑其是否发生减值。Google 的报告如下：

现实世界摘要：Google 股份有限公司 2006 年财务报告

> 根据《财务会计准则公告（SFAS）第 142 号——商誉和其他无形资产》，公司至少每年一次或者更经常地在环境发生变动引起资产可能发生减值时对商誉进行减值测试。减值测试根据公司单独的经营部门和报告单元结构进行。我们在之前的列报期间没有发现任何减值。

2. 商标权

商标权是产品或公司的一个特殊名字、形象或口号，商标权受到法律保护。商标权是公司拥有的最有价值的资产之一。比如，我们无法想象没有米奇老鼠的沃尔特·迪士尼公司（Walt Disney）。类似的，你可能因为某种软饮料已经建立起来的品牌形象而非它的味道，所以更喜欢它。很多人能和辨认停止标志一样快的速度认出一个公司的商标形状。尽管商标权是很有价值的资产，但在资产负债表中很少看到。理由很简单：无形资产只有外购取得时才加以确认。公司经常花费数百万美元来开发商标权，但是绝大多数这些支出都被费用化而不是资本化为无形资产。

3. 版权

版权赋予其所有者在作者去世后的 70 年之内拥有出版、使用和出售文学作品、音乐作品或艺术作品的专有权。[①] 你所阅读的书拥有版权，以保护出版商和作者的权利。比如，老师从本书中复印几章内容在课堂上分发是违法的行为。外购的版权以成本记录。

4. 专利权

专利权是由联邦政府授予发明新产品或新方法的人在 20 年内拥有的专有权。[②] 专利权使得拥有者可以使用、制造和出售专利权的项目或其本身。专利权可以防止竞争者在其所有者通过新产品取得经济回报之前简单地复制一个新的发明或创造。如果没有专利权的保护，投资者就没有研究新产品的意愿。因为 GAAP 要求公司将研发成本立即确认为费用，所以专利权应当按照购买价格，或者自行开发的注册和法律成本记录。

5. 技术

报告技术作为无形资产的公司数量在持续增加。计算机软件和网络开发成本正变得越来越重要。2006 年，IBM 公司在资产负债表中报告了 103.4 亿美元的软件资产，并在财务报表附注中进行如下披露：

现实世界摘要：IBM2006 年财务报告

> 公司将用于购买或创造并进行内部使用的计算机软件成本进行资本化，包括软件编码、安装、测试和数据转换。这些资本化金额在 2 年之内采用直线法进行摊销。

6. 特许权

特许权是由政府或公司在一定期间以一定目的授予的。一个城市可以授予一个公

① 通常，期限为作者逝世后的 70 年。对匿名作者来说，期限为第一个出版日期后的 95 年。更多细节，参考 lcweb. loc. gov/copyright。

② 更多细节，参考 http：//www/uspto. gov/web/offices/pac/doc/general/index. html#patent。

司向用户输送燃气用于供暖目的的特许权，或者一个公司可能出售特许权，比如经营KFC餐厅（由百胜集团（Yum Brands）拥有）的权利。特许权协议是一个可以拥有各种条款的合同。特许权协议通常需要特许经营人进行投资，所以可以确认为无形资产。特许权的寿命取决于合同，可以定1年或无限期。Blockbuster股份有限公司的特许权协议涵盖20年。Blockbuster股份有限公司通过特许权协议在美国和国际上拥有超过1 800家连锁店。

7. 经营许可权

西南航空公司在资产负债表中的无形资产在图表8—1中列示为其他资产，主要代表机场拥有的登记口租赁权。其他包括由政府规定的在很多机场供给有限的降落跑道的经营权。该经营权是无形资产，可以由航空公司购买或出售。其他类型的经营许可权包括允许公司使用无线广播、电视频道、电报以及电话线路的权利。

8. 研究和开发费用——在美国GAAP中不确认为无形资产

如果无形资产是自行开发的，那么开发成本通常被确认为研究和开发费用。比如，Abbott Laboratories公司，一家药品和营养产品的制造商，最近花费了超过22.55亿美元用于研究探索新的产品。这个金额报告为一项费用，而不是资产，因为研究和开发支出通常没有足够的可能性产生未来可以计量的现金流量。如果雅培实验室支付相同费用从其他药品公司购买一个新产品的专利权，则应将该支出确认为一项资产。

国际视野：准则进程（IFRS）

尽管根据美国GAAP，研究与开发成本应当报告为一项费用。然而，国际财务报告准则（IFRS）要求将研究支出作为一项费用，而开发成本则应在具有生产产品或提供服务的技术和商业可行性后资本化为一项资产。FASB正在以消除这个差异为目标制定一项新的会计准则。

聚焦现金流量

生产性资产和折旧

对现金流量表的影响

采用间接法编制现金流量表经营活动部分是指将应计制的净利润（在利润表中报告）调节为经营活动现金流量的过程。这是指，在这些调整中，（1）不涉及有关现金的收入和费用；（2）投资或筹资活动（非经营活动）产生的利得和损失应当扣除。

当公司确认折旧时，没有现金流出（即贷方不是现金）。因为折旧费用（非现金费用）在利润表中计算净利润时予以扣除，所以必须在净利润中加回以消除该影响。同样，因为在计算净利润时会加上或减去处置长期资产的利得或损失，所以必须从净利润中减去或加回以消除该影响。

（1）概述

长期资产的取得、出售和计提折旧在公司资产负债表中按下表反映：

	对现金流量的影响
经营活动（间接法）	
净利润	$ xxx
调整：折旧和摊销费用	+
处置长期资产利得	−
处置长期资产损失	+
计提资产减值损失	+
投资活动	
购买长期资产	−
处置长期资产	+

（2）聚焦公司分析

下面是西南航空公司2007年现金流量表的一个减缩版本。购买和出售长期资产属于投资活动。2007年，西南航空公司花费13.31亿美元用于购买飞机设备和地面固定资产。西南航空公司本年没有出售任何飞机设备和地面固定资产。因为出售长期资产不属于经营活动，因为出售长期资产的利得（或损失）必须在经营活动中从净利润减去（或加回）以消除出售的影响。除非金额巨大，否则该利得或损失的调整通常在现金流量表中并不特别突出。2007年，西南航空公司没有列示任何利得或损失。

最后，在像航空业这样的资本导向行业中，折旧是一个重要的非现金费用。在西南航空公司的例子中，折旧和摊销费用通常是对净利润的单独重大调整，以决定经营活动现金流量。比如，2006年折旧和摊销费用的调整几乎相当于经营活动现金流量的37%。2007年，折旧和摊销费用的调整居于第二位，金额为5.55亿美元（占经营活动现金流量的20%），仅次于在其他合计项目16.45亿美元中的应付账款和应计负债的增加金额16.09亿美元。

西南航空公司

合并现金流量表（部分）

2005、2006、2007年

单位：百万美元

	2007	2006	2005
经营活动现金流量			
净利润	645	499	484
将净利润调整为经营活动现金流量			
折旧和摊销	555	515	469
其他（合计）	1 645	**392**	1 165
经营活动现金流量净额	2 845	1 406	2 118
投资活动现金流量			
增加的厂房、飞机和地面设备购买的固定资产净额	(1 331)	(1 399)	(1 146)
其他（合计）	(198)	(96)	0
投资活动现金流量净额	(1 529)	(1 495)	(1 146)

财务分析

一个曲解

一些分析师曲解了非现金费用的含义，认为“由折旧产生现金”。尽管折旧在现金流量表中作为一个增加项目，但折旧并不是现金的来源。经营活动的现金只有通过销售商品和服务才能取得。假定其他项目相同，折旧费用大的公司并不比折旧费用小的公司产生更多的现金。尽管折旧费用会减少公司报告的净利润，但由于是非现金费用，因此并不会减少公司的现金流量。记住记录折旧费用的影响是同时减少所有者权益和资产，而不是现金。这就是为什么在现金流量表中折旧费用要在应计制计算的净利润的基础上加回以计算经营活动现金流量（调整到现金制）。

尽管折旧费用是非现金费用，但以纳税为目的的折旧还是会影响公司的现金流量。折旧在纳税时是一项可抵扣费用。纳税申报时计提的折旧金额越多，公司的应纳税所得额和应交所得税的金额就越少。因为税款必须以现金支付，抵扣项目意味着现金流出的减少（即较低的净利润导致较低的纳税额）。

示例

（解答之后再和后面的答案核对。）Diversified Industries 公司成立时是一家住宅建筑公司。近年来，公司开始涉足重大建筑工程领域、预拌混凝土、砂砾石、工程物资，以及运土服务。公司 2009 年完成下列交易。金额做了简化。

2009 年

1 月 1 日，管理者决定以 175 000 美元的价格购买一座使用了 10 年的建筑物，以 130 000 美元的价格购买该建筑物坐落的土地。公司支付了 100 000 美元的现金，签发了一张抵押票据以支付余额。

1 月 12 日，支付 38 000 美元用于建筑物使用前的装修支出。

6 月 19 日，支付 50 000 美元现金购买第三方地点作为采砾场（指定为 3 号采砾场）。估计有 100 000 立方砾石可以切削。

7 月 10 日，支付 1 200 美元用于房屋的日常修理。

8 月 1 日，支付 10 000 美元用于准备新采砾场的开采。

12 月 31 日，年末调整。

a. 建筑物预计使用寿命为 30 年，采用直线法计提折旧，预计残值为 33 000 美元。

b. 2009 年，有 12 000 立方砾石在 3 号采砾场切削。

c. Diversified 几年前购买乙公司，购买价格超出其净资产公允价值 100 000 美元。该商誉具有无限的寿命。

d. 年初，公司拥有的设备原值为 650 000 美元，累计折旧为 150 000 美元。该设备采用双倍余额递减法计提折旧，预计使用寿命为 20 年，预计残值为 0。

e. 年末，公司对长期资产进行减值测试。发现一台成本为 156 000 美元、剩余账面价值为 120 000 美元的旧采掘设备，由于尺寸偏小，安全性不够，该旧设备用途有限。未来现金流量预计为 40 000 美元，公允价值为 35 000 美元。商誉没有发现减值。

2009 年 12 月 31 日是会计年度年末。

要求：

1. 指出上述交易对期末财务报表要素产生影响的账户、金额以及方向（+代表增加，-代表减少）。使用下列的抬头。

日期	资产	=	负债	+	所有者权益

2. 编制12月31日a和b的调整分录。

3. 列示2009年12月31日资产负债表下列分类项目的金额：

固定资产——土地、建筑物、设备、采砾场

无形资产——商誉

4. 假定公司本年销售收入为1 000 000美元，年初固定资产账面净值为500 000美元。计算固定资产周转率并解释其含义。

参考答案：

1. 交易影响（含计算过程）

日期	资产	=	负债	+	所有者权益
1月1日	现金 −100 000 土地 +130 000 建筑物 +175 000		应付票据 +205 000		
1月12日 (1)	现金 −38 000 建筑物 +38 000				
6月19日 (2)	现金 −50 000 3号采砾场 +50 000				
7月10日 (3)	现金 −1 200				维修费用 −1 200
8月1日 (4)	现金 −10 000 3号采砾场 +10 000				
12月31日a (5)	累计折旧（+XA） −6 000				折旧费用 −6 000
12月31日b (6)	3号采砾场 −7 200 砾石存货 +7 200				
12月31日c (7)	无会计分录				
12月31日d (8)	累计折旧 −50 000				折旧费用 −50 000
12月31日e (9)	设备 −85 000				资产减值损失 −85 000

（1）将38 000美元支出资本化，因为属于达到预定可使用状态需发生的必要支出。

（2）这属于自然资源。

（3）这属于日常修理（收益性支出），因而应当费用化。

（4）将10 000美元支出资本化，因为属于达到预定可使用状态需发生的必要支出。

(5)

建筑物成本		直线法折旧
初始购买成本	$ 175 000	年折旧费用 =（213 000 − 33 000）×1/30 = 6 000 美元
使用前发生的装修成本	38 000	
取得成本	$ 213 000	

(6)

采砾场成本		工作量法折旧
初始支付	$ 50 000	年折旧费用 = 60 000 ÷ 10 000 × 12 000 = 7 200 美元
准备成本	10 000	
取得成本	$ 60 000	

(7) 商誉具有无限寿命，因而不摊销。公司以后将进行减值测试。

(8) 双倍余额递减法计提折旧

2009 年折旧费用 =（650 000 − 150 000）×2/20 = 50 000（美元）

(9) 资产减值

减值测试：旧设备账面价值为 120 000 美元，超出未来现金流量 40 000 美元，因而该资产发生减值。

减值损失	
账面价值	$ 120 000
减：公允价值	−35 000
资产减值损失	$ 85 000

2. 2009 年 12 月 31 日调整分录：

a. 折旧费用（+E，−SE）………………………… 6 000

　　累计折旧（+XA，−A）………………………… 6 000

b. 砾石存货（+A）………………………… 7 200

　　3 号采砾场（−A）………………………… 7 200

3. 2009 年 12 月 31 日资产负债表摘要：

资产		
固定资产		
土地		$ 130 000
建筑物	$ 213 000	
减：累计折旧	6 000	207 000
设备	565 000	
减：累积折旧（$ 150 000 + $ 50 000）	200 000	365 000
采砾场		52 800
固定资产合计		$ 754 800
无形资产		
商誉		$ 100 000

4. 固定资产周转率

= 销售收入 ÷ （（期初固定资产净值 + 期末固定资产净值） ÷2）

= 1 000 000 ÷ （（500 000 + 754 800） ÷2）

= 1.59

该建筑公司以资本为导向。固定资产周转率衡量公司投资固定资产产生收入的效率。

附录

折旧估计变更

折旧以两个估计为基础，使用寿命和残值。这两个估计在取得应计提折旧资产时作出。随着资产相关经验的增多，最初估计中的一个或两个可能需要修改。此外，在使用资产的某一时点，大修理和扩建费用会增加至初始成本中。当确定估计需要进行重要的修改或者资产成本需要变更时，尚未计提折旧的资产余额（减去当日的残值）应当在从本年开始的未来使用寿命中进行分摊。这称为会计估计的未来变更。

要计算各种折旧方法下由于会计估计变更而导致的新折旧费用，要将初始取得成本替换成账面净值，将原残值替换成新残值，将原预计使用寿命替换成新预计使用寿命。为了说明，直线法的公式如下：

会计估计变更导致原直线法公式发生如下变动：

原折旧费用 = （成本 - 残值） ×1 ÷ 预计使用寿命

修改的折旧费用 = （账面净值 - 新残值） ×1 ÷ 剩余使用寿命

假定西南航空公司购买一架价值 60 000 000 美元的飞机，预计使用寿命为 20 年，预计残值为 3 000 000 美元。第 5 年开始，西南航空公司将预计使用寿命变更为 25 年，预计残值降低为 2 400 000 美元。第 5 年年末，新的折旧费用的计算如下：

原年折旧费用 = （60 000 000 - 3 000 000） ×1/20 = 2 850 000（美元）

第 4 年年末累计折旧 = 2 850 000 ×4 = 11 400 000（美元）

第 4 年年末账面净值

取得成本	$ 60 000 000
减：累计折旧	11 400 000
账面净值	$ 48 600 000

根据估计变更计算第 5 年至第 25 年折旧费用：

新年折旧费用 = （账面净值 - 新残值） ×1 ÷ 剩余使用寿命 = （48 600 000 - 2 400 000） × 1/21 = 2 200 000（美元）

公司同样可以变更折旧方法（比如从余额递减法变为直线法）。这样的变更要求更加详细的披露，因为它违背了要求财务报告列报的会计信息在不同期间相互可比的一致性原则。根据 GAAP，会计估计和折旧方法的变更只有在新的估计或方法能够更好地计量公司各期利润的情况下才可以做出。

自测题

假定西南航空公司拥有一辆初始成本为 100 000 美元的服务用卡车。购买时，该卡车预计使用寿命为 10 年，预计残值为 0。该卡车经营 5 年后，西南航空公司认定该卡车的剩余使用寿命为2年。根据此项会计估计变更，在该资产剩余使用寿命里计提的折旧金额是多少？西南航空公司使用直线法计提折旧。

计算完成之后，与本页下面的答案核对。

自测题答案：

原年折旧费用 = （100 000 - 0） ×1/10 = $ 10 000

累计折旧 = 10 000 ×5 = $ 50 000

新年折旧费用 = 50 000 × 1/2 = $ 25 000

本章小结

1. 对长期生产性资产进行界定、分类，并说明其特征，解释固定资产周转率。

（1）非流动资产是企业拥有的在日常经营活动中长期使用而不是为了出售的资产。非流动资产可以分类为有形资产（包括土地、建筑物、设备、自然资源等）和无形资产（包括商誉、专利权和特许权等）。

（2）企业应用的成本分摊方法影响在固定资产周转率计算中的固定资产净值的金额。加速折旧法会减少账面价值，从而增加固定资产周转率。

2. 应用成本原则对固定资产进行初始计量。

固定资产的取得成本是采购价格加上为使资产达到可使用状态所发生的合理和必要的支出。固定资产可以通过现金、负债、股票或自行建造等方式取得。资产使用后发生的支出包括扩建和改良支出（资本化支出）或日常修理支出（收益性支出）。

（1）收益性支出（日常修理和维护）只为当前会计期间带来经济利益。在费用发生日，将支出金额借记当期相关费用账户。

（2）资本性支出（扩建和改良）带来的经济利益的持续期间超过一个会计期间。支出金额借记相关资产账户，并在使用寿命内计提折旧、折耗或摊销。

3. 在持有或使用期间采用不同的成本分摊方法。

成本分摊方法：遵循配比原则，成本（减去预计残值）在受益期间分摊为各期费用。由于折旧因素，资产的账面净值逐期减少，净利润也随着费用金额而减少。常用的折旧方法包括直线法（各期折旧金额相等）、工作量法（各期折旧金额有所变化），以及双倍余额递减法（各期折旧金额递减）。

（1）折旧——固定资产。

（2）折耗——自然资源。

（3）摊销——无形资产。

4. 解释资产减值对财务报表的影响。

当事项或环境变化导致长期资产预计未来现金流量减少并低于其账面价值时，账面价值应当减记至资产的公允价值。

5. 分析固定资产的处置。

当资产通过出售或报废处置时：

（1）记录从上期调整开始的新增折旧费用。

（2）结转处置资产的成本和累计折旧、折耗或摊销。

（3）确认现金收入。

(4) 确认资产账面净值与现金收入不相等带来的利得或损失。

6. 对自然资源和无形资产应用计量和报告概念。

自然资源和无形资产在取得时应按照成本原则记录。自然资源通常采用工作量法计提折耗，并资本化至当期的存货账户。具有有限寿命的无形资产采用直线法摊销。具有无限寿命的无形资产，包括商誉，不摊销，但是至少应每年年末复核减值情况。无形资产按照账面净值在资产负债表中列报。

7. 解释长期资产的取得、使用以及处置对现金流量的影响。

折旧费用是一项对现金没有影响的非现金费用，应在现金流量表中从净利润项目加回以确定经营活动现金流量。长期资产的取得和处置属于投资活动。

重要财务比率

固定资产周转率衡量公司各期利用固定资产投资的效率。该比率可以和公司竞争对手的比率进行比较。固定资产周转率的计算如下：

固定资产周转率 = 销售净额（或营业收入）÷ 固定资产平均净值

搜索财务信息

资产负债表

非流动资产

固定资产（扣除累计折旧）

自然资源（扣除累计折耗）

无形资产（扣除可能有的累计摊销）

利润表

经营费用

折旧、折耗和摊销费用

销售、日常、管理费用

商品销售成本（包括在附注中披露的折旧费用金额）

现金流量表

经营活动现金流量（间接法）

净利润

+ 折旧和摊销费用

− 资产处置利得

+ 资产处置损失

投资活动现金流量

+ 资产处置取得的现金

− 购买资产支付的现金

附注

重要的会计政策

管理者对折旧和摊销方法选择的描述，包括使用寿命、没有在利润表中列示的年折旧费用金额

单独的附注

如果在资产负债表中没有详细列示，则需要列示包括成本和累积折旧、折耗和摊销的长期资产等主要分类信息

会计术语

取得成本	特许权	维护支出
扩建和改良	商誉（成本超出取得的净资产）	残值
资本性支出	无形资产	收益性支出
资本化利息	经营许可权	直线法
版权	长期资产	无形资产

余额递减法	自然资源	技术
折耗	账面净值	商标权
折旧	日常维护	工作量法
预计使用寿命		

习题

一、问答题

1. 定义长期资产。为什么说长期资产是“未来服务”的集合体？

2. 固定资产周转率怎样计算？解释其含义。

3. 长期资产分为哪几类？解释每一个分类。

4. 在成本原则下，长期资产的取得成本包括哪些项目？

5. 阐述配比原则和长期资产会计核算的关系。

6. 区分：

（1）资本性支出与收益性支出。各自如何进行会计处理？

（2）日常修理和改良支出。各自如何进行会计处理？

7. 区分折旧、折耗和摊销。

8. 在计算折旧费用时，需要已知或估计哪 3 个数值？辨认和解释各自的特点。

9. 一项长期资产的预计使用寿命和残值是对现在的使用者或所有者而不是所有潜在的使用者而言的。解释这句话的含义。

10. 在下列每种方法中应用哪一种折旧费用模式？每一种折旧方法何时适用？

（1）直线法。

（2）工作量法。

（3）双倍余额递减法。

11. 一项长期资产发生的扩建支出计提折旧的期限如何确定？解释其原因。

12. 什么是资产的减值？如何进行会计处理？

13. 当设备的售价超出其账面净值时，该交易应如何记录？当设备的售价低于其账面净值时呢？什么是账面净值？

14. 定义无形资产。对于使用寿命有限的无形资产摊销期限如何确定？

15. 定义商誉。何时应该将商誉确认为一项无形资产？

16. 在现金流量表中为什么要将折旧费用加回净利润中？

二、选择题

1. Simon 和 Allen 两家公司都在 2008 年 1 月 1 日购买了一辆新运输卡车。两家公司支付相同的成本，30 000 美元。到 2011 年 12 月 31 日，Simon 公司该卡车的账面净值比 Allen 公司的低。下列对于账面净值差异的解释中哪一个是可以接受的？

（1）两家公司都使用直线法计提折旧，但 Simon 公司预计使用寿命更长。

（2）Simon 公司预计更低的残值，但两家公司预计卡车的使用寿命相同，而且都选择直线法。

（3）因为 GAAP 对折旧计算有严格的指导，所有不可能出现这种情况。

（4）Simon 公司使用直线法对卡车计提折旧，而 Allen 公司使用双倍余额递减法计提折旧。

2. Barber公司遵循对建筑物采用直线法计提折旧的管理方式。一座2010年公司购买的建筑物，预计其使用寿命为20年，预计残值为20 000美元。2010年公司对该建筑物计提了20 000美元的折旧费用。该建筑物的初始成本是多少？

a. 360 000美元　b. 380 000美元　c. 4 000 000美元　d. 420 000美元

3. ACME公司对应计提折旧资产采用直线法。2011年12月31日，ACME公司出售了一台使用过的机器。该机器于2010年1月1日以10 000美元的价格购买。该资产预计使用寿命为5年，预计残值为0。截至2010年12月31日，累计折旧为2 000美元。如果该机器的出售价格为7 500美元，则下列金额中的哪一个是该机器的出售利得或损失？

a. 损失500美元　b. 利得500美元　c. 损失1 500美元

d. 利得1 500美元　e. 出售不产生利得或损失

4. 在下列哪种折旧方法下，一项资产的折旧基础（应计提折旧额）是其账面净值？

a. 直线法　b. 余额递减法　c. 工作量法　d. 以上都正确

5. 哪种资产应采用直线法进行摊销？

a. 自然资源　b. 使用寿命不确定的无形资产

c. 使用寿命确定的无形资产　d. 以上都正确

6. 一家公司编制财务报告时希望利润最大化。所以，在计算折旧时，（　）。

a. 它会遵循IRS规定的MACRS折旧规则

b. 它会选择使用尽可能短的资产使用寿命

c. 它会估计更高的资产残值

d. 尽可能把资产的净残值估计得低一些

7. 以下有关商誉的说法中，正确的有几个？

- 只有在交易中购买取得的商誉才能报告。
- 必须逐年对商誉可能发生的减值进行核查。
- 商誉的减值会导致净利润的减少。

a. 0个　b. 1个　c. 2个　d. 3个

8. X公司要对已经计提完折旧且残值为0的设备进行报废处理。该设备将要进行简单的处置，而非出售，则下列说法中哪一个是错误的？

a. 该交易的结果不会导致公司资产发生变化

b. 该交易的结果不会影响净利润

c. 该交易不会影响现金流量

d. 以上说法都正确

9. 当记录折旧时，以下说法哪一个正确？

a. 总资产和所有者权益均增加

b. 总资产减少，总负债增加

c. 总资产减少，所有者权益增加

d. 以上均不正确

10. （附录）Thornton Industries 公司购买一台新机器，金额为 45 000 美元，采用直线法在 10 年内计提折旧，预计残值为 3 000 美元。在第 6 年年初，公司对其进行大修理，成本为 5 000 美元。预计总的使用寿命延长至 13 年，则该机器第 6 年的折旧费用为：

a. 1 885 美元　b. 2 000 美元　c 3 250 美元　d. 3 625 美元　e. 4 200 美元

三、迷你练习题

1. 分类长期资产和相关的成本分摊概念

对于下列各项长期资产，确定其类别及成本分摊概念，使用下面的符号。

资产性质	**成本分配方法**
L 土地	DR　折旧
B 建筑物	DP　折耗
E 设备	A　摊销
NR 自然资源	NO 不分摊
I 无形资产	O　其他
O 其他	

资产	性质	成本分摊
版权		
为使用而持有的土地		
仓库		
油井		
为旧机器替换新引擎		
经营许可权		
为销售而持有的土地		
运输设备		
林木		
生产厂房		

2. 计算和评价固定资产周转率

Cutter 航空运输公司 2007 年部分财务报告信息如下所示：

固定资产账面净值（年初）	$ 1 500 000
固定资产账面净值（年末）	2 300 000
本期销售净额	3 300 000
本年净利润	1 600 000

要求：计算 Cutter 公司本年的固定资产周转率。通过与西南航空公司的比较，如何评价卡特尔公司的固定资产周转率？

3. 辨认资本性支出与收益性支出

对于下列项目，输入左边正确的字母指出其支出的类型。使用下列字母：

支出类型	交易
C：资本性支出	______（1）支付400美元的日常修理费
R：代表收益性支出	______（2）支付大修理支出6 000美元
N：两者都不是	______（3）支付2 000美元用于旧建筑物的扩建支出
	______（4）日常维护支出200美元，尚未支付
	______（5）以7 000美元的长期应付票据购买一台机器
	______（6）预付以后3年的保险费900美元
	______（7）购买一项专利权，金额为4 300美元
	______（8）支付月工资10 000美元
	______（9）支付现金股利20 000美元

4. 计算账面价值（采用直线法计提折旧）

计算一台成本为21 000美元、预计残值为1 000美元、预计使用寿命为4年、已经使用3年的机器的账面价值。公司采用直线法计提折旧。

5. 计算账面价值（采用双倍余额递减法计提折旧）

计算一台成本为25 000美元、预计残值为5 000美元、预计使用寿命为5年、已经使用3年的机器的账面价值。公司采用双倍余额递减法计提折旧。结果保留至整数。

6. 计算账面价值（采用工作量法计提折旧）

计算一台成本为21 000美元、预计残值为1 000美元、预计使用寿命为20 000机器工时的机器的账面价值。公司采用工作量法计提折旧，第1年运行3 200小时，第2年运行7 050小时，第3年运行7 500小时。

7. 辨认资产减值

对于下列各种情况，判断资产是否发生了减值（“Y”代表是，“N”代表否）。如果发生减值，确定应记录的减值损失的金额。

	账面价值	预计未来现金流量	公允价值	是否减值	减值损失
a. 机器	\$ 15 500	\$ 10 000	\$ 8 500		
b. 版权	31 000	41 000	38 900		
c. 车间房屋	58 000	29 000	26 000		
d. 建筑物	227 000	227 000	210 000		

8. 记录长期资产的处置（采用直线法计提折旧）

作为年初更新的一部分，Mullins’ Pharmacy公司出售了已使用10年的储存架（储存设施），金额为3 000美元。该储存架的初始成本为6 000美元，采用直线法计提折旧，预计使用寿命为13年，预计残值为800美元。

要求：记录储存架的出售。

9. 计算商誉和专利权

Elizabeth Pie 公司已经营了30年，拥有一大批忠实的饭店客户。Bonanza 食品公司出价5 000 000美元购买 Elizabeth Pie 公司。在出价日，Elizabeth Pie 公司资产和负债的账面价值为4 300 000美元，公允价值为4 500 000美元。Elizabeth Pie 公司公司同时还（1）拥有一项公司发明的馅饼表皮切割机器专利（该专利的市场价格为200 000美元，由于是由 Elizabeth Pie 公司内部研发，因此没有记录该专利）。（2）估计忠实顾客产生的商誉金额为310 000美元（公司也没有记录）。Elizabeth Pie 公司的管理者是否应该接受 Bonanza 食品公司5 000 000美元的出价？如果应该接受，则计算 Bonanza 公司在购买日记录商誉的金额。

10. 编制现金流量表

Wagner 公司截至2011年12月31日发生如下交易：以成本出售土地取得现金16 000美元。购买价值为81 000美元的设备，支付现金76 000美元，余款用票据支付。记录本年的折旧费用2 500美元。本年的净利润为11 000美元。

要求：根据上述数据，编制本年现金流量表经营活动和投资活动部分。

第9章　负债的报告和解释

学习目标

学完本章，应达到如下目标：

1. 定义、计量和报告流动负债。
2. 运用流动比率。
3. 分析应付账款周转率。
4. 报告应付票据和解释货币时间价值。
5. 报告或有负债。
6. 解释营运资本的重要性和对现金流量的影响。
7. 报告长期负债。
8. 计算现值。
9. 在负债中应用现值概念。

聚焦公司：星巴克公司对财务活动的管理

每周，星巴克公司（Starbucks）的顾客总数超过4 000万。它创建于1971年，拥有12 440个咖啡屋，遍布37个国际市场。公司的目标是使星巴克公司成为世界上最好的咖啡提供者，预计在世界范围内发展接近40 000家咖啡屋。为了实现这个目标，今年计划新开2 400家咖啡屋。

年度报告显示星巴克公司采取了如下措施：

1. 提供世界上最好的咖啡。
2. 在提供优质服务的基础上增加顾客数量。
3. 使顾客在咖啡屋里享受放松的感觉，如听音乐、欣赏艺术和上网。

除了这些经营活动，管理层必须关注重要的筹资活动以保证公司持续盈利，从而可以生成足够的资金以保证最终开到40 000家咖啡屋。星巴克公司的筹资活动有两个重要目的。它们筹集资金（1）满足当期企业经营活动的需要；（2）取得长期资产满足公司未来发展的需要。

了解企业

企业取得购买资产的资金有两个来源：债权人提供的资金（负债）和所有者提供的资金（权益）。一个企业负债和权益的构成比例称为资本结构。除了选择资本结构，管理层还要选择债务筹资的渠道，如图表9—1星巴克公司资产负债表的负债部分所示。

图表 9—1　　星巴克公司年度报告摘录

星巴克公司

合并资产负债表

单位：千美元

	2006 年 10 月 1 日	2005 年 10 月 2 日
负债和股东权益		
流动负债：		
应付账款	$ 340 937	$ 220 975
应计报酬和相关成本	288 963	232 354
应计租金	54 868	44 496
应交税金	94 010	78 293
短期借款	700 000	277 000
其他应计费用	224 154	198 082
递延收入	231 926	175 048
长期负债的流动部分	762	748
流动负债总额	1 935 620	1 226 996
长期负债	1 958	2 870
其他长期负债	262 857	193 565

管理层需要借款时考虑的因素是什么？两个主要因素分别是风险和成本。从公司的角度来说，负债资本比权益资本风险更大，因为支付相关负债是公司的法律义务。如果公司由于资金不足，不能满足偿还负债的要求（面值和利息），则债权人可以迫使公司破产并变卖资产偿还负债。与其他的企业业务一样，借贷双方尽可能达成满意的条款。管理层会谨慎地分析不同的借款条件。

资本结构中有负债的公司要就长期负债和流动负债制定战略决策。要评价公司的资本结构，财务分析师会计算一些会计比率。在这一章，我们讨论流动负债和长期负债，还有一些重要的会计比率。在下一章，我们将讨论一种具体的长期负债，应付债券。

本章结构图示

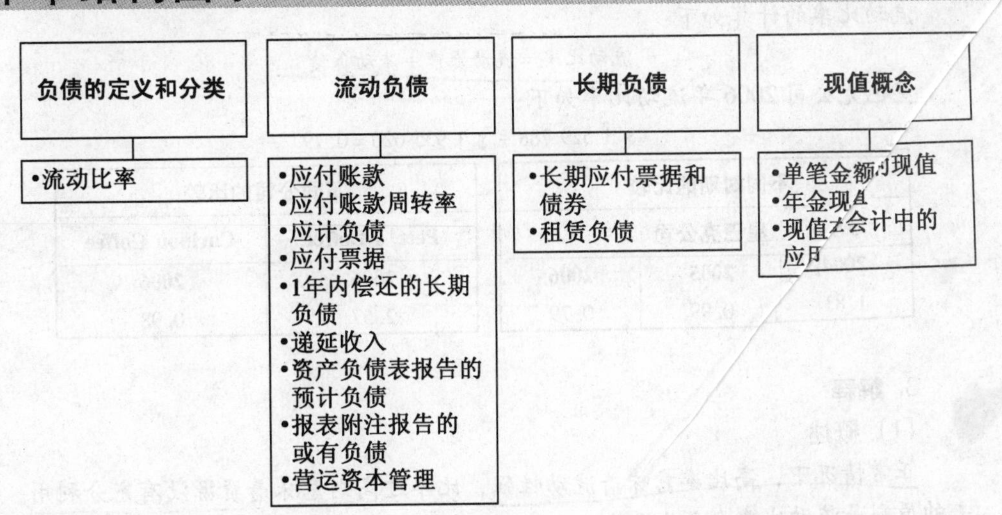

9.1 负债的定义和分类

大多数人对负债这个词的定义都有自己的理解。会计把负债定义为企业过去的交易产生的、未来用资产或劳务清偿的债务或义务。如图表 9—1 所示，2006 年 10 月 1 日星巴克公司一项长期负债为 1 958 000 元。根据借款协议，在规定的不同偿债时间，公司向债权人偿还当期负债。由于义务长期存在，星巴克公司必须把它记录为长期负债。

负债记账时，按现金计量，即清算债务时债权人可接受的现金金额。尽管星巴克公司借款 1 958 000 元，但是偿还超过这个金额，因为公司必须支付借款利息。未来支付的利息不包括在报告的负债金额中，因为利息按会计期间确认，应付利息作为一项负债。

如大多数企业一样，星巴克公司有几种负债和不同的债权人。因为不同的经营活动产生不同种类的负债，所以不同的公司资产负债表中负债部分的列示也不同。星巴克公司的负债部分自流动负债开始。流动负债被定义为在企业的一个经营周期内或者在资产负债表日后的 1 年内（无论哪一个时间更长）需要偿还的短期债务。因为大多数公司的一个经营周期都短于 1 年，所以通常流动负债可简单地定义为 1 年内到期的负债。非流动负债包括所有其他的负债。

对管理层和分析师来说，流动负债的信息很重要。因为这些债务要在近期偿还。如果一个公司有偿还流动负债的能力，分析师就说公司流动性强。评价一个公司的流动性，一些财务比率很有用，如流动比率。

重要比率分析

流动比率

1. 分析问题

公司目前有资金支付短期债务吗？

2. 比率及比较

流动比率的计算如下：

流动比率＝流动资产÷流动负债

星巴克公司 2006 年流动比率如下：

$ 1 529 788 ÷ $ 1 935 620＝0.79

不同时期的比较		
星巴克公司		
2004	2005	2006
1.81	0.99	0.79

不同公司的比较	
Peet's Coffee	Caribou Coffee
2006	2006
2.57	0.98

3. 解释

(1) 概述

正常情况下，高比率意味着流动性强，比率过高则意味着资源没有充分利用。过去的原则是流动比率介于 1.0 和 2.0 之间比较适中。今天，许多经营好的公司采用先进的管理方法，尽可能地减少在流动资产上的投资，结果导致流动比率在1.0以下。

(2) 聚焦公司分析

星巴克公司的流动比率显示其资产流动性不强，并且这个比率正在逐年下降。主要原因是前两年增加了短期借款。在某种情况下，分析师总是关注比率的大小和变化趋势。对星巴克公司来说，如果公司采取快速增长的策略，则这个比率的大小和变化趋势是可以理解的。除此之外，公司现有超过3 000 000美元的现金，经营活动能产生超过1 000 000 000美元的现金。星巴克公司这个比率比两个竞争对手都低。权衡之下，大多数分析师不会关注星巴克公司资产的流动性。

(3) 注意问题

如果大量资金占用在某些资产上，这些资产不易变现，这时流动比率可能会错误地反映流动性。如果周转慢的存货在流动资产中占的比例较高，那么高比率的公司可能仍然存在流动性问题。分析师认为，管理层在财务年度结束前，可以通过某些业务来操纵流动比率。例如，在大多数情况下，在编制财务报表前，通过偿还负债就可以提高流动比率。

9.2 流动负债

许多流动负债都与企业的经营活动有直接关系。总而言之，具体的经营活动部分是通过负债筹资的。例如，星巴克公司的年度报告（图表9—1）中的一些负债如下：

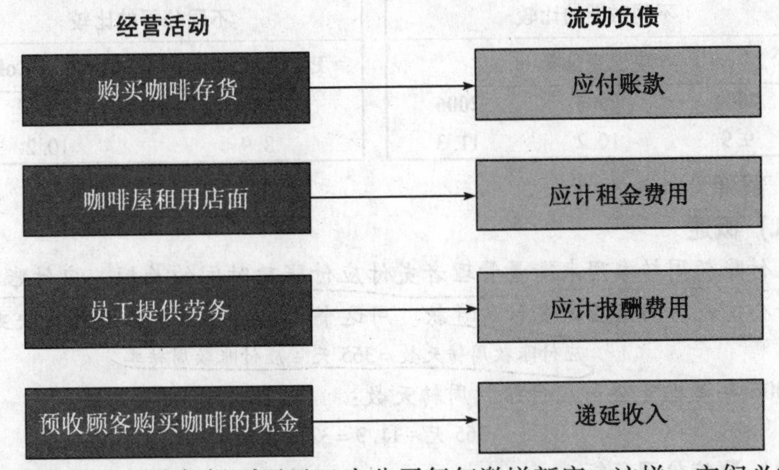

在本章前面，我们提到了星巴克公司每年激增新店。这样，它们必须购进更多的存货，租更多的店面和雇用更多的员工。由经营活动与流动负债的关系，分析师很容易就能理解各种流动负债账户的变化。

现在我们讨论资产负债表上常出现的流动负债账户。

9.2.1 应付账款

大多数公司经营活动中需要的产品和劳务都不能自己全部提供，需要从其他企业购进商品或接受劳务。这些业务都是在商品和劳务被提供后再进行付款的，这样就产生了应付账款。

对许多公司来说，商业信用是筹集购货资金相对成本较低的一种方式，因为应付账款不计利息。为了更多地销售商品，一些销售商提供更长的信用期，这样买方可以卖出所购商品，收到货款后，再偿还所欠的购货款。

一些管理者只要可能也会想方设法拖延给供应商付款的时间，这种做法正常情况下是不可取的。大多数成功企业都与供应商建立友好的工作关系，从而保证供应商提供优质的产品和服务。这种友好的关系也会由于不及时支付欠款而受到破坏。除此之外，如果企业不及时支付这些负债，就会引发财务分析师的关注，因为这样常常说明公司正处于财务困境。管理者和分析师都用应付账款周转率来评价应付账款管理的效率。

重要比率分析

应付账款周转率

1. 分析问题

偿还供应商购货款的管理多有效？

2. 比率及比较

应付账款周转率计算如下：

应付账款周转率＝商品销售成本÷平均应付账款

2006 年星巴克公司应付账款周转率为：$ 317 8791/$ 280 956* =11.3

*（$ 220 975 + $ 340 937）/2 = $ 280 956

不同时期的比较		
星巴克公司		
2004	2005	2006
9.9	10.2	11.3

不同公司的比较	
Peet's Coffee	Caribou Coffee
2006	2006
8.9	10.2

3. 解释

（1）概述

应付账款周转率用来衡量管理者支付应付账款时间的长短。应付账款周转率高，意味着公司及时向供应商支付购货款。用这个比率除以 1 年的天数反映更直观。

应付账款周转天数＝365 天÷应付账款周转率

2006 年星巴克公司应付账款周转天数：

365 天÷11.3＝32.3（天）

（2）聚焦公司分析

星巴克公司的应付账款周转率比两个竞争者都高，并且每年是相当稳定的。通常情况下，比率低的公司总是有流动性问题。星巴克公司平均 30 天向债权人支付一次应付账款，30 天是正常的信用期。分析师认为这个比率是很高的。

（3）注意问题

应付账款周转率是按应付账款的平均数计算的。如果公司及时支付一些应付账款，而延迟支付另一些应付账款，则这个比率反映不出来。这个比率同样可操纵。管理者全年都延迟支付应付账款，而在年末支付，使该比率达到可接受的水平。正如我们的分析所显示的那样，低比率意味着流动性问题（如公司不能产生足够的现金流量满足偿债的需要）或者严重的现金管理问题（如公司只保留少量现金来满足经营活动的需要)。前者是问题，后者是实力。分析师需要考虑其他因素（如流动比率和经营活动产生的现金流量）来确定是哪一种情况。

9.2.2 应计负债

大多数情况下，企业费用发生在一个会计期间，而于另一个会计期间支付。应计负债是会计期末以前已经发生的费用，但是尚未支付。这些费用包括如下项目：财产税、电费、工资。星巴克公司的资产负债表列出了3个项目：应计报酬和相关费用、应计租金费用、应交税金。年末编制调整分录时记为应计负债。

1. 应交税金

和个人一样，公司必须按所得交所得税。公司所得税税率是递进税率，美国大公司最高的联邦税率为35%。公司也可能支付州和当地的所得税，在某些情况下，还要交国外所得税。星巴克公司年度报告的附注包括下列关于所得税的信息：

所得税由下列项目组成（单位：千美元）：

财务年度	2006年10月1日	2005年10月2日	2004年10月3日
当期税款：			
联邦	$ 332 202	$ 273 178	$ 188 647
州	57 759	51 949	36 383
国外	12 398	14 106	10 193
递延税款、净额	(77 589)	(37 256)	(3 469)
总额	$ 324 770	$ 301 977	$ 231 754

2006年，星巴克公司的联邦所得税（33 220万美元）接近在美国利润（56 430万美元）的59%。对大多数公司而言，支付联邦所得税意味着所得税费用较高。

2. 应计工资和相关费用

每个会计期末，员工通常挣了工资但是还没有取得。公司没有支付的工资应作为应计负债的一部分来记录或单独记录，如星巴克公司的应付工资（资产负债表显示的金额是28 890万美元）。除了报告已经挣得但是没有支付的工资，公司还必须报告未支付的福利，包括退休计划、假日工资和健康保险。

现在，以假日工资为例。企业按其工作时间长短为员工支付假日工资。根据配比原则，假日工资必须在员工工作的会计期间而不是实际休假的会计期间进行记录。如果星巴克公司估计应计假日工资为125 000美元，则会计在财务年度末应做如下调整分录：

工资费用（+E，-SE）………………　　125 000

　应计假日工资（+L）　………………　　125 000

资产	=	负债		+	股东权益	
		应计假日工资	+125 000		工资费用	-125 000

休假时（在下一个夏季），调整分录如下：

应计假日工资（-L）………………　　125 000

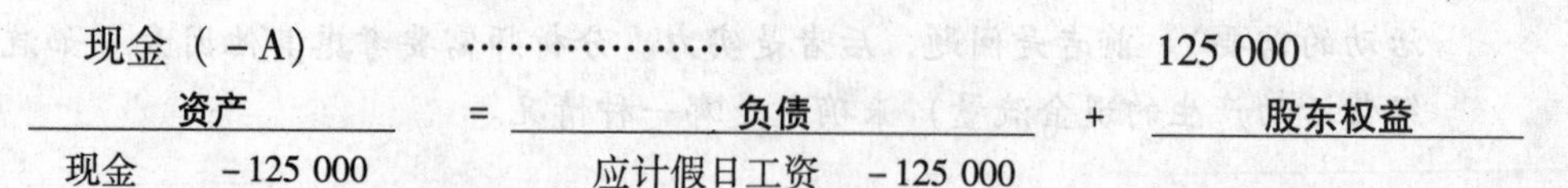

现金（－A） ………………… 125 000

资产	=	负债	+	股东权益
现金　－125 000		应计假日工资　－125 000		

星巴克公司不单独披露应计假日工资的金额。公司报告这项负债作为应计工资的一部分。很明显，从管理者的角度来看，应计假日工资并不重要。大多数分析师可能也持这样的观点。

3. 工资税

所有的工资单包括各种税，如联邦、州和地方所得税、社会保险税以及联邦和州失业税。员工自己支付一部分，老板支付另一部分。对大多数人来说，每一种类型的工资税报告都是相似的，现在我们仅看一下这两个最大的代扣项：

（1）员工所得税

每个员工都要求代扣所得税。员工代扣的所得税金额在代扣日与上交日（上交给政府）之间由企业记录为流动负债。代扣的联邦所得税常称为 FITW。

（2）员工社会保险税

员工支付的社会保险税称为 FICA 税，因为这是按联邦保险捐助条例的要求征收的一种收入税。这些税员工和老板各承担一半，于 2008 年 1 月 1 日起生效，社会保险税率是 6.2%，按当年支付给每个员工的第一个 102 000 美元来计算。除此而外，医疗保险税按全部收入的 1.45% 征收。所以，FICA 税率在 102 000 美元之内是工资收入的 7.65%，超过 102 000 美元是工资收入的 1.45%。

员工报酬费用包括支付给员工的部分和企业为员工支付给其他部门的部分。所以，雇佣员工的成本超过员工实际收到的工资收入。

以工资单为例，假设星巴克公司 2009 年 6 月前两周记录了下列信息：

工资	$ 1 800 000
代扣所得税	275 000
FICA 税（由员工负担）	105 000

记录工资时正常应做两笔会计分录。第一笔分录记录支付给员工的金额和从工资中代扣的金额。

工资费用（＋E，－SE） ………………… 1 800 000

　代扣所得税负债（＋L） ………………… 275 000

　应付 FICA 税（＋L） ………………… 105 000

　现金（－A） ………………… 1 420 000

资产	=	负债	+	股东权益
现金　－1 420 000		应付 FICA 税　＋105 000		工资费用　－1 800 000
		代扣所得税负债　＋275 000		

第二笔分录记录老板必须负担的 FICA 税。根据联邦的法律，除了员工支付的 FICA 税外，老板也必须支付 FICA 税，且与员工同等金额。

工资费用（＋E，－SE） ………………… 105 000

　应付 FICA 税（＋L） ………………… 105 000

资产	=	负债	+	股东权益
		应付 FICA 税　＋105 000		工资费用　－105 000

在《会计趋势和技术》600 个样本公司中，大多数公司可以找到与员工有关的负债报告。

9.2.3 应付票据

公司借款时，经常要有正式的书面合同。这些合同证实的义务称做应付票据。应付票据注明借款金额、还款日期以及借款利率。

债权人愿意借钱，是因为它们将会收到利息，作为一段时期放弃使用这些钱所得的回报。这个简单的概念称为货币时间价值。借款时间越长，利息费用总额越大。在确定的利率下，2 年期借款的利息高于 1 年期借款的利息。对借款人来说，利息是一项费用；对债权人来说，利息是一项收入。

为了计算利息，必须考虑 3 个变量：（1）面值（如借款金额），（2）利率，（3）借款期限。利息计算公式是：

利息 = 面值 × 利率 × 期限

例如，假设 2009 年 11 月 1 日，星巴克公司借款 100 000 美元，签发 1 年期、利率为 12% 的应付票据。利息于 2010 年 3 月 31 日至 2010 年 10 月 31 日支付。面值于到期日 2010 年 10 月 31 日支付。这张票据账户中的记录如下：

	借	贷
现金（+A）………………	100 000	
应付票据，短期（+L）………………		100 000

资产	=	负债	+	股东权益
现金 + 100 000		应付票据 +100 000		

利息是这笔钱使用期间的费用。在配比原则下，应于发生时记录费用，而不是实际支付时记录。因为星巴克公司 2009 年使用资金两个月，所以星巴克公司 2009 年记录两个月的利息费用，即使现金于 2010 年 3 月 31 日支付。

2009 年利息费用的计算如下：

利息 = 面值 × 利率 × 时间

$ 2 000 = $ 100 000 × 12% × 2/12

2009 年 12 月 31 日记录利息的分录如下：

	借	贷
利息费用（+E，-SE）………………	2 000	
应付利息（+L）………………		2 000

资产	=	负债	+	股东权益
		应付利息 +2 000		利息费用 -2 000

2010 年 12 月 31 日，星巴克公司将支付 5 000 美元利息，包括 2009 年报告的应计利息 2 000 美元和 2010 年前 3 个月的应计利息 3 000 美元，会计分录如下：

	借	贷
利息费用（+E，-SE）………………	3 000	
应付利息（-L）………………	2 000	
现金（-A）………………		5 000

资产	=	负债	+	股东权益
现金 -5 000		应付利息 -2 000		利息费用 -3 000

9.2.4 1 年内偿还的长期负债

对管理者和分析师来说，区分流动负债和长期负债很重要。因为流动负债必须于下一年偿还，公司必须有足够的现金满足偿债的要求。要提供流动负债准确的信息，公司必须将长期负债中1年内到期的长期负债重新归类为流动负债。假设星巴克公司2009年1月1日签发了一张500万美元的应付票据，2011年12月31日偿还。2009年和2010年12月31日，资产负债表报告如下：

2009年12月31日	
长期负债：	
应付票据	$ 5 000 000

2009年12月31日	
长期负债：	
1年内到期的长期负债	$ 5 000 000

图表9—1是这种类型披露的一个举例。注意2006年，星巴克公司报告762 000美元1年内到期的长期负债。在某些情况下，负债到期时，公司不动用现有资金立刻偿付，而是为这笔负债再筹资。

财务分析

负债再筹资：流动还是长期？

公司通过协商一个新的借款协议来延长借款期限，或者向新的债权人借款来偿还原来的负债，这样可以不动用公司现有资金偿还到期负债。如果公司打算对即将到期的负债进行再筹资，并且有能力这样做，则应将负债作为流动负债还是长期负债？记住分析师对公司的流动负债感兴趣，因为这些负债在下一个会计期间会产生现金流出。如果负债在下一个会计期间不产生现金流出，则GAAP要求不可以将其作为流动负债。这个原则以General Mill公司的年报附注为例。

现实世界摘要：General Mill公司的年报摘要

我们有一个循环的2006年1月到期的贷款协议，通过延长借款期限使我们有能力对到期的短期借款进行再筹资，所以我们把应付票据的一部分重新归类为长期负债。

9.2.5 递延收入

在企业大多数业务中，发出产品或提供劳务就会收到现金。在某些情况下，在产品发出或劳务提供前也会收到现金。你可能已经支付了杂志费，杂志却在未来某个时点收到。杂志出版前，出版商会收到你的预定杂志费。相关的收入实现以前公司收到的现金称为递延收入或未实现收入。流行的星巴克公司卡允许顾客提前支付咖啡费。给予顾客的好处是其在购买时比较方便。给予公司的好处是星巴克公司能在顾客实际购买产品前收到和使用这笔现金。星巴克公司报告显示公司提前收到顾客23 192 600万美元，用下列附注解释这个金额：

现实世界摘要：星巴克公司年报摘要

> 储值卡的收入于实现时确认。在储值卡的收入实现以前，卡上的余额包括在“递延收入”中。

在收入实现原则下，收入未实现之前不能确认为收入。递延收入报告为一项负债，因为公司收到了现金，但是在会计期末相关的收入没有实现。未来提供商品或劳务的义务始终存在。这些义务根据履行的时间划分为流动负债和长期负债。

9.2.6　资产负债表报告的预计负债

一些负债的记录以估计数为基础，因为准确数只有到了未来才能知道。例如，公司对已销售商品提供的保证。必须估计未来的修理费用，在商品销售的会计期间作为负债（和费用）来记录。

星巴克公司对自己店出售的咖啡酿造设备和煮咖啡设备提供保证，但是在销售时不记录估计的保证负债。公司不修理酿造机器，但是授予顾客对有问题的产品在24个月内可退回的权利。退回产品的估计数报告为销售当年的销售收入减项。

9.2.7　附注中报告的预计负债

我们所讨论的每种负债都以具体的金额报告在资产负债表里，因为它们涉及未来可能的经济利益的流出。一些交易或事项的发生可能（可能性在50%以下）仅仅导致未来经济利益的流出。这些情况下产生的负债称为或有负债，也就是说，作为过去事项的结果产生了潜在的负债。或有负债可能会成为一项确认的负债，也可能不会成为一项确认的负债，这取决于未来事项。产生或有负债的情况也会导致产生或有损失。

或有负债举例

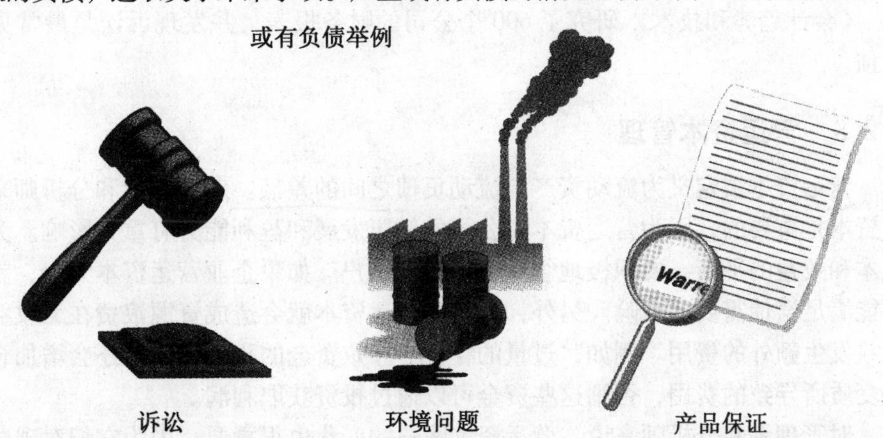

诉讼　　环境问题　　产品保证

一种情况下产生记录负债还是或有负债取决于两个因素：未来经济利益流出的可能性和估计负债金额的管理能力。下列表举例说明了这种可能性：

	可能性50%以上	可能性50%以下	可能性极小
可以估计	记录一项负债	附注中披露	不要求披露
无法估计	附注中披露	附注中披露	不要求披露

发生的可能性以下列方式定义：

1. 很可能——未来的一个事项或多个事项发生的几率高。
2. 可能——未来的一个事项或多个事项可能发生，但是可能性低于50%。
3. 极小可能——未来的一个事项或多个事项发生的几率极小。

总而言之，很可能并能合理估计的负债必须记录并在资产负债表中报告，可能发生的负债不管是否可以估计都在报表附注中披露，极小可能的或有负债不披露。

星巴克公司的年报附注包括如下内容：

现实世界摘要：星巴克公司年报摘要

附注18：担保和或有事项

公司是正常经营活动状态下导致各种诉讼的一方，但是目前没有处于诉讼中，管理者认为处于诉讼中会对公司的合并财务状况或经营成果产生重大负面影响。

星巴克公司不需要在资产负债表中报告负债，因为损失不可能发生。哈雷—戴维森公司在附注中披露了一项共同的或有事项：

现实世界摘要：

附注7：担保和或有事项

根据加利福尼亚州法院的仲裁，公司支付伤害赔偿和罚款共720万美元，包括利息，一个排气系统的供应商对公司提起了诉讼。公司立刻就这个裁决提起上诉。

在这种情况下，负债的存在是一种可能性。按GAAP的要求，哈雷—戴维森需要在附注中披露这起诉讼。公司后来达成庭外协议500万美元。在那一时点，损失是要发生的，要求在资产负债表上报告损失和相关的负债。

《会计趋势和技术》研究了600个公司的财务报表，并发现诉讼是最常见的或有负债。

9.2.8 营运资本管理

营运资本被定义为流动资产与流动负债之间的差额。对管理者和分析师来说，营运资本是重要的，因为营运资本对公司的健康发展和盈利能力有重大影响。为了达到成本和效益的平衡，要积极地管理营运资本账户。如果企业营运资本太少，就会产生不能满足偿债需要的风险。另外，太多的营运资本就会造成资源浪费在无收益的资产上或发生额外的费用。例如，过量的存货会导致资金的积压，同时还会增加仓储费用和变质所导致的费用，否则这些资金可以通过投资获取利润。

对管理者和分析师来说，营运资本账户的变化也很重要，因为它们对现金流量表报告的经营活动现金流量有直接影响。

聚焦现金流量

营运资本和现金流量

许多营运资本账户与产生收入的活动有直接的关系。例如，应收账款与销售收入有关：赊销时应收账款增加。客户付款时收回现金。同样，费用发生而款项未付时应付账款增加。款项支付时发生了现金流出。计算经营活动现金流量时，必须考虑与产生收入活动相关的营运资本账户的变化情况。

对现金流量表的影响

(1) 概述

在现金流量表中，调整净利润（间接法）计算经营活动的现金流量。对营运资本账户有影响，见下表：

	对现金流量的影响
经营活动（间接法）	
净利润	$ xxx
调整：流动资产减少数*	
或者流动负债增加数	+
调整：流动资产增加数*	
或者流动负债减少数	−

*除了现金。

(2) 聚焦公司分析

下面是星巴克公司合并现金流量表的一部分，用间接法编制。注意，从2004年到2006年经营活动现金流量稳定增长。这些重要的现金流量对星巴克公司增长策略的实施非常重要。

星巴克公司

合并现金流量表

单位：千美元

财务年度	2006 年 10 月 1 日	2006 年 10 月 1 日	2006 年 10 月 1 日
经营活动			
净利润	$ 564 259	$ 494 370	$ 388 880
调节净利润为经营活动提供的净现金流量：			
FIN 47 会计变化的累积影响数、税后净额	17 214	—	—
折旧和摊销	412 625	367 207	314 047
减值和资产处置准备	19 622	19 464	17 948
递延所得税、净额	(84 324)	(31 253)	(3 770)
从被投资方分得的利润	(60 570)	(49 537)	(31 707)
分给投资方的利润	49 238	30 919	38 328
股票薪酬	105 664	—	—
行使股票期权的纳税利益	1 318	109 978	63 405
行使股票期权过剩的纳税利益	(117 368)	—	—
证券溢价的净摊销额	2 013	10 097	11 603
经营资产和负债变动提供的（使用的）现金：			
存货	(85 527)	(121 618)	(77 662)
应付账款	104 966	9 717	27 948
应计报酬及其相关费用	54 424	22 711	54 929
应交税金	132 725	14 435	7 677
递延收入	56 547	53 276	47 590
其他经营资产和负债	(41 193)	(6 851)	3 702
经营活动提供的净现金流量	1 131 633	922 915	862 918

自测题

假设星巴克公司的流动比率是2.0，对于下列各事项，指出流动比率和营运资本是增加还是减少：

1. 星巴克公司发生应付账款250 000美元，流动资产不变。
2. 公司借1 000 000美元长期负债。
3. 公司支付应交税金750 000美元。
4. 公司通过长期负债为新的大楼筹资。

做完题后，与下面的答案进行核对。

自测题答案：

*流动比率	营运资本
1. 减少	减少
2. 增加	增加
3. 增加	不变
4. 不变	不变

9.3 长期负债

长期负债包括除了流动负债以外的所有义务，如长期应付票据和应付债券。一般情况下，长期负债偿还期都超过1年。这些义务是由借款或者其他活动产生的。

大多数公司为了购买经营资产，会通过长期借款筹资。为了减少债权人的风险，一些公司同意用具体的资产作为担保。如果负债到期不还，债权人可以取得资产的所有权。这种协议的负债称为有担保债务。无担保债务是主要依赖借款人的整体和综合盈利能力的一种负债。

9.3.1 长期应付票据和债券

公司直接从一些金融服务机构筹集长期债务资本，包括银行、保险公司和养老金计划。从这些机构中的一个机构筹资称为私募。这种负债通常称为应付票据，它是一种书面承诺，承诺在未来一个或几个具体的日期（称为到期日）偿还确定的总额。

在大多数情况下，公司对债务资本的需求超出任何一个债权人的融资能力。在这些情况下，公司可能发行公开交易的债券。在现有市场可以交易债券，为债券持有者提供了方便。如果他们急需现金，可以在债券到期前把债券卖给其他投资者。因为债券为投资者提供了变现机会，所以他们更可能把钱借给公司。有关债券的详细内容将在下一章讨论。

核算长期负债与核算短期应付票据应用同一原则。负债发生时作为负债记录，利息费用随着时间的推移来记录。

企业经营本质上说是全球性的。成功的经营是把产品销售到许多国家，根据生产成本和生产能力在世界各地建厂。公司的融资也变成国际性的，即使公司没有国际经营。外币借款提出了一些有趣的会计和管理问题。

国际视野

外币借款

许多在国外经营的公司选择用外币债务筹集这些经营资金以减少汇率风险。这种风险的存在是因为每个国家的货币相对比值差不多每天都在变化。写这本书时，1英镑大约等于2美元。

一个美国公司如果在英国经营，它可能决定借英镑为经营筹集资金。用企业的盈利（英镑）去清偿债务（英镑）。如果企业盈利的货币单位是英镑，但是清偿债务的货币单位是美元，则汇率风险就出现了，因为美元与英镑的相对比值会发生波动。

外国的公司面临同样的问题。日本丰田公司在美国是一个重要的企业。这个公司的年报附注如下：

现实世界摘要：丰田公司年报摘要

近几年盈利下降，因为日元的升值加剧了对停滞需求的负面影响，汇率的变动减少了公司的经营收入。外币兑换的损失抵销了我们节约的大部分成本。

丰田公司在美国已经借了大量的资金来降低面临的汇率风险。公司在美国也拥有和经营很多工厂。

尽管有的公司没有国际经营，它也会选择外币借款。经济萧条的国家利率很低。这种情况为公司提供了低成本借款的机会。

出于报告的目的，会计必须把外币债务折算成美元。所有主要外币的折算率会在大多数报纸上公布。为了举例说明外币折算，假设星巴克公司借1百万英镑。对星巴克公司的年报来说，会计必须用资产负债表日的汇率进行折算，我们假设汇率是1英镑兑换2美元。债务折算为200万美元（£1 000 000×2.00）。即使没有增加借款或还款，如果折算率变了，则外币债务的折算金额也会改变。

星巴克公司资产负债表的附注显示公司只有美元借款。相比之下，许多跨国经营的公司都是在经营所在国借款，然后再用其在国外的经营所得偿还其借款。

9.3.2 租赁负债

公司常常不购买资产，而租赁资产。例如，在业务繁忙的时候，送货车忙不过来，如果平时不需要，则临时租用一辆更经济。公司短期租赁资产签订协议，称为经营租赁。签订经营租赁协议时，没有负债需要记录。使用租赁资产时，公司记录租金费用。假设2009年12月15日，星巴克公司签订一项经营租赁协议：2010年1月租用5辆大卡车。2009年没有负债需要记录。2010年1月实际使用卡车时，记录租金费用。

由于某些原因，公司喜欢长期租赁资产而不购买资产，这种租赁称为融资租赁。虽然融资租赁从法律形式上是一种租赁，但是实际上是融资购买资产。与经营租赁不同，融资租赁在会计核算上视同购买资产，记录为资产和负债。由于经营租赁和融资租赁两者有很大的不同，因此 GAAP 规范了区分两者的标准。如果一项租赁符合下列标准之一，这项租赁就是融资租赁：

1. 租赁期占资产预计经济寿命的75%或以上。
2. 租赁期满资产的所有权转移给承租人。
3. 租赁协议允许承租人以低于市场的价格购买资产。
4. 最低租赁支付的现值是租赁协议签订时资产市价的90%或以上。

如果管理者可以选择经营租赁还是融资租赁，则大多数愿意选择经营租赁。这样做，公司在资产负债表上可以报告更少的负债。在财务报表附注中，星巴克公司在"其他长期负债"余额项目下报告融资租赁负债410 万美元。很多财务分析师都认为公司能避免报告与融资租赁相关的负债，它们可以通过安排租赁协议，使记录满足经营租赁的条件来达到这个目的。

为了记录融资租赁，确定租赁支付的现值是必要的。假设星巴克公司签订了一项租用新送货车的协议。会计确定这项租赁是融资租赁，现值为 250 000 美元。一旦签订了租赁协议，这项业务就视同实际购买新的送货车来记录：

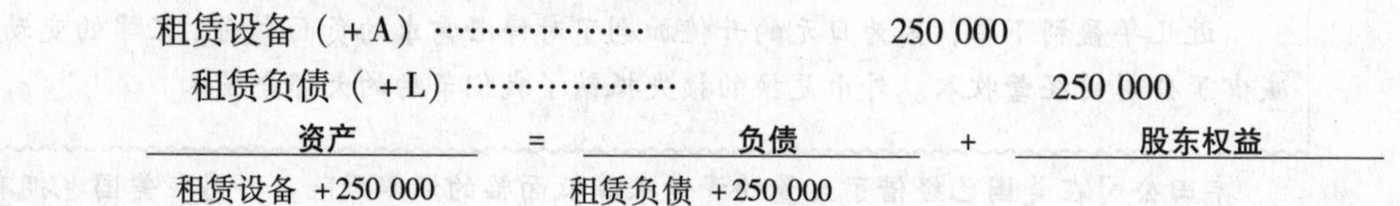

	借	贷
租赁设备（+A）…………………	250 000	
租赁负债（+L）…………………		250 000

资产	=	负债	+	股东权益
租赁设备 +250 000		租赁负债 +250 000		

在这个例子中，我们告诉你租赁的现值。在下一部分，关于现值的概念，我们会讲解这个金额应怎样计算。

9.4 现值概念

我们讨论融资租赁时提出了一个很有趣的关于负债的问题：记录的负债金额是未来实际支付的现金金额吗？例如，如果我同意从现在开始 5 年内付给你 10 000 美元，则在我个人的资产负债表上应该报告 10 000 美元的负债吗？要回答这样的问题，我们现在要介绍一些相对简单的数学知识，称为现值概念。这个概念会为下一章我们讨论债券负债提供基础。

现值概念以货币时间价值为基础。很简单，今天收到的钱比从今天起 1 年后收到的钱更有价值（或者在未来任意一天），因为它能用来赚取利息。如果你今天投资1 000美元，利率为 10%，则 1 年后你会有 1 100 美元。相比之下，如果你从今天起 1 年后会收到 1 000 美元，你就会失去赚 100 美元利息收入的机会。1 000 美元与 1 100 美元之间的差额 100 美元，就是在这 1 年期间赚取的利息。

根据你已有的数学知识，可能就可以解决一些涉及货币时间价值的问题。典型的问题是你把一定金额的现金存入储蓄账户就可赚取固定利率的利息。你要确定的是几年后储蓄账户中会增加多少钱。在本章中，我们会说明如何解决与上述情况相反的问题。关于现值的问题，你会知道未来的 1 美元（如储蓄账户 5 年后的余额）和 1 美元的现值（今天在储蓄账户必须存入的数额）的区别。

货币的价值随着时间的变化而变化，因为货币能赚取利息。在现值问题中，你将知道未来发生现金流量的金额，并且需要确定它现在的价值。相反的情况下，你将知道今天发生的现金流量的金额，并且需要确定它未来某一时点的价值。这些问题称为终值问题。

9.4.1 单笔现金的现值

单笔现金的现值是指未来某一时点收到一笔现金现在的价值。例如，你可能有机会投资债务工具，3 年后支付给你 10 000 美元。你决定是否投资之前，要确定这个工具的现值。1 美元利率为 10%、3 年后到期的现值被列示如下：

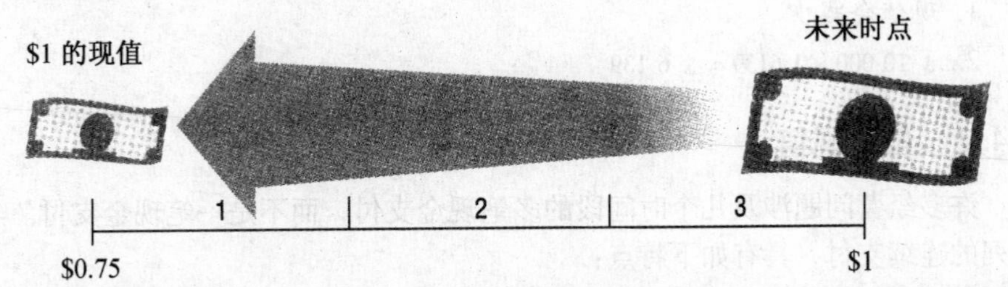

要计算未来收到一笔现金的现值，则我们需从未来收到的现金中减去在这期间赚取的利息。例如，如果你存入储蓄账户 100 美元，利率为 5%，年末账户里就会有 105 美元。在现值问题中，你应知道要在年末得到 105 美元的话，年初应存入的金额。为了解决这个问题，你必须将未来收到的金额使用利率 i 在 n 期内折现。计算单笔现金现值的公式是：

$$现值 = \frac{1}{(1+i)^n} \times 金额$$

这个公式并不难，大多数分析师会用现值表、计算器，Excel 来计算。接下来，我们会讲解如何使用现值表。假设今天是 2009 年 1 月 1 日，你 2011 年 12 月 31 日有机会收到 1 000 美元，年利率为 10%，那么这 1 000 美元在 2009 年 1 月 1 日的价值是多少？你可以一年一年的折现这个金额，[①] 但是更简单的方法是使用现值表，我们可以找到 1 美元在 i = 10%、n = 3 的条件下的现值系数是 0.7513，3 年后收到 1 000 美元的现值为：

$$\$ 1\,000 \times 0.7513 = \$ 751.30$$

学习怎样计算现值并不难，但是更重要的是理解它的含义。751.30 美元是你现在要支付的金额，这样 3 年后才会收到 1 000 美元，假设利率是 10%。从概念上讲，你现在拥有 751.30 美元或者 3 年后收到 1 000 美元，对你来说都是一样的。因为你可以通过金融机构把钱从现值转化成终值或者从终值转化成现值。如果你有 751.30 美元，但是希望 3 年后变成 1 000 美元，则你可以简单地把这笔钱存入储蓄账户，3 年后就会变成 1 000 美元。在另外一种情况下，如果你签了一个合同，承诺 3 年后你会收到 1 000 美元，则你可以今天把这个合同以 751.30 美元的价格卖给一个投资者，

① 详细的折算过程如下：

期间	本年利息	现值*
1	\$ 1 000 - (\$ 1 000 × 1/1.10) = \$ 90.91	\$ 1 000 - \$ 90.91 = \$ 909.09
2	\$ 909.09 - (\$ 909.09 × 1/1.10) = \$ 82.64	\$ 909.09 - \$ 82.64 = \$ 826.45
3	\$ 826.45 - (\$ 826.45 × 1/1.10) = \$ 75.15	\$ 826.45 - \$ 75.15 = \$ 751.30

* 近似金额。

因为这个合同会承诺投资者以利息形式赚取差额。

自测题

1. 如果现值问题中的利率从8%增加到10%，则现值是增加还是减少？

2. 如果利率是5%，以复利计息，则从现在开始，10 年后收到10 000 美元的现值是多少？

做完题后，再与答案进行核对。

自测题答案：

1. 现值会减少。

2. $ 10 000 × 0.6139 = $ 6 139

9.4.2 年金现值

许多经营问题涉及几个时间段的多笔现金支付，而不是一笔现金支付。年金是一系列的连续支付，具有如下特点：

1. 每个计息期金额相等。
2. 计息期长度相等（年、半年、季度或者月）。
3. 每个计息期利率相等。

年金的例子有每月支付的移动电话或住宅电话缴费、储蓄账户每月存入一定金额和每月退休津贴。

1. 年金现值

年金现值是未来一些时间段一系列等额收款或等额付款的现值。年金现值通过折现一系列的等额求得。退休计划就是最好的例子，它为员工退休后提供每月的退休收入。1 美元的年金现值（期限为 3 年，利率为 10%）的计算，如下图如示：

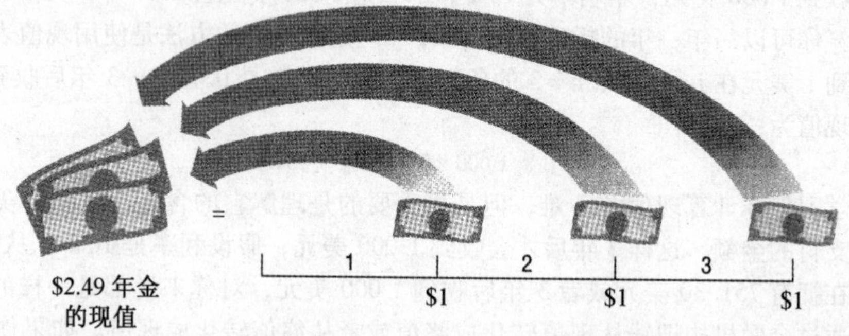

假设 2009 年、2010 年、2011 年 12 月 31 日各收到 1 000 美元，假设利率是10%，则这 3 个未来的 1 000 美元在2009 年1 月1 日的总和是多少？我们可以利用附录 A 的表 A—1 来计算现值：

附录 A 表 A—1 的系数

年	金额		i = 10%		现值
1	$ 1 000	×	0.9091 (n = 1)	=	$ 909.10
2	$ 1 000	×	0.8264 (n = 2)	=	826.40
3	$ 1 000	×	0.7513 (n = 3)	=	751.30
			现值总额	=	$ 2 486.80

然而，我们利用附录 A 的表 A—2 可以更容易地计算现值，具体计算如下：

$ 1 000 × 2.4869 = $ 2 487（近似）

2. **利率和计息期**

前面的举例假设复利和折现都以年为计息期。尽管给出的利率几乎都是年利率，但是经营中出现的大多数复利计息期不到 1 年。计息期不到 1 年，n 和 i 的值必须调整到与计息期的长度相一致。

举例来说，5 年期 12% 的复利利率，按年计息，应该使用 n = 5 和 i = 12%。如果复利按季度计算，则计息期为 1 年的 1/4（即 1 年 4 个计息期间），季度利率为年利率的 1/4（即季度利率为 3%）。这样，5 年期 12% 的年利率，按季度计息，应该使用 n = 20 和 i = 3%。

道德问题

广告的真实性

如果消费者不理解现值概念，报纸、杂志和电视的广告很容易使人误解。例如，大多数的汽车公司都有季节促销，给予特殊的融资。经销商贷款利率是 4%，而银行的贷款利率是 10%。显然，低利率不是真正的促销，因为经销商为车提供的代理融资会以更高的销售价格作为补偿。从银行贷款再付款给代理商，这样可能有助于买方以更低的价格购买。消费者应该用本章列举的现值概念去比较不同的融资。

另一种误导广告，每年 1 月可见，承诺杂志订阅者有机会很快成为百万富翁。据说获胜者未来 40 年每年会收到 25 000 美元，共 100 万美元（40 × $ 25 000），但是 8% 的年金现值仅为 298 000 美元。大多数获胜者很高兴能拿到这笔钱，但是他们不是真正的百万富翁。

一些消费者认为消费者不必用现值概念去理解这样的广告。虽然一些批评可能是重要的，但是包括利率的广告信息的质量会随着时间的推移而逐渐提高。

9.4.3 现值在会计中的应用

很多经营业务要求使用终值和现值概念。我们列举一些例子使你能更好地理解这些概念。

1. **计算单笔支付的负债金额**

2009 年 1 月 1 日，星巴克公司买了几辆新送货车。公司签了一张票据，承诺 2010 年 12 月 31 日支付 200 000 美元，这个金额代表车的现金价格以及两年的利率。票据的市场利率是 12%。

要记录这笔业务，会计必须先计算未来单笔支付金额的现值。遵循成本原则，车的成本就是当期的现金价格，也就是未来支付金额的现值。这个问题的计算如图所示：

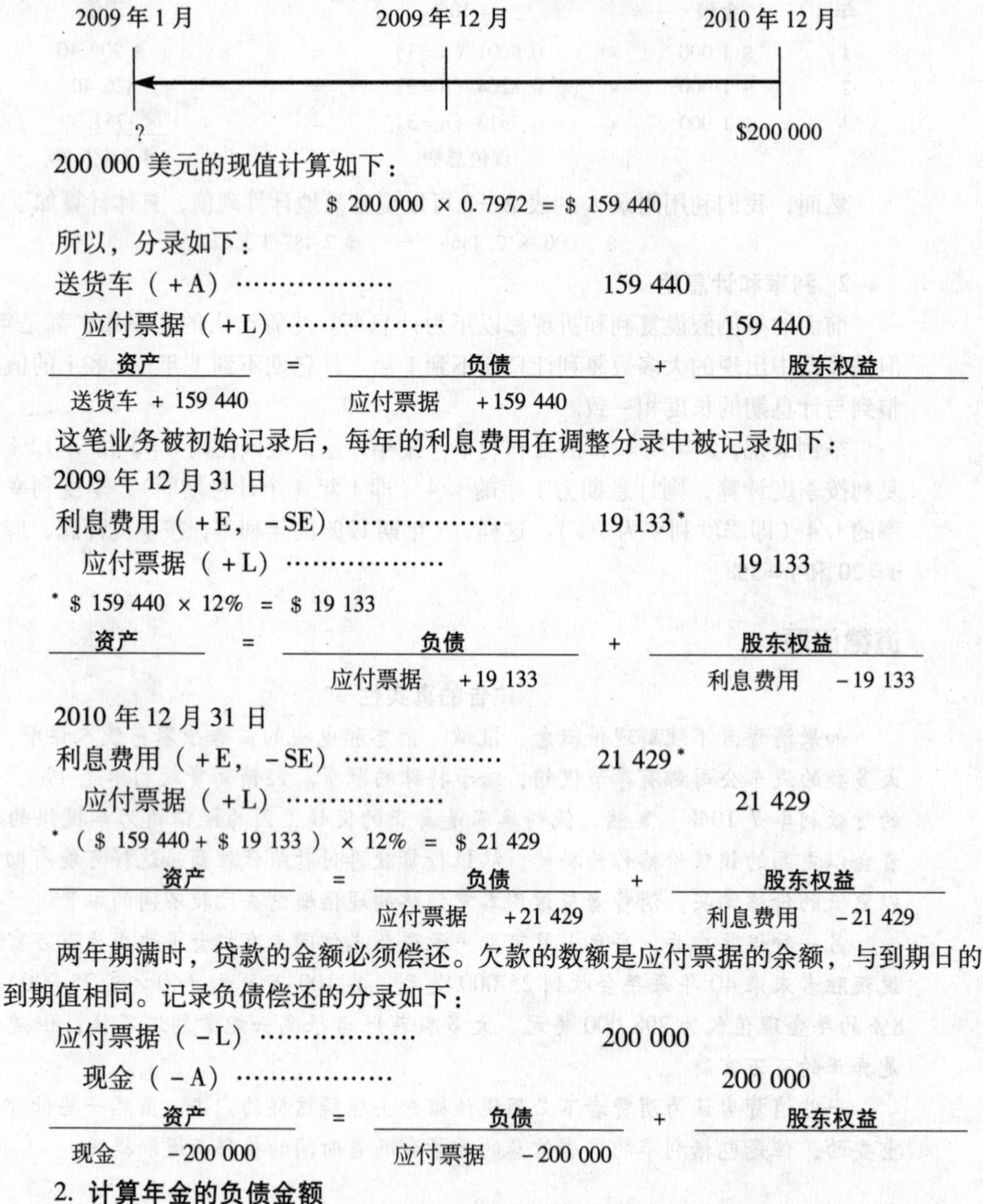

200 000 美元的现值计算如下：

$$ \$ 200\,000 \times 0.7972 = \$ 159\,440 $$

所以，分录如下：

送货车（+A）…………………	159 440	
应付票据（+L）…………………		159 440

资产	=	负债	+	股东权益
送货车 +159 440		应付票据 +159 440		

这笔业务被初始记录后，每年的利息费用在调整分录中被记录如下：

2009 年 12 月 31 日

利息费用（+E，-SE）…………………	19 133*	
应付票据（+L）…………………		19 133

* $ 159 440 × 12% = $ 19 133

资产	=	负债	+	股东权益
		应付票据 +19 133		利息费用 -19 133

2010 年 12 月 31 日

利息费用（+E，-SE）…………………	21 429*	
应付票据（+L）…………………		21 429

*（$ 159 440 + $ 19 133）× 12% = $ 21 429

资产	=	负债	+	股东权益
		应付票据 +21 429		利息费用 -21 429

两年期满时，贷款的金额必须偿还。欠款的数额是应付票据的余额，与到期日的到期值相同。记录负债偿还的分录如下：

应付票据（-L）…………………	200 000	
现金（-A）…………………		200 000

资产	=	负债	+	股东权益
现金 -200 000		应付票据 -200 000		

2. 计算年金的负债金额

2009 年 1 月 1 日，星巴克公司买了新的打印设备。公司决定融资购买，签了一张票据，期限 3 年，每年分期还款 163 686 美元。每年还款额包括面值和按未偿还数额和 11% 利率计算的利息。还款日为 2009 年、2010 年、2011 年 12 月 31 日。这个问题可以用下列图表来表示：

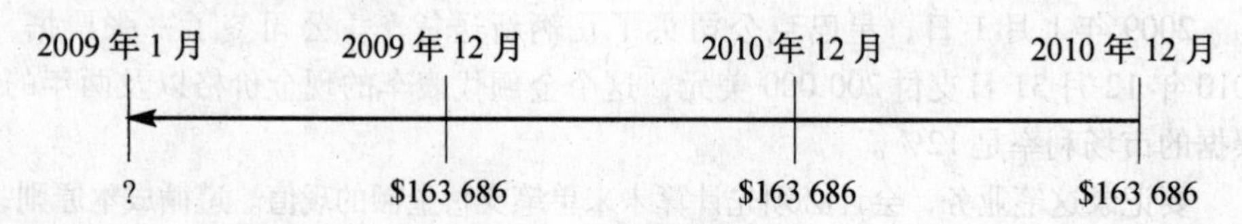

应付票据的金额由计算每次还款额（n = 3 和 i = 11%）的现值来确定。这是年金，因为还款额是 3 个相等的金额。应付票据的金额计算如下：

$$\$ 163\ 686 \times 2.4437 = \$ 400\ 000$$

2009 年 1 月 1 日购买时记录如下：

打印设备（+A）………………　400 000

　应付票据（+L）………………　400 000

资产		=	负债		+	股东权益	
打印设备	+400 000		应付票据	+400 000			

每年，会计必须记录票据支付如下：

2009 年 12 月 31 日

应付票据（-L）………………　119 686

利息费用（+E，-SE）………………　44 000

　现金（-A）………………　163 686

资产		=	负债		+	股东权益	
现金	-163 686		应付票据	-119 686		利息费用	-44 000

2010 年 12 月 31 日

应付票据（-L）………………　132 851

利息费用（+E，-SE）（\$ 400 000 - \$ 119 686 × 11%）…　30 835

　现金（-A）………………　163 686

资产		=	负债		+	股东权益	
现金	-163 686		应付票据	-132 851		利息费用	-30 835

2011 年 12 月 31 日

应付票据（-L）………………　147 463

利息费用（+E，-SE）…　16 223

　现金（-A）………………　163 686

资产		=	负债		+	股东权益	
现金	-163 686		应付票据	-147 463		利息费用	-16 223

3. 计算租赁负债的金额

2009 年 1 月 1 日，星巴克公司签了一份租赁协议，租赁了一台咖啡烘烤设备。利率为 8%，每年 12 月 31 日还款 10 000 美元。租赁期是设备的全部预计使用寿命。这个租赁应按融资租赁记账。负债的金额是租赁支付的现值，计算如下：

$$\$ 10\ 000 \times 9.8181 = \$ 98\ 181$$

2009 年 1 月 1 日签租赁协议时记录如下：

烘烤设备（+A）………………　98 181

　租赁负债（+L）………………　98 181

资产		=	负债		+	股东权益	
烘烤设备	+98 181		应付票据	+98 181			

在下一章，我们将使用现值方法理解如何进行债券核算。

示例

Muller 建筑公司本年发生了几笔业务。在每笔业务中，确定是否应该记录负债，如果应记录，确定记录的金额。假设当日是2009年12月31日。

1. 员工赚取100 000美元工资，年末尚未支付，老板负担的FICA是7 000美元。

2. 公司6月30日借入100 000美元，利率为7%。这笔贷款没有发生任何支付。

3. 一个客户的建筑项目首付为75 000美元，下月开始施工。

4. 公司诉讼输了判决赔偿250 000美元，但是公司计划上诉。

5. 租赁一辆卡车，租赁期为卡车预计使用寿命的85%。

6. 2009年12月31日，Muller从银行借款，公司承诺2010年12月31日偿还。利率为5%。

7. 公司签了一个贷款协议，每年还款50 000美元，还款20年，利率为8%。

参考答案：

1. 应该记录107 000美元的负债。

2. 借款金额于6月30日应记录为负债。除此而外，年末应计利息但尚未支付应该记录为负债。这个数额是$ 100 000 × 7% ×6/12 = $ 3 500。

3. 收到客户的预付款是一项负债，直到施工结束才能确认相关的收入。

4. 因为支付的可能性很大，所以250 000美元应该记录为负债，除非上诉的证据充分，最终支付250 000美元的可能性很小，在这种情况下可以不记录为负债。

5. 因为租赁期超过卡车预计使用寿命的75%，所以租赁应该记录为负债。这个金额是租赁付款额的现值（题中没有给出）。

6. 负债应该以负债的现值记录。这个金额用表A—1中的n = 1和i = 5%的现值系数：$ 100 000 × 0.9524 = $ 95 240。

7. 负债应该以负债的现值记录。这个数额用表A—1中的n = 20和i = 8%的现值系数：$ 50 000 × 9.8181 = $ 490 905。

本章小结

1. 定义、计量、报告流动负债。

严格地说，会计定义负债为由过去的交易产生的，会导致未来经济利益的流出。在资产负债表上分为流动负债和长期负债。流动负债是短期负债，即在一个经营周期内或自资产负债表日起1年内（哪一个更长就按哪一个来确定）需要偿还的负债。长期负债是除了流动负债之外的所有负债。

2. 使用流动比率。

流动比率是流动资产和流动负债之比。分析师利用这个比率评价公司的变现能力。

3. 分析应付账款周转率。

这个比率用商品销售成本除以平均应付账款求得。它表明管理者支付供货商款项的频率，也可以用来计量变现能力。

4. 报告应付票据和解释货币时间价值。

应付票据标明借款金额，也就是必须偿还的金额，以及与借款相关的利率。会计必须报告负债和应计利息。货币时间价值指的就是随时间的推移按借款金额应计的利息。

5. 报告或有负债。

或有负债是由过去的事项导致的一种潜在负债，如果负债只是推测可能发生，就在报表附注中披露。

6. 解释营运资本的重要性和对现金流量的影响。

营运资本用于筹集企业经营活动所需的资金。营运资本账户的变动影响现金流量表。流动资产（除了现金之外的其他资产）的减少和流动负债的增加，都会增加经营活动的现金流量。流动资产（除了现金之外的其他资产）的增加和流动负债的减少，都会减少经营活动的现金流量。

7. 报告长期负债。

长期负债的偿还期限超过 1 年。长期负债的核算与短期负债的核算原则相同。

8. 计算现值。

现值概念以货币时间价值为基础。简单地说，未来要收到的 1 美元，其在今天的价值（现值）就少于 1 美元。这个概念可以应用于单笔支付，也可应用于多笔支付（称为年金）。用表和 Excel 都能计算现值。

9. 将现值概念应用于负债。

会计用现值概念确定报告负债的金额。负债涉及未来支付的金额。报告的负债金额不是未来支付的金额。负债以未来支付的现值报告。

在本章，我们集中讨论了流动负债，介绍了现值概念。在下一章，我们将应用现值概念计量长期负债。我们也会讨论公司资本结构中的长期负债。

重要财务比率

1. 流动比率计量公司支付流动负债的能力。计算公式如下：

$$流动比率=\frac{流动资产}{流动负债}$$

2. 应付账款周转率计量公司支付购货款的频率。计算公式如下：

$$应付账款周转率=\frac{商品销售成本}{平均应付账款}$$

搜索财务信息

资产负债表	**利润表**
流动负债 按账户名称列出负债，如 应付账款 应计负债 应付票据 **长期负债** 按账户名称列出负债，如 长期负债 递延税款 应付债券	负债仅在资产负债表上列示，不在利润表上列示。影响负债的业务常常会影响利润表账户。例如，应计工资费用影响利润表账户（工资费用）和资产负债表账户（应付工资）

现金流量表	附注
经营活动现金流量（间接法） 净利润 +大多数流动负债的增加额 -大多数流动负债的减少额 **筹资活动** +长期负债增加额 -长期负债减少额	**重要的会计政策** 关于负债的会计处理的相关信息描述。正常情况下，有最少的信息 **单独的附注** 如果没有列示在资产负债表上，附注中需列出主要负债的信息，如到期日和利率。附注中也报告或有负债的信息

会计术语

应计负债	递延所得税项目	经营租赁
年金	终值	现值
资本租赁	负债	暂时性差异
或有负债	变现能力	货币时间价值
流动负债	长期负债	营运资本
递延收入		

习题

一、问答题

1. 定义负债。说明流动负债与长期负债的区别。
2. 企业如何向外部报告负债？
3. 负债应以与当期现金等价的金额计量和报告。请给予解释。
4. 负债是已知义务，有一个确定的金额或者估计的金额。请给予解释。
5. 定义营运资本。如何计算？
6. 什么是流动比率？它与负债的分类有何相关？
7. 定义应计负债。什么类型的分录反映为应计负债？
8. 定义递延收入。它为什么是负债？
9. 定义应付票据。说明担保票据和无担保票据的区别。
10. 什么是或有负债？或者如何报告负债？
11. 计算下列票据2009年的利息费用：面值为4 000美元，利率为12%，票据到期日为2009年4月1日。
12. 解释货币时间价值的概念。
13. 解释终值和现值的基本不同点。
14. 如果你持有一个合同，10年后付给你8 000美元，现行利率是10%，则现值是多少？列出计算过程。
15. 什么是年金？
16. 计算下表：

概念	表值 i = 5%，n = 4；i = 10%，n = 7；i = 14%，n = 10
1 美元的现值	
1 美元的年金现值	

17. 你购买一辆 XIT 汽车 18 000 美元，首付 3 000 美元，余款分 6 次支付，半年支付一次，利率为 12%。确定每次支付的金额。

二、选择题

1. 5 年期、利率为 10% 的年金的现值系数是多少？

a. 1. 6105　　b. 6. 1051

c. 3. 7908　　d. 7. 7217

2. 大学一个团体需要买一辆车去旅行和参加足球比赛。Lockhart 的代理商同意下列条款：首付 4 000 美元，每月支付 750 美元，支付 20 个月。Leander 的代理商同意下列条款：首付 1 000 美元，每月支付 850 美元，支付 20 个月。当地银行车贷的现行利率为 12%。哪个是比较好的交易？为什么？

a. Leander 的条件更好，因为总支付额为 18 000 美元，比 Lockhart 的总支付额 19 000美元少

b. Lockhart 的条件更好，因为现值成本低于 Leander 的现值成本

c. Lockhart 的条件更好，因为每月支付少

d. Leander 的条件更好，因为首付少

e. Leander 的条件更好，因为现值成本低于 Lockhart 的现值成本

3. 下列哪一项更好地描述了应计负债？

a. 长期负债

b. 目前欠存货供应商的金额

c. 未来会计期间作为收入确认的流动负债

d. 目前欠除了存货供应商以外各方的金额

4. X 公司从银行借款 100 000 美元，5 年内偿还，从下个月开始还款。下列哪项最好地描述了这笔负债在借款当天资产负债表上的报告？

a. 100 000 美元在长期负债部分

b. 100 000 美元与 5 年要支付的利息之和在长期负债部分

c. 100 000 美元的一部分在流动负债部分，本金的其余部分在长期负债部分

d. 100 000 美元的一部分与利息之和在流动负债部分，本金与利息之和的其余部分在长期负债部分

5. 公司下一年将面临集体诉讼赔款。赔款是可能的，但是可能性不超过 50%，公司败诉将要支付 200 万美元的赔款。这个事实在当月月末公布的财务报表上如何报告？

a. 2 000 000 美元在流动负债部分

b. 2 000 000 美元在长期负债部分

c. 在报表附注中予以说明

d. 不报告，因为没有披露要求

6. 下列哪个业务会引起应付账款周转率的提高？

a. 向供应商支付以前赊购商品的货款

b. 收到客户支付的现金

c. 赊购商品

d. 以上都没有

7. 营运资本如何计算？

a. 流动资产乘以流动负债

b. 流动资产加上流动负债

c. 流动资产减去流动负债

d. 流动资产除以流动负债

8. 每年年金为 10 000 美元，期限为 10 年，折现率为 8%，年金的现值是多少？

a. 5 002　　b. 67 101

c. 53 349　　d. 80 000

9. Jacobs 公司借款 100 000 美元，利率为 8%，期限为 3 个月，到期时公司欠的利息是多少？

a. 8 000 美元　　b. 2 000 美元

c. 800 美元　　d. 200 美元

10. Fred 想每年储蓄足够的钱，到 2011 年 1 月买跑车。每年 12 月 31 日 Fred 从老板那里可以领到大笔奖金。他预测 2010 年 1 月 1 日车价是 54 000 美元。Fred 需要下列哪项来计算每年 12 月 31 日他必须储蓄的金额？

a. 预计利率和现值表

b. 预计利率和终值表

c. 预计利率和年金现值表

d. 预计利率和年金终值表

三、迷你练习题

1. 计算利息费用

Jacobs 公司借款 600 000 美元购买期限为 90 天，利率为 11% 的票据。借款期 2009 年 30 天和 2010 年 60 天，票据和利息 2010 年到期支付。利息费用是多少？2009 年和 2010 年各报告多少？

2. 记录应付票据

Farmer 公司 2009 年 10 月 1 日借款 290 000 美元，票据利率为 10%，本金和利息于 2010 年 5 月 1 日支付。编制 10 月 1 日记录票据的会计分录。编制 12 月 31 日记录应计利息的会计分录。

3. 查找财务信息

对下列每个项目，说出这个信息在资产负债表、利润表、现金流量表、报表附注中是否能找到。

（1）营运资本的金额。

（2）流动负债的总额。

（3）关于公司养老金计划的信息。

（4）应付账款周转率。

（5）关于营运资本变动对当期现金流量的影响方面的信息。

4. 计算变现能力

Shaver 公司的资产负债表报告如下：资产总额 360 000 美元，非流动资产 360 000 美元，流动负债 46 000 美元，股东权益总额 92 000 美元。计算 Shaver 的流动比率和营运资本。

5. 分析变现能力业务的影响

BSO 公司流动比率为 2. 0，营运资本为 1 240 000 美元，对下列每笔业务，确定流动比率和营运资本是增加、减少还是不变。

a. 支付应付账款 50 000 美元

b. 记录应计工资 100 000 美元

c. 从银行借款 250 000 美元，90 天后偿还

d. 赊购存货 20 000 美元

6. 报告或有负债

Buzz 咖啡店以提供热咖啡而闻名。涉及麦当劳的一个有名的案件发生后，Buzz 的律师提醒管理者（2009 年期间）：“出于咖啡的温度，如果有人溅上热咖啡并受伤，我敢说早晚会被起诉赔偿 100 万美元。”很不幸，2010 年担心的事真的发生了，一个顾客起诉了。这个案子 2011 年法院判决给予顾客 400 000 美元的伤害赔偿，公司马上提出上诉。2012 年期间，顾客和公司达成一致，公司向顾客赔偿 150 000 美元。每年这笔负债如何报告？

7. 计算单笔支出的现值

10 年后支付 500 000 美元，利率为 8%，其现值是多少？

8. 计算年金现值

10 期等额支付 15 000 美元，利率为 10%，其现值是多少？

9. 计算复杂合同的现值

Mercantile Stores 由于经营状况不好，它向已经解雇的员工先支付 118 000 美元，1 年后再支付 129 000 美元，1 年后开始连续 6 年，每年支付 27 500 美元。假设利率是 5%，则这一组相关支付额的现值是多少？

10. 计算年金终值（附录 D）

你打算 10 年后退休。在你退休之前每年储蓄 27 500 美元，连续储蓄 5 年，或者每年储蓄 16 250 美元，连续储蓄 10 年，哪一种方案更好？假定你的投资可以赚 9% 的利息。

11. 终值的复杂计算（附录 D）

6 年后退休时，你想拿到 125 000 美元的退休金。你的投资可以赚 8% 的利息。每年储蓄多少才能拿到你想要的退休金？

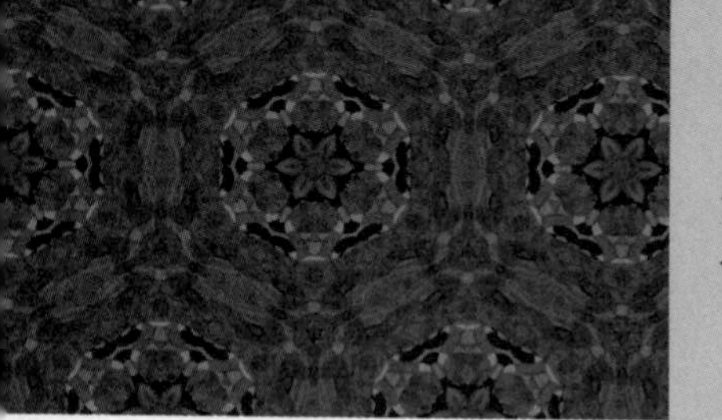

第 10 章　债券的报告和解释

学习目标

学完本章，应达到如下目标：

1. 描述债券的特点。
2. 以面值出售债券时，报告应付债券和利息费用，分析利息保障倍数。
3. 以折价出售债券时，报告应付债券和利息费用。
4. 以溢价出售债券时，报告应付债券和利息费用。
5. 分析负债对权益比率。
6. 报告提前赎回债券。
7. 解释如何在现金流量表上报告筹资活动。

聚焦公司：Harrah's Entertainment 公司

www. harrahs. com

博彩业在美国已经成为很大的产业。今天，其在多数主要城市都设有娱乐场。很多最受欢迎的娱乐场都由大公司所有和经营，这些公司的股票在纽约证券交易所上市。最成功的赌场是 Harrah's Entertainment 公司，在 Harrah's、Horseshoe、Harveys、Showboatt 和 Rio 的名下经营娱乐场。Harrah's Entertainment 公司的年报陈述如下：

Harrah's Entertainment 公司的战略不同于我们的竞争对手。由于越来越多的地方有娱乐场，因此 Harrah's Entertainment 公司与其他公司相比，有更多的机会培养与更多客户的关系。由于 Harrah's Entertainment 公司的分布区域广，我们不仅可以在客户居住地的娱乐场，也可以在其旅游地的娱乐场所为他们提供服务。

随着博彩业的发展，竞争越来越激烈，像 Harrah's Entertainment 这样的公司不得不大笔投资去创造独一无二的博彩环境。如 Harrah's Entertainment 公司年报所陈述的，"想客户所想，做客户所需"。以 Harrah's Entertainment 公司在密西西比州开设的娱乐场为例，来说明投资的重要性。娱乐场位于孟菲斯市南 30 英里，面积 35 000 平方英尺，有 1 180 台老虎机和 22 项桌上游戏。为了扶持娱乐场，Harrah's Entertainment 公司建造了一个宾馆，宾馆设有 182 个房间、18 个套房、3 个餐厅、1 个快餐厅、1 个拥有 250 座位的展示厅、一个 13 464 平方英尺的会议厅、1 个高尔夫球场和 1 个可容纳 2 708 辆汽车的停车场。

由于公司投资大型的和独特的娱乐场战略，Harrah's Entertainment 公司除了利用大部分利润外，还必须筹集大量新资本。在本章，我们要研究 Harrah's Entertainment 公司 5 000 000 美元债券的发行情况。Harrah's Entertainment 公司已经在图表 10—1 显示的长期负债中披露了相关信息。附注中的大多数术语对你来说都是陌生的。学习本章以后，你会理解附注中使用的每个术语。

图表 10—1　　Harrah's Entertainment 公司的年报附注

附注 8　负债

12 月 31 日长期负债如下：

(百万美元)	2006	2005
信用透支		
5.825% ~ 7.25%，2006 年 12 月 31 日，2011 年到期	$ 4 307.0	$ 2 681.0
担保债券		
6.0%，2010 年到期	25.0	25.0
7.1%，2028 年到期	89.3	90.9
LIBOR 加 1% ~ 2.75%，2011 年到期	67.0	—
S. African prime 减 1.5%，到期 2009 年	11.4	—
4.25% ~ 10.125%，2035 年到期	6.8	3.2
无担保的高级债券		
8.5%，2006 年到期	—	413.3
7.125%，2007 年到期	497.8	494.4
浮动利率票据，2008 年到期	250.0	250.0
7.5%，2009 年到期	136.2	499.3
7.5%，2009 年到期	452.4	461.9
5.5%，2010 年到期	746.0	745.0
8.0%，2011 年到期	71.7	497.1
5.375%，2013 年到期	497.4	497.1
7.0%，2013 年到期	328.4	332.2
5.625%，2015 年到期	995.9	995.5
6.5%，2016 年到期	743.8	—
5.75%，2017 年到期	745.5	745.2
浮动利率或有转换票据，2024 年到期	367.8	364.8
无担保的高级和次级债券		
9.375%，2007 年到期	499.2	524.5
8.875%，2008 年到期	423.3	436.3
7.875%，2010 年到期	403.4	411.5
8.125%，2011 年到期	388.2	395.7
其他无担保借款		
商业票据，2007 年到期	—	140.9
LIBOR 加 4.5%，2010 年到期	33.9	38.6
其他，各种到期	1.6	2.1
融资租赁负债		
5.77% ~ 11.5%，2011 年到期	0.9	0.4
	12 089.9	11 045.8
长期负债的流动部分	(451.2)	(7.0)
	$ 11 638.7	$ 11 038.8

了解企业

负债和权益的构成称为资本结构，负债和权益是公司筹集经营资金的两个渠道。几乎所有公司的资本结构中都包括一些负债。大公司需要借款几亿，向个别债权人借款已经无法满足这个要求。所以这些公司通过发行债券来筹集债务资本。

债券是公司和政府为筹集大笔资金而发行的证券。债券可以在证券交易所交易，如纽约证券交易所。对债权人来说，债券可以在证券交易所交易是债券的一个优点，因为这样债券就具有了流动性，或者说赋予了投资者投资变现的权利。如果你直接借钱给公司20年，则在投资到期收回现金以前，你必须长久地等待。如果你通过购买债券把钱借出去，那么一旦债券到期前需要现金，你就可以把债券卖给其他债权人来变现。

债券的流动性赋予公司筹借资金的优势。因为如果借款到期前没有机会收回现金，则大多数债权人不愿意提供长期借款，所以提供长期借款的债权人往往要求更高的利率。发行流动性强的债券，公司可以减少长期借款成本。

本章研究与债券有关的管理、核算和财务问题。我们从描述应付债券开始，然后我们来看如何分析和记录债券业务。最后讨论债务的提前赎回。

本章结构图示

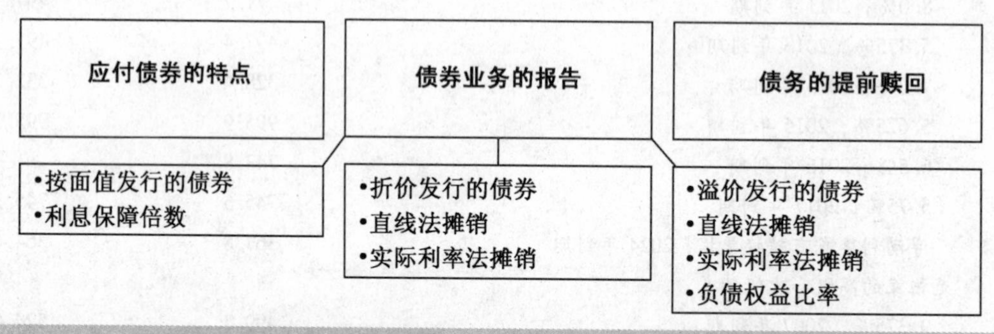

10.1 应付债券的特点

公司为筹集长期资金发行股票和债券。公司发行债券出于下列考虑：

1. 股东保持控制权。债券持有者没有投票权，也不分享公司的利润。

2. 利息费用是税前扣除项。利息费用的税前扣除减少了借款的净成本。与股票支付的股利相比，利息费用的税前扣除是债券的一个优点，股利不是税前扣除项。

3. 有利于盈利。通常情况下，以低利率借款，以更高的利率投资。假设 Home Video 公司拥有一个 Video 零售店。公司股东在这个店所做的权益投资为 100 000 美元，每年净利润为 20 000 美元。管理者计划开一家新店，这家新店同样需要投资 100 000美元，每年净利润为 20 000 美元。管理者应该发行新股还是以 8% 的利率借款？下表的分析显示了使用借款会增加所有者的报酬。

	选择1 股票	选择2 借款
利税前利润	$ 40 000	$ 40 000
利息（8% × $ 100 000）		8 000
税前利润	40 000	32 000
所得税（35%）	14 000	11 200
净利润	26 000	20 800
股东权益	200 000	100 000
权益报酬率	13%	20.8%

不过，债券比权益风险更高。下列是发行债券的主要不足之处：

1. 破产的风险。支付给债券持有人的利息是固定费用，不管公司是盈利还是亏损，每期必须支付。

2. 对现金流量的负面影响。借款必须在未来确定的时间内偿还。管理者必须保证具有筹到充足现金的能力，或者具有再融资的能力。

债券常常要求在存续期内支付利息和到期偿还本金。债券面值是：（1）到期偿还的金额；（2）定期现金利息支付的计算基础。面值也称为到期值。所有的债券都有面值，就是债券到期要偿还的金额。对大多数债券来说，面值都是1 000美元，但是面值也可以是其他的金额。

债券总是确定票面利率和定期现金利息支付的时间，通常情况下每年或每半年支付一次。每期支付的利息用面值乘以票面利率计算求得。债券的销售价格不影响定期的现金利息支付。例如，面值1 000美元、利率为8%的债券支付如下现金利息：（1）年利息80美元，或者（2）半年利息40美元。

出于不同的考虑，不同类型的债券有不同的特点。不同的债权人有不同的风险和报酬考虑。退休职工可能出于安全考虑，所以宁愿持有较低利率的债券。这种类型的债权人可能想得到担保债券，担保债券是指公司用具体的资产作抵押以预防到期没有能力偿还债券。另一种类型的债权人可能出于这样的考虑，债券在未来某时点可以转换成股票，所以宁愿持有较低利率债券和无担保的债券。公司尽量设计债券的不同特征以吸引不同的债权人群体，如同汽车的销售商尽量设计各种车来吸引不同的消费群体一样。债券的一些主要特征列示如下：

Harrah's Entertainment公司决定发行新债券时，先准备债券契约（债券合同），它明确了债券的法律条款。这些条款包括到期日、支付的利率、每一次利息支付日和转换权限。契约也包括保护债权人的限制条款。Harrah's Entertainment公司的契约包括对公司未来可能发行新债券的限制条款。另一些限制条款包括限制支付股利和要求的某些最低会计比率，如流动比率。因为限制条款可能会限制公司未来的行为，所以管理者不喜欢这些限制条款，对他们来说越少越好。然而债权人喜欢限制条款越多越好，这样可以减少投资风险。如同企业业务一样，通过谈判最终达成一致。

债券的限制条款应在财务报表附注中予以披露。《会计趋势和技术》（AICPA出版）审视了600个公司的报告。下边的图表显示了披露限制条款公司的百分比。

Harrah's Entertainment 公司报告的关于负债的限制条款如下：

债券类型	特征
无担保债券	没有资产作抵押以保证债券到期偿还
担保债券	通过特定资产作抵押以保证债券到期偿还
可提前赎回债券	债券发行人可以提前赎回债券
可转换债券	债券能转换为发行人的普通股

负债限制条款的披露（600 家样本公司）

■ 披露限制条款的公司
■ 没有披露限制条款的公司

现实世界摘要：Harrah's Entertainment 公司年报

长期负债

我们的负债协议包括财务的限制条款，要求我们保持一定的有形资产净值以满足其他财务比率的要求。限制条款限制支付股利和回购流通股。

债券发行人也要准备发行章程，它是潜在投资者使用的法律文件。发行章程描述了公司、债券以及如何使用债券款。透过 Harrah's Entertainment 公司的发行章程，我们知道公司计划用这笔钱偿还一部分负债。该负债是几个月前收购另一个公司（Showboat）时签订的协议要求偿还的。

如果发行债券给投资者时，投资者就会收到债券证书。发行同种债券的所有债券证书都相同。每个证书的正面都显示同样的到期日、利率、利息支付日期和其他条款。通常指定独立的一方（称为受托管理人）代表债券持有人的利益。受托管理人的职责是确定发行公司是否履行了债券契约的所有条款。Harrah's Entertainment 公司指定 IBJ Whitehall Bank & Trust 公司为受托管理人。

由于债券的复杂性，评估机构需要评估债券发行人不能履行债券契约的可能性，这种风险称为违约风险。穆迪公司（Moody's）和标准普尔公司（Standard and Poor's）用评定等级来具体说明债券的质量。在 Baa/BBB 等级以上的债券是投资级别的债券；在 Baa/BBB 等级以下的债券是有风险的债券，通常称为风险债券。许多银行、共同基金和信托只允许投资投资级别的债券。除了评估债券的风险外，分析师也评估发行人的全面风险。

财务分析

商业快讯的债券信息

债券价格每天在商业快讯上公布，以债券交易中发生的业务为基础。下列是债券的相关信息：

债券	收益率	成交量	收盘价	变动幅度
Safeway 6.0 13	6.8	58	97.2	-1/4
Sears 7.0 07	6.77	25	101.4	-3/8
Harrah's Entertainment 7.5 09	6.9	580	104.1	-7/8

上述列表显示 Harrah's Entertainment 公司的债券票面利率为 7.5%，2009 年到期。债券当时的实际利率是 6.9%，售价是面值的 104.1%，或者说是 1 041.00 美元。这一天，580 手债券成交，收盘价格与以前交易日相比下降 7/8 点（一点是 1%）。

记住，这些变化不影响财务报表，这一点很重要。出于财务报告的目的，公司只使用债券首次向公众发行的市场利率。

10.2 债券业务的报告

当 Harrah's Entertainment 公司发行债券时，在债券合同中确定两种现金支付方式：

1. 本金。这个金额于债券到期时单笔支付，也称为面值。

2. 现金利息支付。利息支付，采取年金形式，通过用面值乘以债券合同设定的利率计算求得。这个利息是用票面利率求得的利息。债券合同通常规定按季度、半年或者年来进行利息支付。当你要求更频繁地计算利息时，你必须调整定期利率和期数。例如，面值 1 000 美元的债券，利率为 6%，期限 10 年，共支付利息 20 次（10 年每 6 个月支付一次，或者 10×2），每期利息为 30 美元（$ 1 000×6%×1/2）。

发行公司和承销商都不能确定债券的发行价格。应用上一章介绍的现值概念，由市场确定发行价格。要确定债券现值，你需要计算本金的现值（单笔支付）和利息的现值（年金），然后把两个金额加起来。

债权人要求确定的利率以补偿与债券相关的风险，称为市场利率（也叫收益率或者实际利率）。因为市场利率是债券发行时的利率，所以它是计算债券现值时应用的利率。

债券的现值可能与面值相同，也可能高于面值（债券溢价）或者低于面值（债券折价）。如果设定的利率与市场利率相同，则按债券面值发行；如果市场利率高于设定的利率，则债券折价发行；如果市场利率低于设定的利率，则债券溢价发行。这个关系如下图所示：

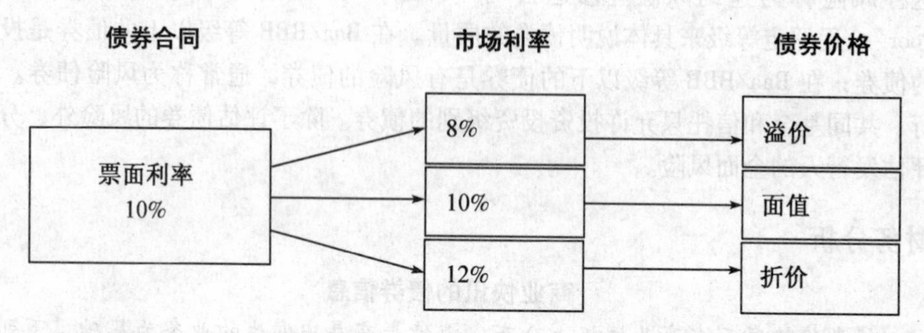

从一般意义上说，如果债券支付的利率低于债权人的要求，除非降低价格（提供折价），否则债权人不会购买。如果债券支付的利率高于债权人的要求，则债权人愿意溢价购买。

如果债券按面值发行，则发行人收到的现金等于面值。如果债券折价发行，则发行人收到的现金少于面值。如果债券溢价发行，则发行人收到的现金多于面值。公司和债权人都不关心债券是否按面值、折价或者溢价发行，因为债券总是根据市场利率来定价。例如，假设一个公司同一天发行三种债券。第一种的利率为 8%、第二种的利率为 10%，第三种的利率为 12%，债券除了利率不同外其余均相同。如果市场利率是 10%，则第一种债券折价发行，第二种债券按面值发行，第三种债券溢价发行。买任何一种债券的债权人都按市场利率赚 10% 的利息。

在债券存续期间，债券的市价随着市场利率的变化而变化。这个信息在财务报刊上发布时，不影响公司的财务报表，也不影响各期利息支付的会计核算方法。

在本章的下一部分，我们会看到如何核算按面值发行的债券、折价发行的债券和溢价发行的债券。

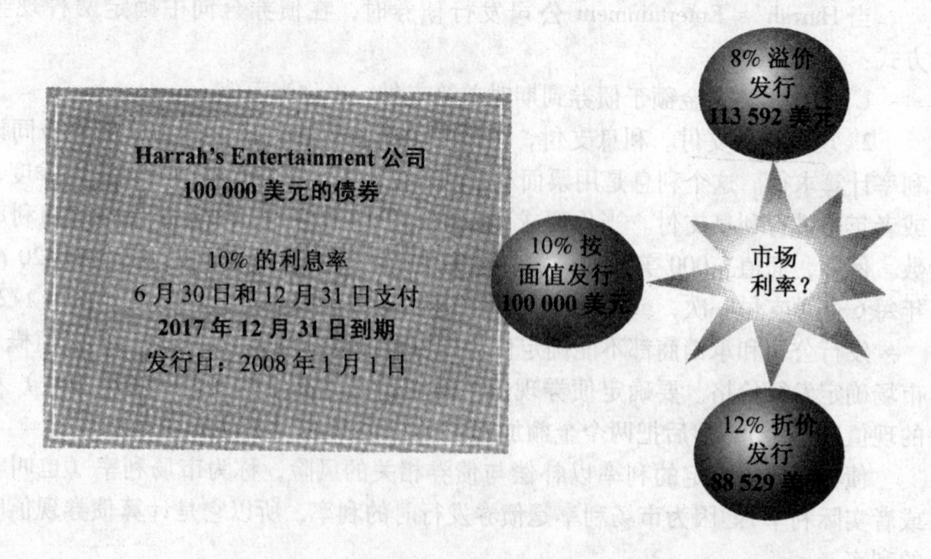

自测题

如果你理解本章介绍的新术语，你会更容易学习债券。让我们复习一些术语。给出下列术语的定义：

1. 市场利率。
2. 票面利率。
3. 票面利率的同义词。
4. 债券折价。
5. 债券溢价。
6. 市场利率的同义词。

回答后，与下面的答案核对。

自测题答案：

1. 市场利率是债权人要求的利率。它是折现未来现金流量计算现值时使用的利率。
2. 票面利率是债券设定的利率。
3. 票面利率也叫设定利率和合同利率。
4. 债券发行价低于面值时称为折价发行。票面利率低于市场利率时称为折价发行。
5. 债券发行价高于面值时称为溢价发行。票面利率高于市场利率时称为溢价发行。
6. 市场利率也叫收益率或者实际利率。

10.2.1 按面值发行债券

如果购买者愿意投资债券，同意合同设定的利率，则债券按面值发行。举例说明，假设2009年1月1日，Harrah's Entertainment 公司发行10%的债券，面值为100 000美元，收到100 000美元的现金（这意味着债券以面值发行）。2009年1月1日开始计息，每年6月30日和12月31日支付利息。两年后债券到期，到期日为2010年12月31日。

债券发行时公司收到的现金金额是债券未来现金流量的现值。Harrah's Entertainment 公司发行债券时，公司同意未来采用两种类型的支付方式：两年后债券到期时单笔支付100 000美元，两年中每年两次支付年金5 000美元，债券支付情况如下图所示：

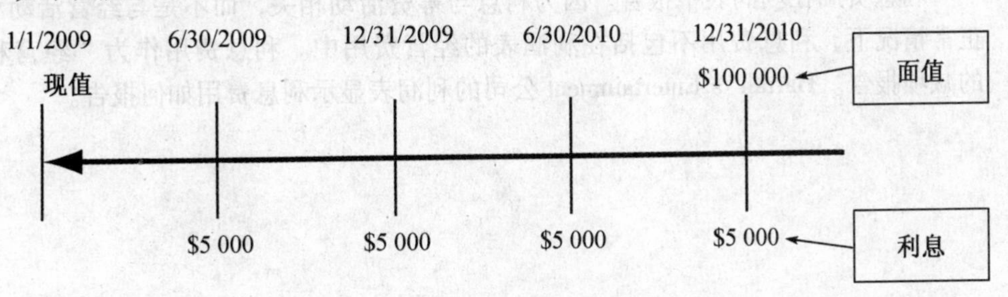

债券支付的现值用附录 A 的现值表计算，使用 4 期、每期利率为 5% 时的现值系数：

	现值
a. 单笔支付：$ 100 000 × 0.8227	$ 82 270
b. 年金：$ 5 000 × 3.5460	17 730
Harrah's Entertainment 公司债券的发行价格	$ 100 000

当实际利率等于设定的利率时，未来现金流量的现值总是等于债券的面值。记住债券的发行价格由债券未来现金流量的现值确定，而不是面值。在发行日当天，以发行日未来现金流量的现值记录债券负债，而不是面值，会计分录如下：

现金（+A）………………… 100 000

　应付债券（+L）……………… 100 000

资产		=	负债		+	股东权益
现金	+100 000		应付债券	+100 000		

债券可能每月、每季、每半年或者每年支付一次利息。在所有情况下，债券的现值都用利息期数和每期利率的现值系数计算求得。

自测题

假设 Harrah's Entertainment 公司发行 500 000 美元债券，5 年到期。每年年末支付利息，票面利率为 8%。债券发行时市场利率为 8%。计算债券的发行价格。

回答后，与下面的答案核对。

自测题答案：

$ 500 000 × 0.6806 = $ 340 300

$ 500 000 × 8% × 3.9927 = 159 780

$ 500 000（近似）

购买债券的债权人之所以这样做是因为期望在债券存续期内赚取利息。Harrah's Entertainment 公司每年 6 月 30 日和 12 月 31 日按债券面值的 10% 支付利息，一直支付到债券到期日。每期利息的金额是 5 000 美元（10% × $ 100 000 × 1/2）。记录利息支付的分录如下：

利息费用（+E，-SE）………………… 5 000

　现金（-A）……………… 5 000

资产		=	负债	+	股东权益	
现金	-5 000				利息费用	-5 000

利息费用在利润表中报告。因为利息与筹资活动相关，而不是与经营活动相关，正常情况下，利息费用不包括在利润表的经营费用中。利息费用作为“经营利润”的减项报告。Harrah's Entertainment 公司的利润表显示利息费用如何报告。

Harrah's Entertainment 公司

合并利润表

（单位：千美元）

	2006
经营利润	1 556.6
利润费用，扣除资本化利息的净额（附注 12）	(370.5)
提前赎回债券的损失（附注 8）	(62.0)
其他收入，包括利息收入	10.7
所得税前持续经营的利润	
和少数股东权益	834.8

债券的利息支付日很少与公司财务年度的最后一天相同。根据配比原则，应计但未付的利息费用必须在调整分录中记录。如果 Harrah's Entertainment 公司的财务年度于 5 月 31 日结束，则公司应计 5 个月的利息，记录利息费用和应付利息。

因为利息支付对借款人来说是法定义务，所以财务分析师要确定企业能够生成足够的资金偿还利息。要作这样的评价，利息保障倍数很有用。

重要比率分析

利息保障倍数

1. 分析问题

公司能够从盈利活动中生成足够的资金偿还当期利息吗?

2. 比率及比较

利息保障倍数的计算公式如下：

$$利息保障倍数 = \frac{净利润 + 利息费用 + 所得税费用}{利息费用}$$

Harrah's Entertainment 公司 2006 年的比率如下：

$$(535.8 + 670.5 + 295.6) \div 670.5 = 2.24$$

不同时期的比较		
Harrah's		
2004	**2005**	**2006**
3.05	1.96	2.24

与竞争对手的比较	
Mirage Resorts	**Trump Casinos**
2006	**2006**
3.71	0.74

3. 解释

（1）概述

利息保障倍数越高越受欢迎。该比率显示了为满足每美元的利息费用而生成的资金的数额。高比率意味着盈利能力恶化的情况下利息费用仍有额外的利润保护。分析师对公司支付利息的能力特别感兴趣，因为公司没有能力支付利息将导致破产。

（2）聚焦公司分析

2006 年，Harrah's Entertainment 公司所从事的盈利活动为支付每美元的利息费用而产生2.24美元的利润。Harrah's Entertainment 公司的经营活动能够产生充足的现金流量。到期利息的支付没有风险。注意 Trump Casinos 公司的比率，该比率极低，它是严重危机的预警。

(3) 注意问题

对于新公司和快速增长的公司，利息保障倍数常常具有误导性，为了增强未来的经营能力，这样的公司会投资大量的资源。这种情况下，利息保障倍数更侧重反映与投资相关的利息费用数额，而不是反映投资将赚取的利润。分析师用这个比率进行分析时，应该考虑公司的长期战略。因为产生的利润不能支付给债权人，所以他们需要支付现金。

10.2.2 折价发行的债券

如果市场利率高于债券设定的利率，则债券折价发行。假设 Harrah's Entertainment 公司发行债券（面值为100 000美元），市场利率为12%。债券设定的利率为10%，利息每年支付两次，于6月30日和12月31日支付。因为设定的利率低于发行日的市场利率，所以债券折价发行。

要计算债券的发行价格，我们使用以前例子中附录A的现值表，期数是4，市场利率每期为6%，Harrah's Entertainment 公司债券的发行价格为：

	现值
a. 单笔支付：$ 100 000×0.7921	$ 79 210
b. 年金：$ 5 000×3.4651	17 326
Harrah's Entertainment 公司债券的发行价格	$ 96 536*

*折价的数额：$ 100 000 - $ 96 536 = $ 3 464。

Harrah's Entertainment 公司发行债券的现金价格是96 536美元。一些人也称价格为96.5，它意味着债券以面值的96.5%（$ 96 536 ÷ $ 100 000）的价格发售。

债券折价发行时，以面值贷记应付债券账户，折价借记应付债券折价。Harrah's Entertainment 公司折价发行债券的分录如下：

	借	贷
现金（+A）…………………	96 536	
应付债券折价（+XL，-L）…………	3 464	
应付债券（+L）………………		100 000

资产		=	负债		+	股东权益
现金	+96 536		应付债券	+100 000		
			应付债券折价	-3 464		

注意，折价借记在独立的负债备抵账户（应付债券折价）中。资产负债表以账面价值报告应付债券，即到期值减去未摊销的折价。和其他大多数公司一样，Harrah's Entertainment 公司如果与资产负债表其他项目金额相比，未摊销的折价或者溢价金额较小则不单独披露。

发行债券时，Harrah's Entertainment 公司只收到现金96 536美元，债券到期时，公司必须偿还100 000美元。必须额外支付的现金是对利息费用的调整，保证债权人赚取按市场利率计算的利息。要调整利息费用，借款人分配或者摊销债券折价到每个利息期作为利息费用的增加。所以，债券折价摊销会导致利息费用增加。公司常用的摊销方法有：直线法、实际利率法。许多公司使用直线法摊销，因为这种方法容易计算要求的金额。然而，实际利率法是GAAP要求的方法。你可能想知道公司为什么允许使用不是会计法规要求的方法。答案是出于重要性原则。公司允许使用直线法，因为结果与实际利率法没有太大的不同。我们首先讨论直线法和实际利率法。

A：折价发行债券，报告用直线法摊销的利息费用

要用直线法摊销 Harrah's Entertainment 公司债券在存续期的折价 3 464 美元，我们在每个利息期分配相等的金额。Harrah's Entertainment 公司债券有 4 个利息期，每期折价摊销数是：＄3 464 ÷ 4 = ＄866。我们把这个金额加到支付的现金利息上计算各期的利息费用（＄5 866）。Harrah's Entertainment 公司债券每期支付的利息的会计分录如下：

利息费用（+E，-SE）…………………	5 866
应付债券折价（-XL，+L）…………………	866
现金（-A）…………………	5 000

资产		=	负债		+	股东权益	
现金	-5 000		应付债券折价	+866		利息费用	-5 866

应付债券在资产负债表上以账面价值报告。在第一个计息期期末（2009 年 6 月 30 日），Harrah's Entertainment 公司债券的账面价值高于原来的发行价格。由于摊销折价，账面价值增加到 97 402 美元（＄96 536 + ＄866）。在每个利息期，由于未摊销的折价减少 866 美元，则账面价值增加 866 美元。在债券到期日，未摊销折价（即应付债券折价摊销余额）为零。在那个时点，债券到期金额与账面价值（即＄100 000）相等。这个过程可在下列摊销表中看到：

摊销表：债券折价（直线法）

日期	(a) 要支付的利息 (10% × ＄100 000 × 1/2)	(b) 利息费用 (a + c)	(c) 摊销额 (＄3 464 ÷ 4)	(d) 账面价值 期初账面价值 + (c)
1/1/2009				＄96 536
6/30/2009	＄5 000	＄5 866	＄866	97 402
12/31/2009	5 000	5 866	866	98 268
6/30/2010	5 000	5 866	866	98 134
12/31/2010	5 000	5 866	866	100 000

自测题

假设 Harrah's Entertainment 公司发行 100 000 美元的债券，10 年期。每年年末支付利息，利率为 5%。发行时市场利率为 6%，发行价格为 92 641 美元，则第一年年末支付的利息金额是多少？如果用直线法摊销，则第一年年末报告的利息费用是多少？

回答后，与下面的答案核对。

自测题答案：

1. ＄5 000（5% × ＄100 000）

2. $ 5 736（$ 5 000 + $ 7 359 ÷10）

B：折价发行债券，报告采用实际利率法摊销的利息费用

在实际利率法下，债券利息费用使用当期未支付的余额乘以债券发行时的市场利率计算求得。债券溢价或者折价的定期摊销额是利息费用和现金利息支付或者应计利息之间的差额。这个过程总结如下：

第一步：计算利息费用

未支付的余额 × 实际利率 × n/12

n = 每个利息期的月数

第二步：计算摊销额

利息费用 - 现金利息

Harrah's Entertainment 公司债券第一次利息支付是在 2009 年 6 月 30 日。第一个利息期（2009 年 6 月 30 日）期末的利息费用使用当期未支付的余额乘以债券发行时的市场利率求得（$ 96 536 ×12% ×1/2 = $ 5 792）。现金利息支付的金额用面值乘以设定的利率求得（$ 100 000 ×10% ×1/2 = $ 5 000）。利息费用和现金利息支付（或者应计利息）的差额就是折价的摊销额（$ 5 792 - $ 5 000 = $ 792）。

利息费用（+E，-SE）………………	5 792 *	
应付债券折价（-XL，+L）………………		792 *
现金（-A）………………		5 000

资产		=	负债		+	股东权益	
现金	- 5 000		应付债券折价	+792		利息费用	-5 792

* 实际利率法摊销的这两个金额每期都发生变化。

各个期间，债券折价的摊销额增加债券的账面价值（或者未支付余额）。债券折价的摊销额被认为是债券持有人赚取的利息，但并不支付给他们。在第一个计息期，债券持有人赚取的利息是 5 792 美元，但是仅仅收到 5 000 美元现金。792 美元加到债券的面值中，于债券到期时支付给债券持有人。

由于债券摊销折价，下一个利息期的利息费用必须反映应付债券未支付余额发生的变化。2009 年下半年的利息费用使用 2009 年 6 月 30 日未支付余额（$ 96 536 + $ 792 = $ 97 328）乘以市场利率（$ 97 328 ×12% ×1/2 = $ 5 840）求得。2009 年 12 月 31 日，债券折价的摊销额是 840 美元。

利息费用（+E，-SE）………………	5 840	
应付债券折价（-XL，+L）………………		840
现金（-A）………………		5 000

资产		=	负债		+	股东权益	
现金	- 5 000		应付债券折价	+840		利息费用	-5 840

注意，2009 年 12 月 31 日的利息费用高于 2009 年 6 月 30 日的利息费用。由于未支付利息，Harrah's Entertainment 公司下半年负债更多。由于摊销债券折价，在债券存续期内利息费用每年均有所增加。这个过程用下面的摊销表予以说明：

摊销表：债券折价（实际利率法）				
日期	（a）要支付的利息 （10% × $ 100 000 × 1/2）	（b）利息费用 （12% ×期初账面价值 × 1/2）	（c）摊销额 （b）–（a）	（d）账面价值 期初账面价值 +（c）
1/1/2009				$ 96 536
6/30/2009	$ 5 000	$ 5 792	$ 792	97 328
12/31/2009	5 000	5 840	840	98 168
6/30/2010	5 000	5 890	890	99 058
12/31/2010	5 000	5 943	943	100 001*

*该数值的准确值应该为 $ 100 000，存在 $ 1 的误差是因为取近似值。

利息费用（b 栏）用市场利率乘以债券期初账面价值（d 栏）计算求得。摊销额用利息费用（b 栏）减去现金利息（a 栏）计算求得。债券的账面价值（d 栏）用摊销额加上期初账面价值计算求得。总而言之，实际利率法下，每个会计期间的利息费用会随着实际负债金额的变化而变化。直线摊销法下，利息费用在债券存续期内保持不变。

自测题

假设 Harrah's Entertainment 公司发行 100 000 美元的债券，10 年期。每年年末支付利息，利率为 5%。发行时市场利率为 6%，发行价格为 92 641 美元，则第一年年末支付的利息金额是多少？用实际利率法摊销，第一年年末报告的利息费用是多少？

先回答再与下面答案核对。

自测题答案：

1. $ 5 000（5% × $ 100 000）
2. $ 5 558（6% × $ 92 641）

财务分析

无息债券

到现在为止，我们讨论了大多数公司发行的普通债券。由于一些原因，公司可能发行特殊债券。你学过的概念会帮助你理解这些债券。例如，公司可能发行不定期支付现金利息的债券。这些债券通常称为无息债券。投资者为什么会买无息的债券？我们讨论的债券折价可能会为你提供一个解答的思路。债券的票面利率几乎可以是任何数额以调整债券的价格，这样投资者可以按市场利率赚取利息。无息债券是一种折价债券，发行价大大低于到期值。

让我们用 100 000 美元的 Harrah's Entertainment 公司债券举例说明无息债券。假设市场利率为 10%，债券没有现金利息支付，5 年到期。债券的发行价是到期值的现值，因为在债券存续期内未发生任何现金支付。我们用附录 A 现值表中的现值系数来计算现值（期限为 5 年、利率为 10%）：

	现值
单笔支付：$ 100 000×0.6209	$ 62 090

核算无息债券与核算折价发行的债券没有什么不同，只是无息债券折价的金额更大。General Mills 公司年报包括下列关于无息债券的信息：

现实世界摘要：General Mills 公司年度财务报告

附注9　长期负债

(单位：百万美元)	2003	2002
无息债券、11.1%的收益率	$ 87	$ 78
$ 261、2013 年到期		

这些债券不支付现金利息，债券定价提供给投资者 11.1% 的实际利率。注意负债的金额从 2002 年到 2003 年有所增加，这个增加是债券折价摊销的结果。

10.2.3　溢价发行的债券

如果市场利率低于债券设定的利率，则债券为溢价发行。假设 Harrah's Entertainment 公司发行债券的票面利率为 10%，而市场利率为 8%。债券利息半年支付一次，两年到期。债券 2009 年 1 月 1 日发行。

Harrah's Entertainment 公司利率为 10% 的债券的现值，用附录 A 现值表中的现值系数来计算（期数是4、利率为4%）：

	现值
a. 单笔支付：$ 100 000×0.8548	$ 85 480
b. 年金：$ 5 000×3.6299	18 150
Harrah's Entertainment 公司债券的发行价格	$ 103 630

债券溢价发行时，以面值贷记应付债券账户，溢价贷记应付债券溢价。2009 年 1 月 1 日，Harrah's Entertainment 公司溢价发行债券的分录如下：

现金（+A）………………　103 630

　应付债券溢价（+L）……………　3 630

　应付债券（+L）………………　100 000

资产		=	负债		+	股东权益
现金	+103 630		应付债券溢价	+3 630		
			应付债券	+100 000		

债券的账面价值是两个账户之和，应付债券溢价和应付债券，金额为 103 630 美元。

A：溢价发行债券，报告使用直线法摊销的利息费用

和折价一样，记录的溢价 3 630 美元必须分配到每个计息期。采用直线法，每年利息的溢价摊销额是 908 美元（$ 3 630 ÷4）。这个数额是由支付的现金利息（$ 5 000）减去计算利息费用（$ 4 092）求得。所以，债券溢价摊销减少利息费用。

债券计息和支付利息的会计记录如下：

利息费用（+E，-SE）……………… 4 092

应付债券溢价（-L）……………… 908

现金（-A）……………… 5 000

资产		=	负债		+	股东权益	
现金	-5 000		应付债券溢价	-908		利息费用	-4 092

注意，每期支付的现金5 000美元包括4 092美元的利息费用和908美元的溢价摊销。支付给投资者的现金包括当期已经赚取的利息和他们买债券时支付的溢价的返还部分。

债券的账面价值是应付债券的金额加上未摊销的溢价。2009年6月30日，债券的账面价值是102 722美元（$100 000 + $3 630 - $908）。完整的摊销表如下：

摊销表：债券折价（实际利率法）

日期	(a) 要支付的利息 (10% × $100 000 × 1/2)	(b) 利息费用 (12% × 期初账面价值 × 1/2)	(c) 摊销额 (b) - (a)	(d) 账面价值 期初账面价值 - (c)
1/1/2009				$ 103 630
6/30/2009	$ 5 000	$ 4 092	$ 908	102 722
12/31/2009	5 000	4 092	908	101 814
6/30/2010	5 000	4 092	908	100 906
12/31/2010	5 000	4 092	908	99 998 *

* 该数值的准确值应该为$100 000，存在$2的误差是因为取近似值。

到期日，最后一次利息支付以后，债券溢价全部摊销后，到期值等于债券的账面价值。当债券全额偿付后，不管当初债券是按面值发行、折价发行还是溢价发行，都做同样的会计分录。图表10—2比较了债券折价摊销和溢价摊销对1 000美元债券的影响。

自测题

假设Harrah's Entertainment公司发行100 000美元的债券，10年期。每年年末支付利息，利率为9%。发行时市场利率为8%，发行价格为106 711美元，则第一年年末支付的利息金额是多少？用直线法摊销，第一年年末报告的利息费用是多少？

回答后，与下面的答案核对。

自测题答案：

1. $9 000（9% × $100 000）
2. $8 329（$9 000 - $6 711 ÷ 10）

B：溢价发行债券，报告使用实际利率法摊销的利息费用

实际利率法对折价和溢价来说基本上是相同的。在任何一种情况下，债券利息费用使用当期未支付的余额乘以债券发行时的市场利率计算求得。债券溢价或者折价的

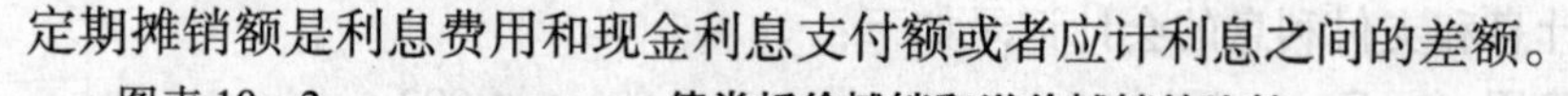
定期摊销额是利息费用和现金利息支付额或者应计利息之间的差额。

图表 10—2　**债券折价摊销和溢价摊销的比较**

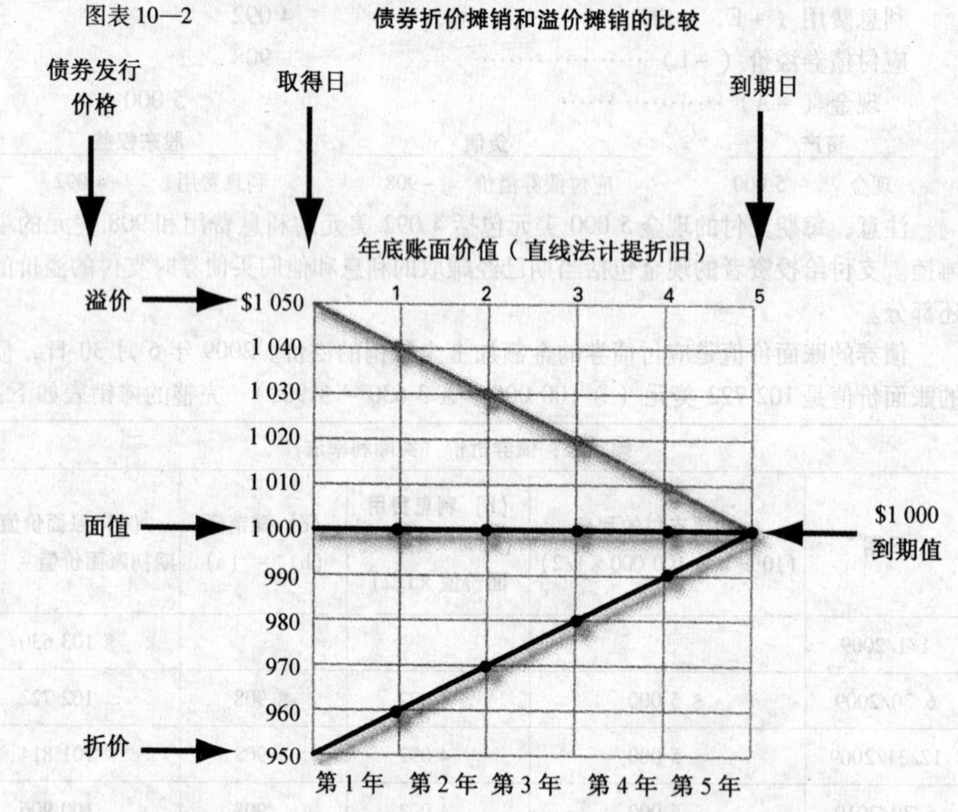

Harrah's Entertainment 公司第一次支付债券利息发生在 2009 年 6 月 30 日。那一天的利息费用使用未支付的余额乘以市场利率（＄ 103 630 × 8% × 1/2 = ＄ 4 145）求得。支付现金利息的金额使用面值乘以设定的利率（＄ 100 000 × 10% × 1/2 = ＄ 5 000）求得。利息费用和现金利息支付额（或者应计利息）的差额就是溢价的摊销额（＄ 5 000 - ＄ 4 145 = ＄ 855）。

利息费用（+E，-SE）…………………	4 145	
应付债券溢价（-L）………………	855	
现金（-A）………………		5 000

资产		=	负债		+	股东权益	
现金	-5 000		应付债券折价	-855		利息费用	-4 145

债券折价采用实际利率法摊销与债券溢价采用实际利率法摊销之间的差异，在于折价摊销增加债券的账面价值，而溢价摊销减少债券的账面价值。下表举例说明了债券存续期内溢价的摊销情况。

摊销表：债券折价（实际利率法）				
日期	(a) 要支付的利息 (10% × $ 100 000 × 1/2)	(b) 利息费用 (12% × 期初账面价值 × 1/2)	(c) 摊销额 (b) − (a)	(d) 账面价值 期初账面价值 − (c)
1/1/2009				$ 103 630
6/30/2009	$ 5 000	$ 4 145	$ 855	102 775
12/31/2009	5 000	4 111	889	101 886
6/30/2010	5 000	4 075	925	100 961
12/31/2010	5 000	4 039*	961	100 000

*该数值的准确值应该为 $ 100 000，存在 $ 1 的误差是因为取近似值。

自测题

假设 Harrah's Entertainment 公司发行 100 000 美元的债券，10 年期。每年年末支付利息，利率为 9%。发行时市场利率为 8%。发行价格为 106 711 美元。第一年年末支付的利息金额是多少？用实际利率法摊销，第一年年末报告的利息费用是多少？

先回答再与答案核对。

自测题答案：

1. $ 9 000（9% × $ 100 000）
2. $ 8 537（8% × $ 106 711）

重要比率分析

负债权益比率

1. 分析问题

所有者提供资本的金额与债权人提供资本的金额之间是什么关系？

2. 比率及比较

负债权益比率计算公式如下：

负债权益比率 = 负债总额 ÷ 股东权益

2006 年 Harrah's Entertainment 公司的比率：

$ 16 161.4 ÷ $ 6 071.1 = 2.66

不同时期的比较			与竞争对手的比较	
Harrah's			Mirage	Trump Casinos
2004	2005	2006	2006	2003
2.75	2.62	2.66	3.08	5.12

3. 解释

(1) 概述

高比率意味着公司主要依赖债权人提供资金。主要依赖债权人增加了风险，这种风险是公司可能在企业经济衰退时不能偿还负债。

(2) 聚焦公司分析

Harrah's Entertainment 公司的负债权益比率在过去几年中有所降低。公司主要投资于收购其他公司和增加设备。公司使用经营活动产生的现金去投资。这样公司的经营成果可以调节权益与负债的比例。大多数分析师总是把这个看作积极的情况。出于利息保障倍数的原因，特朗普娱乐公司的负债权益比率更受关注，其比率比其他相似的公司高，需做进一步的调查。

(3) 注意问题

负债权益比率只告诉我们负债的风险，它不能帮助分析师理解公司的经营状况是否能够承担它的负债。记住负债有为本金和利息支付现金的义务。大多数分析师总是参考公司经营活动产生的现金流量来评价负债权益比率。

10.3 提前赎回债券

债券正常情况下都是长期的，如20年或30年。说到提前，在债券到期前，如果债券持有人需要现金，就可以把债券卖给另一个投资者。这样的交易不影响发行债券公司的账簿记录。在几种情况下，公司可能决定提前赎回债券。可赎回的债券才能按公司的选择提前赎回。债券契约包括债券提前赎回的溢价，通常设为面值的百分比。Harrah's Entertainment 公司债券发行的章程如下：

现实世界摘要：Harrah's Entertainment 公司

> 债券是可赎回的，全部或者部分，在任何时点，按我们的选择以超出流通债券面值的价格赎回，或者以超出剩余计划支付本金和按国库券利率折现的利息加30%的利息现值总额的价格赎回。

假设几年前，Harrah's Entertainment 公司发行债券100万美元，按面值发行。如果 Harrah's Entertainment 公司2009年以面值102%的价格赎回债券，则公司的会计编制如下分录：

应付债券（-L）………………	1 000 000	
债券赎回损失（+Loss，-SE）………………	20 000	
现金（-A）………………		1 020 000

资产		=	负债		+	股东权益	
现金	-1 020 000		应付债券	-1 000 000		损失	-20 000

债券赎回损失是根据债券契约公司必须支付的超出面值的数额，它在利润表中报告。Harrah's Entertainment 公司的报表附注如下：

现实世界摘要：Harrah's Entertainment 公司年度财务报告

> 债券清偿
>
> 用新发行债券的资金和贷款资金，赎回某些流通的债券，以降低实际利率或者缩短债券期限。

在某种情况下，公司和投资者一样，通过在公开市场上购买债券来进行赎回。如果债券是不可赎回的，则这种方法就是可行的。如果债券发行后，债券的价格下降，则这种方法可能是一种很好的方法。什么原因导致债券价格下降？最一般的原因是利率上升。我们讨论现值概念时，你可能注意到了债券价格与利率呈反向变动。如果利率上升，债券价格就会下降；反之亦然。如果利率上升，提前赎回债券的公司可能发现在市场上买回债券比支付赎回溢价更经济。

自测题

一个公司有高的负债权益比率和高的利息保障倍数，另一个公司有低的负债权益比率和低的利息保障倍数，哪一个公司风险水平更高？

自测题答案：

公司如果没有能力支付利息，就会被迫破产。许多成功的公司借大笔的资金而不会有意外的风险，是因为它们从经营活动中能够生成足够的现金以满足偿债的要求。如果一个公司没有生成足够的现金以支付当期利息，即使借款金额不大也会陷入困境。通常情况下，有高的负债权益比率和高的利息保障倍数的公司风险较低。

聚焦现金流量

应付债券

应付债券的发行在现金流量表的筹资活动中报告为现金流入。偿还本金报告为筹资活动的现金流出。很多学生对支付利息不在现金流量表的筹资活动中报告感到吃惊。利息费用在利润表中报告，以直接计算净利润。GAAP 要求利息支付在现金流量表的经营活动现金流中报告。公司也要报告每个会计期间利息费用支付的现金金额。《会计趋势与技术》指出公司应在各种地方披露这个信息。

对现金流量表的影响

(1) 概述

正如在第 9 章看到的，涉及短期借款的业务（如应付账款）影响营运成本，所以在现金流量表的经营活动部分报告。发生长期负债收到的现金报告为筹资活动的现金流入量。偿还长期负债的现金支付（利息费用除外）报告为筹资活动的现金流出量。以下表为例：

	对现金流量的影响
筹资活动	
债券发行	+
债券赎回	−
到期偿还债券本金	−

(2) 聚焦公司分析

Harrah's Entertainment 公司的现金流量表如下。其中几个项目与本章讨论的问题有关，其余项目则在其他章再做讨论。注意 Harrah's Entertainment 公司报告了债券的提前赎回和新借款。尽管企业通过正常借款筹集取得用于购买长期资产的资金，但是它们也借款调整资本结构。在 Harrah's Entertainment 公司的例子中，公司有流通在外的债务，利率为9.25%。公司通过取得利率为7.875%的新借款，提前赎回债券，每年可以节约利息费用接近800万美元。

分析师对现金流量表的筹资活动部分特别感兴趣，因为它提供了关于公司未来资本结构的重要信息。快速成长的公司在现金流量表这部分报告的金额很大。

Harrah's Entertainment 娱乐公司

合并现金流量表

（千美元）

筹资活动的现金流量	2006	2005	2004
高级债券发行的收入，折价和发行成本10.9美元、20.7美元、12.0美元的净额	739.1	2 004.3	738.0
借款协议下的借款，筹资成本为4.4美元、7.6美元、6.2美元的净额	6 946.5	11 599.4	4 157.9
借款协议下的借款偿还	(5 465.8)	(10 522.9)	(3 424.1)
衍生工具的损失	(2.6)	(7.9)	(0.8)
提前赎回债券	(1 195.0)	(690.5)	—
提前赎回债券支付的溢价	(56.7)	(4.9)	—
计划债券赎回	(5.0)	(307.5)	(1.6)
支付的股利	(282.7)	(208.2)	(141.3)
行使股票期权的收入	66.3	106.7	90.0
股票权益计划的超额纳税利益	21.3	—	—
回购库存股	—	—	(53.4)
少数股东权益分配，扣除出资额的净额	(1.9)	(12.2)	(8.9)
其他	1.3	(0.2)	0.7
筹资活动提供的现金流量	764.8	1 956.1	1 356.5

示例

为建一个新厂筹集资金，Reed公司管理者发行了债券。债券契约条款如下：

债券面值：100 000美元。

发行日期：2009年1月1日，10年期。

利率：年利率为12%，利息半年支付一次，6月30日和12月31日支付。

2009年1月1日以106元的价格发行债券。发行日的市场利率为11%。

要求：

1. Reed公司发行债券收到多少现金？列示计算过程。
2. 应付债券溢价的金额是多少？
3. 编制应付债券发行的会计分录。
4. 第一次支付利息时，编制利息支付和溢价摊销的会计分录。

参考答案：

1. 债券的销售价格：100 000×106% = 106 000（美元）

2. 应付债券的溢价：106 000 - 100 000 = 6 000（美元）

3. 2009 年 1 月 1 日（发行日）：

现金（+A）…………………	106 000	
应付债券溢价（+L）…………………		6 000
应付债券（+L）…………………		100 000

记录以 106 元的价格发行债券。

4. A：**采用直线法摊销**

2009 年 6 月 30 日

利息费用（+E，-SE）…………………	5 700	
应付债券溢价*（-L）…………………	300	
现金（-A）…………………		6 000

记录利息支付。

* 6 000 ÷ 20 = 300（美元）

B：**采用实际利率法摊销**

利息费用*（+E，-SE）…………………	5 830	
应付债券溢价（-L）…………………	170	
现金（-A）…………………		6 000

记录利息支付。

* 106 000 × 11% × 1/2 = 5 830（美元）

附录

使用 Excel 进行债券计算

如果不用附录 A 的现值表，则大多数会计和分析师计算债券时，会使用 Excel 来计算。我们用本章的债券例题举例说明 Excel 的计算过程。假设 Harrah's Entertainment 公司发行 5 年期 100 000 美元的债券，每年支付 10 000 美元的利息。发行债券时，市场利率为 12%。债券现值的计算步骤如下：

1. **确定到期支付的现值**

在单元格 A1 中，键入公式计算单笔支付的现值。在 Excel 用的公式中，公式 = 100 000（1. 12）^5，其中 100 000 是到期值，1. 12 是 1 加上每期市场利率，5 是期数。Excel 计算这个值是 56 742. 69 美元。Excel 界面如下：

2. **确定利息支付的现值**

使用 Excel（你不必自己键入公式）。在工具栏，点击插入函数按钮（f）时，就会出现一个下拉菜单，点选项“财务”，再选“PV”，它是现值的缩写。在底部点“OK”出现第二个下拉菜单。你应该在方框中键入题中的金额：“Rate”是每期市场利率，就本题来说，键入 0. 12。“NPER”是期数，你应该键入 5。“PMT”是每期现金利息支付额，本题是 -10 000。注意用 Excel 时，这个金额必须键入负数，因为它表示支付并且在数字间不键入小数点。Excel 的计算结果为 36 047. 76 美元。有键入数据的 Excel 界面如下：

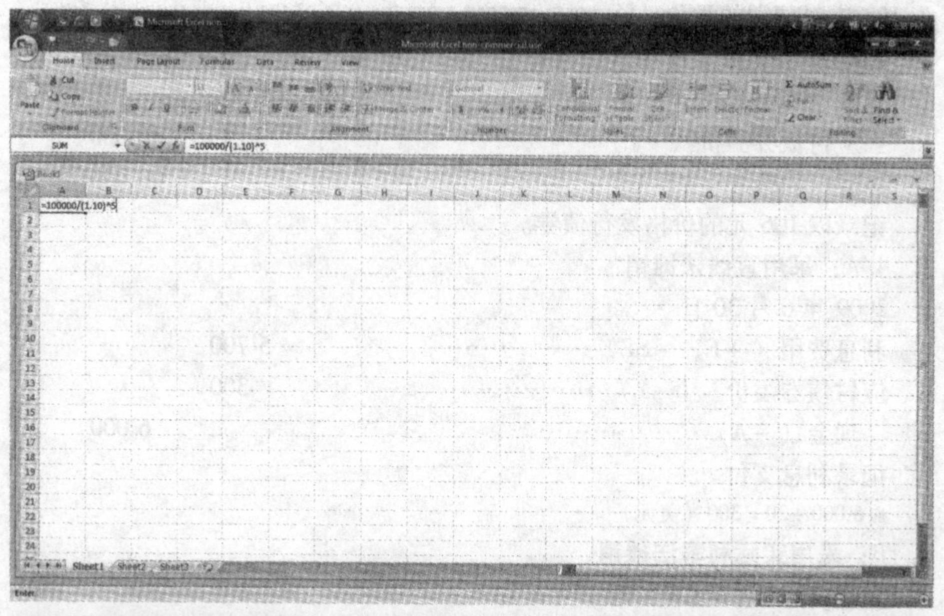

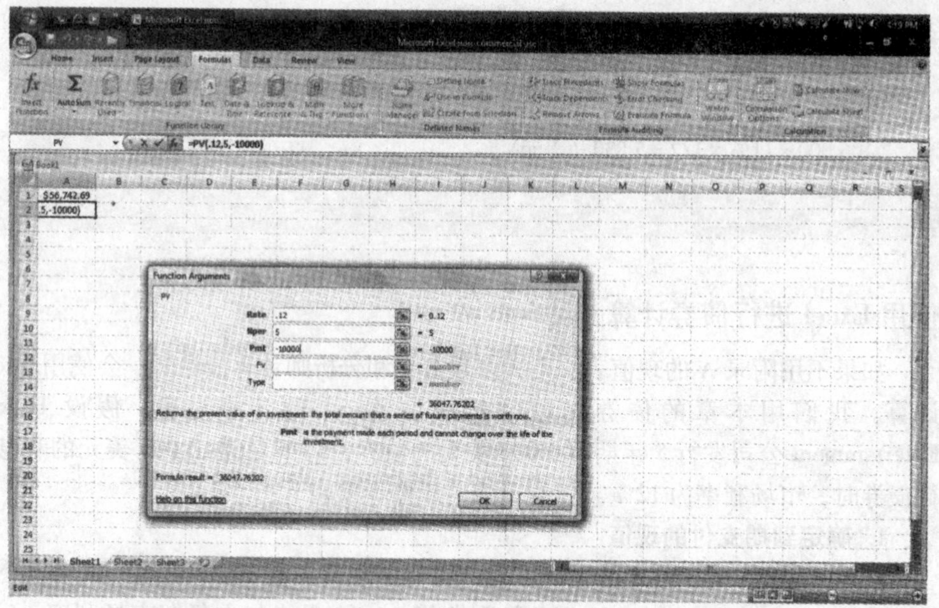

3. **把两个现值加起来**

在单元格 A3 中，用工具栏中自动加总函数（Σ）把单元格 A1 和 A2 加起来。Excel 的计算结果为 92 790. 45 美元。在本章的前面，我们计算债券的现值为 92 788 美元。两者的差额是使用现值表的系数时四舍五入所得到的结果。用 Excel 表格计算的结果更精确，这就是为什么在实务中用 Excel 和计算器而不用现值表的原因，用现值表只是满足教学的需要。最后，有债券现值的 Excel 界面如下：

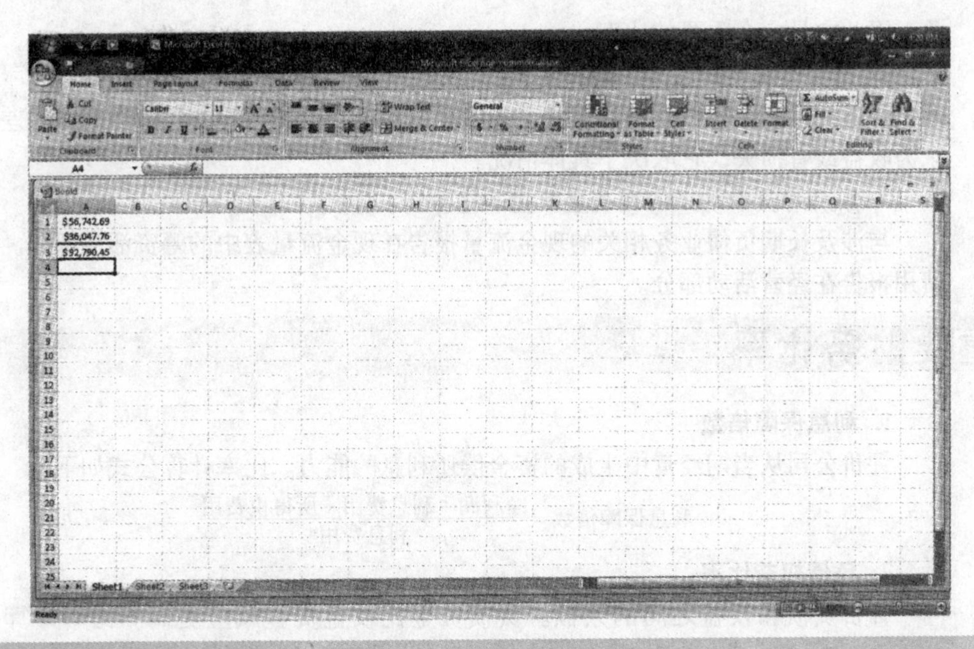

本章小结

1. 描述债券的特点。

为了满足发行公司和债权人对债券的需要，债券设计有很多特点。本章列出了完整的债券特点。

公司用债券筹集长期资本。与股票相比，债券有一些优点，包括为股东创造更高的收益，利息的纳税扣除，公司的控制没有减弱等。然而，债券有风险，因为利息和面值支付不是无条件的。

2. 债券按面值发行时，报告应付债券和利息费用，分析利息保障倍数。

在债券存续期，必须记录三种业务：（1）债券发行时收到现金；（2）定期支付现金利息；（3）债券到期偿还面值。债券以未来现金流量的现值报告，在债券合同中确定未来现金流量。市场利率与票面利率相同时，债券以面值发行，面值与债券的到期值相同。

利息保障倍数评价公司用通过盈利活动生成的现金偿还利息的能力。比较利息费用和盈利计算求得（包括净利润、利息费用和所得税费用）。

3. 债券折价发行时，报告应付债券和利息费用。

票面利率低于市场利率时，债券折价发行。折价是债券面值与售价之间的差额。债券发行时，折价作为备抵负债记录，在债券存续期内摊销作为对利息费用的调整。

4. 债券溢价发行时，报告应付债券和利息费用。

票面利率高于市场利率时，债券溢价发行。溢价是债券售价与面值之间的差额。债券发行时，溢价作为负债记录，在债券存续期内摊销作为对利息费用的调整。

5. 分析负债权益比率。

负债权益比率比较债权人提供的资本金额与所有者提供的资本金额。用负债权益比率可以评价公司的举债能力。负债资本要求还本付息，由于与负债资本的高风险有关，因此它是一个重要的比率。

6. 报告提前赎回债券。

债券到期前公司可以赎回债券。债券账面价值与赎回债券支付数额之间的差额记录为收益或者损失，它取决于具体情况。

7. 解释筹资活动如何在现金流量表中报告。

与涉及长期负债业务相关的现金流量报告在现金流量表中的筹资活动部分。利息费用报告在经营活动部分。

重要财务比率

1. 利息保障倍数

评价公司从当期经营中生成的资金偿还利息的能力。比率计算公式如下：

$$\text{利息保障倍数} = \frac{\text{净利润} + \text{利息费用} + \text{所得税费用}}{\text{利息费用}}$$

2. 负债权益比率

评价负债和权益之间的余额。负债资金比权益资金风险更高。比率计算公式如下：

$$\text{负债权益比率} = \frac{\text{负债总额}}{\text{股东权益}}$$

搜索财务信息

资产负债表

流动负债

债券正常列入长期负债，债券在一年内到期的除外。这样的债券在下列项下报告为流动负债：长期负债的流动部分

长期负债

债券以各种项目列示，取决于债券的特点，这些项目包括

应付债券

无担保债券

可转换债券

利润表

债券仅仅报告在资产负债表里，不在利润表里报告。与债券相关的利息费用报告在利润表里。大多数公司在利润表中单独报告利息费用

附注

重要的会计政策

关于负债会计处理的相关信息描述。正常情况下，公司有相关的信息。一些公司报告债券折价和溢价的摊销方法

单独的附注

大多数公司个别附注“长期负债”项下报告关于每项主要负债发行的信息，包括金额和利率。附注也提供关于负债契约的详细信息

现金流量表

筹资活动

+长期负债的现金流入量

-长期负债的现金流出量

经营活动

与利息费用相关的现金流出量作为经营活动报告

会计术语

债券	无担保债券	票面利率（Stated Rate）
债券折价	实际利率法	直线摊销法
债券溢价	实际利率	信托人
债券面值	面值（Face Amount）	收益率
可赎回债券	无担保债券	
可转换债券	市场利率	
票面利率（Coupon Rate）	面值（Par Value）	

习题

一、问答题

1. 债券的主要特点是什么？为什么要发行债券？

2. 债券契约和债券证书有什么区别？

3. 无担保债券和有担保债券有什么不同？

4. 可赎回债券和可转换债券有什么不同？

5. 从发行人的角度，说明发行债券与发行股票相比有什么优点？

6. 所得税税率增加时，借款的净成本减少。请解释。

7. 发行日，债券以当期现金等额记账。请解释。

8. 解释应付债券折价和溢价的本质。

9. 债券的票面利率与实际利率有什么不同？

10. 债券的票面利率与实际利率的区别：（a）按面值发行；（b）折价发行；（c）溢价发行。

11. 什么是应付债券的账面价值？

12. 解释采用直线法与实际利率法摊销债券溢折价的区别。解释每种方法适合什么时候使用？

二、选择题

1. 单个债券发行的年利息费用在债券持续期逐渐增加，下列哪一项可以解释这个原因？

a. 债券发行以后市场利率增加

b. 债券发行以后票面利率增加

c. 债券折价发行

d. 债券溢价发行

2. 为了筹资，与发行股票相比，下列哪一项不是发行债券的优点？

a. 股东保持占所有权的百分比

b. 利息费用减少应纳税所得额

c. 利息支付时间的灵活性

d. 以上各项都是债券的优点

3. 到期值为 100 000 美元的债券，票面利率为 8%，期限 10 年。债券发行时，市场利率为 10%。债券发行时报告的金额是多少？

a. $ 100 000　　b. $ 87 707

c. $ 49 157　　d. $ 113 421

4. 下列哪个账户不包括在负债权益比率的计算当中？

a. 预收收入　　b. 留存收益

c. 应交所得税　　d. 以上各项都包括在内

5. 债券以溢价发行时，下列哪一个说法不正确？

a. 债券以面值以上金额发行

b. 以面值贷记应付债券

c. 利息费用超过现金利息支付

d. 以上各项都不对

6. 面值为 100 000 美元的债券，2009 年 1 月 1 日发行，发行价为 113 500 美元。票面利率为 8%，债券发行时市场利率为 10%，利息半年支付一次，则 2009 年 12 月 31 日支付多少利息？

a. $ 10 000　　b. $ 8 000

c. $ 11 350　　d. $ 9 080

7. 要确定债券是否以溢价、折价或者面值发行，公司必须知道下列哪项信息？

a. 债券发行日的面值和票面利率

b. 债券发行日的面值和市场利率

c. 债券发行日的票面利率和市场利率

d. 债券发行日的票面利率和设定利率

8. 采用实际利率法摊销时，利润表报告的利息费用受下列哪项的影响？

a. 债券面值

b. 在债券证书上设定的票面利率

c. 债券发行日的市场利率

d. （a）和（b）都是

9. 1 月 1 日发行面值为 100 000 美元的债券，债券有一个设定的利率为 10%，期限 10 年。债券发行时利率为 10%。12 月 31 日市场利率提高到 11%，12 月 31 日作为负债应该报告的金额是多少?

a. $ 100 000　　b. $ 94 112

c. $ 94 460　　d. $ 87 562

10. 采用实际利率法摊销时，每个利息支付日债券的账面价值会随着下列哪个项目的变化而变化?

a. 利息费用　　b. 现金利息支付

c. 摊销额　　d. 以上都没有

三、迷你练习题

1. 查找财务信息

对下列各项，确定相关信息是否能够在资产负债表、利润表、现金流量表、报表附注中找到。

（1）债券负债的金额。

（2）本期的利息费用。

（3）本期支付的现金利息。

（4）具体债券发行的利率。

（5）债券主要持有者的名字。

（6）具体债券发行的到期日。

2. 计算债券发行价格

Price 公司计划发行 600 000 美元的债券，10 年期，利率为 8%，利息半年支付一次，6 月 30 日和 12 月 31 日支付。2009 年 1 月 1 日发行。假设市场利率为 8%。

要求：确定债券的发行价格。

3. 计算债券发行价格

Waterhouse 公司计划发行 900 000 美元的债券，10 年期，利率为 6%，利息半年支付一次，6 月 30 日和 12 月 31 日支付。2009 年 1 月 1 日发行。假设市场利率为 8.5%。

要求：确定债券的发行价格。

4. 记录新债券发行和利息支付（实际利率法摊销）

Hopkins 公司计划发行 1 000 000 美元的债券，10 年期，利率 10%，2009 年 1 月 1 日发行，债券发行时收到现金 940 000 美元。利息半年支付一次，6 月 30 日和 12 月 31 日支付。

要求：记录 2009 年 1 月 1 日发行和 2009 年 6 月 30 日的利息支付，采用实际利息率法摊销。债券票面利率为 11%。

5. 记录新债券发行和利息支付（直线法摊销）

Garland 公司计划发行 600 000 美元的债券，10 年期，利率为 10%，2009 年 1 月 1 日发行，债券发行收到现金 580 000 美元。利息半年支付一次，6 月 30 日和 12 月 31 日支付。要求：记录 2009 年 1 月 1 日发行和 2009 年 6 月 30 日的利息支付，采用直线法摊销。

6. 计算债券发行价格

Coopers 公司计划发行 500 000 美元的债券，10 年期，利率为 8%，利息半年支付一次，6 月 30 日和 12 月 31 日支付。2009 年 1 月 1 日发行。假设市场利率为 8%。

要求：确定债券的发行价格。

7. 记录新债券发行和利息支付（直线法摊销）

Price 公司计划发行 600 000 美元的债券，10 年期，利率为 9%，2009 年 1 月 1 日发行，债券发行收到现金 620 000 美元。利息每年支付一次，12 月 31 日支付。

要求：记录 2009 年 1 月 1 日发行和 2009 年 12 月 31 日利息支付，采用直线法摊销。

8. 记录新债券发行和利息支付（实际利率法摊销）

IDS 公司计划发行 900 000 美元的债券，10 年期，利率为 8%，2009 年 1 月 1 日发行，债券发行收到现金 940 000 美元。利息每年支付一次，12 月 31 日支付。

要求：记录 2009 年 1 月 1 日发行和 2009 年 12 月 31 日利息支付，采用实际利息率法摊销。债券票面利率为 7%。

9. 理解财务比率

本章讨论了负债权益比率和利息保障倍数。哪一个比率更好地揭示了公司支付利息的能力？请解释。

10. 确定提前赎回债券对财务报表的影响

如果债券发行后利率下降，公司决定赎回债券，你预测一下公司在债券赎回时报告收益还是损失？描述在这种情况下债券赎回对财务报表的影响。

11. 确定现金流量影响

如果一个公司折价发行债券，每期的利息费用比现金利息支付额多还是少？如果另一个公司溢价发行债券，每期的利息费用比现金利息支付额多还是少？你的答案与摊销折价和溢价的方法有关吗？

12. 报告现金流量影响

在现金流量表的哪个部分可以找到提前赎回债券支付的现金流量？在哪个部分可以找到利息支付的现金流量？

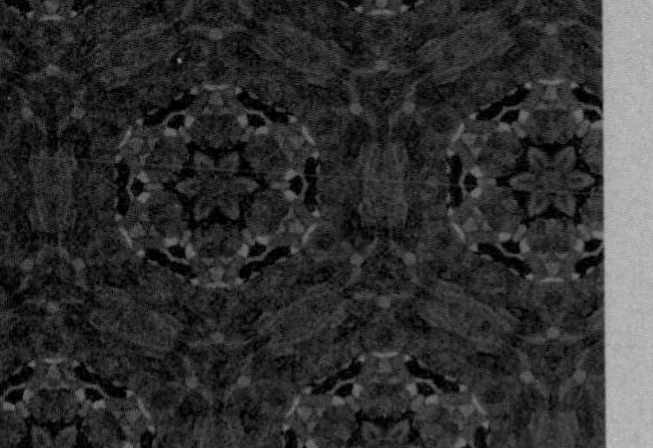

第11章　所有者权益的报告和解释

学习目标

学完本章，应达到如下目标：

1. 解释在公司资本结构中股票的作用。
2. 分析每股收益比率。
3. 描述普通股的特点，分析影响普通股的业务。
4. 探讨股利并分析相关业务。
5. 分析股利收益率。
6. 探讨股票股利和股票分割的目的，报告相关业务。
7. 解释优先股的特点，分析影响优先股的业务。
8. 探讨股本业务对现金流量的影响。

聚焦公司：Sonic Drive-In 快餐店

1953 年，一名叫 Troy Smith 的创业者在俄克拉荷马州肖尼市开了一家路边餐厅。今天，这个公司被命名为 Sonic Drive-In 快餐店，在墨西哥北部海岸已经拥有大约 3 200 家分店。为了筹集这种扩大规模的资金，管理者认为需要增加大量新资本。为了达到这个目的，Sonic 公司不得不上市，这样公司的股票可以在主要的证券交易所交易。目前，Sonic 公司有大约 57 000 个股东持有它的股票，它的股票在美国纳斯达克交易所上市。

作为公开上市的公司，管理者必须集中研究一些优势，具体包括：

1. 企业战略的发展以保证公司长期的盈利增长。
2. 融资计划的发展以保证资本满足计划增长的需求。
3. 战略的发展以使股东财富最大化。

在本章中，我们研究股东权益对于成就一个成功企业的作用，同时研究管理者为使股东财富最大化而运用的策略。

了解公司

对某些人来说，公司和企业这两个词几乎是同义词。你可能听说过有人把企业生涯当作公司领域。企业等同公司是可以理解的，因为它是由经营规模决定的，公司是企业组织的主要形式。如果你在一张纸上写出 50 个相似的企业名称，可能这 50 个企业都是公司。

公司形式的流行归因于公司有一个主要的优点：与独资企业和合伙企业相比，公司能筹集大量资本，因为大小投资者都很容易分享它们的所有权。这种易于分享的特点与几个因素有关：

1. 股份可以少量购买。你可以花大约 20 美元购买一股 Sonic 公司的股票，成为这个成功公司的所有者之一。
2. 股份很容易转让，可以通过现有的市场卖出股票，如在纽约证券交易所。
3. 股权使投资者承担有限责任，因为公司清算时，债权人只对公司的资产拥有求偿权，而对个别投资者的资产没有求偿权。

很多美国人通过共同基金或者养老金计划，都直接或者间接地持有股票。与把钱存入银行或者投资公司债券相比，股权可以提供给他们机会以获得更多的投资收益。

遗憾的是，股票所有权也涉及较高的风险。投资风险与预期投资收益之间的平衡取决于个人的喜好。

图表 11—1 列出 Sonic 公司年报的财务信息。注意资产负债表的股东权益部分列出了股东权益的两个主要来源：

1. 股票发行的实收资本。这是股东通过购买股份投资的金额。

2. 公司盈利活动产生的留存收益。这是公司成立以后赚取的净利润累计金额减去支付股利的累计金额所得的金额。

大多数公司的留存收益构成股东权益的重要部分。如 Sonic 公司，留存收益在约占股东权益总额的 73%。

图表 11—1　　**摘自 Sonic 公司年报中的合并资产负债表**

	2006	2005
股东权益：		
优先股，面值 $ 0.01；1 000 000 股核定股；没有流通股	—	—
普通股，面值 $ 0.01；245 000 000 股核定股；2006 年发行 114 988 369股，2005 年发行 113 649 009 股	**1 150**	1 136
已缴资本	**173 802**	153 776
留存收益	**476 694**	397 989
累计其他全面收益	**(484)**	—
	651 162	552 901
库存股，按成本计量，2006 年 29 506 003 股和 2005 年 24 676 380 股	**(259 469)**	(164 984)
股东权益总额	**391 693**	387 917
负债和股东权益总额	$ **638 018**	$ 563 316

本章结构图示

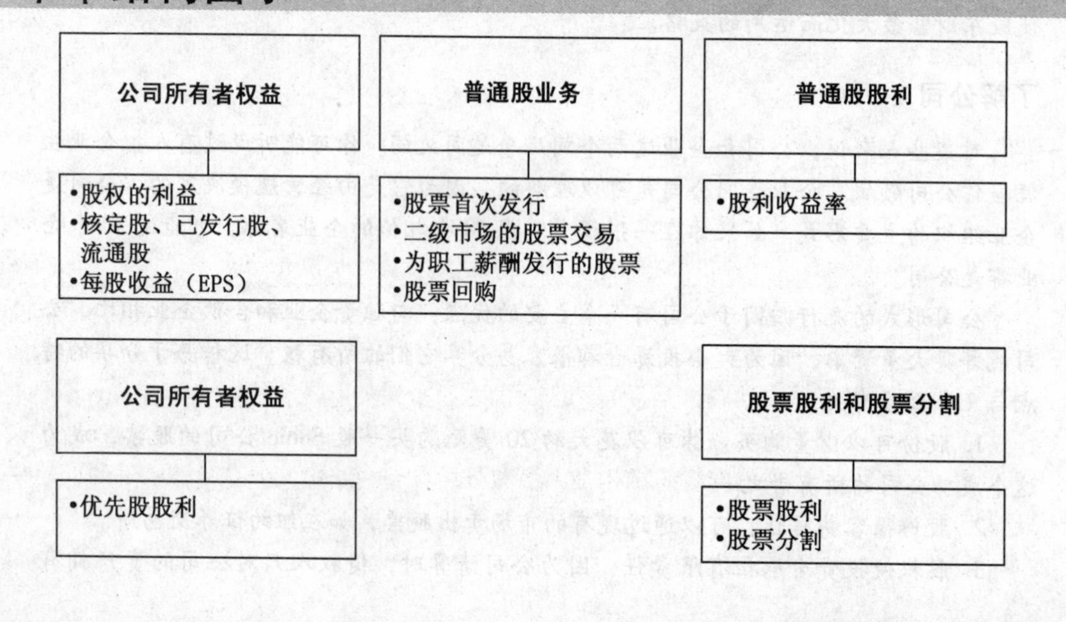

11.1 公司所有者权益

公司是唯一被法律认定为独立实体的企业形式。作为独立实体，公司独立于所有者之外持续存在。公司可以拥有资产，承担负债，扩大规模或缩小规模，起诉他人，被他人起诉，独立于股东之外独立签订合同。

为了保护每个人的权利，公司的创建和管理受到法律严格的约束。成立公司需要向州政府（不是联邦政府）提出申请。申请批准后，由州政府发放执照，有时也称为公司章程。公司由股东选举的董事会管理。

每个州都有专门的法律来约束在它的管辖地创建的公司。尽管 Sonic 公司总部设在俄克拉荷马州，但是 Sonic 公司选择在特拉华州创建公司。你会发现 Sonic 公司在特拉华州创建了很多公司，因为这个州的一些法律对创建公司最有利。

11.1.1 股权的利益

如果你在公司里投资，你就会成为一个股东。作为股东，你得到了股份，以后在现有的股票交易所就可以卖出这些股份。普通股股东有以下几个利益：

1. 投票管理权。你可以在股东大会上就公司管理方面的重大事项投票。
2. 股利。你可以得到按持股比例分配的利润。
3. 剩余权益。公司清算时你可以得到按持股比例分配的剩余资产。
4. 所有者，不同于债权人，能够在股东大会上投票，投票数等于持有的股数。

下列是 Sonic 公司最近送给所有股东的股东大会通知：

现实世界摘要：Sonic 公司的股东大会通知

亲爱的股东：

很高兴邀请您出席 Sonic 公司的股东大会。我们将于 2007 年 1 月 31 日星期三下午 1 点 30 分举行会议，地点在 Sonic 公司总部 4 楼。Sonic 公司总部位于俄克拉荷马州俄克拉荷马市 Johnny Bench Drive 大街 300 号。会议有如下议题：

1. 选举 4 个董事会成员；
2. 批准选择安永全球有限公司作为我们独立登记的公众会计公司；
3. 会议之前出现其他情况、休会或延期会另行通知。

前面提到的事项在通知所附的委托书里有更详细的说明。董事会决定 2006 年 12 月 4 日为截止日，在这一天可以确定哪些股东能出席股东大会并投票。在截止日，如果您持有 Sonic 公司的股票，公司热诚地邀请您出席这次大会。

这个通知也包括几页这样的信息，被提名的董事会成员的信息和各种财务信息。因为大多数股东实际上不能出席股东大会，所以通知附委托书，相当于缺席者的投票。股东可以填写委托书，然后寄到公司。在股东大会上，委托书视同投票。

如图表 11—2 所示，股东在公司里权限最大。董事会和所有员工都间接地对股东负责。图表 11—2 列示的组织结构是大多数公司典型的结构，但是具体的结构取决于公司经营的性质。

图表 11—2　　典型的公司组织结构图

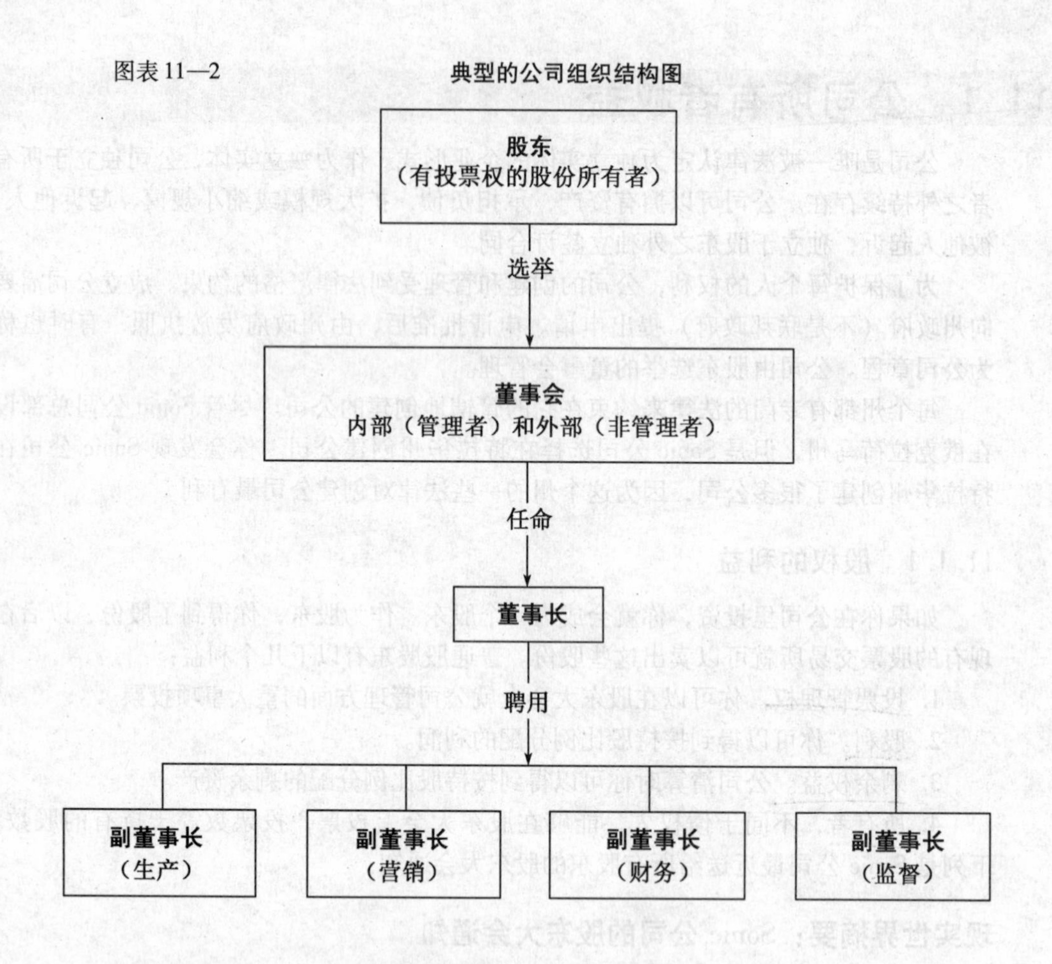

11.1.2　核定股、已发行股和流通股

公司章程确定了公司能够向公众发行的最大股数。财务报表必须报告到报告日为止已发行股数的信息。让我们看一下 Sonic 公司 2006 年 8 月 31 日报告的股数信息，列示在图表 11—1 中。对于 Sonic 公司来说，普通股发行的最大股数，也叫核定股，是 245 000 000 股。到 2006 年 8 月 31 日，公司已发行 114 988 369 股。发行给公众的股票称为已发行股。

由于某些原因，公司可能要回购已经发行给公众的股票。被回购的股票称为库存股。公司回购股票时，已发行股数与流通股数（当前个别股东持有的股数）之间就产生了差额。利用图表 11—1 中列示的 Sonic 公司 2006 年 8 月 31 日的资产负债表数据，我们可以计算 Sonic 公司的流通股数：

已发行股数	114 988 369
减：库存股	(29 506 003)
流通股数	84 482 366

流通股数也报告在图表 11—1 列示的资产负债表里。注意持有库存股时，发行股数和流通股数因持有库存股数（库存股包括在已发行股中而不包括在流通股中）而不同。对财务分析师来说，流通股数很重要，他们需要确定每股的某些金额，如每股收益。

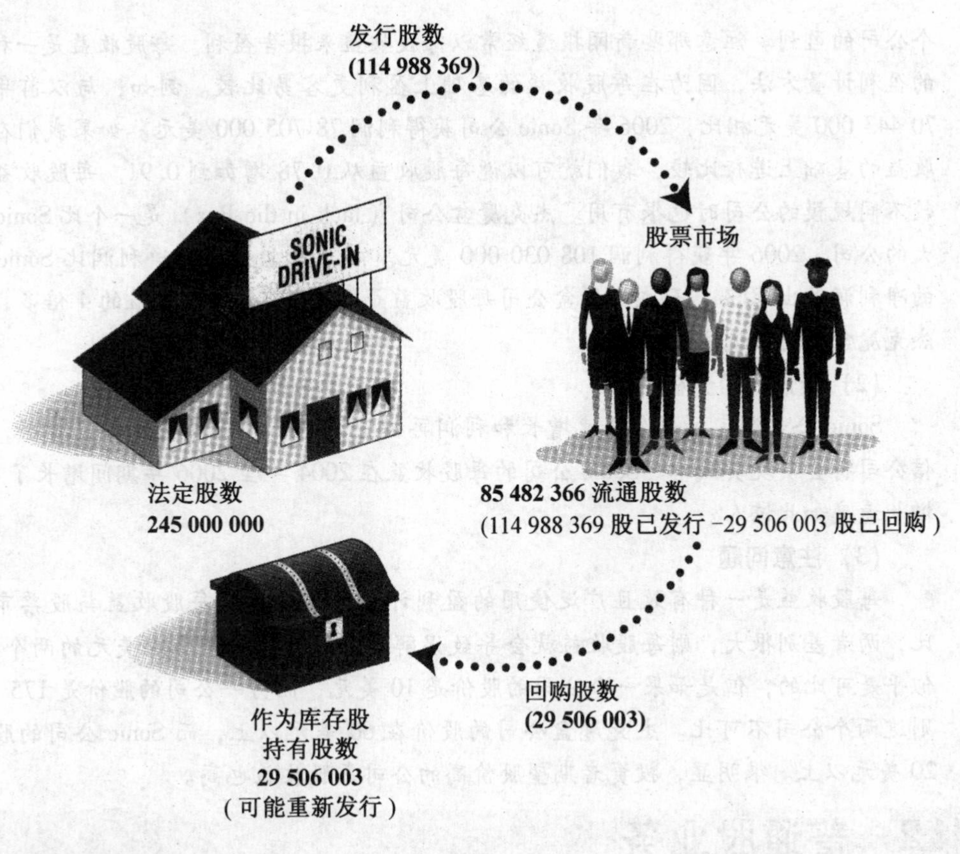

重要比率分析

每股收益（EPS）

1. 分析问题

公司业绩如何？

2. 比率及比较

每股收益计算公式如下：

每股收益 = 净利润* ÷ 普通股平均流通股数

* 如果优先股股利存在，则分子是净利润减去优先股股利。

2006 年 Sonic 公司的比率：

$ 78 705 000 ÷ $ 86 260 000* = 0.91（美元）

* 在财务报表附注中报告。

不同时期的比较		
Sonic		
2004	2005	2006
$ 0.65	$ 0.78	$ 0.91

不同公司的比较	
Jack in the Box	Wendy's
2006	2006
$ 3.84	$ 1.10

3. 解释

(1) 概述

所有的分析师和投资者都对公司的盈利感兴趣。你可能看过报纸头条新闻宣告一个公司的盈利。注意那些新闻报道经常以每股收益来报告盈利。每股收益是一种通用的盈利计量方法，因为在每股收益的基础上盈利更容易比较。例如，与以前年利润70 443 000美元相比，2006年Sonic公司获得利润78 705 000美元。如果我们在每股收益的基础上进行比较，我们就可以说每股收益从0.78增加到0.91。每股收益在比较不同规模的公司时也很有用。杰克魔盒公司（Jack in the Box）是一个比Sonic公司大的公司，2006年获得利润108 030 000美元。杰克魔盒公司的净利润比Sonic公司的净利润多出50%，而杰克魔盒公司每股收益是Sonic公司每股收益的4倍多，因为杰克魔盒公司的流通股更少。

（2）聚焦公司分析

Sonic公司制定了一个快速增长和利润再投资战略。分析师关注每股收益，以确信公司将会实现其战略。Sonic公司的每股收益在2004年至2006年期间增长了40%，增长速度如此惊人。

（3）注意问题

每股收益是一种有效且广泛使用的盈利计量方法，如果每股收益与股票市价相比，两者差别很大，则每股收益就会导致误解。每股收益都是1.5美元的两个公司，似乎是可比的，但是如果一个公司的股价是10美元，而另一公司的股价是175美元，则这两个公司不可比。杰克魔盒公司的股价在60美元以上，而Sonic公司的股价在20美元以上。很明显，投资者期望股价高的公司每股收益也高。

11.2 普通股业务

大多数公司都发行两种股票，普通股和优先股。所有的公司必须发行普通股，但是只有一些公司发行优先股。在这一部分，我们先讨论普通股，下一部分我们再讨论优先股。

普通股由个人持有，这些人被称为公司的所有者，因为他们有投票的权利和通过股利分享企业盈利的权利。公司董事会在盈利的基础上定期宣告股利。

普通股股利随着公司盈利的增加而增加，这个事实有助于解释投资者为什么能够在股票市场上赚钱。你可以把股票的价格当作这支股票所有未来股利的现值。如果一个公司的盈利能力的提高，导致公司能够支付更多的股利，那么普通股的现值就会增加。

普通股通常都有面值，面值就是公司章程规定的每股名义价值。面值与股票市价没有关系。Sonic公司的年报报告普通股面值为0.01美元，而市价为每股20美元以上。

大多数州都要求股票有面值。这个要求的最初目的是通过规定固定资本金额来保护债权人的利益，在公司倒闭之前，所有者不能抽回这些资本，因为如果那样，公司倒闭时留给债权人的就只是一个空壳公司。这个固定资本金额称为法定资本。今天，这个要求不那么重要了，因为债权人有了更多合同上的保护条款。

一些州允许发行无面值股票，无面值股票没有每股确定的金额。所以公司发行无面值股票时，法定资本按州的法律确定。

11.2.1 股票首次发行

涉及公司股票首次向公众发行的业务时使用两个术语。首次公开发行或者 IPO 意味着公司股票向公众首次发行（即公司首次上市）。你可能听说过关于网络股的报道，股票首次发行当天股价暴涨。投资者有时会从股票首次发行中获得很大的收益，同时它们也会冒很大的风险。一旦公司的股票在现有的市场上交易，再向公众增发新股就称为增资发行。

大多数向公众发行的股票都是现金业务。举例说明股票首次发行的会计处理。假定 Sonic 公司发行 100 000 股股票，面值为每股 0.01 美元，发行价格为每股 20 美元，公司要编制如下分录：

现金（+A）（100 000×20）…………………	2 000 000	
普通股（+SE）（100 000×0.01）………………		1 000
股本溢价（+SE）…………………………		1 999 000

资产		=	负债	+	股东权益	
现金	+2 000 000				普通股	+1 000
					股本溢价	+1 999 000

注意，普通股账户贷记发行股数乘以每股面值。股本溢价贷记其余的部分。如果公司章程没有规定股票面值，则可以用设定价值，相当于面值。如果没有面值也没有设定价值，发行股票的全部款项都记入普通股账户。

11.2.2 二级市场的股票交易

公司向公众发行股票时，交易在发行公司和购买者之间进行。首次发行以后，投资者可以把股票卖给其他投资者，对公司没有直接影响。例如，如果投资者 Jon Drago 卖出 1 000 股 Sonic 公司的股票给 Jennifer Lea，则 Sonic 公司不作任何账务处理。Drago 卖出股票收到现金，而 Lea 买入股票支付现金。Sonic 公司没有收到现金，也没有支付现金。

每个工作日，《华尔街日报》都报告二级市场投资者间成千上万笔交易的结果，如纽约股票交易所、美国股票交易所、纳斯达克股票市场。公司的管理者密切关注公司股票的价格变动。股东期望通过股利和股票价格上涨从投资中获利。在很多情况下，公司高管发生变动就是因为股票市场上公司的股票表现欠佳。尽管管理者每天都关注股票价格，但是投资者之间的交易并不影响公司的财务报表。

11.2.3 为职工薪酬发行的股票

公司的优势之一是所有权与经营权分离。两权分离同时也是劣势，因为一些管理者可能不从所有者的利益出发。要解决这个问题有很多种方法。激励机制就是其中一种方法，这种方法是给予达到股东预期的目标管理者奖励。另一种方法是提供给管理者股票期权，股票期权赋予他们以固定价格购买股票的权利。

股票期权的持有者如所有者一样，他们的利益与公司的业绩密切相关。近几年来，股票期权计划成为一种越来越普遍的报酬形式。《会计趋势和技术》一书中的调查表明98%的公司为员工提供股票期权计划。

Sonic公司提供给员工股票期权作为职工薪酬的一部分。股票期权确定了购买股票的价格和时间。即使股票期权指定的股票价格与现行的股票价格相同，股票期权也是一种报酬形式。你可以把股票期权当作无风险的投资。如果你持有股票期权，那么即使股票价格下降，你什么也没有失去。如果股票价格上涨，你可以以指定的低价行使期权买入股票，再以高价卖出，从而获利。

公司必须估计和报告与股票期权相关的薪酬费用。具体的程序在中级会计课程中讨论。

11.2.4 股票回购

出于某种目的，公司可能会从现有的股东手中回购股票。一个目的是出于员工奖励计划，向员工提供公司股份作为报酬的一部分。因为证券交易委员会对发行新股提出要求，所以大多数公司发现回购股票给员工比发行新股成本更低。发行公司回购并由其持有的股票称为库存股，这些股票没有投票权，没有股利，也没有股东的其他权利。

大多数公司按回购股票的成本记账。假定Sonic公司从公开市场以每股20美元的价格购回100 000股股票。用成本法，公司编制如下会计分录：

科目	借方	贷方
库存股（+XSE，-SE）（100 000×$ 20）…………	2 000 000	
现金（-A）………………		2 000 000

资产		=	负债	+	股东权益	
现金	-2 000 000				库存股	-2 000 000

凭直觉，大多数学生都会认为库存股账户是资产账户。其实不是这样，因为公司给自己投资不能产生资产。库存股账户是权益备抵账户，这意味着它要从股东权益总额中减去。实务比较容易理解，因为库存股是不流通的股票，所以不应该包括在股东权益中。

正如图表11—1中的信息所显示的：Sonic公司2006年8月31日资产负债表报告库存股259 469 000美元。股东权益表报告同样的金额和更多相关的信息。

公司卖出库存股时，即使卖出时收回的现金多于或者少于回购时支付的现金，对这笔业务也不报告收益或损失。GAAP不允许报告投资自己股票所得的收益或损失，因为与所有者之间发生的业务不是正常的盈利活动。接前面的例子，假定Sonic公司以30美元的价格卖出库存股10 000股。记住公司回购股票的价格是20美元。Sonic公司编制如下会计分录：

科目	借方	贷方
现金（+A）（10 000×$ 30）………………	300 000	
库存股（-XSE，+SE）（10 000×$ 20）……………		200 000
股本溢价（+SE）………………		100 000

资产		=	负债	+	股东权益	
现金	+300 000				库存股	+200 000
					股本溢价	+100 000

如果库存股以低于回购价格的价格卖出（即产生了经济损失），则买价与卖价之

间的差额从股东权益中减去。假定前面的例子中 Sonic 公司以 15 美元的价格卖出：

现金（+A）（10 000×$ 15）…………… 150 000
股本溢价（-SE）（10 000×$ 5）………… 50 000
　库存股（-XSE，+SE）（10 000×$ 20）………… 200 000

资产		=	负债	+	股东权益	
现金	+150 000				库存股	+200 000
					股本溢价	-50 000

自测题

1. 假定应用技术公司发行 10 000 股普通股，面值为 2 美元，收到现金 150 000 美元。编制会计分录记录这笔业务。

2. 假定应用技术公司从公开市场以每股 12 美元的价格购回 5 000 股股票。记录这笔业务。

做完之后，与下面的答案进行核对。

自测题答案：

1. 现金（+A）……………… 150 000
　普通股（+SE）……………… 20 000
　股本溢价（+SE）……………… 130 000
2. 库存股（+XSE，-SE）……………… 60 000
　现金（-A）……………… 60 000

11.2.5　普通股股利

投资者购买普通股，因为它们期望获得投资收益。这种收益有两种形式：股票价格上涨和股利。一些投资者愿意买支付很少股利或者不支付股利的股票，因为这些公司把大部分利润用于再投资，目的是提高公司未来的盈利能力和提高股价。税率较高的富有投资者喜欢从股价上涨中获利，因为对资本利得纳税的税率低于对股利收入纳税的税率。其他的投资者，如退休人员需要一个稳定的收益，他们愿意收到股利收益。这些人常常寻找支付高股利的股票，如公用事业公司的股票。由于股利对大多数投资者的重要性，所以分析师常常计算股利收益率来评价公司的股利政策。

重要比率分析

股利收益率

1. 分析问题

股利的投资收益是多少？

2. 比率及比较

Sonic 公司不支付股利。股利收益率计算公式如下：

股利收益率 = 每股股利 ÷ 每股市价

不同时期的比较			不同公司的比较	
Sonic			Jack in the Box	Wendy's
2004	2005	2006	2006	2006
0%	0%	0%	0%	1.5%

3. 解释

(1) 概述

普通股的投资者通过股利和资本增值（股票的市价上涨）两种形式取得收益。成长中的公司通常依赖股价的提高向投资者提供回报。支付大量股利的公司股价通常比较稳定。每种类型的股票都会吸引不同类型的投资者，这些投资者对风险和收益有不同的喜好。

(2) 聚焦公司分析

作为一个成长的公司，Sonic 公司制定了不支付股利的政策。公司用从经营活动产生的现金扩大经营和从现有股东手里回购股票。注意杰克魔盒公司也不支付股利，Wendy's International 公司的股利收益率较低。这些股票对需要获得稳定股利收益的投资者没有吸引力。

(3) 注意问题

记住股利收益率仅仅说明投资收益的一部分，考虑潜在的资本增值更重要。Sonic 公司目前正把它的大部分盈利用于再投资。因此，公司正在快速成长，股票价格暴涨。Sonic 公司的投资者购买股票的目的是期望从股票的市值增加中获得收益，而不是从股利中获得收益。2004 年到 2006 年期间，Sonic 公司的投资者由于股票价格上涨，投资收益率达到 60%。

鉴于 Sonic 公司不支付股利，让我们看看快餐业的另一个公司的股利政策。《国际先驱论坛报》有下列关于麦当劳股利宣告的报道：

现实世界摘要：麦当劳

> 2006 年 9 月 27 日，星期三，麦当劳公司，世界上最大的餐饮公司，宣告其年股利提高大约 50%，这是 3 年中最高的收益，因为销售收入提高了。
>
> 3 年较高的餐饮收入使得股利增加，至少 1 年从 67 分增加到 1 美元。
>
> 坐落在伊利诺伊州橡树溪的公司称，股利于 12 月 1 日支付给截至 11 月 15 日登记在册的股东。

这篇报道包括 3 个重要日期：

1. 股利宣告日——2006 年 9 月 27 日。宣告日是董事会批准发放股利的日期。公司只要宣告股利，就产生了股利负债。

2. 股利登记日——2006 年 11 月 15 日。登记日在宣告日之后；这一天公司登记现有股东的名单，以那天在册的股东为准。股利仅仅支付给登记日在册的股东。这一天不需要编制会计分录。

3. 股利支付日——2006 年 12 月 1 日。支付日用现金支付股利。它在登记日之后，是在股利宣告时确定的日期。

所有的现金股利都涉及这 3 个日期。用图表表示如下：

股利宣告日　　股利登记日　　股利支付日

宣告日公司记录与股利相关的负债。举例说明，9 月 27 日，麦当劳编制如下会计分录。假定流通股为 7 500 万股，股利金额是 75 000 000 美元（\$ 1.00 ×75 000 000）：

留存收益（－SE）……………………	75 000 000	
应付股利（＋L）……………………		75 000 000

资产	=	负债	+	股东权益
		应付股利 ＋75 000 000		留存收益 －75 000 000

12 月 1 日支付股利记录如下：

应付股利（－L）…………………	75 000 000	
现金（－A）………………		75 000 000

资产	=	负债	+	股东权益
现金 －75 000 000		应付股利 －75 000 000		

注意，现金股利的宣告和支付等额现金股利会减少资产（现金）和股东权益（留存收益）。这个说法解释了支付现金股利的两个基本要求：

1. 充足的留存收益。公司必须积累充足的留存收益以满足支付股利的需要。州公司法限制现金股利的发放，通常要求留存收益必须达到一定的数额才可以发放现金股利。

2. 充足的现金。公司必须有充足的现金支付股利和满足企业经营的需要。留存收益账户贷方余额大，并不意味着董事会就能宣告和支付现金股利。留存收益账户代表的盈利产生的现金，过去在取得存货、购买经营资产和支付负债时已经费用化。因此，留存收益账户余额与现金账户余额之间在某一日期没有必然联系。很简单，留存收益不是现金。

财务分析

股利对股票价格的影响

另一个日期对理解股利也很重要，这个日期不涉及会计问题。登记日前两天称作除息日。除息日是证券交易所确定的，目的是确定股利支付的对象。在除息日之前如果你买股票，就会收到股利。在除息日或者除息日之后如果你买股票，以前的股票持有者就会收到股利。

你如果关注股票价格，就会注意到股票价格常常在除息日下跌，因为股票在那一天价值更低了，股东不再具有收到下次股利的权利。

自测题

1. 在哪一个股利日产生负债？
2. 在哪一个股利日发生现金流出？
3. 支付股利的两个基本要求是什么？

做完之后，与下面的答案进行核对。

自测题答案：

1. 宣告日。
2. 支付日。

3. 要去付股利，必须要有充足的留存收益和充足的现金才行。

11.3 股票股利和股票分割

11.3.1 股票股利

如果没有定语，股利这个术语常指现金股利，但是股利也可以用增发股票的形式来支付。股票股利是公司按股东持股百分比增发股票作为股利分配给股东。“按比例”意味着每个股东收到增发股票的百分比与股东持股的百分比相同。持有10%流通股的股东会收到作为股票股利的10%的增发股票。

股票股利这个术语有时在年报和新闻报道中容易被误解。最近《华尔街日报》标题声称一个公司已经宣告“股票股利”。仔细阅读才知道，这个公司实际上是在宣告股票的现金股利。

股票股利的价值是争论的焦点。实际上，股票股利本身没有经济价值。所有股东按持股比例收到增发的股票，这意味着股东持有与股利分配前同样百分比的股票。投资的价值取决于持有公司股票的百分比，而不是持股的数量。如果你把1美元换成4个二角五分的硬币，你并没有增加财富，因为你仍然持有1美元。如果你拥有公司10%的股份，则公司宣告股票股利时，你不会增加财富，因为公司只给你（和所有的股东）更多的股票。

发放股票股利时，股票市场会立刻作出反应，股票价格也会相应地下降。从理论上说，如果股票股利发放前股票价格是60美元，股票股利发放后股数增加1倍，且没有其他情况的影响，股票的价格就会降到30美元。股票股利发放前，一个投资者持有100股，价值6 000美元（100 × $ 60），股票股利发放后股数增加到200股，价值仍然是6 000美元（200 × $ 30）。

实际上，股票价格下降的幅度并不与新股增发的比例完全相同。某些情况下，发放股票股利的股票对新投资者更有吸引力。很多投资者都喜欢买股价低的股票，这意味着可以买很多种（每种100股）股票。例如，持有10 000美元的投资者可能不买价格为150美元的股票，因为她买不了100股。如果发放股票股利后，股价低于100美元，她就能够购买这种股票。另外一种情况是，股票股利会增加未来的现金股利，这对某些投资者也有吸引力。

发放股票股利时，公司必须从留存收益或股本溢价账户转账到普通股账户来反映增发的股票。转账的金额取决于股票股利是大红股还是小红股。大多数股票股利是大红股。大红股意味着增发股数超过现有流通股的20% ~25%。小红股意味着增发股数少于现有流通股的20% ~25%。如果股票股利属于大红股，转到普通股账户的金额就是增发新股的面值。如果股票股利属于小红股（如少于20% ~25%），转到普通股账户的金额应该是增发股票的市值，面值转到普通股账户，溢价转到股本溢价账户。

Sonic公司餐厅2006年发放50%的股票股利。公司宣告和发放38 219 000股作为大红股，编制如下会计分录：

留存收益（-SE）（$ 0.01 ×38 219 000）………………	382 190	
普通股（+SE）………………		382 190

资产	=	负债	+	股东权益	
				留存收益	−382 190
				普通股	+382 190

这个分录反映发放股票股利时从留存收益账户转到普通股账户的金额。注意股票股利不改变股东权益总额，只改变一些股东权益账户的余额。

11.3.2 股票分割

股票分割不是发放股票股利。尽管股票分割与发放股票股利导致的结果相似，但是它们对股东权益账户的影响却不同。在股票分割中，法定股总数通常增加一个确定的数量，如2比1。这种情况下，原来持有的每一股被收回，然后再换发两股新股。股票分割通过减少法定股每股面值或者设定价值来完成，面值总额不变。例如，如果Sonic公司以2比1的比例分割股票，则面值从0.01美元变成0.005美元，分割后流通股数是原来的两倍。与股票股利相比，股票分割1美元也不会转到普通股账户。尽管每股面值减少，但是因为增加股数而使面值总额不变，不需要转账。

在股票股利和股票分割中，股东不用额外投资就可以得到更多的股份。发放股票股利要编制会计分录；股票分割不需要编制会计分录，但是要在财务报表的附注中予以披露。大红股与股票分割所产生的影响的比较总结如下：

	股东权益		
	之前	方法100%股票股利后	以2比1进行股票分割后
流通股数量	30 000	60 000	60 000
每股面值	$ 10	$ 10	$ 5
流通股总面值	300 000	600 000	300 000
留存收益	650 000	350 000	650 000
股东权益总额外负担	950 000	950 000	950 000

自测题

Barton公司发行100 000股新股（面值为10美元）作为股利，市价为每股30美元。

1. 假定股票股利是小红股，记录这笔业务。
2. 假定股票股利是大红股，记录这笔业务。
3. 如果这笔业务是股票分割，需要做什么分录？

做完之后，与下面的答案进行核对。

自测题答案：

1. 留存收益……………………	3 000 000	
普通股…………………		1 000 000
股本溢价………………		2 000 000
2. 留存收益……………………	1 000 000	
普通股…………………		1 000 000

3. 股票分割不需要作会计分录。

11.4 优先股

除了普通股，一些公司也发行优先股。注意图表 11—1 显示 Sonic 公司可以发行 1 000 000 股优先股，但是公司没有发行。Sonic 公司的章程包括法定优先股，如果需要，不需变更章程就可以筹集更多的资金。

优先股不同于普通股，普通股的股东有投票权。两者的主要区别是：

1. 优先股没有投票权。如果投资者想对公司经营进行某些控制，则优先股对其没有吸引力。这的确是一些公司发行优先股筹集权益资本的主要原因之一：优先股满足公司筹集资金的需要，却不稀释普通股的控股权。下面的图表显示了《会计趋势和技术》的调查结果，在资本结构中发行优先股公司的百分比。

发行优先股的比例（600 家样本公司）

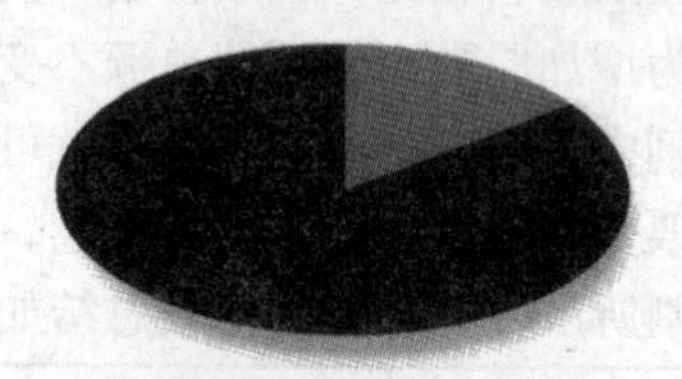

2. 优先股风险较低。一般说来，优先股比普通股的风险小，因为优先股的持有者会优先收到支付的股利，并且公司终止经营时也会优先向其分配资产。通常公司解散时，在分配剩余资产给普通股股东之前，必须先确定支付给优先股股东的金额。

3. 优先股有固定的股利收益率。例如，“6% 的优先股，每股面值为 10 美元”，意味着年股利收益率是 6%。如果优先股没有面值，则优先股股利就确定为每股 0.60 美元。固定的股利对某些投资者很有吸引力，因为它们想获得稳定的投资收益。

11.4.1 优先股股利

因为购买优先股的投资者放弃了作为普通股投资者的某些利益，所以优先股股东会优先得到股利。两种最一般的优先股股利是当期的和累积的优先股股利。

1. 当期优先股股利

当期优先股股利要在支付给普通股股利之前支付。优先支付是优先股的一个特征。当期优先股股利支付后，如果没有其他的优先权，就可以支付普通股股利。

宣告股利必须在优先股和普通股之间进行分配。首先，优先股必须优先发放；然后股利总额剩余的部分再分配给普通股。例如，假定索菲亚公司（Sophia）有下列流通股：

索菲亚公司
流通的优先股，6%，面值 $ 20；2 000 股 = 面值 $ 40 000
流通的普通股，面值 $ 10；5 000 股 = 面值 $ 50 000

假定只有当期优先股股利，则股利分配如下：

例	股利总额	6%优先股*	普通股
1	$ 3 000	$ 2 400	$ 600
2	18 000	2 400	15 600

* 优先股股利，$ 40 000 × 6% = $ 2 400。

2. **累积优先股股利**

累积优先股股利是指如果以前期间股利的一部分或全部没有支付，累积未支付的金额称为拖欠股利，当期在支付普通股股利之前必须优先支付这部分股利。当然，如果优先股不是累积的，就没有拖欠股利的可能；这样，没有宣告的优先股股利就永久性地失去了。因为优先股股东不喜欢这种优先股，所以优先股常常是累积的。

举例说明累积优先股，假定索菲亚公司与前面的例子一样，有同样的流通股数量。在本例中，股利拖欠了两年。

例	股利总额	6%优先股*	普通股
1	$ 8 000	$ 7 200	$ 800
2	30 000	7 200	22 800

* 当期优先股股利，$ 40 000 × 6% = $ 2 400；积欠优先股股利，$ 2 400 × 2 = $ 4 800；当期优先股股利加积欠优先股股利 = $ 7 200。

财务分析

应付股利的限制

公司支付股利的能力受两个方面的限制，贷款契约和拖欠优先股股利。为了安全起见，一些债权人在贷款合同中限制公司支付股利的金额。这些贷款合同也包括限制增加借款，并且规定现金或者营运资本的最低限额。如果违背了贷款合同，债权人有权要求立刻偿还债务。充分披露原则要求在财务报表附注中披露贷款合同。

优先股拖欠股利的存在也制约了公司支付普通股股利的能力，并且影响公司未来的现金流量。因为拖欠的股利不在资产负债表中报告，所以直到董事会宣告股利，才能反映实际支付的股利。Lone Star Industries 公司有关财务报表附注如下：

现实世界摘要：Lone Star Industries 公司年度财务报告

年末拖欠优先股股利总额是 11 670 000 美元。支付普通股股利之前，这些累积的优先股股利必须优先支付。

分析师对这些限制的信息特别关注，因为其对公司的股利政策和未来的现金流量都有影响。

聚焦现金流量

筹资活动

涉及股本的业务对企业资本结构有直接影响。由于这些业务的重要性，它们被报告在现金流量表的筹资活动现金流量部分。与股本相关的现金流量的举例在图表 11—3 列示的 Sonic 公司的现金流量表中。

对现金流量表的影响

（1）概述

从所有者那里收到的现金报告为现金流入量，支付给所有者的现金报告为现金流出量。见下面的举例：

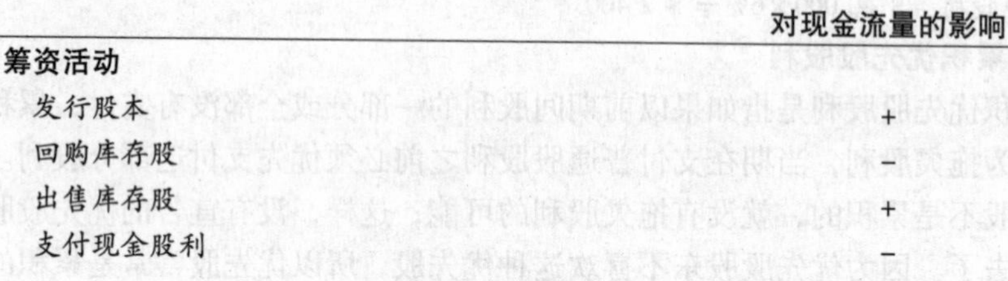

	对现金流量的影响
筹资活动	
发行股本	+
回购库存股	−
出售库存股	+
支付现金股利	−

不同公司的比较：比较股利支付（单位：百万美元）

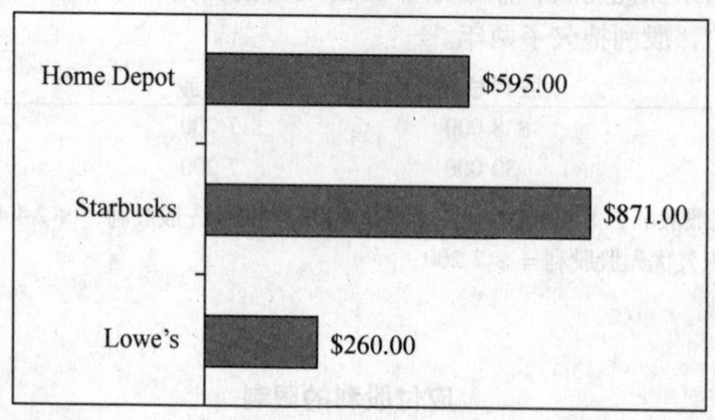

（2）聚焦公司分析

注意前3年中的每一年，Sonic公司为回购库存股支付了较多的现金，但是没有支付股利（如图表11—3所示）。很显然，公司生成了足够的现金以支付股利，虽然公司没有支付股利给所有者，但是通过回购股票支付现金给所有者。这样的股利政策很常见，但是这个例子在公司比较中并不典型。

现实世界摘要：Sonic公司年度财务报告

图表11—3　　Sonic公司现金流量表年报摘录

Sonic公司

合并现金流量表

	8月31日 2006	 2005	 2004
		（单位：千美元）	
筹资活动的现金流量			
借款收入	$ 274 763	$ 127 415	$ 76 421
偿还长期负债	(206 806)	(149 390)	(141 978)
回购库存股	(93 689)	(42 324)	(3 067)
偿还资本租赁负债	(2 444)	(2 139)	(1 839)
行使股票期权	7 194	10 546	5 310
行使员工股票期权获得的额外纳税优惠	4 645	4 595	3 398
筹资活动使用的净现金流量	(16 337)	(51 297)	(61 755)

示例

这个案例关于 Shelly 公司的组建和第一年的经营，它于 2009 年 1 月 1 日由 10 个当地创办者组建，企业经营业务是为宾馆提供各种用品。执照规定了下列股本：

1. 普通股，无面值，20 000 股。
2. 优先股，利率 5%，面值 100 美元，5 000 股。
3. 州法律规定无面值的核定资本是全部发行额。

下列是 2009 年汇总的业务，这些业务在列示的日期均已完成。

(1) 1 月，以每股 50 元的价格发行 8 000 股普通股给 10 个企业家。以发行总额贷记普通股账户。

(2) 2 月，以 102 美元的价格发行 2 000 股优先股，全部收到现金。

(3) 3 月，宣告普通股 1 美元的现金股利。

(4) 7 月，回购 100 股优先股，每股价格 104 美元。

(5) 8 月，以每股 105 美元出售 20 股库存优先股。

要求：

1. 对每笔业务编制会计分录，要求附有业务摘要。
2. 编制 2009 年 12 月 31 日 Shelly 公司资产负债表的股东权益部分。假定留存收益是 23 000 美元。

参考答案：

1. 会计分录：

		借	贷
(1) 2009 年 1 月	现金（+A）…………………	400 000	
	普通股（+SE）………………		400 000

发行无面值普通股（$ 50 × 8 000 = $ 400 000）。

(2) 2009 年 2 月	现金（+A）…………………	204 000	
	普通股（+SE）………………		200 000
	股本溢价（+SE）………………		4 000

发行优先股（$ 102 × 2 000 = $ 204 000）。

(3) 2009 年 3 月	留存收益（-SE）………………	8 000	
	应付股利（+L）………………		8 000

宣告现金股利。

(4) 2009 年 7 月	库存股（+XSE，-SE）………………	10 400	
	现金（-A）………………		10 400

回购 100 股优先股（$ 104 × 100 = $ 10 400）。

(5) 2009 年 8 月	现金（+A）………………	2 100	
	库存股（-XSE，+SE）………………		2 080
	股本溢价，优先股（+SE）………………		20

以每股 105 美元售出 20 股库存优先股。

2. 资产负债表的股东权益部分：

Shelly 公司

资产负债表（节选）

2009 年 12 月 31 日

股东权益	
实收资本	
优先股，利率 5%（面值 100 美元；核定 5 000 股，发行 2 000 股，其中 80 股作为库存股持有）	$ 200 000
股本溢价，优先股	4 020
普通股（无面值；法定 20 000 股，发行和流通股 8 000 股）	400 000
实收资本总额	604 020
留存收益	23 000
实收资本和留存收益总额	$ 627 020
减：持有的库存优先股（80 股）	(8 320)
所有者权益总额	618 700

附录

核算独资和合伙企业的所有者权益

一、独资企业的所有者权益

独资企业是一个人拥有的企业。仅仅需要两个所有者权益账户：（1）所有者的资本账户（杜伊，资本）；（2）所有者的提款账户（杜伊，提款）。

独资企业的资本账户有两个用途：（1）记录所有者的投资；（2）累积定期的利润或者亏损。提款账户用于记录所有者从企业提走的现金或者资产。每一个会计期末将提款账户结转到资本账户。资本账户反映了所有者投资和企业盈利的累计总额减去所有者从企业提款的金额。

在大多数方面，独资企业的核算与公司相同。图表 11—4 呈现了杜伊零售店（Doe）记录的业务和所有者权益表。

图表 11—4　　核算独资企业的所有者权益

2009 年的部分会计分录

2009 年 1 月 1 日

J. Doe 用个人储蓄投资 150 000 美元开了一家零售店。分录如下：

现金（+A）………………	150 000	
J. Doe，资本（+OE）……………		150 000

资产	=	负债	+	股东权益
现金　+150 000				J. Doe，资本　+150 000

2009 年期间

这一年的每个月，杜伊从企业提取 1 000 美元现金用作个人生活费。相应地，每月编制下列会计分录：

J. Doe，提款（+OE）………………	1 000	
现金（-A）………………		1 000

资产	=	负债	+	股东权益
现金　-1 000				J. Doe，提款　-1 000

续图表

注意，2009 年 12 月 31 日，最后一次提款后，提款账户借方余额为 12 000 美元。

2009 年 12 月 31 日

这一年正常的会计分录，包括调整分录和收入费用的结账分录，最终结果净利润为 18 000 美元，结转到资本账户如下：

每个收入和费用账户（－R&E）…………………	18 000	
D. Joe，资本（＋OE）…………………		18 000

资产	=	负债	+	股东权益	
				收入和费用	－18 000
				D. Joe，资本	＋18 000

2009 年 12 月 31 日

提款账户结账如下：

D. Joe，资本（－OE）…………………	12 000	
D. Joe，提款（＋OE）…………………		12 000

资产	=	负债	+	股东权益	
				D. Joe，资本	－12 000
				D. Joe，提款	＋12 000

2009 年 12 月 31 日　资产负债表（部分）

所有者权益	
D. Joe，资本，2009 年 1 月 31 日	$ 150 000
加：2009 年净利润	18 000
总额	168 000
减：2009 年提款	(12 000)
D. Joe，资本，2009 年 12 月 31 日	$ 156 000

由于独资企业不支付所得税，因此它的财务报表上不反映所得税费用或者应交所得税。独资企业的利润在所有者个人所得税申报表中一并纳税。同样，所有者的工资在独资企业中也不确认为费用，因为老板与员工之间的关系并不存在，只涉及单方，所以所有者的工资作为利润分配核算。

二、合伙企业的权益

大多数州都遵守统一的合伙企业法。在合伙企业法中，合伙企业被定义为“以盈利为目的，由两个或更多的人组成的团体，作为企业共同的所有者共同经营的企业。”小企业和专业人员，如会计、医生和律师，通常采取合伙企业的形式。

合伙企业由两个或者更多的人组成，由于合伙关系，因此共同管理。法律不要求和公司一样申请执照。合伙人之间的协议就是合伙合同。这个协议应该明确诸如定期的利润分配、管理责任、合伙权的出售和转让、解散时资产的处置和合伙人死亡要遵循的程序等要求。如果合伙协议没有明确这些事情，就参照所在州的法律。

合伙企业的主要优点是：(1) 容易组建；(2) 由合伙人完全控制；(3) 企业本身没有所得税。主要缺点是每个合伙人对合伙企业的债务承担无限责任。如果合伙企业没有足够的资产满足偿债的要求，合伙企业的债权人就有权查封合伙人个人的资产。

与独资企业一样，除了直接影响所有者权益的那些分录外，合伙企业的核算与其他企业遵循同样的基本原则。除了资本和提款账户按每个合伙人设置外，合伙人权益的核算与独资企业一样。每个合伙人的投资贷记该合伙人的资本账户，提款账户借记其各自的提款账户。净利润根据合伙协议在合伙人之间进行分配，并贷记其各自的账户。提款账户分别结转至各自的资本账户。结账以后，每个合伙人的账户反映了合伙人投资和合伙人分享企业盈利的累计总额减去合伙人所有的提款金额。

图表 11—5 列示了 AB 合伙企业的会计分录和部分财务报表，来举例说明利润分配和合伙人权益的核算。

图表 11—5　　合伙人权益的核算

2009 年的部分会计分录

2009 年 1 月 1 日

A. Able 和 B. Baker1 月 1 日组建了一个合伙企业，A. Able 投资 60 000 美元，B. Baker 投资 40 000美元现金，净利润（或者净损失）按 60% 和 40% 分配。企业记录投资的会计分录如下：

现金（+A）…………………………	100 000	
A. Able，资本（+OE）………………		60 000
B. Baker，资本（+OE）………………		40 000

资产		=	负债	+	股东权益	
现金	+100 000				A. Able，资本	+60 000
					B. Baker，资本	+40 000

2009 年期间

合伙人同意 A. Able 每月提取 1 000 美元，B. Baker 每月提取 650 美元现金。相应地，每月做下列会计分录：

A. Able，提款（-OE）………………	1 000	
B. Baker，提款（-OE）………………	650	
现金（-A）………………		1 650

资产		=	负债	+	股东权益	
现金	-1 650				A. Able，提款	-1 000
					B. Baker，提款	-650

2009 年 12 月 31 日

假定正常的收入费用账户的结账导致 30 000 美元的净利润，合伙协议确定 A. Able 收到 60% 的盈利，B. Baker 收到 40% 的盈利。结账的会计分录如下：

各收入和费用账户（-R&E）………………	30 000	
A. Able，资本（+OE）………………		18 000
B. Baker，资本（+OE）………………		12 000

资产	=	负债	+	股东权益	
				收入和费用	-30 000
				A. Able，资本	+18 000
				B. Baker，资本	+12 000

2009 年 12 月 31 日

提款账户结账分录如下：

A. Able，资本（-OE）………………	12 000	
B. Baker，资本（-OE）………………	7 800	
A. Able，提款（+OE）………………		12 000

续图表

B. Baker，提款（+OE）………………… 7 800

资产	=	负债	+	股东权益	
				A. Able，资本	-12 000
				B. Baker，资本	-7 800
				A. Able，提款	+12 000
				B. Baker，提款	+7 800

AB 合伙企业
合伙人的资本表
2009 年 12 月 31 日

	A. Able	B. Baker	总额
投资，2009 年 1 月 1 日	$ 60 000	$ 40 000	$ 100 000
加：本年增加的投资	0	0	0
本年净利润	18 000	12 000	30 000
总额	78 000	52 000	130 000
减：本年提款	(12 000)	(7 800)	(19 800)
合伙人权益，2009 年 12 月 31 日	$ 66 000	$ 44 200	$ 110 200

合伙企业的财务报表采取与公司同样的结构，除了以下几点不同：（1）利润表包括净利润分配部分；（2）资产负债表的合伙人权益部分按每个合伙人报告；（3）合伙企业没有所得税费用，因为合伙企业不支付所得税（合伙人必须在个人纳税申报表上报告分享的合伙企业利润）；（4）支付给合伙人的工资不记录为费用，而作为利润分配处理。

本章小结

1. 解释公司资本结构中股票的作用。

法律将公司认定为独立的法律主体。所有者对公司进行投资时，公司增加股本，这些股票可以在现有的股票交易所交易。股票会提供一些权利，包括收到股利的权利。

2. 分析每股收益比率。

每股收益比率方便不同时间公司盈利的比较，或者同一时间不同公司盈利的比较。在每股的基础上比较盈利，不同规模的公司就可以进行比较。

3. 描述普通股的特点和分析影响普通股的业务。

普通股是公司发行的基本的有投票权的股票。通常它有面值，但是无面值股票也可以发行。普通股会提供一些特定的权利以吸引某些投资者。

一些涉及股本的主要业务包括：（1）股票的初始发行；（2）库存股业务；（3）现金股利；（4）股票股利和股票分割。在本章中，每种业务都有举例。

4. 讨论股利和分析业务。

股本投资收益有两个来源：增值和股利。董事会宣告（如宣告日）股利时，股利记录为负债。支付股利时，减少负债。

5. 分析股利收益率。

股利收益率计量从股利获得的投资收益的百分比。对大多数公司来说，股利收益很小。

6. 讨论股票股利和股票分割的目的以及报告业务。

股票股利是按比例对现有的所有者增发的公司的股票。业务涉及结转一个增加的金额到普通股账户。股票分割也涉及增发股份给所有者，但是没有增加的金额转到普通股账户，而是股票的每股面值在减少。

7. 描述优先股的特点和分析影响优先股的业务。

优先股赋予投资者某些权利，包括股利支付优先权和公司清算时的资产分配优先权。

8. 讨论股本业务对现金流量的影响。

现金流入量（如股本发行）和现金流出量（如回购库存股）报告在现金流量表的筹资活动部分。股利支付在这部分报告为现金流出量。

重要财务比率

1. 每股收益比率表明公司在每股普通股的基础上取得的净利润。

$$每股收益比率 = \frac{净利润^*}{普通股的平均流通股数}$$

* 如果有优先股股利，应将这个数额从分子的净利润中减去。

2. 股利收益率计量股票现行价格的股利收益。这个比率计算公式如下：

$$股利收益率 = \frac{每股股利}{每股市价}$$

搜索财务信息

资产负债表

流动负债

股利，一旦董事会宣告，将其报告为负债（通常为流动负债）

长期负债

涉及股本的业务不产生长期负债

股东权益

典型账户包括：

优先股
普通股
股本溢价
留存收益
库存股

利润表

股本从来不在利润表中列示。支付的股利不是费用，而是利润分配，所以不在利润表中报告

现金流量表

筹资活动

+股票初始发行的现金流入量
+出售库存股的现金流入量
-股利的现金流出量
-回购库存股的现金流出量

股东权益表	附注
这个表报告股东权益的详细信息，包括： （1）每个权益账户的金额 （2）流通股数 （3）业务的影响，如盈利、股利的支付、库存股的回购	**重要的会计政策** 通常情况下，这部分很少提供关于股本的信息 **单独的附注** 大多数公司报告关于股票期权计划的信息和关于主要业务的信息，如股票股利或者重要的库存股业务。提供每股支付股利的汇总信息。优先股拖欠股利，如果有的话，总是作为一项附注单独报告

会计术语

核定股数	核定资本	股票股利
普通股	无面值股票	股票分割
累积优先股股利	流通股	库存股
当期优先股股利	面值	
宣告日	支付日	
拖欠股利	优先股	
已发行股票	登记日	

习题

一、问答题

1. 给出公司的定义并说出企业这种组织形式的主要优点。
2. 公司的章程是什么？
3. 解释下列术语：（a）核定股本；（b）已发行股本；（c）流通股本。
4. 解释普通股与优先股的区别。
5. 解释有面值和无面值股本的区别。
6. 优先股的特点是什么？
7. 股东权益的两个基本来源是什么？分别解释。
8. 股东权益按来源核算，那么来源意味着什么？
9. 给出库存股的定义。公司为什么取得库存股？
10. 库存股如何在资产负债表中报告？已经售出的库存股如何在财务报表上报告？
11. 宣告现金股利的两个基本要求是什么？现金股利对资产和股东权益有什么影响？
12. 解释累积优先股与非累积优先股的区别。
13. 给出股票股利的定义。股票股利与现金股利有什么不同？
14. 发放股票股利的主要原因是什么？
15. 说出并解释与股利相关的3个重要日期。

16. 给出留存收益的定义。每个期末留存收益的主要组成部分是什么？

二、选择题

1. Kate 公司已经发行了 400 000 股普通股，持有 20 000 股库存股。执照授权发行 500 000 股。公司已经宣告和支付股利每股 1 美元，则股利总额是多少？

a. $ 400 000　　b. $ 380 000

c. $ 20 000　　d. $ 500 000

2. 下列关于库存股的陈述哪种是错的？

a. 库存股是要发行但是不流通的股票

b. 库存股没有投票权，没有股利，没有清算权

c. 库存股减少资产负债表的权益总额

d. 以上没有一个是错的

3. 关于股票股利的哪项陈述是对的？

a. 股票股利在现金流量表中报告

b. 股票股利在留存收益表中报告

c. 股票股利增加权益总额

d. 股票股利减少权益总额

4. 下列哪个顺序描述了从最大股数到最小股数？

a. 法定股数，发行股数，流通股数

b. 发行股数，流通股数，法定股数

c. 流通股数，发行股数，法定股数

d. 库存股数，流通股数，发行股数

5. 公司发行了 100 000 股普通股，每股面值 1 美元。发行价每股 20 美元。股东权益增加多少？

a. $ 100 000　　b. $ 1 900 000

c. $ 2 000 000　　d. 股东权益不变

6. 下列哪一个日期不编制会计分录？

a. 宣告日　　b. 记录日

c. 支付日　　d. 上述日期都编制会计分录

7 公司净利润为 225 000 美元，宣告和支付股利 75 000 美元，则对留存收益的净影响是下列哪项？

a. 增加 $ 225 000　　b. 减少 $ 75 000

c. 增加 $ 150 000　　d. 减少 $ 150 000

8. 下列关于股利的陈述哪项是错的？

a. 股票代表股东分享的公司利润

b. 股票股利和现金股利都减少留存收益

c. 支付给股东的现金股利减少净利润

d. 以上的陈述没有一个是错的

9. 用现金回购库存股时，对资产负债表等式有什么影响？

a. 没有变化：资产现金减少抵销资产库存股的增加

b. 资产减少和股东权益增加

c. 资产增加和股东权益减少

d. 资产减少和股东权益减少

10. 股票股利会立刻增加投资者的个人财富吗?

a. 不，因为股票股利发放时股票价格下降

b. 是，因为投资者有更多的股票

c. 是，因为投资者不用支付经纪费可以得到更多的股票

d. 是，因为投资者通过拥有更多的股票获得更多的现金股利

三、迷你练习题

1. 评估股东权利

说出普通股的3种权利。你认为哪一种权利是最重要的？为什么?

2. 计算没有发行的股数

Crutcher公司的资产负债表报告168 000股普通股，268 000股核定股，10 000股库存股。计算Crutcher公司最多能发行多少股新股。

3. 记录普通股发行

为扩大经营，Aragon公司发行170 000股以前未发行过的股票，每股面值1美元。股票的发行价为每股21美元。记录这笔股票的发行。如果面值是每股2美元有什么不同？如果是这样，记录每股面值2美元的股票的发行情况。

4. 比较普通股和优先股

假设你的父母已经退休，现向你做一些财务咨询。他们已经决定向一个与Sonic公司相似的公司投资100 000美元。公司发行普通股和优先股。你给他们建议时要考虑哪些因素？你会推荐哪种类型的股票?

5. 确定库存股的影响

Trans Union公司回购20 000股股票，每股价格为45美元。下一年，公司以每股50元的价格售出5 000股股票，在接下来的一年，再以每股37元的价格售出10 000股。确定每笔业务对下列项目的影响（增加、减少和不变）:

（1）资产总额。

（2）负债总额。

（3）股东权益总额。

（4）净利润。

6. 确定股利的数额

Jacobs公司有288 000股法定普通股，260 000股发行股，60 000股库存股。公司董事会宣告股利为每股65分，则要支付的股利总额是多少?

7. 记录股利

2009年4月15日，Aution. com的董事会宣告现金股利为每股65分，支付给于5月20日登记的股东，股利于6月14日支付。公司有100 000股流通股。编制每个日期必要的会计分录。

8. 确定优先股股利的金额

Coliers公司有200 000股流通累积优先股。优先股以每股2美元支付股利，但是

由于现金流量问题，去年公司没有支付股利。董事会今年计划支付股利 140 万美元，则支付给优先股股东的股利是多少？

9. 确定股票股利和股票分割的影响

Armstrong Tools 公司宣告 100% 的股票股利。

要求：确定这种股利对下列各项的影响（增加、减少和不变）：

（1）资产总额。

（2）负债总额。

（3）普通股。

（4）股东权益总额。

（5）普通股每股市价。

假定公司宣告以 2 比 1 的比例进行股票分割。确定股票分割的影响。

10. 记录股票股利

Shriver Food Systems 集团公司已经发放了 40% 的股票股利。公司有 752 000 股核定股，200 000 股流通股。股票的面值是每股 10 美元，市价每股 130 美元。

要求：记录股票股利的支付情况。

东北财经大学出版社

Supplements Request Form (教辅材料申请表)

<table>
<tr><td colspan="4">Lecturer's Details（教师信息）</td></tr>
<tr><td>Name:
(姓名)</td><td></td><td>Title:
(职务)</td><td></td></tr>
<tr><td>Department:
(系科)</td><td></td><td>School/University:
(学院/大学)</td><td></td></tr>
<tr><td>E-mail:
(邮箱)</td><td></td><td rowspan="3">Lecturer's Address / Post Code:
(教师通讯地址/邮编)</td><td rowspan="3"></td></tr>
<tr><td>Tel:
(电话)</td><td></td></tr>
<tr><td>Mobile:
(手机)</td><td></td></tr>
</table>

<table>
<tr><td colspan="4">Adoption Details（教材信息） 影印版 □ 双语版□ 翻译版□</td></tr>
<tr><td>Title: (中文书名)
(英文书名)
Edition: (版次)
Author: (作者)</td><td colspan="3"></td></tr>
<tr><td>Local Puber:
(外国出版社)</td><td colspan="3"></td></tr>
<tr><td>Enrolment:
(学生人数)</td><td></td><td>Semester:
(学期起止日期时间)</td><td></td></tr>
<tr><td colspan="4">通过哪种方式获得我社的图书信息
参加会议 □ 邮寄书目 □ 书店□ 网站□ 他人推荐□</td></tr>
</table>

Please fax or post the complete form to（请将此表格传真或 email 至）:

东北财经大学出版社有限责任公司

电话: (86) 0411-84710878/84712996

传真 : (86) 0411-84710878

邮箱: guohebu@126.com

通讯地址: 辽宁省大连市沙河口区尖山街 217 号东北财经大学出版社

邮编: 116025

教师反馈表

麦格劳—希尔教育（McGraw-Hill Education）是美国著名教育图书出版与教育服务机构，以出版经典、高质量的理工科、经济管理、计算机、生命科学以及人文社科类高校教材享誉全球，更以网络化、数字化的丰富的教学辅助资源深受高校教师的欢迎。

为了更好地服务中国教育界，提升教学质量，2003 年**麦格劳—希尔教师服务中心**在北京成立。在您确认将本书作为指定教材后，请您填好以下表格并经系主任签字盖章后寄回，**麦格劳—希尔教师服务中心**将免费向您提供相应教学课件，或网络化课程管理资源。如果您需要订购或参阅本书的英文原版，我们也会竭诚为您服务。

<table>
<tr><td>书名：</td><td colspan="4"></td></tr>
<tr><td>所需要的教学资料：</td><td colspan="4"></td></tr>
<tr><td>您的姓名：</td><td colspan="4"></td></tr>
<tr><td>系：</td><td colspan="4"></td></tr>
<tr><td>院/校：</td><td colspan="4"></td></tr>
<tr><td>您所讲授的课程名称：</td><td colspan="4"></td></tr>
<tr><td>每学期学生人数：</td><td colspan="2">______人 ____年级</td><td>学时：</td><td></td></tr>
<tr><td>您目前采用的教材：</td><td colspan="4">作者：______________ 出版社：______________
书名：</td></tr>
<tr><td>您准备何时用此书授课：</td><td colspan="4"></td></tr>
<tr><td>您的联系地址：</td><td colspan="4"></td></tr>
<tr><td>邮政编码：</td><td></td><td>联系电话</td><td colspan="2"></td></tr>
<tr><td>E-mail：（必填）</td><td colspan="4"></td></tr>
<tr><td colspan="3">您对本书的建议：</td><td colspan="2">系主任签字
盖章</td></tr>
</table>

东北财经大学出版社

大连市沙河口区尖山街217号
邮编：116025
电话：0411－84710715
传真：0411－84710731
电子信箱：ts@ dufe. edu. cn
网址：Http：//www. dufep. cn

麦格劳—希尔教育出版公司教师服务中心
北京清华科技园创业大厦 A 座 907 室
邮编：100084
电话：010－62790299
传真：010－62790292
教师服务热线：800－810－1936
教师服务信箱：instructorchina@ mcgraw-hill. com
网址：http：//www. mcgraw-hill. com. cn